ein Ullstein Buch

ein Ullstein Buch
Nr. 20061
im Verlag Ullstein GmbH,
Frankfurt/M – Berlin – Wien

Ungekürzte Ausgabe

Umschlagentwurf:
Hansbernd Lindemann

Printed in Germany 1980
Gesamtherstellung:
Mohndruck Graphische Betriebe GmbH,
Gütersloh
ISBN 3 548 20061 3

Juni 1980

CIP-Kurztitelaufnahme
der Deutschen Bibliothek

Bergengruen, Werner:
Der Großtyrann und das Gericht: Roman/
Werner Bergengruen. – Ungekürzte
Ausg. – Frankfurt/M, Berlin, Wien:
Ullstein, 1980.
([Ullstein-Bücher] Ullstein-Buch;
Nr. 20061) ISBN 3-548-20061-3

Werner Bergengruen

Der Großtyrann und das Gericht

Roman

ein Ullstein Buch

Meiner Frau

INHALT

Ne nos inducas in tentationem

PRÄAMBEL

Es ist in diesem Buche zu berichten von den Versuchungen der Mächtigen und von der Leichtverführbarkeit der Unmächtigen und Bedrohten. Es ist zu berichten von unterschiedlichen Geschehnissen in der Stadt Cassano, nämlich von der Tötung eines und von der Schuld aller Menschen. Und es soll davon auf eine solche Art berichtet werden, daß unser Glaube an die menschliche Vollkommenheit eine Einbuße erfahre. Vielleicht, daß an seine Stelle ein Glaube an des Menschen Unvollkommenheit tritt; denn in nichts anderem kann ja unsere Vollkommenheit bestehen als in eben diesem Glauben.

ERSTES BUCH

Nespoli

1

Es war verboten, den Großtyrannen anzumelden. Auf keinem anderen Wege konnte der Schieler seinen in der Morgenfrühe heimkehrenden Herrn von des Großtyrannen Anwesenheit im Nebenzimmer verständigen, als indem er bedeutsam die Augenbrauen hob und seinem Blick die Richtung auf das Hirschgeweih an der Wand gab. Ein Hirschgeweih nämlich führte das vor einem Menschenalter zur Sichtbarkeit aufgestiegene Geschlecht des Großtyrannen im Wappen. Der Blick traf den Spiegel; allein Nespoli setzte aufgrund vieljähriger Gewohnheit den schrägen Augenfall seines Dieners in Rechnung. Eine Sekunde später zwinkerte der Schieler nach der viertelsoffenen Tür, die vom Vorraum in Nespolis Schlafzimmer führte.

Nespoli schüttelte hurtig seine Gedanken zurecht, die bis jetzt an Monna Vittorias liebender Feindseligkeit gehangen hatten. Bestrebt, jeder denkbaren Frage des Großtyrannen die Antwort vorauszubilden, trat er mit einem Gähnen ein und rief über die Schulter ins Vorzimmer zurück: »Komm, Schieler, kleide mich aus!«

Die Fensterläden waren geschlossen. Die abgestandene Halbfinsternis des Zimmers dünkte Nespoli klebrig.

Wo mag er stecken? überlegte er. In der Schrankecke? Hinter dem Vorhang? Er wagte nicht hinzusehen und spürte erbittert die beschämende Unsicherheit, in welche ihn immer noch nach vierzehn Jahren der Gemeinsamkeit des Großtyrannen Gegenwart bisweilen nötigte – eine Unsicherheit, an der auch Nespolis geringe Herkunft ihren Anteil haben mochte.

»Soll ich Licht machen?« fragte der Schieler.

»Nein«, sagte Nespoli und gähnte abermals. Ich habe um einen Halbton zu deutlich gegähnt, dachte er in Beklemmung, auch hätte ich mich dabei schütteln und strecken müssen. Ja, so etwas.

Der Schieler begann, ihm am Gürtel zu nesteln.

»Wenn jemand in Dienstgeschäften kommt, dann weckst du mich sofort, sonst in zwei Stunden«, befahl Nespoli und fühlte sich augenblicks von dem Gedanken gepeinigt: Ich mache es zu grob; er durchschaut es. Nein, keineswegs, ich hätte sogar sagen sollen: ... weckst du mich sofort wie immer. Einerlei, jetzt ist es zu spät.

»Ich *komme* in Dienstgeschäften, mein Massimo«, sagte die Stimme des Großtyrannen aus der Ecke, in welcher das Betpult stand. Sie klang angenehm, diese gedämpfte und sehr nachdenkliche Stimme.

»Herrlichkeit!« rief Nespoli im Tone der Bestürzung und verneigte sich gegen die Ecke. »Womit diene ich der Herrlichkeit?« fuhr er ruhig fort, für einen Augenblick angenehm mit der Vorstellung beschäftigt, daß ein minder Erfahrener: »Welches Glück!« gerufen und damit des Großtyrannen Argwohn rege gemacht hätte.

Mit der Gelassenheit der Dienenden ging der Schieler, ohne eine Aufforderung abzuwarten, ans Fenster und lud mit einigen Griffen ein überhebliches, noch von keiner Sonne gütiggemachtes Tageslicht ins Zimmer.

Währenddessen fuhr der Großtyrann fort, aus dem Gebetswinkel zu sprechen, ohne daß er seinen Platz auf der teppichbelegten Truhe unweit des Pultes verlassen hätte.

»Es steht mir nicht an, nach dem einzelnen deines Dienstes zu fragen. So will ich auch nicht wissen, wo du heute nacht dein Verhüteramt geübt hast. Genug, daß ich weiß: Es liegt sicher in deinen Händen. Oder hast du Ursache, an ihm und an dir zu zweifeln?«

»Mein Zweifel hätte kein Gewicht«, antwortete Nespoli beunruhigt. »Zweifelt aber die Herrlichkeit, so erwäge sie, ihrer Sicherheitsbehörde einen anderen Vorsteher zu bestimmen.«

»Deine Schlüsse sind geschwinder als meine Gedanken, Massimo«, sagte der Großtyrann, dessen schwer zu deutendes Lächeln inzwischen von der Helligkeit auch dem Auge sichtbar gemacht worden war, gleichwie der Klang seiner ersten Worte schon es Nespolis erfahrenem Gehör zu erkennen gegeben hatte. »Es ist mir noch kein Anlaß, an dir zu zweifeln, daß sich heute nacht etwas Unverhütetes, vielleicht Unverhütbares zugetragen hat.«

Nespolis runder Kopf schnellte vor. Die stark gebogene Nase, welche ein wenig schief nach links stand, blähte sich witternd in den Flügeln. »Was geschah, Herrlichkeit?« fragte er heftig.

Der Großtyrann war aufgestanden. Sein schönes und geistiges Gesicht lag ganz in der Helle.

»Komm mit, Massimo.«

Dann ging er rasch zur Tür. Im Hinaustreten drohte er dem Schieler, gleichmütig lächelnd, mit dem Finger.

2

Es war so still, daß der Klang der Schritte Ängstigungen hervorrief, als sie auf das heidnische Marmorpflaster des Stadtplatzes hinaustraten. Nespoli vermochte des Großtyrannen Gesicht nicht zu sehen, denn seine Untergebenheit hielt ihn an, um die Hälfte eines Schrittes hinter dem Herrscher zurückzubleiben. Er konnte keine Frage tun, denn der Gewalthaber gab durch ein Zeichen keine Bereitwilligkeit zum Hören und Antworten zu erkennen. So mußte Nespolis Wissensgierde in Bändigung gehalten bleiben.

Sie gingen durch die Straßen, welche noch sehr kühl und leer waren. Nur einmal begegnete ihnen ein verschlafener Bauer, der einen Eselkarren voller Melonen zum Markte führte. Der Himmel war an manchen Orten malachitgrün. Daneben standen rosenfarbene Wölkchen; andere gemahnten an Orangen, welche der Reife nahe sind.

Hinter dem Kloster der Minderbrüder bog der Großtyrann links ab, statt der Straße zum Haupteingang des Kastells zu folgen. Der Weg ging bergan, Nespoli erriet mit Unruhe, daß der Großtyrann ihn in seinen Garten führen wollte, welcher nach Westen zu das Zwinggelände begrenzte und zwischen der düsteren Strenge des Kastells und der bunten Welteinverstandenheit des Stadtvolkes eingesprengt lag als ein Härte und Lieblichkeit sonderbar verbindendes Gottesgebilde.

Der Großtyrann blieb stehen, um das unverschlossene Nebenpförtchen aufzuklinken. In diesem Augenblick begann schwalbengleich das zwitschernde Morgenläuten von San Sepolcro.

»Merke dir die Stunde, Massimo«, sagte der Großtyrann. »Du wirst vielleicht an sie zurückdenken.«

Auf den Evonymushecken und Lorbeerbäumen lag Tau. Die Luft war kühl, bitter und gewürzhaft. Aus der Tiefe des Gartens scholl das klagende Geschrei der Pfauen. Hinter den Zweigen des Bosketts sah Nespoli etwas Dunkles auf dem Gartenwege liegen. Er hätte es für einen gestürzten Baum halten mögen, wäre er nicht auf den Anblick eines Getöteten vorbereitet gewesen.

»Baldassare!« rief der Großtyrann ins Boskett.

Ein Mann von der Leibwache trat aus dem Gebüsch, die Pike zum Gruß mit gerecktem Arm seitwärts setzend.

»Hat jemand versucht, sich dem Toten zu nähern?« fragte der Großtyrann.

»Niemand, Herrlichkeit.«

»Du kannst gehen.«

Nespoli hatte sich über den Leichnam gebeugt und mit Überraschung den Fra Agostino erkannt, welcher dem Orden der unbeschuhten Karmeliter angehörte, aber außerhalb der Klosterzucht lebte, da der Großtyrann sich seiner zu Gesandtschaften und Aufträgen zu bedienen pflegte.

»Fra Agostino!« rief Nespoli aus.

»Fra Agostino«, sagte bestätigend der Großtyrann.

Nespoli untersuchte den Toten. Er fand die Wunde zwischen den Schulterblättern. Der dreikantig geschliffene Dolch war mit Kraft von rückwärts geführt worden; solcher Dolche waren viele im Gebrauch.

»Er lag auf dem Gesicht«, erklärte der Großtyrann. »Ich legte ihn auf den Rücken, um nach einem Zeichen des Lebens in seiner Brust zu suchen. Und ferner, um zu erfahren, ob er die Depeschen noch bei sich trüge, die ich ihm einhändigte, als ich ihn entließ.«

Er gab Nespoli seinen Bericht. Bis nach Mitternacht hatte er mit Fra Agostino im Gartenhause gesessen, mit ihm ratschlagend, ihn anweisend, ihm diktierend. Endlich hatte er ihm Schriftstücke übergeben, mit denen er noch in der Nacht nach Venedig aufbrechen sollte, Geheimschreiben an die Signoria und an einige Vertraute, die bei der Signoria des Großtyrannen Angelegenheiten förderten.

Es geschah häufig, daß der Großtyrann, dem Hofstaat und Dienerschaft lästig waren, nachts im Gartenhause arbeitete und sich, wenn ihn die Müdigkeit ankam, dort bekleidet auf ein Ruhelager streckte. Nach Fra Agostinos Entlassung hatte er sich niederlegen wollen, als er den Schrei aus dem Garten hörte. Er fand seinen Geschäftsträger nicht mehr am Leben, doch hatte der Mörder die Depeschen nicht angerührt.

»Ob dies unterblieb, weil er meine Schritte hörte oder weil ihm an den Schriftstücken nichts gelegen war, das weiß ich nicht. Wüßte ich es, so wäre deine Aufgabe leichter. Nun frage mich, wenn dir etwas wissenswürdig erscheinen sollte, obwohl ich dir alles Dienliche und mir Bekannte gesagt zu haben meine.«

Nespoli erwiderte: »Eine Frage gäbe es wohl. Welcher Art waren die Geschäfte, mit denen die Herrlichkeit in dieser Nacht den Fra

Agostino betraute? Welcher Art war der Inhalt der Schriftstücke? Erlaubt die Herrlichkeit es mir, diese Frage zu stellen?«

Der Großtyrann blickte prüfend in Nespolis Gesicht mit den mächtigen Nüstern, den breiten und feuchten Lippen, zu denen das schön gerundete Kinn in einem mildernden Gegensatz stand.

»Nein, Massimo«, antwortete er. »Diese Erlaubnis kann ich dir nicht geben. Lasse dir genügen an dem, was ich dir sagte. Und nun suche, untersuche, höre, verhöre, wie es Gewohnheit und Erfahrung deines Amtes dir anraten. In drei Tagen magst du mir den Täter vorstellen. Hast du noch eine andere Frage?«

»Nein, Herrlichkeit«, entgegnete Nespoli, »die Herrlichkeit hat mir eine jede beantwortet, ehe sie ausgesprochen wurde.«

Der Großtyrann nickte ihm zu und ging langsam davon in der Richtung des Gartenhauses. Einmal blieb er stehen und prüfte mit spitzen Fingern behutsam die Reife einer Frucht, ohne sie vom Zweige zu lösen.

3

Fra Agostinos Antlitz schien auf eine sonderbare Weise verändert. Nespoli sah es zum ersten Male unrasiert, mit hellbraunen Stoppelpünktchen bestellt. Die untere Gesichtshälfte zeigte ein kindliches Erschrecken. Die Lippen standen offen, wie sie der letzte Schrei voneinandergerissen hatte. Doch mochte auch ein kraftloses Abwärtsfallen des Unterkiefers die Öffnung bewirkt haben. Die Augen waren geschlossen.

Nespoli meinte Fra Agostinos Gesicht so in der Erinnerung zu haben, als seien dort zufahrende Leidenschaft und zähige List miteinander im Widerstreit gelegen. Nun schien der Vergleich geschehen, die faltenlose Stirn wunderbar gereinigt.

Nespoli schloß die Augen, wie er es gern tat, um nicht ein Erkenntnisbild durch die Trüglichkeit eines Anblicks verschatten zu lassen. Er hätte das nicht tun sollen, denn nun schob sich augenblicks die schlaflose, die durchliebte, durchstrittene, durchzweifelte Nacht mit fiebrigen Erinnerungsfetzen hinter seine Lider – jene Nacht, welcher nicht Morgengrauen, Abschied oder Heimweg, sondern erst des Schielers warnende Gebärde im Vorzimmer ein Ende gesetzt hatte. Er sah Monna Vittorias gereizten Blick, den zornigen Spott in ihren Mundwinkeln, die lodernde Düsternis ihrer aus schwarzem und gelbem Samt gebildeten Kleidung. Für eine winzige, kaum zu messende Zeitspanne fiel er in die quälende Grübelei des Heimweges zurück, versuchte nach Art der selbstgerecht Liebenden die gewisse Fremde gegen die mögliche eigene Schuld an der aufkommenen Verstimmung zu wägen.

Er erschrak, als ihm dies Abschweifen der Gedanken zum Bewußtsein kam, entriß sich ihnen duch ein jähes Öffnen der Lider und fuhr sich mit einem taufeuchten Laubzweige über das Gesicht. Diesen Abend noch würde er ja Monna Vittoria wiedersehen: Pandolfo Confini, ihr Mann, hatte für eine Reihe von Tagen die Stadt verlassen, so standen Spätstunden und Nächte dieser Zeit den Liebenden offen.

Nespoli beugte sich von neuem über den Leichnam. Er stellte sich vor, der Großtyrann möge vielleicht als erstes nach den Schriftstükken gegriffen haben, ehe er sich des Getroffenen annahm. Nespoli fühlte sich von dem kalten Fieber seiner jägerischen Leidenschaft durchflutet, und zugleich lief ihm ein hitziges Hochgefühl durch alles Geflecht und Geäder seines Lebens, jedes Hochgefühl, in welchem er im Augenblick, da eine Aufgabe sich ihm stellte, bereits den Triumph ihrer Lösung vorzukosten pflegte.

Nespoli scheuchte ein paar geflügelte Kerbtiere vom gleichmütigen Gesicht des Toten. Er richtete Fra Agostinos Oberkörper auf und betrachtete noch einmal die Wunde. Dann untersuchte er die Kleidung des Mönchs. Doch fanden sich nur gleichgültige Gegenstände in den Taschen.

Er durchforschte den geräumigen Garten; einige Wege waren mit weißen, geäderten Steinplatten ausgelegt, andere mit dem verschiedenfarbigen Kies des Flußbettes bestreut. Hier und dort, wo der Kiesbelag dünner war, fanden sich Fußstapfen, wie auch auf den Grasflächen abseits der Steige. Allein es mischten sich hier die Spuren des Getöteten, des Großtyrannen, des Trabanten Baldassare mit seinen eigenen und denen der Gärtner und Bedienten, die am Vortage und Vorabend im Garten gewesen waren. Hier also fand sich nichts, das Nespolis beobachtende Nachdenksamkeit hätte leiten können.

Den Garten durchschreitend, stellte er sich die altherkömmliche Frage, wem wohl mit Fra Agostinos plötzlichem Hintritt gedient sein möchte. Allein wie eine Mauer stand vor dieser Frage die Heimlichkeit, in welcher der Großtyrann alle seine Staatsgeschäfte betrieb, eine Heimlichkeit, in die zugleich Fra Agostino eingeschlossen war. Der Gedanke kam ihm, es möchte die Tötung des Mönchs mit dessen geplantem Aufbruch nach Venedig in eine Verbindung zu bringen sein, dergestalt, daß sie seine Abreise hatte verhindern sollen; doch schob Nespoli diesen Argwohn wieder zur Seite, als ein zunächst aller irdischen Stütze entbehrendes Luftgebäude; in seinem scharfen, wenn auch nicht tiefen Verstande hielt er es für gefährlich, gleich anfangs eine Meinung in sich entstehen zu lassen, die vielleicht Macht über ihn gewinnen und die Unbefangenheit seines Blickes trüben könnte. Mit Mißbehagen mußte er sich selber einbekennen, daß er wenig von dem Getöteten wußte. Fra Agostino hatte sich stets nur kurze Zeit in Cassano aufgehalten und war dann wenig aus dem Kastell in die Stadt gekommen; der Großtyrann wünschte nicht, daß sein Beauftragter Umgang mit den Cassanesen hatte.

Seit anderthalb Jahrzehnten lag diese Stadt Cassano gläsern vor Nespolis Augen. Der dort auf dem Gartenweg ruhte, war eine der wenigen aus dunkler Materie gebildeten Gestalten, die keinem Strahl einen Durchgang ließen. Und wie wenig weiß ich erst von ihm selber, in dessen Dienst ich stehe! dachte Nespoli mit einem Anfluge von Erbitterung.

Längst hatte ihn sein erstes Hochgefühl verlassen. Mit eigentümlicher Betroffenheit suchte er in seinem Gedächtnis alle die Einzelheiten des Morgens wiederherzustellen, des Großtyrannen bedeutungsvolles Gehaben und die dunklen, verhüllenden Worte, mit denen er ihn auf ein Außerordentliches vorbereitet hatte.

Hier trat ihm eine Aufgabe entgegen, grundverschieden von aller bisherigen Leistung. Allein nicht nur die Schwierigkeit der Aufhellung trennte die geschehene Untat scharf von all jenen, an welchen bis nun Nespolis Kunst sich bewährt hatte. Ihn beherrschte, erst jetzt zu seiner vollen Größe wachsend, ein Erschrecken über die ungeheuerliche Dreistigkeit, mit der sie verübt worden war, in engster Nähe des Herrschers, fast unter seinen Augen.

Zum Toten zurückkehrend, kam Nespoli am Gartenhause vorbei. Durch das Fenster sah er den schlafenden Großtyrannen auf seinem Ruhebette liegen. Sein Gesicht war klar und unschuldig wie das eines schlummernden Kindes.

4

Von den Räumen des winkligen vielverbauten Bürgerschaftspalastes hatte der Großtyrann einige dem städtischen Senat belassen, damit er hier die geringen, ihm verbliebenen Befugnisse üben und in Vorsicht die verlorene Stadtfreiheit beklagen konnte. Das Erdgeschloß war zum Zeughaus umgeschaffen, im Ostflügel saß des Großtyrannen Rechnungskammer, den Oberstock des westlichen Anbaues hatte Nespoli inne.

Die Arbeit im Garten war verrichtet, die Befragung des Hofgesindes im Kastell ohne Frucht geblieben. Jetzt stieg Nespoli, Trokkenheit im Halse, ein Brennen in den Augenwinkeln, die düstere, schmale Treppe seiner Wohnung hinan.

»Frisches Wasser, Schieler!« rief er noch auf halbem Wege. Oben tauchte er gierig den Kopf in die schmucklose, irdene Schüssel, die zur mönchischen Unwohnlichkeit der Zimmer paßte.

»Die Hunde, Schieler!« befahl er, den triefenden Kopf für einen Augenblick aus der Schüssel hebend. Der Schieler ging ohne Eile.

Die Hunde traten ein, fünf an der Zahl. Halb in Anerkennung ihres Spürsinnes, halb in Verachtung pflegte Nespoli seine nächsten Untergebenen mit diesem Namen zu rufen. Auch geschah es, daß er sie »meine Fischer« nannte. Hierbei knüpfte er an ein Wort des Großtyrannen an. »Ego vos faciam piscatores hominum – ich will euch zu Menschenfischern machen«, hatte, als er seine Sicherheitsbehörde schuf und Nespoli an ihre Spitze stellte, der Großtyrann gesagt, damit den Sinn der von Christus am Galiläischen Meere zu Petrus und Andreas gesprochenen Worte auf eine ungute, wo nicht gar lästerliche Weise abwandelnd. Wie manche Äußerungen des Großtyrannen, war auch diese in Cassano noch im Umlauf.

»Den Bericht«, sagte Nespoli, mit dem vom Schieler gereichten Leinentuch das erfrischte Gesicht trocknend.

Der gewohnten Reihe nach machten sie ihre Meldungen, beantworteten Nespolis kurze Fragen, empfingen Geheiße, Rügen, sparsame Anerkennungen; hin und wieder kritzelte er ein paar Worte auf sein Merktäfelchen. Es handelte sich um allerlei Begebenheiten von meist begrenzter Wichtigkeit, deren Kenntnis Nespoli für den Vortrag beim Großtyrannen nötig war. Jeden Nachmittag hatte er sich im Kastell einzufinden, um entweder hier seinen Vortrag abzustatten oder zu erfahren, wo er den Großtyrannen suchen mußte. Es konnte geschehen, daß Nespoli zwei Stunden im Sattel zu sitzen hatte, um den Großtyrannen auf der Jagd oder einem unvermuteten Besichtigungsritt einzuholen und ihm zu melden, daß in Cassano nichts Meldenswürdiges vorgefallen war.

Die Berichte waren geendet. »Fra Agostino ist heute nacht getötet worden«, erklärte Nespoli und beobachtete die Gesichter, in denen jede Falte, jede Unreinheit der Haut, jedes Härchen ihm vertraut war.

»Im Garten. Wir wissen es, Herr«, antwortete der Leithund mit einer Trockenheit der Stimme, welche seinen gierigen Stolz verhehlen sollte.

»Das lobe ich«, sagte Nespoli, der hieran bestätigt fand, daß die Hunde mit des Großtyrannen Dienerschaft und Trabantengarde die notwendige Verbindung hielten.

In ein paar Worten schilderte er den Vorfall und gab seine Weisungen. Der Leichnam war in den Keller zu schaffen und zur Verfügung der Karmeliter zu halten. Der Leithund hatte sich sofort in das Kloster des Getöteten zu begeben – es lag einen halben Tagesritt von Cassano entfernt –, die Nachricht hinzutragen und Erkundigungen nach Fra Agostinos näheren Lebensumständen anzustellen. Nespoli behielt sich vor, anderen Tages selber hinzureiten, wenn die eingebrachten Nachrichten hiervon etwas zu erwarten gestatteten.

Dies verstand sich von selbst, dies hatten die Hunde, dies hatte der Schieler begriffen, ohne daß Nespoli es hätte auszusprechen brauchen: Nichts Wichtigeres gab es jetzt, als bis in seine schmalsten Ästelungen dem so zerschnittenen Leben des Mönchs nachzugehen und alle Sachverhalte dieses wenig gekannten Daseins durchsichtig zu machen. Was für Feinde seiner Person konnte Fra Agostino gehabt haben? – (Denn nach den Feinden seiner Tätigkeit zu forschen, dies verwehrten das Schweigen und das Frageverbot des Großtyrannen.) Der Umstand, daß der Täter die Schriftstücke unberührt gelassen hatte, forderte auf, den Grund der Tötung in menschlichen, nicht in staatlichen Verhältnissen zu suchen. Freilich hatte schon der Großtyrann auf die Möglichkeit gewiesen, es habe vielleicht nur sein rasches Hinzueilen den Mörder am Ergreifen der Papiere gehindert. Immerhin entschloß sich Nespoli, einen seiner Hunde in Venedig nachforschen zu lassen. Diesen notwendigen Befehl erteilte er indessen mit Widerwillen, denn da der zu Entsendende selbst bei hitzigster Beeilung kaum in drei Tagen zurück sein konnte, so gestand Nespolis Geheiß schon die Möglichkeit zu, das Geheimnis jenes Dolchstoßes werde sich nicht innerhalb der gesetzten dreitägigen Frist entblößen lassen.

Nur über den Getöteten konnte man hoffen, an die Fährte des Töters zu gelangen. Auch was in der Stadt, was im Kastell an Forschungen geleistet werden mußte, das verfolgte vornehmlich den Zweck, farbige Stiftchen zu sammeln, aus denen das musivische Bild eines geendeten Lebens sich zusammensetzen ließe.

Dennoch wollten auch Nachsuchungen allgemeinerer Art nicht versäumt sein. Da mußte bei Waffenhändlern und Trödlern nach den Dolchverkäufen der letzten Zeit gefragt werden. Da galt es festzustellen, wer von den Bürgern der Stadt Cassano nachts außerhalb seines Hauses gewesen war, welche Fremden die Stadt betreten oder verlassen hatten.

»Springt! Schnuppert! Los!« rief Nespoli. Die Hunde schossen davon.

Nespoli, wohl wissend, daß er für den Nachmittag alle Klarheit seines Kopfes brauchen werde, legte sich zur Ruhe, bezwang mit Willenshärte die schlummerfeindliche Erregung seiner Gedanken und war bald eingeschlafen.

5

Zur befohlenen Zeit weckte ihn der Schieler. Der Schnellkraft seiner Glieder wie seines Geistes von neuem versichert, sprang Nespoli vom Lager. Sein Zutrauen war groß: So wichtige Handhaben sein Herr ihm auch vorenthielt, er würde das Geflecht entwirren und den widerstrebenden Gewalthaber mit einem meisterlichen Werk zur Bewunderung zwingen.

»Etwas gekommen? Jemand dagewesen?« fragte er während des Ankleidens.

Der Schieler griff schweigend in seine Tasche und legte einen Brief auf den Tisch. Nespoli erkannte das Petschaft, mit welchem Monna Vittoria ihre Briefe an ihn zu siegeln pflegte: den dreihäuptigen Vogel, aus dessen Halsgefieder Adler-, Tauben- und Schlangenkopf wuchsen, mit der Umschrift: »Discite, mortales: nil pluriformius amore – Lernet erkennen, ihr Sterblichen: nichts ist vielgestaltiger als die Liebe.«

Er las hastig: »Mein Mann ist erkrankt und zurückgekehrt. Du kannst heute abend nicht kommen, aber ich liebe Dich.«

Der Schieler, Mitwisser seines Herrn, dessen Bote er häufig zu sein hatte, gewahrte Betroffenheit und Enttäuschung in Nespolis Gesicht.

Er entfernte sich, um das bereitstehende, sehr verspätete Frühstück zu holen.

Nespoli frühstückte wie immer ohne Muße. Er war nicht von denen, die auf eine schöne und leichte Art im Augenblick beharren mögen.

Es war kein gemeines Amt, das Nespoli ausübte, allein es hatte Wirkungen, die ihn von den Menschen sonderten, gleich als wäre es ein verfemendes. Sein Platz war hoch über allen anderen in der Stadt, fast war es Allmacht, fast Allwissenheit, was man übertreibend ihm zuschrieb. Er war gefürchtet – ob um seiner Person oder um seines Amtes willen, das unterschied niemand, auch waren beide schwer zu trennen, am schwersten für ihn selbst. Wäre er bestechbar gewesen, man hätte es ihm als einen menschlichen Zug gedankt, auch wo man nicht Anlaß gehabt hätte, sich diesen Zug zunutze zu machen. Er genoß Ehren, die er gering zu schätzen meinte, Macht, die ihm Gewohnheit geworden war: Macht aber will mit Einsamkeit bezahlt sein.

Nespoli hatte eine Frau gehabt, schmal, fügsam und sanft; sie starb im ersten Kindbett, der Sohn durfte sein Leben nur vier Tage behalten. Dies war so lange her, so lange, daß Nespoli sich fast gewöhnt hatte, seinen Erinnerungen an jene Zeit zu mißtrauen. Danach erst hatte der Großtyrann ihn berufen; und von ihm angeleitet, deckte Nespoli jene furchtbaren Verschwörungen auf, die in den ersten Jahren vielfach des Großtyrannen Herrschaft bedrohten.

Der Schieler war unverheiratet, die Hunde waren es auch. »In meinem Orden ist für Eheleute kein Raum«, pflegte Nespoli zu sagen. Er bezahlte seine Untergebenen niedrig, indessen nicht aus Geiz: Er wollte Leute, denen dieser Beruf eine Notwendigkeit ihres Lebens war, gleich wie ihm selbst.

Nespoli hatte einen wachen Verstand, eine behende Verknüpfungsgabe und eine genaue Kenntnis aller Vordergründe des menschlichen Herzens; was ihm hierin nicht von Natur vergönnt war, dafür hatte er sich Ersatz zu geben versucht durch eine stetige Zucht des Geistes und einen unablässigen, um jede Erfahrung bemühten Lerneifer. Wäre er geistlich geworden, wie er es als junger Mensch eine Weile sich vorgesetzt hatte, so hätte er am liebsten in schwierigen Dingen Beichte gehört, Seelen erforscht und die erforschten geleitet; er wußte nicht, daß gerade die äußerste Wirklichkeit einer Seele ihm immer unerforschbar hätte bleiben müssen.

Nespoli konnte nicht leben ohne jenes spürerische Spiel der Einbildungsgabe, das scheinbar unzusammenhängenden Geschehnissen, oft Winzigkeiten, so lange zusetzt, bis sie sich als Gliedstücke einer Kette zu erkennen geben, die rückwärts von der Tat zum Täter, von der Wirkung zum Urheber führt. Mit einer kühlen Berauschung erfüllte ihn das Rückwärtstasten ins Dunkel der bereits vollendeten Tat, die schon zur Vergangenheit zählt. Hier Zwecke, Gründe, Antriebe menschlicher Handlungen aus ihrem Vergangensein ins gegenwärtige Licht zu zwingen, das dünkte ihn vergleichbar der Leistung eines Totenbeschwörers. Und doch war es bloß die Arbeit eines dringlich beobachtenden, eines einbildungskräftigen und zugleich rechnerischen Geistes, dem vielleicht nur Weisheit und Ahnung fehlten, um auf seine Weise groß zu sein.

Eine solche Natur liefe Gefahr, endlich in zerstörerischer Selbstfeindlichkeit sich aufzuzehren, stünde ihr nicht Zuflucht und Ausgleich in einem anderen Lebensbereiche offen: Nespoli liebte Monna Vittoria.

6

Nachdem Nespoli sich eine längere Weile in seiner Kanzlei aufgehalten hatte, ging er ins Kastell. Die Stunde des Vortrages war gekommen.

Der Großtyrann empfing ihn in einer schmalen, offenen Säulenhalle, die balkonartig über der Quaderwand hing und den Blick auf die Stadt Cassano freistellte. Turm an Turm stand gen Himmel, mit rötlichem oder grauem Ton stumpf in der Nachmittagssonne glitzernd, jeder ehemals Horst eines herrschgierigen Geschlechtes, jetzt Grabessäule der Sippenmacht, Denk- und Siegessäule der Herrschaft, die vom Kastell aus über die Stadt geübt wurde. Der Großtyrann liebte nicht nur die luftige Frischung des Ortes, sondern auch den Anblick der Stadt, die von hier aus klein und zusammengepreßt schien, als könne sie mit einer Faust umschlossen werden; ein vielgliedriges Stückchen Welt stellte sich als Einheit zur Schau, in das Grün und Gelb der genutzten Landfläche, in das Sonnenbraun des nackten Hügelgebietes wie von einem ordnenden Willen hineingesetzt. Und im Nordwesten, jenseits der Stadt und des Flusses, war ruhevoll der düstere mit schwärzlichen Steineichen bewaldete Monte Torvo hingelagert, der einzelne Ausläufer wie Glieder zu Tal streckte.

Der Großtyrann winkte, Nespoli begann. Er hatte Einzelheiten zu berichten; die Einzelheiten zu grund- und aufrißhaften Gesamtbildern des von ihm beherrschten Gemeinwesens zu verbinden, dies behielt der Großtyrann sich selber vor. Manchmal durch eine Frage unterbrochen, erstattete Nespoli Meldung von den eingetroffenen Kaufmannszügen, von der Marktbeschickung und den Preisen. Er sprach von einer unehrerbietigen Äußerung, die ein Mann aus dem Kreise der ehemals regierenden Stadtgeschlechter über den Großtyrannen getan hatte. Der Großtyrann ließ sich die Äußerung im Wortlaut wiederholen und lächelte.

»Lasse ihn in Frieden. Sein Maß ist noch nicht gefüllt. Ich will dies Wort in mein Merkbuch nehmen, wo schon mehrere seiner Aussprüche verzeichnet sind. Was gibt es neues von Sperone, dem Färber?«

»Es kommen gelegentlich ein paar Leute zu ihm, mit denen er Gebetsstunden hält. Auch fragen sie ihn um Rat in Angelegenheiten des Gewissens.«

»Behalte ihn im Auge, Massimo. Männer seinesgleichen mögen dem Himmel nützlich sein – dies steht außerhalb meiner Prüfung –, der Geordnetheit auf Erden können sie Abtrag tun. Es kann ein Zeitpunkt kommen, und vielleicht muß er es, da ich es geboten fände, der geistlichen Obrigkeit des Färbers wegen einen Wink zu geben. Mich dünkt, er übertreibt; und Übertreibung ist ja, hier weiß ich mich mit der Kirche einig, das Wesen der Ketzerei: eine Wahrheit, eine in sich löbliche Übung dadurch fälschen, daß sie auf Kosten aller anderer Wahrheiten und Übungen eine Stelle erhält, die ihr nicht zukommt. Damit wird heilsame Wahrheit in schändlichen Irrtum gewandelt. – Ist das Mädchen gefunden?« fuhr er ohne Übergang fort.

Die Frage galt Bice, einer schönen, aber geistesschwachen Waisen, die von einer armen Wäscherin, ihrer Verwandten, an Kindes Statt ins Haus genommen war und seit dem Vortage vermißt wurde. Der Großtyrann entsann sich ihrer anmutenden Erscheinung wohl.

»Als Ertrunkene, Herrlichkeit. Sie war gesegneten Leibes. Sie ist im wasserarmen Flußbett stromab gewandert, bis sie in die Region größerer Tiefe geriet. Hier, in der Stauung, hat sie sich ertränkt. Es mag heute im Laufe des Vormittags geschehen sein. Bis dahin ist sie, wie es scheint, in der Umgebung einhergeirrt.«

»Der Vater des Ungeborenen?«

»Er ist nicht bekannt. Eine ungeprüfte Äußerung des Mädchens läßt an einen Geistlichen denken. Befiehlt die Herrlichkeit, ihn ausfindig zu machen?«

»Nein.« Der Großtyrann war dabei, eine Streitigkeit mit dem Bischof auf eine behutsame Weise zum eigenen Vorteil beizulegen. So paßte es ihm nicht, den Bischof in diesem Augenblick durch die Bloßstellung eines Priesters zu verstimmen.

»Was hast du sonst noch?«

»Der Diebstahl im Gäßchen der Goldschmiede ist geklärt, der

Schuldige dem Gericht zugeführt.«

»Nun, ich kenne ja deinen Ruhm, keine Tat länger als drei Tage verhüllt zu dulden«, sagte der Großtyrann freundlich. »Allein jeder Ruhm ist gefährlich, denn jeder Ruhm erschafft uns einen Doppelgänger. Du wirst beweisen müssen, Massimo, dir und mir beweisen, daß die Gestalt, die deinen Ruhm trägt und im Glauben der Cassanesen lebt, die gleiche ist, in welcher du vor mir stehst.«

Er machte eine kleine Pause und fragte: »Hast du mir noch etwas zu sagen?« Nespoli verneinte.

»Setze dich. Trinke ein Glas Wein mit mir«, sagte der Großtyrann mit einer ungewohnten, ja, befremdenden Vertraulichkeit. Er warf die Lärmkugel in das bronzene, von drei beflügelten Löwen getragene Becken. Der Ton rollte voll und schön. Der eintretende Diener wurde angewiesen, einen jener leichten heimischen Weine zu bringen, welchen der Großtyrann den Vorzug gab.

»Ich meine das Zeitmaß der Dinge zu kennen«, sagte der Großtyrann, nachdem der erste Becher genossen war. »So habe ich nicht die Gewohnheit, dich vorzeitig nach dem Stande deiner Untersuchungen zu fragen; sondern ich lasse mir, da ja Ackerleute und Regenten sich auf die Geduld verstehen müssen, an den reifgewordenen Ergebnissen genügen. Dieses Mal aber ist es ein anderes. Hast du schon eine Fährte gefunden?«

»Es ist alles eingeleitet«, antwortete Nespoli, nicht frei von einer Beklemmung.

»Gut. Stellte ich diese Frage, so geschah es, weil ich – das kann ich dir nicht vorenthalten, Massimo – durch Fra Agostinos Tötung in eine kleine Unruhe versetzt worden bin. Seit den Verschwörungen von einst, deren rechtzeitige Kenntnis ich dir danke, ist keine Tat von so schamloser Kühnheit geschehen. Konnte sich das ereignen – was bleibt da unmöglich? Ich gewahre, wie schlecht ich behütet bin. Konnte nicht ein ähnlicher Stoß mich selber treffen?«

»Die Herrlichkeit verzeihe«, erwiderte Nespoli, indem er Mühe hatte, seinen Unmut nicht offenbar werden zu lassen, »aber sie erinnere sich, daß ich es war, der je und je solche Befürchtungen äußerte. Ich habe geraten und gebeten, das Gartenpförtchen verschlossen und durch Posten bewacht zu halten. Ich habe ferner geraten und gebeten . . .«

Der Großtyrann fiel ihm ins Wort: »Ich weiß, ich weiß, Massimo. Allein gerade dafür besolde ich dich, daß ich beschützt bleibe, ohne daß ich mich zum Diener deiner Gepflogenheiten machen müßte. Wollte ich Tag und Nacht die unleidlichen Gesichter eines Dutzends

Spießträger um mich erdulden, so wäre ich freilich behütet. Dazu aber bedürfte ich deiner nicht.«

»Die Herrlichkeit wolle erwägen, daß die Tat der vergangenen Nacht einem Manne galt, den die Herrlichkeit selber aus den übrigen dergestalt aussonderte, daß er meiner Aufsicht entzogen war. Ich bitte, mich nicht als einen Ruhmredner zu tadeln, wenn ich es ausspreche, daß ein solcher Anschlag sich gegen keinen anderen Menschen hätte richten können, ohne daß er schon vor der Ausführung zu meiner und meiner Hunde Kenntnis gelangt wäre.«

Der Großtyrann sah den Mauervögeln nach, die lärmend die kühler werdende Luft durchschossen und bisweilen so nah an der Säulenhalle vorbeistrichen, daß man meinen mochte, sie mit einem plötzlichen Ausstrecken des Armes greifen zu können. Ohne auf Nespolis Worte zu erwidern, sagte er mit nachdenklicher Langsamkeit, fast wie im Selbstgespräch: »Es müßte dein Amt sein, nicht Täter zu entdecken oder Taten zu verhüten, sondern Versuchungen zu entfernen. Damit freilich würdest du einem Amte Gottes vorgreifen. Und Gott will ja auch, daß Versuchungen seien. Der Teufel versucht nicht, er verlockt nur, doch kann ja auch er nicht ohne Gottes Zulassung handeln. Die Versuchungen der Menschen aber läßt Gott durch Menschen vollziehen. Und es ist dem Menschen wohl auch eine besondere Lust an der Verrichtung dieses Auftrages eingeboren.«

Diese letzten Worte sprach er bereits gedämpft, als sei er im Begriff, mit ihnen in jenes lethargisch wirkende Grüblertum abzusinken, das manchmal die Zeitlücken zwischen zweien seiner plötzlichen Handlungen zu füllen schien. Nach einer Weile hob er schnell den Kopf wie ein zu sich Kommender und entließ Nespoli mit einer Handgebärde.

7

Schon auf dem Wege zum Großtyrannen hatte Nespoli Mühe gehabt, seinen unbotmäßigen Gedanken die Richtung auf Monna Vittoria zu wehren. Jetzt, beim Verlassen des Kastells, fröstelnd im Nachgefühl jenes dunklen Schattens, den die Stunde mit dem Großtyrannen über ihn geworfen hatte, wurde er erfaßt von einem unzähmbaren Verlangen nach ihrer Gegenwart wie ein von Liebe befallener Knabe. Zugleich empfand er eine zornige Abneigung gegen Pandolfo, ihren Mann, der mit seiner unzeitigen Erkrankung und

Rückkehr die abendliche Zusammenkunft vereitelte.

Noch im Torwege des Kastells zog Nespoli das Briefchen aus der Tasche und überlas es von neuem. Warm ergriff ihn das Schlußwort, dieses ». . . aber ich liebe Dich«, mit welchem Monna Vittoria großmütig ihr Versöhntsein anzeigte. Um so herber war die Enttäuschung, um so erbitternder das Verbot des Besuches.

Entschlossen, seinem Drange nachzugeben, suchte er nach einem unverfänglichen Vorwande, um das Haus der Confini dennoch betreten zu können. Endlich fand er ihn in der Nähe der verübten Mordtat.

Das städtische Besitztum der Confini lag unweit des Südtores und grenzte mit Hof und Garten an die Stadtmauer, dergestalt, daß diese die mittägige Seite des vom Hauptbau und den beiden Seitentrakten gebildeten Vierecks ausmachte. Ein Mauerpförtchen führte aus dem Anwesen der Confini ins freie Land, so daß man hier die Stadt verlassen oder rückkehrend betreten konnte, ohne das Stadttor mit seinen weitläufigen Überwachungs- und Zolleinrichtungen, mit seinen oft von Wagen und Karrenfuhrwerk verstopften Durchlässen berühren zu müssen. Für die Hut dieses Pförtchens haftete vor dem Gemeinwesen der jeweilige Herr des Confinischen Besitzes.

Gegen Abend betrat Nespoli das Haus und fragte nach dem Herrn.

»Der Herr ist krank«, erklärte der Diener Matteo, ein kurzhalsiger Mensch, der gern lachte und Nespoli vertraut war.

»So krank, daß ich ihn nicht für einige Augenblicke sprechen kann?«

»Ich werde der Herrin Meldung tun«, sagte der Diener.

Nespoli wartete in der Halle, welche sich bereits mit Dämmerung füllte. Der Diener hatte einen blanken doppelarmigen Leuchter auf den Tisch gesetzt. Die Flämmchen hielten sich still wie kleine Gartenblüten zur windlosen Stunde. Nespoli war zu unruhig, um auf seinem Sessel ausdauern zu können, so stand er auf und ging rasch hin und her. Eine ungewohnte Weichheit hatte sich seiner bemächtigt. »Um was haben wir uns gestritten?« fragte er sich verwundert. »Menschen sollen versöhnlich miteinander sein. Was liegt am Rechtbehalten, da wir doch sterblich sind und es schwerhaben?«

Unbegreifbar erschien ihm nun, daß sie einer Verstimmung aus nichtiger Ursache auch nur für Augenblicke hatten Raum gewähren können. Er vergaß, daß Mißhelligkeiten solcher Art in der letzten Zeit häufig geworden waren und wohl etwas ganz anderes auszudrücken hatten, als was sie vorgaben. Mit einer gewissen Rührung nahm er jetzt die ganze Schuld auf sich. Er fand es beschämend, daß zwischen ihnen – zwei Menschen, die sich nahe waren und einander lieb hatten – ein Zank hatte ausgehen können von der Frage, ob im vergangenen Jahre der März oder der April mehr Regen gebracht hatte –, Verschiedenheit der Meinungen, die sich unter einander Fremden mit einem höflichen Scherzwort erledigt!

Nespoli, Beobachter aller anderen, unzulänglicher Kenner seiner selbst, verharrte in seiner liebenden Selbstbeschuldigung, ohne deren Ursache zu gewahren. Er hatte nicht erkannt, daß sich in einem Punkte seines Inneren ein Gefühl der Gefährdung erhoben hatte, welches ihn Zuflucht suchen ließ dort, wo allein eine Zuflucht für ihn offen sein konnte.

Die Tür ging auf, ein Luftstoß beugte die gelben Feuerblüten, Nespoli fuhr herum. Vittoria kam rasch herein, die starken, fast männlichen Brauen verwundert in die Höhe gezogen, so daß die freie und mutige Stirn sich ein wenig krauste. In den schwärzlichen Augen darunter war ein Ausdruck von Frage, Überraschung, nicht recht glaubenwollender Freude; die vollen, schönen Lippen, deren untere sich bisweilen um ein winziges vorstreckte, lächelten zärtlich.

»Massimo! Du? Was ist?«

Sie eilten aufeinander zu, sie küßten sich. Nespoli war gegen ihr Verbot gekommen, und doch dachte sie nicht daran, ihm Vorwürfe zu machen.

»Du willst zu Pandolfo? Er hat Fieber. Was gibt es?«

»Eine Frage in Sachen meines Dienstes. Nein, ein Nichts. Ein Vorwand, um dich zu sehen, Vittoria, und sei es für einen Augenblick. Am besten: ›Messer Confini ist zu krank, als daß er Messer Nespoli empfangen könnte‹ – dann brauche ich nicht erst zu ihm.«

»Ich denke nicht mehr an unseren Streit. Denke auch du nicht mehr an ihn«, bat sie.

»Wir hatten unrecht«, antwortete Nespoli, der plötzlich eine Scheu empfand, das Wort: »Ich hatte unrecht« hinauszulassen.

Sie bedurften keiner Aussprache mehr und hätten nach Art wiederversöhnter Liebesleute dennoch eine solche vorgenommen, wäre das nicht durch Monna Mafaldas Eintritt verhindert worden. Die riesige, uralte Fettklößin mit den weißen Haarzotteln hatte kaum von ihres Bruders Erkrankung gehört, als sie auch schon angekeucht war, hinter sich zwei Dienerinnen mit Körben voller Tücher, Kissen, Salbenbüchsen und Arzneiflaschen. Von da an schaltete sie im Hause, als sei es das ihre, ließ Ärzte kommen und jagte sie wieder weg, verlangte abwechselnd eiskaltes und heißes Wasser, warf in der Küche alles durcheinander, um bald schweißtreibende, bald niederschlagende Tränke zu bereiten, zankte mit dem Gesinde und der um ein halbes Jahrhundert jüngeren Schwägerin Vittoria. Jetzt hatte sie von Nespolis Anwesenheit erfahren und kam, um ihm den Zutritt ans Krankenlager zu verwehren.

»Was gibt es? Was geht vor? Pandolfo ist doch krank!«

Nach jedem Schrei schnob sie durch die Nase; Wangen und Kinne zitterten. Es zitterte auch das Barthorn, ein starker, hornförmiger Haarbüschel, der unweit des rechten Mundwinkels vorstarrte. Man sagt, daß die Trägerin eines solchen Auswuchses nicht nur von der Natur selber gegen den bösen Blick geschützt, sondern auch zu hohem und heftigem Alter vorbestimmt ist.

»Messer Nespoli möchte mit Pandolfo sprechen«, erläuterte Vittoria. »Eine amtliche Angelegenheit – aber ich glaube, angesichts des Fiebers bitten wir ihn, sich einige Tage zu gedulden. Pandolfo ist recht erschöpft.«

»Erschöpft? Pandolfo? Wir sind ein gesunder Stamm, wir Confini!« schrie die Alte. »Das verstehst du nicht, Kind! Beim bösen Christus! Der Kleine hat noch zu ganz anderen Dingen Kraft als ein paar Augenblicke mit diesem Herrn zu plaudern!«

Sie nannte Pandolfo immer noch den Kleinen, obwohl er ein Sechziger war. Aber es lagen zwei Jahrzehnte zwischen den beiden, und sie hatte nach der Mutter Tode ihn als den Jüngsten herangezogen. Die kurze Zeit seiner ersten Ehe hatte dies Verhältnis nur unterbrochen, nicht aufgehoben; vom Beginn seiner Witwerschaft an war Pandolfo für sie wieder der Kleine, nicht anders als sein Sohn Diomede, der sich freilich mit seinem selbstherrischen und unfügsamen Jünglingswesen der Alten frühzeitig zu entziehen gewußt hatte. Seither warf sie ihm Undank vor und beklagte ihren Bruder in aller Öffentlichkeit als den Vater eines Mißratenen. Übrigens sah sie den Neffen neuerdings selten, da Diomede in Bologna die Rechtsgelehrsamkeit studierte und sich, wenn er nach Cassano kam, auf einen pflichtmäßigen, manchmal abgewiesenen Höflichkeitsbesuch bei Monna Mafalda beschränkte. Sein Streben, den Vater von einer zweiten Eheschließung abzubringen, hatte in Monna Mafalda ein eigensinniges und günstiges Vorurteil für diese Heirat und für Vittoria geweckt. Dennoch hatte Vittoria unter der unbefangenen Mächtigkeit der Alten hart zu leiden.

Sie reckte jetzt die gewaltige Pranke aus, umschloß Nespolis

Handgelenk und stampfte mit ihm davon. Unterwegs klärte sie ihn auf, ohne die mitfolgende Vittoria ans Wort zu lassen.

Pandolfo Confini war tags zuvor von Haus und Stadt geritten, um zu jagen und sich zur Aufsicht und Prüfung der Wirtschaft auf seinen Landbesitz zu begeben. Dieses Grundeigentum lag südwärts, schon in der entscheidenen Ebene, feucht und fruchtbar, während die Stadt Cassano ihren Ort zwischen Gebirge und Flachland hatte, solchermaßen dem Großtyrannen mit der Beherrschung der Straße die Macht über beide Geländeteile gewährend. Confini, der ein haushälterischer Mann war und den Erwerb liebte, hatte für die Zeit der großen Arbeiten bereits alles entbehrliche Gesinde aus dem städtischen Haushalt aufs Land geschickt; so ging es zu, daß er jetzt unbegleitet aufbrach. Er übernachtete inmitten der menschenarmen, von stechendem Kleintierzeug durchsirrten Sumpfwildnis in einer leeren Jagdhütte, die nicht viel mehr Bequemlichkeit bot als ein Kriegszelt. Er erwachte in üblem Zustande, von Fieberhitze und Gliederschmerzen gepeinigt, und mußte bald erkennen, daß der Entschluß zur Umkehr unvermeidlich war. Kaum fähig, sich im Sattel zu halten, langte er um die Mittagszeit wieder zu Hause an.

»Der Kleine ist töricht, er müßte doch wissen, daß die Sumpfluft ungesund ist! Beim bösen Christus, ich habe es ihm oft genug gesagt! Aber der Storch war auch so.«

Nie anders als den Storch nannte Monna Mafalda ihren verstorbenen Gatten, den Stadtrichter.

8

Confini lag im Bette bei geschlossenen Fenstern und Vorhängen, eingehüllt in feuchte, nach scharfem Gewürzessig riechende Tücher. Kaum sah das Gesicht mit den beunruhigten Augen und dem dünnen grauen Knebelbart hervor. Sonst war es rechthaberisch, vollbäckig und von jener Farbe, welche die Möglichkeit eines Schlagflusses ankündigt. Jetzt wollte es Nespoli schmäler und verknitterter scheinen, doch war bei dem unsicheren, in einer Wasserschale schwimmenden Nachtlicht jede Täuschung möglich.

Nespoli sprach, neben dem Bette sitzend, ein paar höfliche Worte, wie sie an Krankenlagern gewöhnlich sind, und dachte: ›Vittoria steht hinter mir, wir atmen im gleichen Raum.‹

Pandolfo hörte ihm geduldig zu und nickte, als habe er den Empfang einer pflichtgemäß geleisteten, aber geringen Abgabe zu bestätigen. Dazwischen, wenn ein Fieberschauer über ihn hinging, machte er eine zornige Bewegung mit den Schulterblättern, ohne daß dieser Zorn auch auf seinem Gesicht erschienen wäre. Seine Schwester, die neben Vittoria am Fußende des Bettes stand, schnellte dann jedesmal vor und unternahm hastig irgendeine willkürliche Hantierung mit ihm, sei es, daß sie grundlos seine Decke zurechtzog oder ihm mit ihrer schweren Hand Luft zufächelte.

Nespoli entschuldigte sein Kommen und seine vielleicht ungelegene Bitte um eine Auskunft.

»Ich höre, Ihr wart ausgeritten. Nun ist derweil in Cassano eine Untat geschehen, der ich nachzuforschen habe.«

»Fra Agostino ist erstochen worden!« rief Mafalda. »Ist es das? In der Stadt spricht man davon.«

Nespoli neigte zustimmend den Oberkörper.

Ein neuer Fieberanfall erschütterte den Leib des Kranken. Er teilte sich auch seinen kurzen, kräftigen und stark behaarten Händen mit, die bis dahin halb geschlossen auf der Decke gelegen hatten. Es war zu sehen, daß sie feucht wurden. Mafalda sprang vor, um unnötigerweise etwas an den Kissen zu richten.

Nespoli wartete einen Augenblick, ehe er fortfuhr: »Mir liegt daran, zu wissen, wer zur bestimmten Zeit die Stadt verlassen oder betreten hat. Über die Tore bin ich berichtet. Nun bleibt Euer Pförtchen. Es ist so gelegen, daß es einen heimlichen Aufbruch, aber auch eine heimliche Einkehr, die verschwiegene Rückkunft eines Aufgebrochenen erlaubt. Ist es möglich, daß jemand es ungesehen durchschritten hat? Oder ist gar jemand dabei gesehen worden?«

»Keines von beiden«, antwortete Confini knurrig und mit heiser gewordener Stimme. »Es gibt einen einzigen Schlüssel, diesen hatte ich bei mir. Ich bin durch das Pförtchen ausgeritten und zurückgekehrt. Es ist die Zeit über verschlossen gewesen.«

Sein hastiger Atem ging in ein Gebell des Hustens über.

Nespolis Absicht, seinen Besuch im Hause Confini unverfänglich zu begründen, war mit seiner Frage und Confinis Antwort erreicht. Er hätte gehen und allenfalls noch im Aufbruch versuchen können, einige Augenblicke des Alleinseins mit Vittoria zu gewinnen. Aber aus der Gewohnheit des Fragens, die ihm in langen Amtsjahren Natur geworden war, fragte er weiter und ließ sich den Weg beschreiben, den Confini geritten war. Ob er unterwegs eine Begegnung gehabt habe? Mit einem Fremden? Mit irgend jemandem, der ihm auffällig erschienen sei?

Confini schüttelte den Kopf. »Beim Ausreiten und beim Heimkommen bin ich in der Nähe der Stadt ein paar Leuten begegnet, Bauern und kleinen Bürgern – geringes Volk, das man vom Sehen kennt. Aber sonst? Nein, vierundzwanzig Stunden kein menschliches Gesicht. Mir liegt wenig daran.«

Der Ton dieses letzten Satzes ließ eine Unlust zu Gespräch und Umgang erkennen, die Nespoli als auch gegen sich gewendet zu bemerken hatte.

»Richtig, richtig – Ihr wart ohne Begleitung, ein Liebhaber der Einsamkeit. Niemanden gesehen, von niemandem gesehen worden, auch in der Jagdhütte nicht. War das nicht unvorsichtig? Hättet Ihr Bedienung und Bequemlichkeit gehabt, vielleicht hätte die Krankheit sich meiden lassen. Nun, ich wünsche Genesung.«

Nespoli ging. Beide Frauen geleiteten ihn hinaus. Er fand keine Möglichkeit mehr, Monna Vittoria noch einmal allein zu sprechen; fremd und höflich hatte er Abschied zu nehmen. Immerhin, er hatte die Tröstung ihres Anblicks und ihrer Stimme erfahren. Solcher Tröstung aber war er sehr bedürftig gewesen.

9

Das Leben des Fra Agostino, welches ein unöffentliches und sehr versperrtes gewesen war, trat mit einem Male in unnatürlich helle Beleuchtung. Allein die Lichtstrahlen, die nun von allen Seiten auf dieses Leben fielen, hatten sämtlich verschiedene Fenster wie bunte Glasfenster, durch die man in alle vier Jahreszeiten blickt. Bald stellte der Getötete sich als Wüstling dar und bald als Asket; als Geldverächter und als Raffer; er erschien als zuverlässiger, mittelmäßig begabter Willensvollstrecker und als staatsmännischer Kopf von höchster Fähigkeit; als bedenkenloser Abenteurer und als uneigensüchtiger Diener eines Herrschaftsgedankens. Und ein jeder dieser Blicke fand in vollkommen zureichenden Gründen seine Rechtfertigung.

Es kann nicht im Plane dieses Berichts liegen, jeder einzelnen der erwähnten Spiegelungen nachzugehen; genug, sie hoben einander auf, und in ihrer Summe erwiesen sie nichts als die Undurchsichtigkeit dieses Lebens, ja, die Fragwürdigkeit jeder menschlichen Feststellung überhaupt. Der Leithund kehrte aus dem Kloster zurück. Fra Agostino war seit Jahren nicht mehr dort gewesen, und Nespoli verzichtete auf den eigenen Hinritt. Was der Leithund brachte, das waren kleine, wertlos Züge, widersprüchliche Hinweise auf Eigenschaften, die Fra Agostino gehabt haben sollte. Hiermit war Nespoli nicht gedient; er wußte, daß der Mensch nicht aus Eigenschaften besteht, sondern aus Kräften und Strebungen, die miteinander im Widerstreit liegen. Kurz, Nespoli mußte sich unwillig zu der Einsicht verstehen, daß der erprobte Weg, in der Nähe des Opfers die Fährten zu suchen, die dann zum Täter hinzuleiten hatten, hier nicht begangen werden konnte. Also galt es, allen übrigen Raum dergestalt unter Licht zu stellen, daß etwaige Spuren sichtbar würden, die zum Getöteten hinzulaufen schienen oder doch hinlaufen konnten; erwies es sich, daß ihrer eine in der Tat diese Richtung nahm, so war die Möglichkeit – mehr nicht! –, sie könnte die rechte sein.

Die Hunde, die mit Gekläff davongerannt waren, Witterung und Fährte zu nehmen, kamen zurück, einige unlustig und zögernd, geringe Brocken in den Mäulern; andere mit einem Fang zwischen den Zähnen. Nespoli fuhr auf sie zu, verhörte die Eingebrachten einmal mit Verbissenheit, das zweite Mal mit Zweifel, das dritte Mal mit Unmut, dann ließ er sie laufen. Der Schieler grinste mit melancholischem Spott: »Messer Nespoli hätte mich befragen sollen, so war die Mühe zu sparen. Töter haben andere Gesichter.«

Und Nespoli trieb sein Amt weiter in unendlichem Prüfen und Verwerfen, voll dieses grübelnden Jagdfiebers, dem sich bereits ein Gran selbstquälerischen Zweifels immer wieder mit Arglist beizumengen suchte.

Als Nespoli sich nachmittags im Kastell einfand, da ließ ihm der Großtyrann durch seinen Haushofmeister sagen, er sei beschäftigt und verzichte für heute auf die Entgegennahme des Vortrages, es sei denn, Nespoli habe ihm etwas Unaufschiebbares mitzuteilen. Nespoli verneinte und ging.

Am Abend legte er sich angekleidet auf sein Bett. Durch manche Erfahrung belehrt, vermutete er, der Großtyrann werde ihn in der Nacht holen lassen. Er täuschte sich nicht.

Im Kellergeschoß, zwei Stockwerke unter Nespolis Wohnung, lagen die Gefängnisse. Ein Mann von der Wache kam nach oben und weckte den Schieler: Der Großtyrann sei in der Rechnungskammer erschienen und habe ihn über den Hof hinweg angerufen: Nespoli solle sich einfinden.

Der Schieler fluchte und rüttelte seinen Herrn aus dem Schlaf.

Nespoli atmete voll Hast die sternige Frische der Nacht, während er über den Hof zum Ostflügel ging.

Der große Kanzleiraum mit den bröckligen, ungeschlachten Wandmalereien war zu einem geringen Teil von der Blendlaterne erhellt, die ein erfindungsreicher Florentiner dem Großtyrannen für seine nächtlichen Gänge hatte aussinnen müssen. Eine Reihe verschließbarer Luken erlaubte ein gänzliches wie auch ein teilweises und in seiner Wirkung genau berechenbares Abblenden, desgleichen eine Verstärkung des Lichts durch geschliffene Gläser, die ein Federdruck vor die Ölflamme schob.

Am Licht dieser Lampe saß der Großtyrann vor einem der Schreibtische bei aufgeschlagenen Büchern und gehäuftem Papier. Schrankfächer und Schubladen standen offen, durchwühlte Aktenbündel lagen auf den schwarz-weiß geschachten Fliesen des Bodens. Mit dem Nagel des Zeigefingers eine Zahlenkolonne bezeichnend, sagte der Großtyrann: »Setze dich, Massimo. Ich habe schon nach dem Rentmeister und seinen Kammerschreibern geschickt. Bis sie zur Stelle sind, magst du mir die Zeit vertreiben.«

Umblätternd, hier und da eine Ziffer an den Rand schreibend, fragte er in beiläufigem Tone, was Nespoli über den Mörder des Fra Agostino in Erfahrung gebracht habe.

»Es hat sich eine Reihe von Anzeichen finden lassen«, antwortete Nespoli. »Ich bin beschäftigt, ihnen nachzugehen.«

»Eine Reihe, Massimo? Eine ganze Reihe? Das ist viel. Kann das nicht zu viel sein?«

»In meinem Handwerk wird es ein Zuviel nicht leicht geben, Herrlichkeit. Durch Sieben und Sondern des Vielen muß zuletzt das Eine in meinen Händen bleiben.«

»Nun, so unterhalte mich ein wenig von dem Vielen, da es ja scheint, als habest du mir von dem Einen noch nichts zu berichten.«

»Darf ich eine Bitte wagen, Herrlichkeit?«

Der Großtyrann legte das durchgesehene Aktenstück zur Seite und nahm ein neues vor. Er nickte, ohne aufzublicken.

»Es ist die Bitte, die Herrlichkeit wolle sich aller Frage und Einwirkung in dieser Sache enthalten und sich in Gnaden gedulden, bis ich ihr sichere Ergebnisse melden darf.«

»Soll ich dir diese Bitte gewähren, Massimo? Die Gewährung legt mir eine Fessel an. Ich kann nichts versprechen. Du möchtest also ein Gebäude erstellen, und es ist dir nicht recht, wenn ich deiner Maurerarbeit zuschaue? Ich soll vor dem fertigen an ein Wunder glauben; soll nicht zusehen dürfen, daß es Stein um Stein geschichtet worden ist, wie alle anderen irdischen Häuser auch? Ist es das, Massimo? Und wer bürgt mir dafür, daß es nicht die bloße Fassade eines Gebäudes ist, vor die ich geführt werde?«

Er hob sein schönes Grüblergesicht von den Papieren und lächelte.

»Immerhin, warum sollte ich dir das nicht gewähren? Es ist ja nur eine Bitte auf vierundzwanzig Stunden, denn morgen als am dritten Tage – oder, wenn ich die Fristsetzung weitherziger auslege, übermorgen früh wirst du mir ja den Mörder zuführen. Ich kann dessen gewiß sein, wie ich deiner gewiß sein kann, nicht wahr, Massimo?«

Nespoli erwiderte mittelbar, indem er sagte: »Ich glaube das Zutrauen der Herrlichkeit in anderthalb Jahrzehnten nicht getäuscht zu haben; zum mindesten trachtete ich, es zu verdienen.«

Der Großtyrann nickte zerstreut, faltete die obere Ecke einer Seite zu einem Eselsohr und blätterte weiter.

Nach einer Weile fragte er: »Sagtest du etwas, Massimo? Täusche ich mich oder klang ein Vorwurf aus deiner Stimme? Oder schwiegst du, und es hat sich mir nur ein vorwurfsvoller Ausdruck deines Gesichts mitgeteilt? Vergib, ich habe mich hier von einem Ziffernposten fesseln lassen.«

»Es steht mir nicht an, der Herrlichkeit Vorwürfe zu machen.«

»Du mußt nicht gekränkt sein, Massimo. Streiten wir nicht um Worte. Was hast du?«

»Die Herrlichkeit befiehlt mir aufzuschließen und verwehrt mir den Zutritt zur Schlüsselkammer!« rief Nespoli, bestrebt, Ehrfurcht und Unmut gleichermaßen in seine Stimme zu legen; so zwar, daß keins von beiden das andere ungebührlich verschattete. »Ich meine, indem die Herrlichkeit mir keinen Blick in jene Staatsgeschäfte gestattet, mit denen sie Fra Agostino betraute«, fügte er hinzu, indem er durch die Ergebenheit seines Tones zu mildern suchte, was etwa am Inhalt der ersten Worte das Maß des Zulässigen übersprungen haben könnte.

»Aber wer sagt dir denn, daß der Schlüssel in jener Kammer hängen muß?« fragte der Großtyrann verwundert. »Du hast dir diese Meinung gebildet, weil es dir an Fähigkeit oder an Glück gebrach, den Schlüssel zu finden. Du gleichst einem Jäger, der die Spur eines seltenen Waldtieres verloren hat: Da will er denn sich und andere glauben machen – obwohl er zu dieser Meinung keine andere Ursache hat als die eigene Verlegenheit –, das Tier müsse sich in die Schatzkammer des Heiligen Vaters geflüchtet haben, und er spricht: Erlaubte man mir nur einmal, die Schatzkammer zu betreten, so genügte mir ein Griff, mich des Wildes mächtig zu machen. – Das sind Ausflüchte, obzwar sehr menschliche. Allein manneswürdig sind sie nicht, diese Krücken des Unvermögens, diese ewigen: Dürfte ich nur einmal . . . ja, dann . . .!«

Es geschah selten, daß der Großtyrann tadelnde Worte auf eine so unverhüllte Art aussprach. Sie erschreckten Nespoli um so mehr, als er im heimlichsten einräumen mußte, daß des Großtyrannen Vergleich den Bewandtnissen des Falles gerecht wurde. Eine Weile saßen sie schweigend, jeder mit den Gedanken beschäftigt, die er hinter der Stirn des anderen vermutete.

Endlich begann der Großtyrann: »Sage mir, Massimo, wirst du alt? Berufe wie der deinige nähren sich vielleicht vom Grundstoff des Menschen und können sich nicht begnügen mit dem, was Schlaf und Speise ihrem Ausüber an neuen Kräften zubringen.«

Leichthin, dennoch voll Unerbittlichkeit berührte hier der Großtyrann jene heimliche Angst, die in Nespolis Selbstzweifeln während dieser Tage sich schon eine Stelle geschaffen hatte. Fand er sich wirklich nur der Widerständigkeit einer vielleicht unlösbaren Aufgabe oder aber einem Weichen seiner Kräfte gegenübergestellt? Und war es erdenklich, daß auch Vittoria schon Wahrnehmungen dieser Art an ihm zu machen meinte? Was sie band, war das nicht mehr er selbst, sondern nur noch Macht und Hoheit seines Amtes als des höchsten ihr erreichbaren Mannes? ›Wendete sich etwa der Großtyrann ihr zu, verlöre sie dann noch einen Herzschlag an mich?‹ Aber waren denn nicht Amtsmacht und Stellung auch Teile seiner selbst?

Der Großtyrann hatte für einige Sekunden innegehalten, obwohl er keine Antwort erwarten mochte. Er fuhr fort: »Solltest du schon müde sein, Massimo? Nein, nein, ich weiß, daß dein Eifer stärker ist als deine Ermüdbarkeit. Indessen glaube ich, daß du nicht aus Eifer handelst, sondern aus jägerischer Leidenschaft, und ich weiß nicht, ob mir das gefallen soll. Denn dein Eifer würde mir und meinem Dienste gelten, während deine Leidenschaft doch nur sich selber und ihre Befriedigung meint. Ich wäre demnach nichts als der Grundherr, in dessen Forsten du deiner Jagdlust nachgehst. Nun, sei es, wie es will, vielleicht ist es müßig, solchen Dingen nachzudenken. Dennoch, ich gäbe viel darum, dies Verhältnis deines Eifers zu deiner Leidenschaft genau zu kennen.«

»Ist denn der Herrlichkeit nicht damit gedient, daß ja Eifer und Leidenschaft dem gleichen Ziele nachjagen?«

»Es möchte sein«, antwortete der Großtyrann. »Aber ich könnte mir auch vorstellen, daß sie einmal getrennte Bahnen liefen, und das wäre die Stunde, da ich zu bedenken hätte, ob nicht auch du selber, mein Massimo, einer Trennung bedürftest. Einer dergestaltigen

Trennung, meine ich, daß mit dem Kopfe der Eifer, mit dem Rumpfe die Leidenschaft begraben würde.«

Nespoli konnte es nicht hindern, daß sein Körper zusammenzuckte. Ein schauriger Frost eilte seinen Rücken hinab und machte jedes Härchen seines Leibes sich aufrichten.

»Du mußt nicht blaß werden, Massimo, das sind Gefahren, die ein jeder läuft, wenn es ihn drängt, mehr zu wirken und zu gelten als ein Küfer oder Schreiner. Und was meinst du, welchen Gefahren ich selber mein Leben lang ausgesetzt war? Erinnere dich nur des jüngsten Vorkommnisses im Garten. Und sieh, es gibt noch einen Fall, der mir Anlaß bieten könnte – nein: Anlaß bieten müßte –, an eine solche Trennung zwischen deinem Kopfe und deinem Rumpf zu denken: Dies wäre jener Fall, daß es dir nicht gelänge, den Mann ausfindig und stellig zu machen, der das Ableben des Fra Agostino bewirkte und mit gleicher Ungefährdetheit das meine hätte bewirken können. Es wird ja auch von Königen berichtet, die ihren Leibärzten den Kopf nehmen lassen, wenn sie nicht imstande sind, eine offenbare Krankheit zu beheben oder aber – und dies liegt uns näher – eine verborgene Krankheit aufzudecken. Sieh, es wäre ja nicht, weil ich dich auf eine Begrenztheit deines Könnens betroffen hätte, denn diese wäre wohl nicht strafenswürdig – obgleich es fraglich scheint, ob ich am Vorsteher meiner Sicherheitsbehörde nicht auch eine solche zu strafen hätte, und sei es nur des Beispiels halber oder weil er mir betrüglich eine allzu hohe Schätzung seiner Fähigkeiten durch Jahre aufgenötigt hätte. Ich glaube auch nicht an eine Begrenztheit deines Könnens oder doch nicht daran, daß seine Grenzen bereits bei einem Falle, wie es der des Fra Agostino ist, sichtbar werden könnte. Nein, ich müßte an einen Mangel deines Eifers glauben. Mangel an Eifer auf einer Stelle läßt aber immer schließen, daß ein anderer Antrieb stärker wirkt als der Drang, mir zu Diensten zu handeln. Und du sollst keine anderen Götter haben neben mir. – Nach Göttinnen frage ich nicht«, setzte er nach einer kleinen Weile gleichgültig dazu.

Draußen wurden Schritte vernehmlich.

»Da kommen meine ängstlichen Rechenkünstler«, sagte der Großtyrann. »Gute Nacht, Massimo.«

10

Nespoli begab sich nicht mehr zur Ruhe. Er weckte den Schieler und ließ seine Menschenfischer holen. Er stellte Fragen, er erteilte Befehle und war gepeinigt von der Vorstellung, die Hunde könnten wahrnehmen, daß dies ja weder Fragen waren noch Befehle, sondern flehentliche Bitten. Immer von neuem begann das Durchlaufen längst verworfener Denkwege, das Nachsinnen hinter dem, das als möglich allenfalls gedacht werden konnte. Wie durch ein Sieb rann in Nespolis Hirn die gesamte Einwohnerschaft der Stadt. Was übrigblieb, war Abhub und gering. Fast von jedem Menschen war ausgemittelt, wo und wie er jene Nacht hingebracht hatte, in jede Lebensritze hatten Nespoli und seine Hunde späherisch sich eingebohrt.

Für die Länge eines kleinen Stundenteils hob ihn bisweilen eine abenteuerliche Hoffnung. Dann war er versucht, scheinbare Fingerzeige gewichtig zu nehmen, obgleich deren Läpperei ihm unverhohlen blieb; so verzerrte ein fratzenhafter, ihm selber verächtlicher Spuk der Wünsche die klare Folgekraft seiner Denkwelt. Er erlitt alle Qualen des Selbstzweifels. Er warf sich sein Alter vor wie eine Verfehlung.

Am Morgen durchging Nespoli das Gefängnis und besuchte die letzteingebrachten Häftlinge. Abermals überzeugte er sich leicht, ob auch mit Widerstreben, daß ihrer keiner ernsthaft mit Fra Agostino in Verbindung gesetzt werden konnte. Er verfügte einige Freilassungen und verließ dann, vom Schieler begleitet, den Bürgerschaftspalast, um den gewohnten vormittäglichen Rundgang durch die Stadt zu machen.

Der Markt war erfüllt von Menschen, Lärm und Gerüchen; allerlei Früchte und Gemüse flammten buntfarbig im Sonnenlicht. Ein paar Stände waren schon abgeräumt, hier klaubten Arme weggeworfene Überreste auf, Straßenbuben und riesige verwilderte Hunde balgten sich um Abfall. Zank, Gelächter, Schacher, Schwatzen und Bettelei brausten und summten in Vielfalt. All dies war unverändert und von je, es hatte die warm atmende, die unbarmherzige Natürlichkeit des Lebens. Nichts deutete eine Bereitschaft an, teilzunehmen an Nespolis Sorgen.

»Gewürzkuchen, frische Gewürzkuchen!« schrie die alte Hökerin.

»Weint, Kinder, weint! Weint, bis euch die Mutter frische Gewürzkuchen kauft!«

Nespoli hatte sie ungezählte Male rufen hören; heute empfand er die gellende Stimme wie eine ihm zugefügte Unbill. Dies warzige alte Weib hatte alles vor ihm voraus: Ihr Leben, heil und aus einem Stücke gemacht, war noch heute, wie es vor drei Tagen gewesen war; das seine nicht. Für Augenblicke wandelte ihn eine böse Lust an, die unbeirrt rufende Hökerin packen und wegschleppen zu lassen, damit auch sie die grauenvolle Veränderbarkeit des Daseins plötzlich erfahre.

Der Duft wohlfeiler Schönheitsmittel belästigte ihn, der Geruch in minderem Öl gebackener Fische wollte ihm Ekel bereiten.

»Frische Fische! Frische Fische!« rief der Verkäufer. »So frisch, wie Fra Agostino noch vor wenigen Tagen war!«

Der Marktaufseher, ein invalid gewordener ehemaliger Leibwächter des Großtyrannen, humpelte eilig heran, das Stelzbein stieß hart gegen das Steinpflaster. Er machte die vorgeschriebene Meldung. Nespoli winkte mißwillig ab. Seiner Gewohnheit nach, trat er an ein paar Verkaufsstellen und prüfte die Gewichte, im voraus wissend, daß hier niemand einen Betrug wagte.

Er ging weiter, ingrimmiger Grübelei überantwortet, gleichzeitig aber seine Beobachtungswerkzeuge in fast unnatürlicher Bereitwilligkeit haltend. Er merkte auf jede Äußerung, die sein Ohr zu fassen vermochte. Hierbei wußte er: Nur für ihn hatte sich das Leben auf einen Punkt verengt, für alle anderen rann es breitbettig weiter; es wurde Nespoli nicht erlaubt, um der einen Sache willen all die kleinen Jedentagsdinge außer acht zu lassen, zu deren Hut und Kenntnis er bestellt war und aus welchen ja auch alle Wichtigkeiten sich nährten. Deutlich spürte er die Verlockung, jenen Lebensumstand, jedes Stückchen des hundertfältigen Stadtgetriebes mit Fra Agostinos Tode zu verbinden. Dieser Gefahr suchte er zu begegnen, doch wurde ihm das dadurch erschwert, daß in der Tat Mutmaßungen über den Mörder viele Markt- und Gassengespräche beherrschten. Dabei aber redeten die Leute von dem Vorfall, der ihn, Nespoli, an seinem Wesen bedrohte, nicht sehr anders als von der Geburt eines dreiköpfigen Kalbes, von einer Feuersbrunst oder Heirat, und nur die tags zuvor ausgelobte Belohnung verlieh ihrer Anteilnahme einen Zug von gieriger Leidenschaft.

Sie gaben Nespoli Raum und grüßten voll Ehrerbietung. Ihm war es, als sehe jeder Begegner ihn erwartungsvoll an, gleichsam als wolle er von seinem Gesicht eine Antwort auf die Frage nach dem Mörder ablesen. Oder begannen diese Mienen bei aller scheinbaren Unterwürfigkeit des Grußes nicht schon Schadenfreude anzudeuten, winzigen Spott, ja, das Ärgste: ein Mitleid? Er mußte sich Gewalt tun, die Augen nicht abzuwenden, sondern sich in jener gleichgültigen und kühlen Sicherheit, zu welcher seine Stellung ihn nötigte, zu behaupten. Aber konnte es nicht hinter ihm bereits ein Köpfezusammenstecken geben, ein Tuscheln, ein eifriges Blickewerfen?

Am Südtor rief er die Wache heraus und ließ sich, wie wenn nichts geschehen wäre – denn in diesem Wahn suchte und fand er für die Augenblicke einer solchen Verrichtung einen geringen Schutz –, Meldung von den vorgefallenen Ein- und Ausreisen machen, gleich als könnten diese für ihn noch eine Bedeutung haben. Er beschloß, das nämliche an der Pforte der Barmherzigkeit zu tun, und erkannte im nächsten Augenblicke die Ursache seines Entschlusses: Der Weg von dem einen Tor zum andern führte am Confinischen Hause vorüber.

Die Gasse folgte gewunden dem Zuge der Stadtmauer. Es war totenstill, niemand begegnete ihm, auch die Ausläufer des marktlichen Treibens reichten nicht bis hierher. Der gelbe Sonnenschein des späten Vormittags lag verschlafen auf der trockenen Bodenkruste, von der unter Nespolis und Schielers Tritten kleine Staubwolken langsam abstoben und nach kurzem Verweilen in der unbewegten Luft zergingen. Hart beieinander standen, von Türmen überragt, die rötlichen und safranfarbenen Geschlechterhäuser mit den geschlossenen Fensterläden.

Nespoli schaute auf. Wie hatte er denn hoffen können, Vittoria an einem der Fenster zu sehen? Das Haus der Confini lag tot und stumm wie die anderen. Nur vor dem versperrten Hoftor dehnte sich Vittorias große, nebelfarbene Katze, ein Tier von edler morgenländischer Abstammung, blinzelte in der Sonne und schlug dazwischen schläfrig nach einem vorbeiflatternden Schmetterling.

Nespoli, welchen nichts zu Tieren zog – auch das Pferd war ihm nur ein Werkzeug der Fortbewegung –, vermochte in der Katze kein Zubehörstück eines geliebten Lebens zu erblicken. Er ging rasch weiter, ein paar Male den Blick auf das Haus zurückwendend, und es kam ihn ein Schauer an vor der gespenstischen Verlassenheit des Ortes und der Stunde, welche ihm gleichnishaft seine eigene Bewandtnis anzuzeigen schienen. Der Schieler trottete hinter ihm drein; im Vorübergehen war er der Katze flüchtig über das sonnenwarme Fell gefahren, ohne indessen einen Blick auf das Haus zu werfen, welches doch auch für ihn einen vertrauten Menschen umschloß; dies war Agata, eine mürrische und ältliche Person, halb

Beschließerin, halb Magd der Confini, und der Schieler hatte das Liebesverhältnis unlustig begonnen auf Nespolis Geheiß – als das gewöhnliche, aber bei aller Hergebrachtheit immer wieder sich empfehlende Mittel, um zwischen der Herrschaft einen verstohlenen und ungestörten Austausch von Nachrichten und Vereinbarungen zu begünstigen. Auch Agata war nicht zur Zärtlichkeit geschaffen. So hatten sie sich zusammengeschlossen in einer trockenen und wortarmen Kameradschaft, um ihren Brotgebern gefällig zu sein und Trinkgelder zu empfangen. Sie fanden beide ihren Vorteil, und Agata nahm es träge hin, wenn sie bisweilen mit ihrem schielenden Liebhaber geneckt wurde.

»Es ist nichts vielförmiger als die Liebe«, sagte Vittoria lächelnd zu Nespoli, den Spruch ihres Petschafts auf die sonderbaren Liebesleute anwendend.

11

Ohne ein sicheres Ziel durchschritt Nespoli die Pforte der Barmherzigkeit und gelangte in die ärmliche Vorstadt, die mit ihren Frucht- und Gemüsegärten allmählich ins offene Land hinüberleitete. Bestrebt, seine Aufmerksamkeit von dem, das ihm allein wichtig war, abzuziehen und sie, wie es ja von ihm gefordert wurde, der Gesamtheit seines Pflichtenkreises zuzuwenden, erinnerte er sich plötzlich jenes Mädchens, das den Tod im Wasser gesucht hatte und tags zuvor aufgefunden worden war.

Seitab der Vorstadtstraße führte auf den Fluß zu ein schmaler Durchgang, welcher das Gäßchen der Wäscherinnen genannt wurde. Nespoli bog ein und betrat nach wenigen Schritten das kleine und verwahrloste Haus, das einer Höhlung in zerklüftetem Felsgestein ähnelte.

Der Raum war niedrig und düster. In seiner Mitte lag auf dem gestampften, höckerigen Estrich etwas Weißes. Dies mochte der Leichnam sein. Um ihn war ein scharfer Geruch von Wein und Essig, denn mit diesen Flüssigkeiten hatte man ihn gewaschen, um die natürliche Zerstörung noch hinzuhalten.

Drei kleine Kinder, die auf dem Fußboden gespielt hatten, waren bei Nespolis Eintritt verstummt.

»Wo ist die Mutter?« fragte er.

»Am Fluß. Bei der Arbeit«, antwortete das größte – Nespoli könnte nicht unterscheiden, ob es ein Knabe oder ein Mädchen war.

»Soll ich sie holen, Herr?«

»Ja.«

Das Kind ging zur Tür.

»Halt«, sagte Nespoli. »Du kannst deine Geschwister mitnehmen.«

Die drei waren draußen. Nespoli hatte von ihrer Gegenwart eine Befangenheit gespürt; er hatte nicht gern mit Kindern zu schaffen, hierin waren sie ihm den Tieren ähnlich.

Mittlerweile hatten seine Augen sich der Dämmernis des Raumes angepaßt. Er neigte sich über die Tote und betrachtete ihr Gesicht, welches gänzlich weiß war. Kaum ließ sich unterscheiden, wo das Weiß der Haut in das Weiß des langen, sorgsam geplätteten Hemdes überging. Man hatte die Tote auf eine grobe und mißfarbene Tuchdecke gebettet und ihr ein billiges Kreuz zwischen die gefalteten Hände gesteckt.

Der Schieler hatte sich ohne Anteil auf die Eckbank gesetzt, willens, die Kühle des Raumes, der freilich von dem säuerlichen Dunst der Armut erfüllt war, in Ruhe zu kosten. Dies war eine der wortlosen Vertraulichkeiten, die er sich bisweilen gestattete, wenn er mit seinem Herrn allein war. Er schrak auf, als er Nespoli zur Tür eilen sah.

Nespoli trat hinaus und erblickte die Kinder, welche in einiger Entfernung die Gasse flußwärts hinuntergingen; das größte schritt in der Mitte, in obsorglicher Ordnung die Geschwister an den Händen führend.

Nespoli rief ihnen nach, sie wandten sich um.

»Die Mutter soll erst in einer halben Stunde hier sein!«

Das Große nickte zum Zeichen, daß es verstanden hatte.

Nespoli kehrte zurück, der Schieler sah mit Verwunderung die Erregtheit seiner Miene.

»Schieler«, sagte Nespoli, »du gehst sofort und holst mir einen Arzt oder eine Hebamme – gleichviel –, wen du am geschwindesten fassen kannst.«

Der Schieler stand auf und entfernte sich schweigend.

Das Mädchen hatte nicht lange im Wasser gelegen, so hatten seine Gesichtszüge keine Entstellung erfahren können. Die Mienen waren voll eines anmutigen, wiewohl unbelebten Ebenmaßes; sie zeigten die erhabene Leere eines schöngemeißelten, augenlosen Steinbildes. Wie sie dalag, schien sie nie lebendiger gewesen zu sein als eben jetzt. Es hätte Mühe und eine kleine Ergriffenheit gekostet, in der Aufgebahrten die gleiche zu erkennen, die noch jüngst, vorgebeugt kniend, bei der Arbeit am Flußufer zu sehen gewesen war oder mit ihrem schlanken Gang, den Korb, von der rechten Hand gestützt, auf dem schwergeknoteten, hellbraunen Haare tragend, die Wäsche in die Häuser der Kunden gebracht hatte.

Nespolis Geist stand solchen Erinnerungen und Vergleichen nicht offen. Nespoli fuhr mit beiden Händen tastend über den rechten Oberarm des Mädchens, welcher sich unter dem weißen Hemdärmel kalt und rauh anfühlte. Dieser Arm mußte kräftig genug gewesen sein, einen tödlichen Stoß zu führen.

Nespoli erschrak. Wohin hatte er sich fortreißen lassen? Er hätte den Schieler zurückrufen mögen.

Er spürte, daß er an einer Grenze stand. Oder hatte er sie bereits übersprungen? Er, welcher mit klaren Sachbeständen zu schaffen hatte – und nur mit diesen! –, er sah sich plötzlich verfangen in die teuflische Lockung, Wolkenbänke für Straßen, Schatten für Körper, aufzuckende Irrlichter, wie sie im Fiebersumpfland einherhuschen, für die strenge Heiterkeit des umrißscharfen cassanesischen Mittagsscheines zu nehmen. Er schüttelte sich.

»Was denn, was denn«, sagte er halblaut, seiner inneren Meinung zuwider, »was tue ich denn anderes als meine Pflicht, die mir ja gebietet, jeder Möglichkeit, ja, einer jeden bloßen Denkbarkeit nachzusinnen und auch die verwegenste nicht außer Betracht zu lassen?«

Er ging hastig durch den Raum, längs und quer. Er umkreiste den Leichnam, türmte Mutmaßungen und entsetzte sich vor dem Schaumgebäude, das plötzlich vor ihm stand und den Anspruch erhob, als ein unerschütterbarer Quaderbau hingenommen zu werden. Hitzig wünschte er den Schieler herbei mit dem Arzt oder der Hebamme, um der widerspruchsvollen Qual dieser zu Stunden wachsen wollenden Minuten enthoben zu werden – auf diese oder jene Weise.

Der Arzt trat ein, hinter ihm der Schieler. Es war ein mißlauniger Mann von gesammelten Jahren, und sein Gesicht gleichwie die Gebärde, mit welcher er über der Brust den leichten schwarzen Seidenmantel zusammenhielt, bekundete seine Bereitschaft, sich augenblicks an seiner Würdigkeit gekränkt zu fühlen, sobald nur ein geringer Anlaß sich bieten werde.

Nespoli begrüßte ihn und bat um eine Untersuchung der Toten.

»Untersuchung welcher Art?« fragte der Arzt.

»Es heißt, sie habe ein Kind erwartet.«

»Eine Aufgabe für Hebammen«, erwiderte der Arzt mürrisch.

»Dazu bin ich hergebeten worden?«

Sein offenkundiges Widerstreben gegenüber einer Verrichtung, die außerhalb der herkömmlichen Grenzen seiner Zunft lag, schien Nespoli sekundenlang eine Rettungspforte öffnen zu wollen, durch welche er aus der beklemmenden Nebelwirrnis in die Klarheit seiner angestammten Tatsachenwelt zurückkehren konnte. Allein die knurrige Unehrerbietung im Tone des Heilgelehrten brachte ihn auf und machte ihm den Rückzug unmöglich. Nun dünkte es ihn gewiß: Die Untersuchung hatte zu geschehen, und ihr Ergebnis mußte die Entscheidungskraft eines Beweises haben!

Er antwortete mit Bestimmtheit, fast schroff: »Ihr seid nicht von einem beliebigen Manne hergebeten worden, sondern herbestellt in einer dringlichen Sache vom Vorsteher der Sicherheitsbehörde. Ich bitte zu beginnen.«

Der Arzt zuckte wortlos die Achseln und hob die Arme seitlich vom Körper ab, um sie in verdrießlicher Ergebung gegen die Oberschenkel fallen zu lassen. Mit dieser Gebärde schob er Nespoli als dem Vertreter der ungelehrten Gewalt die Verantwortlichkeit für eine Verletzung der gelehrten Standesgrenzen zu. Hierauf trat er an den weißen Leichnam.

Nespoli begab sich ans Fenster und starrte auf die rissige, bröckelnde Wand des gegenüberliegenden Hauses.

»Es ist der vierte Monat«, meldete nach einer Weile die widerwillige Stimme des Arztes.

Nespoli wandte sich um.

»Ein Irrtum ist nicht denkbar?« fragte er rauh.

Der Arzt schüttelte gekränkt den Kopf.

Nespoli rechnete zurück. Sein rasches und verläßliches Gedächtnis stellte ihm augenblicks den ersehnten und gefürchteten Sachbestand zur Verfügung: In jener Zeit hatte sich Fra Agostino, der insgeheim nur für Tage in Cassano einkehrte, durch mehrere Wochen in der Stadt aufgehalten.

Nespolis Blick begegnete dem des Schielers, welcher voll eines schwermütigen Spottes war. Er erkannte, daß sein Diener unverzüglich die gleiche Rechnung angestellt hatte, und wandte zornig seine Augen von denen des mitwisserischen Erraters ab.

»Was macht Messer Confini?« fragte er mit Hast, um den Augenblick zu überbrücken. »Oder gehört er nicht zu Euren Kranken?«

Der Arzt antwortete mit einem abschätzigen Ausweichen; denn es hatte ihn beleidigt, daß Monna Mafalda außer ihm noch andere

Ärzte, ja, allerlei Kräuterweiber und volksmäßige Heilkundige an der Behandlung ihres Bruders teilnehmen ließ. Hierin hatte auch die üble Laune ihren Grund, in welcher er dem Schieler gefolgt war und Nespoli unwissentlich bestärkt hatte, die schöne Geistesschwache nach ihrem Tode jenes Dolchstoßes zu bezichtigen.

Nespoli hörte der Antwort des Arztes nicht zu, dankte zerstreut und ließ ihn gehen.

12

Gleich darauf wurde zaghaft an die Tür geklopft; mit diesem Pochen bat die Wäscherin um die Erlaubnis, ihr Haus betreten zu dürfen.

»Herein.«

Die Frau kam, ausgedörrt, faltig und von der Arbeit zerschlissen. »Bleibt draußen, ihr!« rief sie über die Schulter den Kindern zu.

»Du kannst heimgehen, Schieler«, sagte Nespoli heiser und haßte den Mann, von welchem er sich durchschaut wußte.

Danach richtete er seinen Blick auf die Wäscherin. Ach, wie gut kannte er diese Leute! Sie waren trübe, ängstlich und voller Gier. Man mußte nur schauen, worauf ihre Ängstlichkeit und ihre Gier zielten, so war alles zu erreichen.

»Es ist ein Leiden über dich gekommen«, begann er. »Ich bin bei dir eingetreten, um einen Blick auf die Tote zu werfen, die ich als eine Lebende manches Mal gesehen habe. Wann wird die Bestattung sein?«

Die Frau strich sich bekümmert über die nasse Schürze.

»Ach, Herr, die Bestattung! Ich bin in Ängsten. Es heißt doch, wenn einer seinen Tod selber angestellt hat, dann dürfe er nicht christenmäßig zur Erde gebracht werden.«

»Hast du den Pfarrer gefragt? Zu welcher Kirche gehört ihr? Zu San Giovanni dem Täufer?«

»Nein, zu den Zwölf Aposteln, Herr. Ich habe nicht selber hingehen können, Herr, wegen der Arbeit, darum habe ich meinen Buben zum Pfarrer geschickt. Der Pfarrer ist nicht gekommen. Wir sind arme Leute, Herr.« Sie fuhr sich mit dem Handrücken über die Augen, und es war etwas Gewohnheitliches in dieser Bewegung, so als klage sie gern vor den Nachbarinnen.

»Nein, der Pfarrer ist nicht gekommen«, fuhr sie fort, »aber es ist jemand anderes dagewesen.«

»Und wer?«

»Sperone war da, Sperone, der Färber«, sagte sie geheimnisvoll.
»Was hat er gewollt?«
»Ich habe den Pfarrer so sehr bitten lassen«, wiederholte sie in einer weinerlichen Verzückung. »Erst ist er nicht daheim gewesen, und hernach hat er sagen lassen, er müsse noch mit seiner Obrigkeit sprechen. Aber Sperone ist gekommen, ungebeten, ungerufen. Der Geist hat ihn hergetrieben. – Ja, der Geist«, setzte sie ehrfürchtig hinzu. »Sperone hat ihr das Kreuzchen in die Hände gesteckt, er hat bei ihr gebetet. Man sagt, sein Gebet habe viel Kraft. Sperone ist ein heiligmäßiger Mann.« Als beichte sie etwas sehr Verborgenes, fügte sie in einem scheuen Flüstertone bei: »Zuerst hatte ich geglaubt, er werde das Mädchen vielleicht von den Toten erwecken. Denn es heißt doch, er habe die Macht dazu. So wie er ja auch Macht hat, Kranke gesunden zu lassen.«
Offenbar war es der Frau unbekannt, daß Selbstmörder, welche nicht im Besitz ihres völligen Verstandes waren, das christliche Begräbnis nicht vorenthalten werden darf. Weil der Pfarrer sich Zeit gelassen hatte, sah sie das Mädchen schon in ungeweihtem, ja, in verruchtem Boden eingescharrt.
Sie wollte nun abermals von dem Pfarrer und der Bestattung reden, doch ließ Nespoli das nicht zu.
»Höre, du brauchst nichts zu fürchten«, sagte er. »Ich werde dafür sorgen, daß der Pfarrer kommt, daß die Leiche eingesegnet, das Totenamt gehalten und alles nach den christlichen Bräuchen getan wird. Ich verspreche es dir. Hier, das ist für die Messe.«
Er legte ein Geldstück neben den Leichnam auf das Tuch.
»Ich danke, Herr. Ich danke«, stotterte die Wäscherin, neigte sich vor und küßte Nespolis hängenden Rockärmel. Sie griff an ihre Schürze, sie fuhr sich über die Augen und schien sich zu wortreichen Danksagungen anschicken zu wollen.
Diese hinderte Nespoli, indem er sagte: »Du mußt mir noch ein paar Auskünfte geben, an denen mir gelegen ist. Du weißt ja, wer ich bin. Es ist mir in meinem Berufe nötig, alles zu wissen, was in Cassano geschieht.«
»Frage nur, Herr!« rief sie eifrig. »Alles, Herr, was du willst! Ich bin dankbar! Du wirst es nicht dulden, daß die arme Kleine auf dem Schindanger verscharrt wird. Frage nur! Nein, ich bin keine Undankbare! Herr, ich danke dir, du bist mir ein großer Trost. Frage nur.«
Nespolis Fragen waren vorbereitet, Nespoli war ein vielerfahrener Fragensteller. Die Wäscherin, welcher das Ziel dieses Gesprä-

ches verborgen blieb, redete wirr, abschweifig und mit ungezählten Wiederholungen, wie es ja die Art der einfachen Leute ist, wenn sie einmal zum Sprechen gebracht worden sind. Nespoli hörte geduldig zu, hin und wieder eingreifend, ein allzu geil aufschießendes Rankenwerk beschneidend und die Leidvoll-Gesprächige mit Behutsamkeit an den jeweils gewünschten Punkt hinlenkend. Mitunter machte er sich eine Anmerkung auf seinem Schreibtäfelchen. Einige Male überlief es ihn heiß. Was denn, was denn? mußte er sich einraunen. Das alles bedeutet ja noch nichts, es ist nur für alle Fälle . . . Bin ich nicht meiner Pflicht zuliebe oft schon viel ungewisseren Fährten nachgegangen? Und ist diese denn so ungewiß?

Er wiederholte der Frau jene ihm zugetragene Äußerung, deren er vor dem Großtyrannen Erwähnung getan hatte: den Ausspruch des Mädchens, welcher die Möglichkeit einer geistlichen Vaterschaft zuzulassen schien oder – denn so wollte es ihn jetzt bedünken – eine solche Vaterschaft gewiß machte; und es gelang ihm leicht, von der Wäscherin die Bestätigung dieser Worte zu erwirken. Gleichsam von selbst aber schärfte sich über dem Fragen, Antworten und Wiederholen der Ton, in welchem diese Worte gesprochen sein sollten, zu Haß und Drohung gegenüber einem Manne, der die Verführte mit Gleichgültigkeit hatte im Stich lassen wollen.

Das erst zu Erhärtende nahm Nespoli als den Ausgangspunkt – versuchsweise, nur versuchsweise, beteuerte er sich. Schon war die Frage nicht mehr: War das Mädchen im Besitz eines Dolches gewesen?, sondern: Konnte etwa erwiesen werden, daß sie nicht im Besitz einer solchen Waffe gewesen war? Sie mochte sie gefunden haben, und der Verlierer – nun, das war begreiflich, daß dieser einen solchen Verlust nicht ruchbar werden lassen wollte, um sich nicht dem Argwohn auszusetzen, er habe sich eines ihn überführen könnenden Werkzeuges entledigen wollen.

Das Mädchen hatte nicht mit der Wäscherin und den Kindern zusammen geschlafen, sondern in einem nach dem Hofe gehenden Anbau, wo es zugleich der eingelieferten und noch nicht in Arbeit genommenen Wäsche zum nächtlichen Schutze zu dienen hatte. In einer Ecke dieses Schlafzimmers hielt sie allerlei Gerümpel aufbewahrt, um das die Wäscherin sich nicht gekümmert hatte. Wer hinderte die Annahme, daß ein alter Dolch darunter gewesen war? Die Wäscherin sprach ja von einer Gewohnheit ihrer Nichte, wo sie hinkam, mit Neugier, mit spielerischer Besitzlüsternheit in weggeworfenem Abfall umherzuspähen und diesen oder jenen Gegenstand an sich zu nehmen. Nespoli empfand klar die Notwendigkeit, ja,

Selbstverständlichkeit, den Gerümpelhaufen im Anbau zu durchstöbern. Allein so weit schon hatte er sich forttragen lassen, daß er, irgendeinen störenden Fund befürchtend, sich ohne Mühe eine solche Durchstöberung für überflüssig erklären konnte Er meinte den Vorgang zu sehen: Das Mädchen steht gebückt und gräbt mit den Händen in einem Abfallhaufen, etwas Metallisches blitzt auf. Die Klinge ist leidlich wohlerhalten, die Waffe zum Gebrauch noch tüchtig, aber der Eigentümer hat sie weggeworfen – wer weiß, vor wie langer Zeit? –, denn der Griff ist schadhaft oder auch nur unansehnlich geworden, so daß es für einen gutgekleideten Mann nicht mehr schicklich wäre, die Waffe am Gürtel zu tragen.

Daß die Waise in jener Nacht außerhalb des Hauses gewesen war, dies stand ja fest. In der Zeit zwischen dem Sterben des Fra Agostino und der Auffindung des Mädchens konnte sie den Weg reichlich zurückgelegt haben, selbst wenn man mancherlei Irrgänge und verzweifelte Umhertreibereien annahm. Auch vermochte sie als Ortskundige und Cassaneser Kind vom Garten des Großtyrannen aus an verschiedenen Stellen das freie Land und den Flußlauf zu gewinnen, ohne von der Stadtmauer und den nächtlich verschlossenen Toren gehindert zu werden.

Die Wäscherin geriet wieder in ihr Jammern und Unglück und Schande, indem sie sich selber einer mangelnden Achtsamkeit bezichtigte, und es war offenbar, daß sie nicht nur den Verlust einer willfährigen und bescheidenen Arbeitshilfe beklagte, sondern auch eines Menschen, den sie in ihrer Art wohl lieb gehabt haben mochte. Allein auch ihre Jammerbekundungen ließen sich, wenn man zwecksicher zu Werke ging – und hierauf verstand sich ja Nespoli –, in die passenden Bahnen der Aussage lenken.

»Du kannst das alles beschwören?« fragte Nespoli zuletzt.

»Beschwören? Ja, Herr, wenn du es befiehlst, beschwören kann ich es.«

Nespoli legte eine zweite Münze auf den Tisch. »Ich habe dir ein Stück Arbeitszeit fortgenommen«, sagte er wie mit einer leichten Entschuldigung.

Er nickte der Wäscherin zu und trat hinaus in die schwüle Mittagsglut und Augenblendung der Straße. Er ging stadtwärts. Ein künftiges Gewitter stand schwarzblau zwischen den Türmen.

13

Während sich die Sonne an einem fahlen und bösen Himmel zum Untergang bequemte, schlief Confini ein, matt von der gewitterverheißenden Schwüle, welcher auch die Abgeschlossenheit des Krankenzimmers den Eingang nicht hatte wehren können. Monna Mafalda schickte sein Wasser zum Arzt, obwohl diese Art der Untersuchung am gleichen Tage schon mehrfach vorgenommen worden war, jedesmal durch einen anderen Heilgelehrten; denn Monna Mafalda glaubte um so besser bedient zu sein, je mehr ärztliche Meinungen ihr zu Gebote standen, mochten diese Meinungen einander noch so sehr zuwiderlaufen. Willkürlich stellte sie sich aus den Äußerungen aller Befragten, aller ans Krankenlager gerufenen Ärzte eine Ansicht zusammen, vervollständigte sie durch eigene Zusätze bis zu ganzer Unkenntlichkeit und erhielt sie in einem immerdauernden Fluß. Unwillkürlich wählte sie unter den Ratschlägen, Verordnungen und Arzneien das ihr Zusagende, ohne daß sie einen Grund dafür hätte angeben können; indessen bedarf ja der selbstgewisse Mensch keiner Begründungen. Obwohl sie jedem der Ärzte aus Grundsatz mißtraute, dünkte sie doch immer die zuletzt gehörte Meinung am gewichtigsten, zum mindesten so lange, bis ihr Verfechter wieder gegangen war. Wunderlicher konnte kein Kranker behandelt werden.

»Die Breiumschläge!« schrie sie in die Küche. »Warum sind die Breiumschläge nicht hergerichtet?«

Agata erinnerte sie übellaunig daran, daß sie ja selber den erteilten Auftrag vor einer Stunde widerrufen hatte.

»Widerrufen? Beim bösen Christus! Heißes Rübenmus sollte es sein statt des Haferbreis, sechzehn Tropfen Fenchelöl dazu. Für das Öl sorge ich selbst, ihr verzählt euch ja alle. Die Flasche ist leer? Laufe zur Apotheke, spute dich, sie wird gleich geschlossen.«

Dann, aus dem Fenster, rief sie ihr nach: »Laß nur. Der Herr schläft. Glaubst du, ich werde ihn deinem Rübenbrei zuliebe wekken? Die Natur hilft sich im Schlafe am besten. Das erfährt jeder, hast du es noch nicht gewußt? Warte, das ist für dich.« Sie kramte in ihrem Gürteltäschchen und warf der Überraschten ein Silberstück zu.

Agata fing es und steckte es ein. Sie bedankte sich mit einem stummen Kopfneigen. Sie war ein schweigsames Geschöpf, das unversorgte Verwandte hatte und jede Münze auf die Seite legte.

Monna Mafalda ging zu ihrer Schwägerin.

Vittoria wußte seit langem, daß es nutzlos war, mit Mafalda kämpfen zu wollen, wie dies alle Leute in Cassano wußten. Daß sie im Augenblick ihres Eintritts jede Hausgewalt mit Selbstverständlichkeit an sich nahm, mußte erduldet werden und war um so leichter zu dulden, als sie sich oft monatelang nicht blicken ließ.

Pandolfos Pflege blieb fast völlig seiner Schwester überlassen; sie ihr zu entreißen, wäre unmöglich gewesen. Wenn Vittoria sich dennoch hier und da in die Sorge um den Kranken einschob, so tat sie es, um nicht außer Kenntnis vom Ergehen ihres Mannes zu bleiben und um nicht dem Gesinde einen Anlaß zur Verwunderung oder zu achtungslosem Gerede zu bieten.

Vittoria saß im Schwanenzimmer, das seinen Namen vom Bildwerk der Decke hatte. Das Tischchen mit dem Zeichenbrett hatte sie ans Fenster gerückt, um die letzte Helle, aus der eine tiefe und unerklärliche Traurigkeit strömte, für ihre Verrichtung zu nutzen. Vittoria war mit dem Entwurf einer Stickerei beschäftigt, auf der kleine geflügelte Genien zwischen Tieren und Fruchtranken spielen sollten. In solchen Arbeiten, die jede Vorlage verschmähten, fand sie Freude, wie sie Freude in den Dichtern fand, die im Latein oder in der Volkssprache geschrieben hatten.

Für alle diese Dinge hatte Pandolfo Confini Unverständnis, ja, Geringschätzung, die er freilich als ein guterzogener Mensch hinter einer Achtung zu verbergen pflegte. Vittoria indessen ließ er hierin gewähren, wie denn ein kühles Gewährenlassen seiner Natur entsprach. Obwohl Vittoria erfahren genug war, um zu wissen, daß man niemandem einen Einzelzug seines Wesens zum Vorwurf machen darf, vielmehr einen jeden Menschen in seiner Gesamtheit fassen muß, so konnte sie es doch nicht hindern, daß Confinis Gefühllosigkeit gegen Tätigkeiten und Ergebnisse, die sie schön und wichtig dünkten, sie immer von neuem mit unmutigem Widerwillen erfüllte. In diesem Betracht schien Nespoli ihrem Manne freilich nicht unähnlich; sonderbar und doch folgerecht war es, daß ihr hierin Nespolis Art nichts Anstößiges bot.

Monna Mafalda steckte den weißumzottelten Kopf durch den Türspalt.

»Ich habe ihn zum Schlafen gebracht«, sagte sie befriedigt. »Ich gehe jetzt für die Nacht nach Hause. Sollte eine Verschlimmerung kommen, so schicke nur nach mir. Und sei ohne Sorge; ich denke, ich bekomme ihn bald gesund.«

Alle Gewöhnung konnte es nicht hindern, daß ein grimmiges Flackern Monna Vittoria durch die Gewebe lief, als die Alte so voll gänzlicher Unbefangenheit dies Wörtchen »ich« aussprach.

Aber sie stand höflich auf und geleitete die Schwägerin zur Haustür, und sie hielt höflich still, als Mafalda ihr zum Abschied auf die Wange klopfte.

Nicht einmal vor seiner Schwester hat er mich schützen können – wie hätte er mich schützen sollen vor den Bedrängnissen, die sich aus mir selber erhoben? dachte sie, als sie wieder an ihrer Zeichnung saß.

Das Spielwerk der vielbewegten und in Leidenschaftlichkeit gebändigten Formen, in welchem ihre beste Seelenkraft tätig sein durfte, nahm sie binnen kurzem wieder vollkommen hin. Einmal unterbrach sie ihre Arbeit, um an der Tür der Krankenstube zu horchen. Sie hörte die leicht rasselnden, aber regelmäßigen Atemzüge des Schläfers und kehrte ins Schwanenzimmer zurück. Hier hatte Matteo inzwischen Läden und Vorhänge geschlossen und einen Leuchter mit drei ebenmäßig brennenden Kerzen auf den Tisch gestellt.

Vittoria knetete nachdenklich das Brotkügelchen, das zum Auslöschen irregegangener Bleistiftlinien diente.

Matteo kehrte zurück. »Messer Nespoli ist gekommen, um sich nach dem Befinden des Herrn zu erkundigen«, sagte er.

Solcherlei Meldungen hatte er in diesen Tagen vielfach zu machen. Doch es kamen zahlreiche aus der Stadt, um nach Confinis Gesundheit zu fragen. Zwar war er kein geselliger und gastlicher Mann, doch gehörten die Confini zu den alten Stadtgeschlechtern, und so wurde eine solche Höflichkeit für notwendig gehalten. Manche indessen begnügten sich, ihre Diener mit einer Frage der bezeichneten Art zu schicken.

»Führe ihn her«, befahl Monna Vittoria. Sie trat vor den runden Metallspiegel an der Wand, welcher den Kerzenschein verstärkt zurückwarf, prüfte ihr Gesicht und ordnete mit ein paar Griffen ihr reiches, nach der Mode goldblond gefärbtes Haar. Auf der rechten Wange gewahrte sie einen schwärzlichen Flecken, sie mochte in Gedanken mit dem Zeichenblei die Stelle berührt haben. Sie säuberte sie nun mit dem angefeuchteten Finger, wie eifrige Kinder tun, und lachte gleich darauf über das eigene Gehaben. Ihr Herz war voll Zärtlichkeit und Erwartung.

14

Nespoli trat ein, sein Gesicht war wie ein Hilferuf.

»Wie siehst du aus, Massimo? Ist etwas geschehen?*

»Nichts, nichts«, antwortete er feindselig.

In einer Ecke des Zimmer stand, in der Mitte rechtwinklich gebrochen, eine breite Polsterbank an der Wand. Ohne Vittoria zur Begrüßung geküßt, ja, ohne sie berührt zu haben, ging Nespoli auf diese Bank zu und ließ sich nieder wie ein Erschöpfter.

Sie saßen einander schräg gegenüber, durch die Ecke geschieden. Nespoli lehnte sich zurück, so daß seine zerrütteten Züge im Halbdunkel verblieben.

Vittoria forschte umsonst in dem beschatteten Gesicht. Um so beklommener, um so befremdeter wurde ihr zu Sinn, als sie ja an Nespoli eine Selbstbeherrschung gewöhnt war, die ihr oft unnatürlich scheinen wollte, eine Verschlossenheit, die sie manchmal gekränkt hatte.

»Confini schläft. Wolltest du zu ihm?« begann sie unsicher.

Nespoli machte mit der Linken, die, halb aufgestützt, wie leblos über die seitliche Lehne der Polsterbank hing, eine matt abweisende Bewegung.

»Zu dir, Herzenszuflucht«, antwortete er. Und halblaut fügte er hinzu: »Ich bin mir selber unkenntlich geworden.«

Er streckte die Beine weit von sich, wie es wohl ein Mensch im Zustande äußerster Ermüdung tut.

Durch alle Beängstigung hindurch, ja, durch die zaghafte kleine Freude an diesem Worte »Herzenszuflucht« hindurch empfand Vittoria, der die feine, frauenhafte Art des Sitzens mit aneinandergestellten Knien natürlich war, sekundenlang diese bäurische und zuchtlose Gebärde als verletzend. Es gab immer wieder Augenblicke – und solche waren häufig vor allem in den Zeitabschnitten gegenseitiger Verstimmungen –, da sie sich peinlich an das geringe Herkommen erinnert sah, von welchem Nespoli aufgestiegen war.

»Vergib, Vittoria«, sagte er. »Ich lasse mich gehen. Aber ich habe heute wohl nicht viel Kraft mehr. Ich habe an diesem Nachmittag unter den Augen, unter den Worten und unter dem Schweigen des Großtyrannen eine Reihe arger Stunden hingebracht. Ich habe meine Selbstzügelung anspannen müssen bis ins äußerste; mir ist wenig von ihr verblieben.«

Plötzlich stieß er Worte hervor von einer Wildheit und Empörung, die Vittoria erschrocken zusammenfahren machten.

»Dieser Schuft!« schrie er. »Dieser Schuft! Dieser Bluthund!«

»Wer? Wer? Massimo, wer denn? Alle Heiligen! Was hast du? Es ist dir etwas begegnet!«

Nespoli nannte mit gegeneinandergepreßten Zähnen den Vornamen des Großtyrannen.

»Massimo! Wie sprichst du von ihm?«

Nespoli kam zu sich. Hatte er zuviel gesagt? Aber sollte er denn hier nicht alles sagen dürfen?

So gewaltig war der Schatten, welchen der Großtyrann über alle Lebensverhältnisse in Cassano warf, daß kaum die vertrautesten Menschen unter vier Augen abschätzig oder auch nur urteilerisch von ihm zu reden wagten. Alle hatten sie das Gefühl seiner möglichen Gegenwart. Konnte er nicht plötzlich hinter jedem Vorhang, jeder Säule, jedem Gartenboskett hervortreten, ja, wer bürgte, daß er nicht lauschend hinter dem am Beichtstuhl Knienden stand?

Nie hatte Nespoli Monna Vittoria zu einer Bekanntschaft mit seinen amtlichen Verrichtungen aufgefordert; nie hatte die Lust oder gar die Versuchung sie angewandelt, sich Einblick, geschweige denn Eingang in die Geschäfte seines Dienstes zu erbitten, noch weniger zu erlisten. Sein Amt, das ihn zum ersten Manne in der Stadt, zum vertrautesten Mitarbeiter des Herrschers machte, war ihr eine stolze und ungefährdete Selbstverständlichkeit, gleichwie des Großtyrannen Regierungsgewalt ihr eine Selbstverständlichkeit war. Denn obwohl durch Geburt und Heirat dem Kreise der einst mächtig gewesenen, vom Großtyrannen auf die Seite verwiesenen Stadtgeschlechter angehörig, zählte sie doch ihrem Lebensalter nach eher zu jenen, welche die alte Zeit der Sippenherrlichkeit kaum mehr recht erfahren hatten. Auch von ihrem Manne hatte Vittoria nie ein urteilendes Wort über den Großtyrannen und die Herrschaftsverhältnisse in Cassano zu Gehör bekommen, denn Confini war kein Mensch geheimer Auflehnung, unruhigen oder ehrgeizigen Wählens; hieran hätte ihn seine nüchterne Vorsicht gehindert, auch wenn nicht seine Hauptgedanken auf Erwerb, Haushaltung und Ruhe gerichtet gewesen wäre.

Vittorias erstem Entsetzen folgte eine leidenschaftliche, eine entschlossene Wissensgierde. Sie spürte Wirrsal und Gefahr; hier wuchs etwas Dunkles, Geheimnisvolles und Strenges, und es schien rätselhaft verwoben mit jener widersprüchlichen Qual, in welcher jeder von beiden des anderen Gefangener war. Sie standen miteinander in der Liebe, und sie standen miteinander in Feindschaft; in jener Feindschaft nämlich, welche zwischen Männern und Weibern gesetzt ist von dem Augenblick an, da unsere Erzeltern Adam und Eva einander erkannten und aneinander ihres Adels verlustig gingen.

Gewahren wir die Veränderung eines uns nahen Menschen, der plötzlich unter sein Schicksal gestellt wird, so suchen wir gern für den ersten Augenblick eine kümmerliche Ausflucht in der Vorstellung, er sei von einer Krankheit befallen, welche ja heilbar ist.

»Massimo, bist du krank?« rief Vittoria. »Du hast Fieber. Ich will dir etwas bringen. Du glühst!«

»Ich bin in den letzten Nächten wohl nicht zu einer rechten Ruhe gekommen«, antwortete er und fuhr sich mit dem Taschentuch über die Stirn. »Nein, nein, das hat nichts zu bedeuten, Vittoria. Ich bin empfindlich gegen die Schwüle dieser vorgewitterlichen Stunden. Du mußt nicht weiter daran denken. Ich hätte jetzt nicht zu dir kommen sollen.«

Er sprach gegen den Estrich, undeutlich und eintönig.

»Krank? Nein, krank bin ich nicht. – Des Teufels bin ich! Ganz und gar des Teufels!« rief er plötzlich, indem er den Kopf hob.

Er stand auf, gebückt und verfallen.

»Ach, ich will gehen. Es ist ja gleich«, murmelte er.

Ihr Atem zitterte, ihre Stimme flog.

»Ich lasse dich nicht aus der Tür, Massimo, hörst du? Ich bin dir lästig, aber wenn es nötig ist, will ich dir lästig sein. Du kannst mich nicht wegschieben, Massimo, dazu hast du kein Recht, und ich werde das nicht hinnehmen. Habe ich mich jemals in dich gedrängt? Ich habe mir genügen lassen an dem, was du selber mir von deinem Leben einräumtest, aber jetzt . . . Massimo!«

Sie umklammerte seinen gesenkten Nacken; mit dem Gewicht ihres Leibes zog sie ihn auf die Bank zurück.

In all ihrem Drängen trat überraschend eine mädchenhafte Demut zutage.

»Massimo, Liebster, ich flehe dich an! Warum willst du mich quälen? Du sagst, du seiest nicht krank. Bist du in Gefahr?«

»Man kann es eine Gefahr nennen«, sagte er langsam und mit einem bösen Hohn. »Wenn man nämlich die Lage eines Mannes, der auf dem Schafott niederkniet und den Kopf gegen den Block neigt, als eine Gefahr bezeichnen will.«

Sie schrie auf, sie preßte sich an ihn, als sei sie es, die sich von ihm eines Schutzes versehen dürfte. Sie bekreuzte sich und ihn.

»Wozu das alles? Du weißt doch von nichts? Willst du mich schonen mit einer vorgespielten Unkenntnis?« fragte er in einem zornigen Mißtrauen. »Ich denke wohl, die ganze Stadt redet von nichts anderem.«

»Nichts, Massimo, nichts weiß ich!« schrie sie angstvoll. »Nichts! Ich schwöre es dir! Ich gebe dich nicht her!«

Es war in diesem selbstwilligen, verschlossenen, mit eifersüchtiger Härte sich selber bewahrenden Manne dennoch ein Stückchen jenes menschlichen Dranges, welcher einen zum anderen hintreten und sagen heißt: »Hier bin ich, nimm mich und gib mich nicht wieder frei.« Dergleichen deutlich zu machen, ja, dergleichen auch nur mit Deutlichkeit zu empfinden, war ihm verwehrt. Und doch muß, da er, geängstigt und verzweifelt, indessen ohne eine bestimmte Willensabsicht an diesem Abend zu Vittoria kam, sein Kommen diesem Drange zugerechnet werden, aus welchem alle Verbundenheit unter den Menschen sich herschreibt.

Auch jetzt noch hatte er nicht vorgehabt, sich ihr zu eröffnen. Er wollte von Vittoria weder Rat noch Hilfe – denn wie hätte sie ihm diese gewähren können? Sondern er begehrte von ihr, was alle Männer von allen Frauen begehren: einen Mutterschoß, eine Höhle, in welcher sie sich bergen und klein sein können, um die gefundene Zuflucht mit Kühle oder Beschämung zu verleugnen, sobald sie ihrer nicht mehr bedürftig sind. So wollen sie Gäste der Frau sein, Gäste auf ewig; indessen die Frau geschaffen wurde, festzuhalten, zu besitzen, zu hüten, ja, zu besitzen mit Ausschließung, Eifersucht, Habgier! Und auch Nespoli brauchte vielleicht weniger Vittoria als vielmehr sein Gefühl für sie. Ja, liebt denn auf dieser Erde ein jeder um seinet-, keiner um des anderen willen? Es hat diesen Anschein. Aber es ist nichts vielgestaltiger als die Liebe.

Gegen die Fensterläden schlug plötzlich jener Wind, der als ein ungestümer Herold dem Gewitter voranzugehen pflegt.

Vittorias Drängen hatte die unerbittliche Gewalt einer Sanftmut, welche selten an ihr zutage trat. Nespoli wehrte sich, indessen mit einer bereits verwesenden Stärke seines Willens. Er wehrte sich gegen die von Vorbehalten freie Preisgabe seiner selbst, der er sich dennoch zutreiben fühlte. Er suchte sich alle Verstimmungen und Erkaltungen, die je zwischen Vittoria und ihm vorgefallen waren, ins Gedächtnis zu rufen, und wie konnte er gerade ihr Einblick geben in jenes Nachlassen seiner alternden Kräfte, das ihm in dieser Stunde erwiesen schien?

Wie ein Kind, das voll Hartnäckigkeit eine begangene Näscherei durch Stunden leugnet, mit einem Male die Lippen zum Schuldbekenntnis öffnet ohne jeden äußerlich erkennbaren Grund, aber auch ohne daß von einer gewissensmäßigen Nötigung geredet werden dürfte, so begann Nespoli plötzlich zu sprechen. Er erzählte von Fra Agostino, er erzählte von seiner Not und Fährnis, er erzählte die Begebenheiten dieses Tages, dessen schwüle Drohung sich draußen im endlichen Losbruch des Gewitters erfüllte und aufhob.

15

Aus dem Gäßchen der Wäscherinnen heimgekehrt, war Nespoli bestrebt gewesen, dem Blick, ja, dem Anblick des Schielers auszuweichen, obwohl er sich nicht verhehlen konnte, daß gerade dies dem Schieler auffallen und den Gedanken recht gegen mußte, die er über seinen Herrn haben mochte.

Des Nachmittags hatte er ihn zum Pfarrer der Zwölf-Apostel-Kirche geschickt, um in Sachen des toten Mädchens zur Beschleunigung zu mahnen. Er selbst war ins Kastell gegangen.

Im Hofe stand ein gesatteltes Pferd.

»Die Herrlichkeit läßt Messer Nespoli bitten, sie beim Brückenbau zu suchen«, meldete der Stallknecht.

Das kleine Flüßchen, welches in einem Drittelbogen die Stadt Cassano umfließt, voll von Kies und gerölligem Steinzeug, zur heißen Zeit arm an Wasser, wurde unweit des Kastells von einer mächtigen steinernen Jochbrücke überwölbt, die man erbaut hatte, als die Kaiser Roms noch dem abgöttischen Glauben dienstbar waren. Erst weiter abwärts, nachdem es eine Reihe von Nebenwässern empfangen hatte, nimmt es an Breite und Tiefe zu, und hier betrieb der Großtyrann, welcher an zweckvollen Bauten eine besondere Lust hatte, seit kurzem die Errichtung einer Brücke und eines befestigten Brückenkopfes.

Nespoli ritt unbeeilt durch die windlose Schwüle. Einige Male zwar fühlte er sich versucht, eine stärkere Gangart zu wählen, um desto schneller den Großtyrannen zu erreichen und eine endigende Entscheidung seines Zustandes herbeizuzwingen; doch warfen ihn wankelmütige Gedanken hin und her, und selbst die qualvolle Frist des kleinsten Aufschubs wollte ihn Gewinn dünken.

Als er die Stadt hinter sich hatte und der weißstäubenden Straße folgte, die hier zwischen der blassen Totenfarbe beschienener Gartenmauern hinging, schrak er plötzlich zurück vor der Bezichtigung jenes Mädchens als vor einem hirnlosen Gespinst, für das von niemandem eine Glaubwilligkeit erwartet werden durfte. Er gelangte in ein freies Land, ein paar Nebenwege waren auf die Hauptstraße gemündet, die sich nun belebte mit allerlei Karren, Maultiertreibern, Fußgängern und Vieh, mit allerlei Geschwätz, Zurufen und Gelächter; und dies ganze Wesen erfüllte Nespoli mit einem kleinen Gefühl der Sicherheit, so als bekunde sich eine Gemeinschaft zwischen allen Menschen, als sei da etwas Behütendes, an welchem auch er auf eine geheimnisvolle Weise teilhabe; es war ihm nun, es müsse einer der Hunde heute noch mit einer guten und gewissen Botschaft zu ihm kommen. Er ließ das Pferd antraben, gleich als könne er es nicht erwarten, auch dem Großtyrannen etwas von seiner frischen Zuversicht mitzuteilen.

Der abzweigende Feldweg, der, von staubigen Stachelgewächsen eingefaßt, auf den vielfach gekrümmten Fluß zulief, war einsam. Nur einmal überholte Nespoli einen Ochsenkarren mit Balken, welcher der Baustelle zufuhr; auch wurde hier und da bereits an der Ebnung und Verbreiterung des Weges gearbeitet, denn der Großtyrann wünschte ihn in eine stattliche Heeres- und Handelsstraße umzuschaffen. Dann war niemand mehr zu erblicken, links lag ein Ölbaumhain mit bleifarbenem, bestaubtem, unbewegtem Laube, rechts hingen von schichtweise abblätterndem Felsgestein wilde Mispeln und Ginsterbüsche gleich einem düsteren Totenbehang. Der Hohlweg war wie ein glühendes Gefängnis, das Pferd schlich im Schritt und mit gesenktem Kopfe. Nespoli gewahrte, daß es keine Ausflucht gab außer in jener Darstellung, welche in dem selbstmörderischen Mädchen ihren Mittelpunkt hatte; es war, als habe er nur über die Hürde einiger kleiner Bedenken zu setzen, um sich in dieser Darstellung gänzlich unangreifbar und daheim zu fühlen. Er raffte sich zusammen und legte die letzte Strecke dieses höllischen Weges im Galopp zurück.

Endlich erblickte er in mäßiger Entfernung die bewaldeten Bergzüge jenseits des Flusses in allen Abschattungen der grünen Farbe vom Schwarz bis zum Gelblich-Lichten. Davor hob sich die einzelstehende Hügelkuppe, welche bestimmt war, den Schutz der Brücke und der noch zu bauenden Straße zu übernehmen. Zu einem großen Teil war sie bereits von ihrem dichten Strauchwerk gesäubert, an dessen Beseitigung auch jetzt eine Reihe von Männern und Weibern arbeitete; auf ihren hellen Hemden, die hier und dort aus dem Graugrün der Gewächse vorleuchteten, lag die weißliche, stechende Sonne.

Zwei Leute, von denen der eine dunkel gekleidet war, bewegten sich hügelabwärts; sie erschienen nicht größer als Kinderspielzeug.

Auf halber Höhe blieben sie stehen, der eine entrollte etwas Weißes, und der Dunkelgekleidete schien vorgeneigt darauf zu schauen. Dann gingen sie weiter. Es war der Großtyrann, der in eifrigem Gespräch mit dem Baumeister dem Flusse zustrebte und strittige Einzelheiten des Planes mit ihm erörterte.

Nespoli dachte betroffen, ob es nicht möglich sein müßte, sich den Sinn derart zu befreien, daß einem in der Tat die Menschen, und auch die mächtigsten unter ihnen, wie Kinderspielzeuge erschienen, klein, fern und nicht zu fürchten; doch vermochte er diesen Gedanken nicht festzuhalten.

16

Zwischen zerstreuten Gruppen von Pappeln, Ulmen und Weiden ritt Nespoli zum Fluß hinab, über den ein leichtgezimmerter hölzerner Steg gelegt war, um dem Heranschaffen der Baustoffe und dem menschlichen Verkehr zu dienen, bis das dauerhaftere steinerne Brückenwerk vollendet sein werde.

Am Ufer stand der Reitknecht des Großtyrannen mit den beiden grasenden Pferden. Der Großtyrann hatte seinen vielbewunderten Goldfuchs geritten, einen Hengst mit einzelnen weißen Haaren, einem klar gezeichneten Keilstern und silberweißen Hinterfesseln. Nespoli übergab sein Pferd dem Reitknecht und ging auf die Brücke, dem Großtyrannen entgegen. In dem Augenblick, da er sie betrat, hatte er die Meinung, alles Gewisse und Behütende hinter sich zu lassen; dieser Fluß war die Grenze, jenseits deren ihn eine unerbittliche Entscheidung erwartete. Nespoli blickte hinunter auf das hurtig strömende, grünlich-trübe Bergwasser, von dem eine leichte Kühlung aufstieg.

Inzwischen waren der Großtyrann und der Baumeister, ein junger Mensch mit leidenschaftlichem und hochmütigem Gesicht, bis in die Nähe des Ufers gelangt. Der Großtyrann sah mitten im Gespräch auf, erblickte Nespoli und winkte ihm leichthin mit einer begrüßenden Handbewegung, wie man sie wohl für einen vertrauten Untergebenen hat. Er entließ den Baumeister, der sich nun einer Gruppe von Arbeitern zuwandte, und betrat die geländerlose, nur von einzelnen Pfosten gesäumte Notbrücke, auf welcher er und Nespoli nach wenigen Schritten einander begegneten.

Der Großtyrann schien noch gänzlich in seinen Baugedanken befangen. Er deutete mit dem Kopf auf den Baumeister, der zu den

Arbeitern getreten war, und sagte lebhaft: »Ich habe einen guten Fang an ihm getan. Das ist es: Junge Leute muß man haben, ehrgeizige und noch unenttäuschte Jünglinge, die es nach Beginn und Vollbringen gelüstet. Bei denen rinnt der Wille nicht dünn aus dem Hirn, er schäumt noch aus dem nährenden Blutsaft des Herzens!«

Obwohl der Großtyrann gänzlich aus der Wärme eines Gefühls und nicht aus einer Absicht gesprochen haben mochte, empfand Nespoli eine Verletzung, indem er sich des Gesprächs in der Rechnungskammer erinnerte, und die eigene Altersangst sprang augenblicklich zur Höhe.

»Ich wollte und sollte wohl eine Anzahl starkmütiger junger Leute um mich sammeln wie eine Bruderschaft und jeden zu einem ungemeinen Zwck bilden«, fuhr der Großtyrann fort. »Damit ließ sich etwas erreichen! Aber freilich, das Jungsein allein tut es nicht, die Jugend eines Menschen verführt uns, ihn zu überschätzen, gleichwie er selbst es tut, indem wir den aufsteigenden Rauch seiner Hoffnungen als eine Gewähr für die Stetigkeit seiner Wesensflamme nehmen. Wenn wir schon einmal auf ein menschliches Mittelmaß angewiesen bleiben, so sind wir mit dem Mittelmaß eines gesammelteren Alters am besten bedient. Nun, laß hören, was bringst du mir? Ist es richtig, daß sich heute früh in der Wollwebergasse ein Pestfall ereignet hat? Ich hörte die Arbeiter davon reden.«

»Es ist ein Altweibergeschwätz, Herrlichkeit«, antwortete Nespoli. »Ein Fuhrknecht von auswärts ist auf der Gasse niedergebrochen. Ich habe ihn ins Kloster der Minderbrüder schaffen lassen, unter denen ja erfahrene Heilkundige sind. Diese versichern, es sei der Ausbruch einer inneren Krankheit, die schon lange in ihm gewirkt und wohl in einer Verstopfung der Leber ihre Ursache haben müsse. Der Mann war blatternarbig und hatte sich im Fall zwischen den Narben einige dunkle Beulen gestoßen. Da nun die Furcht große Augen hat, so haben einige hierin die Anzeichen der Pest erkennen wollen. Ich habe im Kloster bestellen lassen, man möchte mir heute noch eine Nachricht über sein Ergehen senden, fürs nächste aber ihn vorsichtshalber von den übrigen Kranken abgesondert halten.«

»Wahrhaftig, Massimo, man braucht keinen Jungen, wenn man dich hat. Deine Augen sind überall.«

Nespoli fühlte: Es ist unmöglich, daß ich mit leeren Händen vor ihm stehe. In wenigen Minuten werde ich ihm sagen, daß die Mörderin entdeckt ist.

Der Großtyrann fragte nach einigen anderen Dingen, während

sie auf dem Stege hin- und widerschritten. Nespoli gab Auskunft. Hier war alles eindeutig und in gänzlicher Klarheit; nichts war Vermutung, alles war erwiesen. Und daran sollte er jetzt ein vorspieglerisches Luftgeflecht reihen? Nein doch, es war ja keins, es war ebenfalls erwiesen und unwiderlegbar; nichts mangelte ihm als das Geständnis der Täterin, die ja nicht mehr reden konnte.

Nespoli unterbrach seinen Vortrag nicht um einen Augenblick. Aber er sprach aus der Gewohnheit seines Handwerks; sein Geist hatte keinen Teil mehr daran. Dieser nämlich – jedoch nicht er allein, vielmehr auch alle seine Nebenkräfte – war gleichsam eingesogen in einen Strudel.

Nespoli wand sich in einem Alptraum, während seine Stimme ruhig fortredete. Er war wie ein Schwimmer in seichtem Sumpfgewässer, dessen Grund kein Auftreten gestattet, seine Füße verfangen sich in schlinghaftem Wurzel- und Krautwerk, indes die Ruderschläge der ihm Nachsetzenden immer unbarmherziger in sein Gehör fallen. Es erging ihm wie einem des Reitens unkundigen Flüchtling, der in einen Sattel gesprungen ist und nun, verfolgt, ein Hindernis vor sich gewahrt. Aus äußerster Kraft gibt er dem Pferde die Sporen, und fast zugleich pariert er mit beiden Zügelhänden, unvermögend zu entscheiden, welche Gefahr die größere ist: der Sprung oder das Eingeholtwerden. Jede Sekunde änderte seine Meinung, bald will er den spornierenden Füßen, bald den parierenden Fäusten den Ausschlag lassen; plötzlich, ohne zu wissen, wie es zuging, ist er jenseits des Hindernisses, nun aber gewahrt er, daß der Verfolger ihm mühelos nachsprang, ja, daß vor und neben ihm unversehene Gefahren aus dem Boden wachsen.

Plötzlich hatte Nespoli ruhig und im gewöhnlichen Ton seiner Berichte gesagt: »Auch der an Fra Agostino geschehene Mord ist nun aufgeklärt.«

»In der Tat? Laß hören, Massimo. Wer ist es?«

Nespoli atmete auf. In diesem Augenblick schien ihm ein Strom winterlicher Kälte vom Wasser aufzusteigen. Das Hindernis war genommen; er hatte die furchtbare Freiheit der Wahl nicht mehr, er hatte sie hingegeben um eine furchtbare Eindeutigkeit.

Es war etwas von der Kälte jenes Wasseranhauchs in Nespolis ausführlicher Erzählung.

»Nun, es scheint, das lasse sich hören«, sagte der Großtyrann, als Nespoli geendet hatte. »Aber ist es nicht denkbar, du habest dich von deinem Eifer verleiten lassen, Umstände für Merkmale zu nehmen?«

Der Großtyrann begann den Fall nach allen Seiten prüferisch hin und her zu wenden wie einen Gegenstand. Doch hatte Nespoli für jede seiner Fragen eine Antwort, welche die Lücke schloß. Wo dem Großtyrannen ein noch so winziges Teilstückchen zu mangeln schien. Nespoli hatte es bei der Hand und fügte es sicher und ohne vordringlichen Triumph an die passende Stelle.

Immer noch schritten sie auf der Behelfsbrücke hin und her. Endlich blieb der Großtyrann stehen und sagte: »Es wäre mir sehr lieb, wenn ich deine Meinung teilen könnte; doch darf ich dir ein Bedenken nicht verschweigen. Nämlich es ist einer meiner Kuriere dem Mädchen in jener Nacht begegnet, und zwar am Flußufer unweit von Bissola und gerade um die Stunde, in welcher Fra Agostino starb.«

Nespoli schloß für eine Sekunde die Augen. Er dachte: Da ich nicht die Kraft habe, für meinen Blick die Menschen in Kinderspielzeuge zu verwandeln, was bleibt mir anderes übrig, als diesen Mann mit einem Vorschnellen meiner rechten Faust von der Brücke zu stoßen?

Der Großtyrann sah noch eine kleine Weile ins Wasser, dann ging er dem cassanesischen Ufer zu.

»Wir wollen heimreiten«, sagte er mißmutig. »Man müßte Raum schaffen für junge Leute und mit ihnen von vorne beginnen.«

17

Nespoli folgte stumm. Als sie bei den Pferden angelangt waren, fragte er mit verwürgter Stimme und ohne Hoffnung: »Wird die Herrlichkeit mir gestatten, mit dem Kurier Rücksprache zu nehmen?« Der Großtyrann antwortete verneinend: »Wozu?«

Sie ritten im Galopp bis auf die Höhe oberhalb des Hohlweges. Hier hielt der Großtyrann an, und indem er die Hand als Blendschirm über die Augen legte, betrachtete er, sich langsam im Sattel wendend, die seinen Blicken rundum überlassene Landschaft: steinige und bewaldete Berge, sonnenversengte Weidehügel, Dörfer, Gärten und Felder, von Wegen und Straßen durchschnitten, welche er angelegt oder doch gebessert hatte; Ölbaumhaine und Weinpflanzungen, hier und da eine Burg, die er in sicherer Hand wußte; endlich die Stadt Cassano mit der Vielfalt ihrer Türme und dem wuchtigen Kastell. Im Süden verlor sich die unausmeßbare Ebene im Dunst.

»Ein schönes Land, Massimo!« sagte er. »Und ein brauchbares Volk! Ich hoffe, für beide noch manches tun zu können, bevor ich sterbe.«

Sie ritten im Schritt abwärts.

Nach einer Weile winkte der Großtyrann den hinter ihm reiteten Nespoli an seine Seite und sagte: »Ich weiß wohl, daß du mich nicht hast täuschen wollen, Massimo. Du hast dich selber getäuscht, aber ich will dich deswegen nicht tadeln. Denn es ist mir ja bekannt, daß in jedem Menschen gleichzeitig zwei Gedankenbahnen laufen: eine, welche sich nährt von den unanfechtbaren Erkenntnissen seiner Urteilskraft, und jene zweite, welche ihren Ausgang hat und ihr Ziel sucht in dem, dessen er zum Lebenkönnen bedarf. Und ich glaube, daß in dieser Doppelheit der Gedanken die Ursache alles dessen liegt, was man Unwahrheit oder Lüge nennt, und nicht in einer Schlechtigkeit des Gemüts, von der die Sittenlehrer reden. Der Versuchung eines solchen Selbstbetruges bist du erlegen und wirst ihr vielleicht ein weiteres Mal erliegen, doch hat das nicht viel zu bedeuten. Denn du bist ja, dem zum Trotze, ein klarer und kluger Mensch, und ich brauche dir nur ein Zeichen der Warnung zu geben, eine Mahnung zum Wiedergewinn deiner Klarheit, so wirst du augenblicks diese schlechte Krücke von dir werfen, und sei es auch nur darum, weil du merkst, sie werde dich zu Fall bringen.«

Nespoli wollte etwas sagen von dem absonderlichen, ja, wunderhaften Zusammentreffen für den Augenschein unwiderleglicher mittelbarer Beweise, durch welche er zu seinem Irrtum geradezu gezwungen worden sei, doch der Großtyrann fiel ihm ins Wort:

»Laß nur, laß nur, Massimo, ich nehme das nicht schwer. Ich sagte dir ja, es ist mir bekannt, daß der Mensch manchmal das Leben nicht bestehen kann ohne einen Selbstbetrug. Es tut mir leid, daß du kein Glück gehabt hast. Aber du hältst ja wohl noch andere Eisen in deinem Schmiedefeuer. Magst du mir nichts von diesen anderen erzählen? Du hattest doch unlängst, wenn ich mich richtig erinnere, von einer Vielzahl deiner Spuren gesprochen.«

Nur für kurze Zeit hatte der erlittene Schlag in Nespoli eine Art Lähmung bewirkt. Der tödlichen Gefahr bewußt, hatte sein Hirn bald danach fieberisch zu arbeiten begonnen. Es durchlief die ganze Reihe der erwogenen und abgewiesenen Möglichkeiten, es prüfte die Gründe der Abweisungen, und einige unter ihnen wollten ihm nicht mehr stichhaltig scheinen. Es verweilte bei einer Mutmaßung, welche an jenem Morgen im Garten des Großtyrannen aufgestiegen war, und spann sie in Hast, in Hitze weiter; denn hier konnte sich ein Ausweg eröffnen, wenn noch nicht zur Entdeckung des Untäters, so doch zur Rettung Nespolis.

Er begann also von jener Mutmaßung zu sprechen.

»Die Herrlichkeit wird mir erlauben, für jetzt abzusehen von der gewöhnlichen Art der Fährtenverfolgung und statt dessen die Frage zu erheben, wer wohl vom Tode des Fra Agostino einen Vorteil für sich erhoffen könnte. Da möchte ich antworten: die venezianische Republik. Denn der Getötete stand ja im Begriffe, in Staatsdingen, von denen ich freilich keine Kenntnis habe erlangen dürfen, nach Venedig abzureisen. Offenbar sollten die Dinge, die in Venedig zu verrichten ihm aufgegeben war, verrichtet werden zum Nutzen der Herrlichkeit, welcher ja bekanntermaßen mit dem Nutzen der venezianischen Republik niemals zusammenfallen kann. So ließe sich leicht denken, daß es zum Nutzen der Republik sein müßte, wenn Fra Agostino als der Herrlichkeit gewandtester Unterhändler aus dem Wege geschafft würde, woraus sich die Notwendigkeit ergäbe, ihn durch einen minder gewandten zu ersetzen. Erlaube mir die Herrlichkeit für eine kleine Weile anzunehmen, dies sei die Erwägung der Signoria von Venedig gewesen. Würde sie in einem solchen Falle den Fra Agostino in Venedig haben verschwinden lassen? Nein, meine ich, denn alsdann wäre sie ja der Tat verdächtig oder müßte zum mindesten für sie haften. Dadurch indessen, daß sie diese Tat in Cassano, und zwar mit so großer Keckheit in unmittelbarer Nähe der Herrlichkeit, verüben ließ, dadurch, so meine ich, glaubte sie jeglichen Verdacht von Anbeginn auszuschließen; und selbst wenn . . .«

»Ich denke, du hast das nur für eine kleine Weile annehmen wollen?« unterbrach der Großtyrann den Eifrigen. »Nun aber gehst du damit um wie mit einem sicheren Geschehnis. Hätte ich Fra Agostino nach Pisa schicken wollen statt nach Venedig, du hättest mit gleicher Gewißheit die Pisaner beschuldigt. Du meinst also, wenn jemand in Sizilien erstochen wird, tue man gut, den Mörder in Dänemark zu suchen. Du bist nicht ängstlich, Massimo, du bist ein großherziger Erdbeweger.«

»Ich fürchte, mich nicht klar genug ausgedrückt zu haben, Herrlichkeit«, erwiderte Nespoli. »Ich behaupte ja nicht, daß der Mord von der Signoria veranlaßt worden ist, sondern daß es um einer gewissen Wahrscheinlichkeit willen nützlich und notwendig wäre, Fahndungen auch in Venedig vorzunehmen. Zwar habe ich bereits am Morgen nach der Untat einen meiner Fischer nach Venedig entsandt, doch wäre es mir lieber, die Nachsuchungen selber anzustellen. Darum möchte ich die Herrlichkeit bitten, mir einen Urlaub gewähren zu wollen.«

»Du hast jemanden hingeschickt? Sehr umsichtig. Welcher von deinen Hunden ist es?«

»Zampetta, Herrlichkeit.«

»Zampetta? Ein brauchbarer Mann. Ich habe keinen Grund, anzunehmen, daß er der venezianischen Aufgabe nicht gewachsen sein sollte. Du hättest mir von dieser Entsendung nichts sagen sollen, Massimo. Dennoch, ich würde dir den Urlaub wohl nicht verweigern, hättest du in Cassano Frau und Kinder. So aber besorge ich, du möchtest dich vielleicht an der Rückkehr gehindert sehen. Auch scheint es mir überhaupt nicht gut, wenn du zu dieser Zeit die Stadt verlässest. Sollte das aber aus zwingender Ursache für ein paar Stunden notwendig sein, so werde ich dir zwei meiner Lanzenreiter mitgeben. Ich habe Anweisungen erteilt, daß von heute abend ab sich ihrer einige an allen Stadtausgängen für solche Fälle zu deiner Verfügung halten.«

Nespoli erbleichte.

»Ich habe mir selten erlaubt, der Herrlichkeit eine Bitte zu unterbreiten«, sagte er zögernd. »Wenn ich es jetzt tue, so . . .«

Der Großtyrann fiel ihm mit plötzlicher Heftigkeit ins Wort: »Aber was reden wir denn?« rief er. »Wahrhaftig, ich hatte es ganz vergessen, daß die Frist, die ich dir stellte, ja im Ablauf begriffen ist! Denn du wirst wohl nicht meinen, dein Schutzpatron werde dir den Mörder hinwerfen in den paar Abend- und Nachtstunden, die noch vor dir sind. Nun, es ist gut, daß du mich daran erinnert hast mit deinem Versuch, auf dem Umwege über Venedig dir eine Fristverlängerung zu erschleichen!« Ruhiger fuhr er fort: »Ohne Zweifel erinnerst du dich, mein Lieber, welche Ankündigung ich dir für diesen Fall gemacht habe. Nun, der Fall scheint eintreten zu wollen.«

Sie hatten jetzt die Fahrstraße erreicht. Die Sonne stand bereits niedrig. In gerader Richtung vor ihnen lag die Stadt, immer noch unter der Drohung gewitterhaft dunkler Wolken.

Nespoli bedurfte eines Zeitmaßes, um die Herrschaft über seine Stimme wiederzugewinnen.

»Ich habe nichts erschleichen wollen, und ich will nichts erbetteln«, sagte er endlich, und in seiner Erregung sprach er vielleicht um einen Ton lauter, als es der Höflichkeit angemessen war. »Aber ich bitte zu bedenken, ob eine Fristeinhaltung und mithin auch eine Fristsetzung hier überhaupt möglich sein konnte. Die Herrlichkeit ist davon ausgegangen, daß man mir nachsagt, ich hätte noch jeden Übeltäter in drei Tagen ergriffen. Hierbei ist aber außer acht geblieben, daß von den Übeltaten ihrer Natur nach die eine sich einer hurtigeren, die andere einer langsameren Aufhellung darbietet, nämlich nach der Natur der Tat, nicht aber nach der Natur ihres Verfolgers und Entdeckers. Es hieße, einen Regelzwang ausüben wollen auf lebendige und daher immer ungleichförmige Dinge, wollte man . . .«

»Es steht dir nicht zu, Massimo, Anordnungen, die ich traf, vor dein Urteil zu stellen«, sagte unterbrechend der Großtyrann. »Ich habe deine letzten Worte nicht gehört und will keine ähnlichen mehr hören. Auch ist meine Fristsetzung ja geschehen und somit nicht mehr rückgängig zu machen. Zu überlegen bleibt mir nur – mir, nicht dir –, welche Folgerungen ich daraus ziehe, daß du die Frist verstreichen ließest. Was soll ich tun? Ein Gläubiger, dessen Schuldner die bedungene Zeit nicht innehielt, wartet nun nicht länger; er hat ja das Recht und dessen Zwang auf seiner Seite. Ein anderer freilich wird sagen: Wozu soll ich meinen Schuldner verderben? Setze ich ihm eine neue Frist, so wird er vielleicht wieder zu Kräften kommen und danach seine Schuld abtragen. Was rätst du mir, Massimo? Willst du dir eine Fristverlängerung erbitten?«

Nespoli hob ungestüm den Blick zum Gesicht des Großtyrannen, doch sagte er nichts.

»Aber meinst du wirklich von den nächsten drei Tagen erwarten zu dürfen, was die vergangenen drei dir verweigerten. Glaubst du, der Mörder werde dir jetzt zulaufen?«

Nespolis Blick hing immer noch am Gesicht des Großtyrannen voll einer schmerzlichen Gier.

»Ich erwarte kein Zulaufen, Herrlichkeit, und habe nie eines erwartet«, sagte er hastig. »Ich habe alles getan, was menschliche Kräfte zulassen. Ich bin dem geringfügigsten Kennzeichen nachgejagt, ohne mich zu schonen, und ich werde das weiterhin tun. Die Steige, von denen ich berichtete und von deren Begehbarkeit ich meinen Herrn nicht zu überzeugen vermochte, sind nicht die einzigen. Es liegen des weiteren Hindeutungen vor, die darauf schließen lassen . . .«

»Nun, von denen will ich jetzt nichts hören, du hast mir mit deiner Erzählung von dem Wäschermädchen ein wenig die Lust vertrieben. Auch möchte es dir keineswegs von Nutzen sein, wollte ich zulassen, daß du mir jetzt mit aller Beeiferung und Beflissenheit von der Spürerei erzählst, die du in Cassano leistetest und noch weiter zu leisten gedenkst. Denn um so zweideutiger müßte mir deine Behauptung von der Notwendigkeit einer venezianischen Reise erscheinen, je lebhafter du mir etwa schilderst, welch zweckdienliche und tüchtige Arbeit sich hier in Cassano von dir verrichten läßt. Davon also erzähle mir gegenwärtig lieber nichts. Du hast Fehler begangen, Massimo, indem du der Versuchung erlagst, die Tatsachen deinen Bedürfnissen anzuverwandeln. Wenn du schon einen Toten bezichtigen willst – und diese Möglichkeit, ja, diese Notwendigkeit kann sicherlich eintreten, denn da niemandes letzte Stunde gewiß ist, so könnte auch Fra Agostinos Mörder in diesen Tagen vom Tode ereilt sein oder noch ereilt werden –, wenn du also, sage ich, einen Toten bezichtigen willst, so darf es nicht ein solcher sein, der zur Stunde der Tat an einem entfernten Orte gesehen worden ist. Vielmehr dürfte es nur ein solcher sein, der in dieser Nacht von niemandem erblickt wurde, ja, ein solcher, von dem irgendwelche Bekundungen vorliegen, welche mehr Gewicht haben als das unbestimmte Geschwätz einer Schwachgeistigen. Hier rate ich dir gut. Aber mir scheint, indem ich dir Ratschläge für deine weitere Arbeit gebe, so habe ich unversehens die Frage nach der Fristverlängerung schon entschieden. Mag es denn dabei bleiben. Bist du hiermit zufrieden, Massimo?«

»Ich danke der Herrlichkeit«, antwortete Nespoli. Seine Stimme war ohne einen Ausdruck, es sei denn der einer plötzlichen Heiserkeit; er mußte sich Gewalt antun, um die wilden Atemstöße, in denen seine entbürdete Burst auf- und niederging, nicht vernehmlich werden zu lassen.

Das Gespräch schien beendet, und Nespoli hielt sich wieder zurück. Sie gelangten durch das Stadttor, und der Großtyrann wurde nun häufig durch allerlei Zurufe begrüßt, sei es von Straßengängern, sei es aus Türen oder Fenstern. Denn er wurde vom einfachen Volke geliebt wie fast jeder Gewaltherrscher; indem nämlich die geringen Leute nicht die Frage stellen, ob er ihrem Lose eine Besserung gebracht habe, sondern sich freudig daran genügen lassen, daß jemand da ist, welcher den Herrenstand bedrückt.

Endlich befahl der Großtyrann mit einem Winken des Kopfes Nespoli abermals an seine Seite.

»Ich muß dir noch etwas von der Fristverlängerung sagen. Ich gewähre dir eine weitere Frist von drei Tagen und nach ihrem Ablauf wieder eine und so fort. Doch wirst du dir eine jede neue Verlängerung ausdrücklich zu erbitten haben, denn ich vertraue darauf, daß der Zwang dieses Bittenmüssens deinen Fähigkeiten nachhelfen werde. Allein ins Ungemessene wird das nicht währen dürfen, vielmehr nur bis an eine gewisse Grenze. Die Setzung dieser Grenze aber behalte ich mir vor, und ich kann dir auch nicht versprechen, daß ich sie dich schon von weitem werde erkennen lassen. Sondern es könnte sich wohl ereignen, daß du plötzlich, ohne es zu wissen, an dieser Grenze angelangt wärest, ja, sie wohl gar überschritten hättest; und vielleicht wird das schon sehr bald geschehen sein und in einem Augenblick, da du es nicht erwartetest.«

Nespoli hatte sich nicht so weit in der Beherrschung, daß er bei diesen Worten des Großtyrannen nicht im Sattel eine zurückweichende Bewegung gemacht hätte. Hier wurde auf eine dunkle, schwer faßliche Weise das eben Gegebene wieder zurückgenommen oder doch der Wert der Gabe in Zweifel gehüllt.

In der Nähe der Zwölf-Apostel-Kirche begegnete ihnen ein ärmlicher Leichenzug. Die Wäscherin hatte einen klagenden Gesichtsausdruck und eine gewisse feierliche Wichtigkeit der Gangart. Die drei Kinder gingen in einer Reihe, sorglich einander an den Händen haltend, genau wie am Vormittag, da sie auf Nespolis Geheiß die Gasse zum Flußufer hinuntergegangen waren. Hinter einigem geringen Vorstadtvolk kam mit geducktem Kopfe Sperone, der Färber. Nespoli, der ja die Bestattung angeordnet hatte, wunderte sich fast, daß seinen Winken und Befehlen in Cassano immer noch eine so schleunige Folge geleistet wurde. Er besorgte, der Großtyrann werde ihn fragen, wer in dem armseligen Sarge liege, und werde an die Antwort einige spöttische Bemerkungen knüpfen. Doch der Großtyrann schien wieder seiner Grübelei verfallen; er bekreuzte sich nur zerstreut, fast ohne aufzublicken.

Noch eine Mahnung richtete er während dieses Heimrittes an Nespoli; Worte, deren eigentümliche Betonung den Hörer wohl stutzig machte, deren möglicher Hintersinn ihm aber erst später zum Bewußtsein kommen sollte.

»Halte deine Zeit zu Rate«, sagte der Großtyrann, während er mit einem Handwinken den Begrüßungen einiger Straßengänger dankte. »Ob du nun *das Richtige* tust oder nicht – handle. Es ist ja nicht daran das meiste gelegen, daß ein Mensch das Richtige tue, sondern daran, daß, was er tut, ihn zu Kräften nötige, die er zuvor nicht gehabt hat.«

Sie kamen durch den düsteren Torweg des Kastells. Stärker als zuvor empfand Nespoli in diesem Augenblick die Beschattung des dunklen, schleichenden, lauernden Todes. Der Großtyrann nickte vor sich hin und sagte, ohne sich umzuwenden: »Guten Abend, Massimo. Ich halte dich nicht länger zurück.«

18

Diesen Nachmittag also schilderte Nespoli und was ihm bedingend vorangegangen war. Einige Male, schwer atmend, verstummte er unter der Gewalt von Donnerschlägen. Die geschlossenen Vorhänge ließen keinen Blitz wahrnehmen, doch bewies der Hall des Donners, daß das Gewitter nahe über dem Hause war. Der lange erwartete Regen schlug zornig gegen das Fenstersims und die Steinplatten des Hofes.

Es war kein Bericht, es war ein Bekenntnis. Nespoli fühlte tief die nie zuvor erfahrene Lust einer Selbstpreisgabe ohne Vorbehalte. Er hatte jede Scham verloren, jede Rücksicht vergessen. Er bekannte alle erlittenen und noch zu erleidenden Demütigungen. Er bekannte alle die grauenvollen und fruchtlosen Zermarterungen seines Hirnes, bekannte alle Altersangst und alle Zweifel an sich selbst.

Und Vittoria saß neben ihm, vorgeneigt, und hielt seine Hand, und in allem Entsetzen wurde sie von einer zitternden Freude durchflutet. Denn Nespolis Not machte alles neu. Alle Verstimmungen, Mißverständnisse und Halbherzigkeiten, all dies unwürdige Rechthaben- und Rechtbehaltenwollen, alle diese zwiespältigen, doppelsinnigen Gedanken – mitten in den Empfindungen der Leidenschaft und Zärtlichkeit – und diese immer wiederkehrende Furcht vor dem Erkalten und Entgleiten, das alles war plötzlich zunichte, und Vittoria atmete in der Einfachheit eines großen Gefühls.

Sie hörte die Todesdrohungen des Gewalthabers, in der Kinderlosen regte sich der mütterliche Drang, Flügel über den hilflos Gefährdeten zu breiten.

»Kindchen«, flüsterte sie und streichelte den Kopf, der sich gegen ihre Brust wühlte.

Welche Frau, selbst unter dem Todesschatten härtester Gefahren, empfände nicht ein Glück in der Wahrnehmung, daß der geliebte Mann ein größeres Zutrauen zu ihr hat als zu sich selber?

»Kindchen, Kindchen«, wiederholte sie, als könne sie sich nicht ersättigen an dem zauberischen Klang dieses Namens, »Kindchen, du mein Kindchen, alles, alles sollst du mir sagen. Wie hast du dich denn nur schämen können vor mir? Hat er denn geglaubt, dieser Kleine, Dumme, er müsse mir verschweigen, daß ihm in seinem Amte etwas verquergegangen ist? Aber, Massimo«, rief sie in verändertem Ton, und es war einer der Augenblicke, da ihre Stimme überraschend eine männliche Stärke annehmen konnte, »ich habe doch einen Menschen liebgehabt, einen Menschen liebe ich und nicht den Inhaber eines Amtes!«

Sie hatte je und je schmerzlich gelitten unter dem Triebe, gegen diesen von ihr geliebten Menschen gereizt zu sein, ja, ihm in kleinem weh zu tun. Vielleicht war es seine natürliche Selbstgewißheit, die solche Erbitterung fallweise in ihr bewirkt hatte. Nun, da sie ihn zum ersten Male im Stande der Erniedrigung und Selbstverlassenheit sah, nun war alles gewandelt.

Indessen war Nespoli nicht geschaffen, in der Einfalt und Ausschließlichkeit eines starken Gefühles länger auszudauern als für eine streng zugemessene Zeitspanne. Mehr noch als in anderen Menschen pflegte es in ihm zu geschehen, daß zwei Gefühlsläufe zu gleicher Zeit ihn durchrannen, vergleichbar einer aus mehreren Fäden geflochtenen Schnur, von denen bald der eine, bald der andere auf der dem Licht zugewandten Seite sich bloßgibt. Wohl erschütterte ihn das Glück, schrankenlos sich öffnen zu dürfen; und doch streifte ihn bald schon ein Erschrecken darüber, daß er sich so völlig in die Hände dieser Frau begab, die er liebte; und doch trieb ihn bald schon eine Begierde nicht nur nach Trost und Kraft, sondern auch nach sachdienlichen Hilfsmitteln. Und so geschah es über dem Erzählen, daß sich, ihm selber unmerkbar, Ausflüsse seiner gewöhnlichen Vorsicht und Klugheit wieder in ihn einstahlen: kleine Versuche, die Gänzlichkeit seiner Selbstöffnung einzuschränken, ja, ihr vielleicht die Richtung auf diesen oder jenen Zweck zu geben. Schon war es, als habe er hier und da ein Stocken zu überwinden, da er sich in der Angelegenheit der Selbstmörderin und des nach Venedig erbetenen Urlaubes als vom Großtyrannen in die Enge getrieben und mit Hohn überschüttet bekennen mußte; und so deutete er heftig auf das Mögliche, ja Wahrscheinliche seiner venezianischen Auskunft und ereiferte sich über die eigensinnige Härte, mit welcher der Großtyrann seine Arbeit beschränke.

Vittoria fragte: »Und wie entließ er dich, Massimo? Mit Strenge? Oder hat er, da du ihn zum Kastell begleitet hattest, zum Abschied doch noch ein Wort für dich gehabt, das der Hoffnung Raum gibt?«

Nespoli antwortete nicht. Plötzlich stand jene sonderbare Mahnung des Großtyrannen vor ihm. Es war ihm, als habe er ihr nicht genügend Aufmerksamkeit zugewandt, als berge sich vielleicht ein ganz besonderer, erst jetzt sich ihm öffnen wollender Sinn in diesen Worten: »Ob du nun das *Richtige* tust oder nicht – handle. Es ist ja nicht daran das meiste gelegen, daß ein Mensch das Richtige tue.«

Und dieser Ausdruck »das Richtige« begann nun mit einem Male in ein unheimliches Zwielicht zu rücken und in seiner Bedeutung zu schillern, bis er nicht nur den Sinn des sachtunlich Richtigen, sondern auch des sittlich Erlaubten, des Rechten anzunehmen vermochte, so daß hier vielleicht eine Gutheißung zweifelhafter Hilfsmittel, ja, eine Einladung zu deren bedenkenlosem Gebrauch erblickt werden konnte. Nespoli war es, als habe er eine bestürzende Entdeckung gemacht. Hatte er so blind sein können?«

Hastig nahm er seine Erzählung wieder auf. Sie war nicht ein ruhig fortschreitendes, nach der zeitlichen Abfolge geordnetes Wiedergeben der Vorkommnisse gewesen, sondern ein leidenschaftliches, oft zufälliges Hinschleudern von Einzelstücken; denn ein wählender und ausschließender Verstand, wie er in jedem Bericht, und sei es der geringfügigste, am Werke ist, war ihm ja in dieser Stunde nicht zu Gebot. Auch hatte er manches wiederholt, gleich als könne es dadurch eindringlicher werden.

Auch jetzt geriet er hier und da in ein Wiederholen. Nun aber geschahen dabei winzige Verschiebungen; ein Ton fiel anders, ein Nachdruck verlegte sich, abermals kam er auf diese und jene Mutmaßung zu sprechen und auf all sein fast übermenschliches Mühen und Hirnzerspalten; er schilderte die eine oder andere der vorgenommenen Befragungen. Keinen Augenblick, selbst im Traum nicht, sei er von seiner Aufgabe verlassen worden, nichts habe er tun können, in das dieser Alpdruck sich nicht eingeschoben habe.

»Du armer, lieber Mensch«, sagte Vittoria, »und daß du vorgestern Pandolfo fragtest . . .«

»Daß ich vorgestern Pandolfo fragte?« wiederholte Nespoli langsam, und es war nicht zu entscheiden, ob dieses langsame Sprechen einer Nachdenklichkeit oder einer Abwesenheit des Geistes zuzuschreiben war. »Daß ich vorgestern Pandolfo befragte, das war auch . . . nein, selbstverständlich, Vittoria, ich sagte es dir ja bereits, es war nichts als ein Vorwand, damit ich dich sehen konnte . . . Dennoch, wer in meinem Amt steht, und noch mehr: in meiner Gefahr, der wird in keinem Augenblick vergessen dürfen, was ihm obliegt. Aber sage mir, Vittoria: Wie geht es deinem Manne, und was ist das doch für eine Krankheit, die er sich in jener Nacht zugezogen hat?«

Vittoria gab ihm Auskunft. Danach geriet Nespoli wieder auf die Selbstmörderin, und in einer sonderbaren Verflechtung der Einfälle gedachte er der tadelnden, aber auch ratenden Worte, mit denen der Großtyrann, da er kurz vor dem Stadttor in die Fristverlängerung willigte, auf die bei Bezichtigung der Toten von Nespoli begangenen Fehler hingedeutet hatte.

»Wenn der Zufall nicht gewesen wäre, daß sein Kurier das Mädchen erblickt hätte«, sagte er halblaut, »nun, so hätte er wohl meine Erklärung hinnehmen müssen, und die Tote hätte als Töterin gegolten.« Und rasch beflissen fügte er bei: »Das aber hätte mir die Möglichkeit gewährt, ungehetzt und in jener Ruhe und Stetigkeit, die allein den Erfolg geben können, dem wirklichen Mörder nachzuspüren, dessen Findung dann auch den Makel vom Andenken der Srhwachgeistigen getilgt hätte. Freilich, er ist mit mittelbaren Beweisen schwer zufriedenzustellen. Ja, wäre von dem Mädchen irgendeine Bekundung zu schaffen gewesen, eine unmißverständliche, eine schriftliche gar . . . Ach, was rede ich, Vittoria, nimm es nicht anders, als spräche ein Kranker zu sich selbst . . . Aber ich muß den Täter haben«, rief er aufspringend und wurde nicht gewahr, daß er beinah gesagt hätte, einen Täter. »Und wenn ich ihn aus der Erde scharren sollte als einen Toten! – Die Lebenden habe ich durchforscht«, setzte er matt hinzu.

Vittoria mühte sich eifrig in Zuspruch und Tröstungen. Das Gewitter war verstummt. Vittoria erhob sich, zog die Vorhänge beiseite und öffnete Fenster und Läden.

Noch immer rauschte der Regen, allein es war nun ein mildes und gleichmäßiges Fallen, bewirkt von der eigenen Schwere der Tropfen, nicht mehr ein zorniges Niederschlagen geschleuderter Wassermassen.

Nespoli trat zu ihr ans Fenster. Beide atmeten tief. Eine wunderbare Frische strömte besänftigend ins Zimmer. Auch Nespoli konnte sich ihrer Einwirkung nicht völlig entziehen. Es war ihm nun fast, er habe an seinem Teil eine ähnlich reinigende Entladung erfahren dürfen wie die Schöpfung im ganzen, deren wiederhergestellte Unversehrtheit bereit schien, auch ihn aufzunehmen.

In der Stadt schlug eine Turmuhr.

»Du mußt jetzt gehen, Kindchen«, sagte Vittoria.

Nespoli ergriff ihre linke Hand, wandte sie um und saugte sich mit den Lippen an ihrer Innenfläche fest; das tat er abgekehrten Gesichts, als hindere ihn eine Scham, Vittoria seine Züge sehen zu lassen.

Vittoria bekreuzte ihn. Ohne die Augen noch einmal zu ihrem Gesicht zu heben, preßte er wiederholentlich ihre Hand und ging dann wie aus einem jähen Entschluß zur Tür.

ZWEITES BUCH

Vittoria

1

Dem Gewitter folgte eine kühle und ruhevolle Nacht. Die unangefochtene Klarheit des Himmels dauerte auch nach Sonnenaufgang noch fort; doch war sie jetzt bereits so groß, daß sie als ein ungutes Vorzeichen gedeutet werden mußte. Das Gebirge schien sehr nahe mit Umrissen von unnatürlicher Schärfe; jeder einzelne Höhenzug des Monte Torvo, schroff vom anderen geschieden, zeigte sich dunkelblau, jeder Waldstreifen tiefschwarz. Die Schatten wiesen eine sonderbare bläuliche oder violette Färbung auf.

Und in der Tat begann schon in den Morgenstunden die Herrschaft jenes bösen Windes, der feucht und heiß von Südosten weht. Die Luft wurde dunstig, der Himmel deckte sich mit eiter- und bleifarbenen Schleiern, deren Schichtung eine tückisch und träg stechende Sonne vergebens zu durchdringen trachtete.

Von diesem Winde sagen einige, er bringe die winzigen Sporen einer giftigen Wüstenpflanze unsichtbar mit sich. Wie sich dies nun auch verhalten mag, gewiß ist es, daß er bei vielen Menschen Änderungen des Gemütszustandes heraufführt. Bei einigen bewirkt er eine Lähmung ihrer Entschluß-, bei anderen ihrer Urteilskräfte, in diesem Unmut und Ängstlichkeit, in jenem ein übermäßiges und prahlerisches Selbstvertrauen. In manchen erweckt er einen ungeregelten Tätigkeitstrieb, andere bestimmt er zu einem nörglerischen Müßiggang. Hier hat er ein leibliches Mißbehagen im Gefolge, dort eine Verwirrung der Seele und des Gewissens, und selbst ein strenger Richter setzt es mildernd in Anschlag, wenn eine Tat der Wildheit, Leidenschaft oder Auflehnung zu der Zeit dieses Windes begangen wurde. Es erstreckt sich aber seine unheimliche Kraft auch darauf, daß er gewisse Leute zu einer dreisten, ja, schamlosen Offenheit bringt; er nötigt verborgene Dinge ans Licht und läßt stürmisch aufsteigen, was der Mensch in sich verschlossen oder gar vergessen hielt. Kurz, er stellt alle, die seiner Beeinflussung zugänglich sind – und dies sind nicht wenige –, auf irgendeine Weise scheinbar außerhalb ihres alltäglichen Wesens.

Unter der Wirkung dieses Windes erwachte Nespoli matt und verwüstet. Der Schieler, als ein geübter Beobachter seines Herrn, beeilte sich, während er Nespoli rasierte, ihn mit einer Nachricht zu unterhalten, von welcher er sich einen günstigen Einfluß auf seine Laune versprechen durfte. Der Großtyrann, so berichtete er, hatte vor Tagesanbruch einige seiner Höflinge wecken lassen und war mit ihnen zu einem Jagdaufenthalt im Bergwaldgebiet, wo er ein kleines und unwohnliches Schlößchen besaß, davongeritten. Obwohl er sich über die Dauer dieses Aufenthaltes nicht geäußert hatte, so erlaubten doch die befohlenen Zurüstungen, an eine nicht unbeträchtliche Reihe von Tagen zu denken.

Nespoli hörte diese Mitteilung, die ihn überaus hätte erleichtern müssen, schweigend an. Es erfüllte ihn mit Widerwillen, daß eine Bekundung der Freude von ihm erwartet zu werden schien. Immerhin konnte er sich nicht verhehlen, daß die Abwesenheit des Großtyrannen ihm für die nächsten Tage wichtige Freiheiten verhieß, ja, eine wortlos gewährte Verlängerung der Frist zu bedeuten hatte.

»Die Schwachsinnige ist nun also zur Erde gebracht worden«, begann der Schieler nach einer Weile.

»Ich habe dich nicht nach ihr gefragt«, sagte Nespoli.

Der Schieler sah ihn verwundert an, er war es seit Jahren gewohnt, seinem Herrn beim Rasieren allerhand Dinge zu erzählen, die zu seinen Ohren gekommen waren. Er versuchte noch einige Anspielungen, welche seine Vermutung erkennen ließen, Nespoli möchte das Mädchen dem Großtyrannen als mögliche Täterin genannt haben. Nespoli hieß ihn schweigen und mied seinen Blick.

Mißwillig verzehrte er einen geringen Teil seiner Morgenmahlzeit. Ihm war zumute, als müsse er sich am Abend zuvor betrunken und im Rausch irgendwelche Dinge getan oder gesprochen haben, deren er sich bei aller Anspannung seiner Gedächtniskräfte nicht zu erinnern vermochte und von denen er nur fühlte, daß sie fehl an ihrer Stelle, beschämend und verderblich waren.

Was habe ich ihr alles gesagt? dachte er. Hierauf kommt es nicht mehr an, denn in jedem Falle ist es zu viel gewesen. Ich hatte mich aus der Hand verloren. Wem das geschieht, der gibt sich in die Hand jenes anderen Menschen, welchen er seiner Schwäche zum Zeugen bestellte. Nun, immerhin: Da meine Schwäche mich einmal hierzu gebracht hat – ich hätte mich in keine liebere und getreuere Hand geben können als in diese.«

Und schon quälte ihn das bitterste Verlangen, sobald wie möglich abermals in Vittorias Gegenwart zu kommen. Er beschloß, ihm nicht nachzugeben, indem er sich vorhielt, sein langes gestriges Verweilen im Confinischen Hause zu so später Stunde sei bereits eine Unvorsichtigkeit gröblichster Art gewesen.

Sein Vorstellungsvermögen blieb innig an Vittoria haften, und nun stiegen ihm erschreckend einige Andeutungen in den Sinn, welche er an diesem verworrenen Vorabend gebraucht hatte oder doch gebraucht haben könnte, vielleicht, wie er jetzt meinte, ohne Absicht, zum wenigsten ohne eine willentliche Absicht – denn es scheint ja, als könne es auch eine solche Art der Absicht geben, von welcher unser vordergründiger Wille nichts weiß. Waren da nicht mit einem vielleicht unwillkürlichen Schwung der Hand Körner ausgestreut worden, aus denen etwas Ungeheuerliches aufwachsen konnte? Es graute ihm.

Mit einer heftigen Anstrengung nötigte er sich, diese Gegenstände aus seinem Gedächtnis zu bannen, und ging verbissen hinüber in seine Kanzlei, in welcher die Hunde ihn bereits erwarteten. Freudlos und gezwungen rief er sich unterwegs wieder in die Erinnerung, daß ja des Großtyrannen Abwesenheit ihm gestatte, während der nächsten Zeit seine Arbeit in verhältnismäßiger Sicherheit und Ruhe fortzuführen. Von unten her, aus dem summenden Gewirr des Marktes, stieg unabänderbar die Stimme der alten Kuchenverkäuferin in die Höhe: »Frische Gewürzkuchen! Weint, Kinder, weint!«

Der arge Wind hatte dieses Mal eine besonders eindringliche Wirkung – viele meinten, weil er, was selten geschieht, unmittelbar nach dem Niedergang eines Gewitters eingetreten war; und es stand die ganze Stadt unter seiner Gewalt, die furchtbarer sein und länger anhalten sollte, als es von irgendeiner Zeit her in den Gedächtnissen der Cassanesen aufgezeichnet war. Ja, einige verfielen auf die Meinung, er habe vorausgewirkt, und schon vor seinem Auftreten habe manches Geschehnis unter seinem Einfluß gestanden.

In diesen Tagen erzeigten die Cassanesen sich aufsässig, der Arbeit abgeneigt, reizbar und händelfangerisch und mehr noch als sonst zu geil emporschießenden Gerüchten aufgelegt. In Schenken und Werkräumen, in Läden und Kirchenportalen, auf Plätzen und an Gassenecken wurde gestritten und geraunt. Hände, welche unter der Einwirkung der Luft feucht geworden waren, begleiteten rechthaberische und lärmende Worte mit maßlosen Gebärden. Es hieß, Nespoli habe die Gewogenheit des Großtyrannen eingebüßt und sei aus diesem Grunde von der Teilnahme an der Jagdreise ausgeschlossen worden. Jemand wollte wissen, der an Fra Agostino verübte Mord rühre her von einem geheimnisvollen Meuchelmörder, der in der Stadt sein Wesen treibe und dessen Blutgier jederzeit ein jeder zum Opfer fallen könne. Ängstliche trugen diese Meinung weiter, sie vergrößerte sich zu einer überall lauernden Gefahr. Gleichzeitig wurde gesagt, die ausgesetzte Belohnung sei überraschend vervielfacht worden; ja, es sei versprochen, wer den Mörder finde, der solle überdies auf Lebenszeit von allen Abgaben befreit sein; andere redeten von erblichen Privilegien, wieder andere meinten märchenhaft, der Aufdecker der Mordtat solle drei Wünsche frei haben. Und schon begann hier und dort ein spürerischer Argwohn um sich zu greifen, hinter welchem für überlebt gehaltene Abneigungen und Feindseligkeiten sich vorwagten. So schienen auch hier Eigenschaften und Gelüste offenbar werden zu wollen, welche gemeinhin durch den Willen, die Gewöhnung oder allerlei äußere Umstände in Verborgenheit erhalten bleiben. Gewahrte man Nespoli, so folgte ihm ein bedeutungsvolles Gemurmel und Gebärdenspiel. Wo man aber des Schielers oder eines der Menschenfischer ansichtig wurde, da suchte man ihn unter allerlei Vorgaben auf die Seite zu locken und auszuholen. Übrigens kehrte um diese Zeit der nach Venedig entsandte Zampetta mit leeren Händen zurück.

2

Auch auf das Befinden der Kranken äußerte das Wetter seinen Einfluß. In einigen erzeugte es ein sprunggleiches Anschwellen der widerständigen Gesundungskräfte, während bei anderen die furchtbare Last der vom Winde vergifteten Luft Schwäche und Verschlimmerung heraufführte. Zu welcher dieser Gruppen Pandolfo Confini durch seine natürliche Körperbeschaffenheit vorbestimmt war, das hätte von niemandem beurteilt werden können, da die tolle Art der Krankheitsbekämpfung ihn außerhalb jedes Vergleiches rückte. In der Tat schien Confinis leiblicher Zerfall seinen Fortgang zu nehmen. Ob dies geschah, weil der Krankheit ein solcher Ernst innewohnte, daß selbst die zweckmäßigsten Heilversuche ohne Wirkung hätten bleiben müssen, oder weil die unsinnige Behandlungsweise auch eine unschwere Erkrankung zum Ärgeren wenden mußte, ist nicht zu entscheiden.

Als Monna Mafalda wiederum im Hause Confini erschien, fand

sie es bereits von ihrer Klientel belagert. Unter dieser verstehe man alle die Gerufenen und Ungerufenen, welche sich zur Heilung des Kranken anheischig machten. Denn die Nachricht, hier gäbe es zu verdienen, hatte sich ausgebreitet, und so mischten sich unter die Ärzte allerlei einfache Leute, alte Weiber aus den Vorstädten, Hirten aus den Bergen. Sie drängten sich zu, sie brachten Amulette mit, Kräuter oder tierische Bestandteile, sie erfüllten die Küche, Tränke bereitend, schwatzend, sich bewirten lassend und einander zänkisch zur Seite stoßend; und kurz, sie ließen es sich wohl ergehen in einem herrschaftlichen Haushalt, bis ein plötzlich aufbrausender Entschluß der Monna Mafalda sie hinausjagte. Sofort aber traten andere gleichen Schlages an ihre Statt, ja, binnen einigem waren auch die Vertriebenen wieder zur Stelle und von neuem aufgenommen.

Die Alte klopfte Vittoria laut lachend auf die Backen und schrie: »Blaß, mein Töchterchen? Der Wind? Ach, was seid ihr für ein schwaches Volk! Lustig, lustig, der Kleine wird bald gesund sein! Dafür sorge ich schon, das verspreche ich dir, Töchterchen, ich!«

Sie stürmte ins Krankenzimmer. Confini, gelblichgrau im Gesicht, vom letzten Aderlaß geschwächt, mochte erst kaum den Blick heben. »Lustig, lustig, mein Kleiner! Beim bösen Christus, tanzen werden wir noch miteinander. Tanzen, sage ich dir, mein Kleiner!« Confini sah die mächtige Schwester gehorsam an.

Es war Mafaldas Art, daß sie bei Beginn solcher Witterungszustände in eine lärmvolle und gespenstische Heiterkeit geriet, in welcher sie sich bewegte wie ein springlustiges junges Mädchen und fortdauernd lachen mußte. Es war ihr nicht möglich, eine Minute lang zu schweigen, und sie war bereits heiser von ihrem unaufhörlichen Reden.

Vittoria dachte erbittert: Was für Zurüstungen, was für Anstalten, um der leichten Krankheit eines alten und unwichtigen Menschen Einhalt zu tun! Da doch zugleich ein kräftiger und vollgültiger Mann unter einer wirklichen Todesdrohung steht, und niemand bewegt seinethalben einen Finger oder Gedanken!

Über Ernst oder Unernst der Erkrankung war für Vittoria keine Klarheit zu gewinnen inmittten zahlreicher heftig und feindselig einander widersprechender Aussagen und Maßregeln. Es geschah bisweilen, daß dieser oder jener Vittoria auf die Seite zog, ihr dringlich das Törichte solchen Behandlungswustes vorstellend, und sie bat, auf Abhilfe bedacht zu sein. Allein selbst wenn sie der Schwägerin hätte Widerstand leisten mögen, in welcher Richtung denn sollte sie entscheiden, da doch ein jeder der auf sie Einredenden nichts verfolgte als die Alleingültigkeit der eigenen Heilungsvorschläge? Und jetzt am allerwenigsten wäre sie imstande gewesen, den Kampf gegen Monna Mafalda, den sie durch Jahre lässig verabsäumt hatte, plötzlich aufzunehmen und gar mit einem Siege zu enden. Jetzt, hingenommen durch Nespolis Not, von Kopfschmerzen, Ohrenbrausen und Gliederschwere geplagt, ging sie durch all die lärmende schwüle Verworrenheit gleich einer wandelnden Schläferin; wie ein Werkzeug tat sie diesen und jenen Handgriff, zu welchem Monna Mafalda sie nötigte, und gab Antworten ohne Geistesanwesenheit.

Vittoria war empfindlich gegen alle Einwirkungen des Wetters, ihr Körper hatte zu leiden. Sie trank Ströme kalten Wassers, kalter Fruchtsäfte. Aus den tiefen schwarzen Kellern mußte gläsernes Eis geholt werden. In den Schläfen summte ihr das Blut, ihre Denkkräfte bewegten sich anders als sonst, nämlich bald stockend, bald springend.

»Keine Sorgen, Töchterchen, keine Sorgen!« schrie die Alte lachend. »Ich rette ihn dir, ich – beim bösen Christus!«

Dies war wie ein aufreizender Hohn. »Ich rette ihn dir.« Ihn? Wen? Um wessen Rettung denn ging es für Vittoria?

Das Gewirr um Pandolfo Confini mehrte sich von Stunde zu Stunde, Tag zu Tag. In der Küche, im Krankenzimmer häuften sich die Flaschen und Dosen auf den Tischen. Durcheinander, nebeneinander liefen lauter Heilweisen, deren jede einen Verzicht auf die Anwendung der anderen hätte bedingen müssen. Jeder war beleidigt, jeder suchte das Ohr der Frauen zu gewinnen. Längst hätten wohl die Ärzte alle weitere Obsorge verweigert, wäre Monna Mafalda weniger verschwenderisch mit ihren Vergütungen umgegangen.

Von Confini selber war kein Beistand noch Widerspruch zu erlangen. Es war, als sei er mit seiner Erkrankung in jene frühe Zeit zurückgeraten, in welcher er, ein Knabe, noch völlig und ohne einen Zweifel der älteren, an Mutters Statt lenkenden Schwester anbefohlen, ja, ausgeliefert war. Er sprach selten, und es schien ihm Mühe zu machen. Sein Fieber wuchs, er begehrte immer häufiger zu trinken. Die Meinung, man müsse seinem Verlangen nach Flüssigkeit nachgeben, hatte abwechselnd mit der gegenteiligen die Oberhand. Manchmal wehrte er sich gegen irgend etwas, das mit ihm vorgenommen wurde oder werden sollte, doch war sein Widerstand gering und pflegte bald einer fügsamen Geduld zu weichen; indessen drückte diese keine Zustimmung aus, sondern eher eine Gleichgültigkeit, so, als lohne es nicht, sich zu ereifern. Gegen die an sein Lager tretenden und ihn ausfragenden Ärzte und Quacksalber zeigte er matte Abkehr. Übrigens begnügte sich seine Schwester auch oft damit, den sich Andrängenden, ohne sie ins Krankenzimmer zu führen, Confinis Zustand redselig zu schildern und sie die Färbung seines Wassers prüfen zu lassen, worauf sie dann ihre weitläufigen und abenteuerlichen Vorschläge machten.

Inmitten all dieser Wirrnisse strömte aus der Fortwirkung jenes Abends ein nie zuvor verkostetes Glücksgefühl in Vittoria ein. Sie wurde nicht müde, sich jede Einzelheit dieses Beisammenseins gegenwärtig zu machen, jedes seiner Worte, jede seiner Gebärden, und so durchlief sie in Beseligung und in Entsetzen immer wieder alle Stufen ihres Leidenschaftsweges bis in den Hafen des großen, alles andere ausschließenden Gefühls, das sie endlich aus der Zwiespältigkeit ihrer vorbehaltenden Liebe geführt hatte. Indem sie aber trachtete, nicht die kleinste Geringfügigkeit dieser entscheidungsvollen Stunden verlorengehen zu lassen, begegnete sie sonderbaren Schwierigkeiten.

Da wollte es ihr scheinen, als sei manches an jenem Abend für ihr Verständnis gleich einer Woge schon wieder von der nachrollenden nächsten verschlungen worden und als tauche es jetzt wieder vom Grunde auf und vermöge nun erst ihr in seiner ganzen Bedeutung offenbar zu werden. Von anderem wieder war sie sich im Zweifel, ob er das wirklich gesagt oder ob sie es nur einem Tonfall, einer Miene, einer Handbewegung Nespolis entnommen habe. Bald mutete der Abend im Schwanenzimmer sie an als ein Gebilde der Unwirklichkeit, des Traumes oder Fiebers, bald empfand sie als auf diese Weise unwirklich den Tag, durch welchen sie sich jetzt bewegte. So sehr war sie dazwischen ihrem mächtig flutenden Glücksgefühl überantwortet, weil ja nun das Gitter zwischen ihnen beiden zerbrochen war, daß sie für Augenblicke Nespolis Not und Bedrohung vergessen konnte, um dann plötzlich mit einem Zusammenfahren dieser eiskalten Unbarmherzigkeit wiederum innezuwerden. Dann malte sie sich wilde Rettungstaten aus, von denen sie wußte, daß sie nie zu Wirklichkeiten werden konnten, dann erwog sie einen Kniefall vor dem Großtyrannen und mußte sich doch sagen, daß dieser Mann sich noch nie durch die Bitte einer Frau zu einem Entschlusse oder zur Rücknahme eines Entschlusses hatte bestimmen lassen.

Aber auf welche Wege zu einer Rettung hatten denn Nespolis Äußerungen gedeutet? Irgend etwas hatte er ihr übermittelt, das sie nicht recht angenommen hatte, nun aber ungeduldig in sich aufdrängen fühlte. Ja, ohne Frage fanden gewisse Hindeutungen jetzt erst den Weg in ihr rechtes Bewußtsein. Hatten sie nicht mit der schwachsinnigen Selbstmörderin in Verbindung gestanden? Nein, mit Pandolfo.

Wie viele Tage waren es, die auf solche Weise hingingen, ob zwei oder hundert – Vittoria wußte es nicht. Sie lebte außer der Zeit, wie ihr kranker Mann außer der Zeit lebte.

Sie sehnte Nespoli herbei mit allen Herzenskräften, und doch war es ihr, als habe sie ihn zu scheuen, solange sie, zu seiner Errettung aufgerufen und in Pflicht genommen, noch kein Mittel der Hilfe geschaffen hatte. Wiederum meinte sie eine gänzliche Abgeschiedenheit von ihm nicht erdulden zu können. Sie floh aus dem tollhäusigen Wirrsal, das sich verhundertfacht in ihr selber widerbildete, an ihren Tisch im Schwanenzimmer und schrieb hier hastig und ohne Besinnen ein paar Zeilen für Nespoli, des Inhaltes etwa, er möge sich nicht mit Sorge zermürben, seine Rettung müsse ja geschehen, und er solle ihrer immer bereiten Liebe gewiß sein. Diesen Brief siegelte sie mit dem Bilde des mehrhäuptigen Vogels und jenem Spruche, der mahnend seinem Betrachter die Vielform und Vieldeutigkeit jeglicher menschlichen Liebesbeziehung ins Herz rief: Discite, mortales, nil pluriformius amore.

Dieser Spruch konnte genommen werden im Sinne eines Trostes, ja, einer stolzen Zuversicht, als ein Hinweis auf die unerschöpfliche Fülle der Leidenschaft, die sich in tausendzähligen Gestalten offenbart und erneuert, die hellsichtig um viele Auskunftsmittel weiß und ewig wird siegen müssen. Doch hätten die Worte des Petschafts wohl auch in einem bedenklichen Sinne gefaßt werden können, nämlich als eine Erinnerung daran, daß alle Liebe mit der Änderbarkeit ihrer Gestalt auch von einer Änderbarkeit ihres Wesens nicht frei ist und somit unter jener großen Frage steht, unter die Gott alle irdischen Dinge, die sichtbaren wie die unsichtbaren, beschlossen hat.

Vittoria rief Agata zu sich ins Schwanenzimmer und übergab ihr den Brief.

»Besorge das.«

»Heute wird es sich nicht mehr tun lassen«, antwortete Agata mit ihrer gewöhnlichen Mürrischkeit. »Ich hoffe, ich habe morgen Gelegenheit.«

Vittoria nickte, sie wußte ja, daß dieser heimliche Verbindungsweg zwischen ihr und Nespoli nicht zu jeder Stunde begehbar war.

»Soll eine Antwort sein?« fragte Agata.

»Es ist nicht nötig«, erwiderte Vittoria in der Meinung, es müsse Nespoli überlassen sein, ohne Zwang und je nach dem Triebe seines Herzens ihr Botschaft zu geben oder ihr ohne eine äußere Botschaft verbunden zu bleiben.

3

Es hatte in dieser Zeit bei dem Herrn Confini an kleinen Anzeichen einer Besserung zwar nicht durchaus gemangelt, doch behaupteten die gegenteiligen ein unverkennbares Übergewicht. Einzig Monna Mafaldas lärmerische Zuversicht erhielt sich unverändert. Vittoria aber konnte nun nicht länger die Wahrnehmung ableugnen, daß hier von einem unbedenklichen und nur durch Mafalda ins Maßlose übertriebenen Unwohlsein nicht mehr gesprochen werden durfte. Hier und da versuchte sie einzugreifen und allzu offenbarer Unvernunft in der Pflege des Kranken zu steuern.

Vittoria meinte sich frei von aller feindseligen Gesinnung gegen ihren Mann. Wenn sie ihn hinterging, so geschah das inmitten einer Welt, die über solche Dinge läßlich dachte. Und Pandolfo mit seiner gleichgültigen Ruhe hatte ja nie einen Versuch gemacht, sich ihres Wesensmittelpunktes zu bemächtigen. Sie hatte ihm pflichtgemäß zur Seite gestanden in der Verwaltung seines Besitzes und in der Erfüllung jener Obliegenheiten, welche die städtische Gesellschaft von ihren Gliedern erwartet. Enttäuscht hatte sie sich auf ihre häuslichen Beschäftigungen zurückgezogen und auf ihre Freude an den Künsten, bis Nespoli gekommen war, und, angetan mit dem düsteren Zauberglanz seiner Macht, erst ihr Vorstellungsvermögen und dann sie selber gewonnen hatte. Und ihre Einsamkeit war ja nicht weniger groß gewesen als die seine.

Immerhin hatte ein Gefühl der Zugehörigkeit zu ihrem Mann auch jetzt noch in Vittoria seine Stätte, denn es nahm ja auch Pandolfo Confini seinen gewissen Platz in ihrem Leben ein, und es ist nichts Kleines, wenn ein Zustand, welcher unverbrüchlich schien, jählings in Frage gerückt und damit zu einem Mahnzeichen an die Hinfälligkeit aller Erdenverhältnisse wird.

An die nördliche Schmalseite des großen Saales im Confinischen Hause schloß sich die Kapelle wie eine Apsis an ihr Kirchenschiff, nur daß sie durch Wand und Flügeltür von dem umfänglichen, selten benutzten Festraume geschieden wurde. Hier waren für die Genesung Confinis von Mafalda und Vittoria Kerzen aufgestellt worden, dazu einige kleinere von der Dienerschaft, welche damit ihren Eifer und ihre Anhänglichkeit bekunden wollte.

Vittoria lag auf den Knien und betete. Ihr Ton war der eines Flüsterns, welcher ja eindringlicher ist als jener des Schreiens. Ihre Lippen flogen, ihr Unterkiefer schien locker in den Gelenken. Wie in einer Litanei die Worte »Bitte für uns«, »Erbarme dich unser« oder »Erlöse uns« nach jeder Anrufung wiederkehren, so durchflochten die heißen, gestammelten Bitten »Rette ihn« und »Lasse ihn gerettet werden« jeden Satz ihres Gebetes. Sie wußte nicht, um wessen Rettung sie flehte. Dann, deutlicher, murmelte sie: »Lasse Pandolfo genesen!« und im selben Atemzug fast: »Lasse Massimo gerettet werden!«

Sie hielt inne, von einem tiefen Entsetzen befallen; denn nun kam es ihr plötzlich ins Bewußtsein, daß sie ja hiermit gleichzeitig um zwei einander ausschließende Dinge gebetet hatte, so als sei auch sie schon ergriffen von jenem unordentlichen Geist, der sich vom gleichzeitigen Gebrauch entgegengesetzt wirkender Heilmittel eine Besserung verhieß.

Sie wies bestürzt diese Erkenntnis von sich, sie flüchtete in ihr Beten um Nespolis Erlösung aus seiner Not. Allein gleich darauf gewahrte sie mit einem eisigen Schauder, daß die Gebetsworte »Lasse Nespoli gerettet werden« bereits den Sinn anzunehmen begannen, immer eindeutiger den Sinn: »Lasse Pandolfo sterben!«

Sie sprang auf und floh, ihre Knie bebten. Sie lief durch den Saal und fühlte, daß ein Einfall sich ihrer bemächtigt hatte. Sie stieß ihn angstvoll von sich, zugleich aber wußte sie schon, daß sie ihm werde zu Willen sein müssen. Sie eilte in die Kapelle zurück, sie warf sich in die Knie und flehte um ein gnädiges Ende ihrer Versuchung. Aber noch während dieses Gebetes begann etwas wie eine verbotene Süßigkeit übergewaltig ihr Herz auszufüllen, und fast war es Wollust, daß sie ihren Widerstand erliegen fühlte.

Sie war keiner Gebetsworte mehr mächtig. Sie trat ans Kapellenfenster, neben welchem in einem Wandschränkchen unter allerlei anderen gottesdienstlichen Bedürfnissen und Geräten die wächsernen Kerzen bewahrt wurden. Sie wühlte im Vorrat, die längste und stärkste Kerze suchend. Als Vittoria sie aufsteckte, drängte sich all ihre Not in ein vieldeutiges Wort zusammen. Sie flüsterte: »Rettung, mein Gott, Rettung, Rettung, Rettung!« – als wolle sie Gott den Entscheid darüber anheimstellen, ob Pandolfos Rettung aus seiner Krankheit, Nespolis Rettung aus seiner Gefahr oder ihre eigene Rettung aus der Versuchung, die ohne Unterlaß ihr verwilderndes Gemüt bestürmte, den Gegenstand dieser Bitte ausmachte.

Beim Verlassen der Kapelle begegnete sie Agata im Saal. Das Frauenzimmer meldete die geschehene Besorgung des Briefes. Grämlich und wortkarg brachte sie darauf ihre Neuigkeiten vor. Herr Nespoli schein immer noch in Bedrängung und Geschäftigkeit, und das sei ja kein Geheimnis, daß der Großtyrann nach seiner Rückkehr von seinem Jagdaufenthalt, die wohl bald geschehen dürfe, von Herrn Nespoli den Mörder des Fra Agostino verlangen oder ihn mit größter Strenge zur Rechenschaft ziehen werde. Auf dem Markte habe heute eine Händlerin gerufen: »Kaufe den schönen Kohlkopf, ich gebe ihn wohlfeil, morgen ist er ja wertlos wie der Kopf des Herrn Nespoli.«

Das Geldstück, welches Vittoria aus ihrem Gürteltäschchen wühlte, fiel ihr aus den Fingern. Agata bückte sich gleichmütig und hob es auf.

»Für dich. Geh.«

»Es wäre schade um den Herrn Nespoli«, sagte Agata im Davonschlurfen.

»Jesus Christus!« flüsterte Vittoria. »Es ist nicht anders: Es kann nur einer von beiden gerettet werden.«

4

Es hatte sich eingeführt, daß jede Nacht jemand am Lager des Kranken wachte, Umschläge erneuerte, Arzneien und Erfrischungsgetränke reichte. Es war auch nicht mehr an dem, daß Monna Mafalda bei Tagesende in ihr Haus zurückkehrte, sondern ihre Unruhe und Redelust hatten eine solche Mehrung erfahren, daß sie es nicht ertragen zu können meinte, dem Ort der Begebenheiten auch nur für eine Reihe von Stunden fernzubleiben.

»Heute kannst du bei ihm wachen, Kind. Ich muß schlafen«, sagte sie zu Vittoria, als habe diese sie bisher am Schlafe gehindert. »Lasse mir ein Lager im Schwanenzimmer herrichten, ich bitte dich, Töchterchen, ich muß schlafen!«

Sie war erschöpft und vermochte dennoch ihrem Sprechwerk keinen Einhalt zu tun. Ehe sie hinüberging, erklärte sie Vittoria mit viel Umständlichkeit, dazwischen grundlos lachend, welche Verrichtungen bis zum Morgen mit Pandolfo vorzunehmen waren, so als habe Vittoria eben zum ersten Male dies Krankenzimmer betreten. Sie mühte sich mit Rücksicht auf den in fiebrigem Halbschlummer stöhnenden Bruder, ihre Stimme zu bändigen, und vergaß es immer wieder im fortreißenden Taumel der Worte. Hatte ihre Stimme die Lautkraft eines Hilfsgeschreis angenommen, so kam ihr Vorsatz ihr wieder in den Sinn, und sie begann ein hastiges und kaum verständliches Geflüster, das allmählich abermals zum Schreien sich steigerte.

Agata, welche sich in der Nacht bereithalten sollte, um Vittoria zur Hand zu gehen, stand an der Tür, die Hände unter der Schürze, und hörte mit Geringschätzung zu. Vittoria mühte sich vergebens, den Sinn des Wortgewoges zu ergreifen. Bald war dies Räucherwerk zu entzünden, bald jenes, bald war dem Kranken auf Stirn und Brust, Herzgrube oder Magen dies Kräutersäckchen zu legen, bald jenes, und zwar wollten überall genaue Zeitmaße beachtet sein, welche einander häufig ebenso ausschlossen, wie die Wirkungen der Medikamente es taten. Diese Flüssigkeit sollte das Fieber dämpfen, jene es erhöhen, damit die Krankheit auf einen Scheitelpunkt getrieben werde, von dem aus sie weichen müsse. Diese Arznei hob die Wirkung jener auf, eine andere wiederum sollte sie verstärken. Ein stündlich zu erneuerndes Pflaster hatte die Hitze aus der Brust zu ziehen, ein halbstündlich zu machender Umschlag den Magen warm zu halten. Hier sollte für eine Beschleunigung des Pulses, dort für seine Verlangsamung gewirkt werden.

Agata sah mit kaum verborgenem Hohn auf den Tisch mit den Arzneigefäßen, deren ungeheuerliche Vielfalt jede Verwechslung geschehbar machte.

»Ich meine«, sagte sie zu Vittoria, als Mafalda gegangen war, »ich meine, das ist mehr, als zur Vergiftung von zehn Familien benötigt wird. Wenn der Herr aus dem Bauernstand wäre, den hätte man längst gesund bekommen.«

Eine große Wichtigkeit wurde bei den einzelnen Arzneigaben den Mengenverhältnissen beigelegt. Von einem Pulver waren vier Messerspitzen in lauwarmer Milch zu geben, beileibe nicht mehr; von einer bitterlich nach Kirschlorbeer riechenden Essenz dreimal täglich neun Tropfen in weißem, mit Salbeiblättern aufgekochtem Wein. Da war eine gewisse zinnoberrote Flüssigkeit, welche die erlöschenden Lebensgeister zurückbeschwören und anfeuern sollte; im Übermaß gereicht, hätte sie hingegen das Entflammen eines Kraftaufwandes bewirkt, welcher die Adern des Kranken zum Schwellen, ja, Zerspringen führen mußte. Und von jenem dicklichen grünen Liquor, welcher den flatternden Herzschlag zu mäßigen bestimmt war, konnten wenige Tropfen über die Vorschrift die gänzliche Einschläferung im Gefolge haben.

Vittoria schickte Agata hinaus: Sie möge sich unausgekleidet in ihrer Kammer aufhalten, bis sie benötigt werde.

»Nun? Was macht Confini?« fragte ohne sonderliche Anteilnahme der Schieler, als Agata eintrat.

Eine trübe brennende Unschlittkerze klebte auf der Tischplatte. Der Schieler saß auf dem Strohsack ihres Bettes und war mit dem Reinigen von Schuhwerk beschäftigt. Zu dergestaltigen Verrichtungen stellte sie ihn gerne an, auch hatte er diese und jene Besorgung in der Stadt für sie vorzunehmen, wogegen sie ihm Wäsche und Kleidung in Ordnung hielt. Niemand wußte, daß in solchen untereinander geübten Dienstwilligkeiten die ganze Liebesbeziehung der beiden sich erschöpfte.

»Was ist da viel zu reden?« antwortete Agata auf des Schielers Frage. »Wenn einer krank ist, soll man ihn zufrieden lassen. Und deiner?«

»Meiner ist nicht krank. Aber ihm wäre besser, er wäre es.«

Agata nahm ihr Strickzeug vom Wandbrett, setzte sich neben den Schieler und machte sich an ihre Arbeit. Sie hatte viele Neffen und Nichten, für deren Fußbekleidung sie sorgte. Eine Weile schwiegen sie, sie liebten keine unnützen Worte. Ab und zu kratzte sich Agata mit der Stricknadel den Hinterkopf.

»Bist du mit den Schuhen fertig?« fragte sie. »Du kannst mir Garn halten.« Denn sie hatte es nicht gern, wenn seine Arbeitskraft auch nur für kurze Zeit ungenutzt blieb.

Der Schieler streckte gehorsam die Hände aus.

»Ich hab dir ein Hemd zum Flicken gebracht«, sagte er dann. »Nächstens mußt du mir auch wieder ein paar Strümpfe stopfen.«

»Es ist gut«, antwortete sie.

Später hatte er Haushaltsziffern zu prüfen. Er klapperte emsig mit dem Rechenbrett.

Sie saßen schweigsam beisammen, bis endlich der Schieler gähnend aufstand. »Ich gehe«, sagte er. »Ich bin müde. Gute Nacht.«

»Gute Nacht«, antwortete Agata und gähnte ebenfalls. Als er draußen war, blies sie haushälterisch die Kerze aus und legte sich schlafen.

5

Confini lag jetzt still. Die Nachtlämpchen brannten gleichmäßig. Ab und zu kam ein gedämpftes nächtliches Straßengeräusch, ein verspäteter Schritt, ein schwacher Hufschlag, ein Glockenschlag ins Zimmer. Und für Vittoria hob abermals jenes düstere, schreckliche und doch von geheimen Glücksschauern erfüllte Gewoge an, das sie bald in nachtwandlerischer Wegessicherheit durchschritt, bald in Ängsten und Zweifeln ohne Halt durchtaumelte.

Sie saß neben dem Bett und betrachtete Pandolfos Gesicht. Es war, als ginge von diesem eine Aufforderung aus: »Tu, was du magst; mir ist das alles gleichgültig geworden.«

Ja, war denn nicht eine solche Gleichgültigkeit dieses Menschen beherrschender Wesenszug?

Vielleicht, so ging es Vittoria durch den Sinn, vielleicht hat er alles gewußt, was je und je zwischen Massimo und mir geschah, indessen wir uns um Vorsicht und Heimlichkeit mühten. Es lohnte ihm nur nicht, ein Wort oder gar einen Streit daran zu wenden.

Grüblerisch gedachte sie der merkwürdigen Schicksalsverbindung unter diesen beiden Männern, deren Bedrohtheit ja aus der gleichen Nacht sich herschrieb. Wieder traten gewisse Worte und Andeutungen Nespolis in ihr Bewußtsein. Daß er Pandolfo über die Mordnacht befragt hatte, war das wirklich nur ein Vorwand gewesen? Und wie sonderbar war dieser Aufenthalt in der Jagdhütte, dieser Ritt ohne einen einzigen Begegner! Ja, war denn diese Fieberkrankheit nur im Sumpfland zu Hause? konnte sie nicht auch bewirkt worden sein durch eine große Erregung, durch ein leidenschaftliches Anspannen aller Gemütskräfte weit hinaus über das ihnen gewohnte und erträgliche Maß?

Du Mensch hier in deinen Kissen, dachte sie, bist du es gewesen, der alle diese Not heraufgeführt hat? Aber was waren das für Gedanken? Und was konnte denn ihr Mann mit Fra Agostino zu schaffen gehabt haben?

Sie vermochte nicht mehr stillzusitzen, sie begann im Zimmer auf und ab zu gehen. Ihre weichen Schuhe und die dicken Teppiche auf dem Boden ließen keinen Laut aufkommen.

Sollte ich Massimo einen Vorschlag machen? dachte sie. Einen Rat geben? Nein, ich muß eine Tat wagen für ihn.

So gewiß war sie Nespolis seit jenem Gewitterabend, daß der Mangel seiner körperlichen Gegenwart ihr nichts verschlug.

»Dies hat so sein sollen. Hätte ich mit ihm zusammen sein können, ich hätte mich beraten mit ihm. So aber soll ich den ersten Schritt gehen.«

Das kam über sie wie ein Rausch. Es war, als sei ein gänzlich neuer Geist mit gänzlich neuen Kräften in sie gefahren. Es erwachten in ihr Mut, List, Verschlagenheit, Zähigkeit, Verachtung jeder Gefahr, Verachtung jedes Gewissenshemmnisses – lauter Eigenschaften, die sich zuvor nicht in ihr geregt hatten, da sie ihrer nicht bedürftig gewesen war. Pläne jagten durch ihren Sinn wie Wetterleuchten. Sie empfand eine unerklärbare Steigerung ihres Wesens, ja, für Augenblicke fühlte sie sich hinauswachsen über Nespoli, so daß sie sich verwundert fragte: Ist es wirklich um dieses Menschen willen, daß solche Fähigkeiten und Entschlossenheiten mir zuströmen? Allein gleich danach meinte sie, ihn noch nie so geliebt zu haben wie in dieser Stunde. Und es gelangte nicht in ihr Bewußtsein, daß sie doch Nespoli nicht nur retten, sondern auch ihn für sich selber erhalten, ja, auf immerwährende Zeit erwerben wollte. Selbstlos und eigensüchtig, opferwillig und besitzgierig in einem – was gibt es Vielförmigeres als die Liebe? Allein was ist vielförmiger als alles Wollen und Denken der Menschen? Es ist zwei Flüssen bestimmt, im gleichen Strombett ihren Verlauf zu haben, dergestalt, daß sie bald sich trennen, bald sich berühren oder gar vereinigen und doch Wasser von verschiedenem Ursprung führen; es fließt die eine Strömung für eine Weile unter der Erde und tritt dann plötzlich an die Oberfläche. Sie mischen ihr Wasser, und nur Gottes Auge vermag das Vereinte zu unterscheiden. Und so leben die Menschen im Doppelten, und es kann sie niemand aus ihrer Zweisinnigkeit führen als der Herr und Freund des Einfachen, in welchem allein die Vollkommenheit und Einfalt der großen Gefühle gefunden werden kann.

6

Vittoria blieb stehen, ihr war, als hätte Pandolfo sie gerufen. »Vittoria . . . Vit-to-ria!« flüsterte er.

Sie eilte zu ihm.

Er wandte das Gesicht ins Zimmer hinein und hob die Augenlider. Der Kraftaufwand dieser geringen Bewegung verzog sein Antlitz.

»Willst du etwas? Hast du Durst? Liegst du unbequem?«

Er sah sie eine Weile stumm an. Dann sagte er: »Ich habe keine Lust mehr.«

Dies war wie das Feststellen eines Ergebnisses, die Endsumme einer langen Rechnung.

Vittoria fühlte sich bewegt, ja, erschüttert vom Ton dieses furchtbaren Satzes, in welchem eine Kreatur allen ihren kreatürlichen Rechten zu entsagen schien; doch drängte sich augenblicks in ihre Erinnerung die Todesmattigkeit, mit welcher Nespoli im Schwanenzimmer sich vor sie hingeworfen hatte.

»Was kann ich für dich tun, Pandolfo?« fragte sie. »Magst du trinken? Soll ich nach Bologna schicken? Willst du, daß Diomede kommt?«

Pandolfo schien sich erst lange besinnen zu müssen, ehe er diese Frage auffaßte.

»Diomede?« sagte er endlich. »Diomede?«

Aber als vermöge er den Gedanken an seinen Sohn nicht festzuhalten, wiederholte er gleich danach: »Ich habe keine Lust mehr.«

Er schloß die Augen und kehrte das Gesicht ab. Vittoria nahm ihre Wanderung wieder auf. Confini schien zu schlafen. Vittoria wünschte sich den Tod, an seiner, an Nespolis Stelle.

»Vit-to-ri-a«, begann er nach einer Weile. Sie beugte sich fragend zu ihm. »Mariano hat das Mahlgeld erhöht. Denkst du, ich lasse ihm die Mühle zu den alten Bedingungen in Pacht? Ich werde sie selber bewirtschaften. Nein, erst muß sich zeigen, daß die Erhöhung nicht die Kundschaft verringert. Aber er wird nachträglich einen Pachtzuschlag geben müssen, wir hatten mit einem niedrigeren Mahlgeld gerechnet, ja, das wird er.«

Diese Äußerungen schienen ihn sehr ermüdet zu haben.

Und ich hatte gefragt, ob er seinen Sohn sehen will, dachte Vittoria. Gibt es denn ein Wesen, dessen er bedarf? Und wer bedarf seiner? Massimo ist derjenige Mensch, dessen ich zu meinem Leben bedarf.

»Gib mir zu trinken«, sagte er streng wie zu einem Dienstboten.

Und wieder fühlte sie aus der Furchtbarkeit der Dinge, mit denen ihre Gedanken sich befaßten, eine wilde und lockende Süße in ihr aufgewühltes Herz tropfen. Und wie sonderbar band sich mit diesem neuen Kräfterausch ein wollüstiges Gefühl der Ohnmacht von dem Augenblicke an, da sie sich nicht mehr gegen die Versuchung wehrte!

Aber in der tückisch zehrenden Schwüle dieser Nacht hatten auch die kühnen Tatempfindungen keinen Bestand. Pandolfo bat abermals um Getränk, und vor der Arglosigkeit dieser Bitte überkamen Vittoria ein tödliches Erschrecken und ein heißes Mitleid. Lippen und Knie erzitterten, sie bekreuzte sich hastig, sie bekreuzte ihn und sie bekreuzte das Glas, da sie es ihm zum Trinken reichte. Nespoli schien ihr so fern, als gäbe es ihn nicht.

»Was ist denn?« knurrte Pandolfo, während sein Blick ihrer kreuzschlagenden Hand folgte. »Ich habe doch nur Durst.« Allein bald nachdem er getrunken hatte, setzte er noch einmal hinzu: »Ich habe keine Lust mehr.«

Vittoria entzündete die Räucherkerze und schellte nach Agata. Die Magd kam schläfrig angeschlurft, und Vittoria graute es vor ihrem Gesicht. Dies verdrießliche Geschöpf hatte ihr als Werkzeug gedient und war Mitwisserin ihres Tuns. Oder war sie schon Mitwisserin ihrer furchtbarsten Versuchungen und Gedanken?

Mit Agatas Beistand wurden Umschläge und Packungen gemacht. Da Vittoria den hageren Oberleib ihres Mannes aufrichtete und stützte, überkam sie vor dem Hilflosen ein kleines Gefühl der Mütterlichkeit.

»Du mußt gesund werden, Pandolfo, hörst du?« flüsterte sie. »Wir wollen alles tun.«

Pandolfo seufzte. Auch dieser Seufzer schien zu sagen: »Tut, was ihr mögt. Ich habe keine Lust mehr.«

Um dieses Halbleichnams willen sollte Nespolo sterben?

Vittoria legte ihm die mit Essenz getränkten Tücher auf die faltige und höckerige Stirn. Die Schläfen erschienen ihr sehr eingefallen. Agata wurde zu ihrer Ruhe geschickt; von draußen klang abermals Stundenschlag in dies tote Zimmer.

Bis dahin hatte Vittoria, der Vielfalt von Vorschriften das Überzeugende entnehmend, offensichtlich Widerspruchsvolles aber unterlassend, verhältnisweise einfache Obliegenheiten der Pflege erfüllt. Nun aber kamen die Zeitabschnitte, in welchen die Verabreichung jener gefährlicheren Tränke an der Reihe war; hier konnte eine winzige Änderung der Tropfenzahl von entscheidender Folge sein.

Mehrere Male näherte sich Vittoria dem Tisch mit den Arzneien. Die dickbauchigen und die schmalen Flaschen, die kleinen irdenen Phiolen, die Glas- und Metallgefäße standen wirr und eng beieinander. Vittoria kehrte um und hastete im Zimmer einher.

»Rettung, mein Gott, Rettung!« schrie sie laut auf.

Sie blickte nach Confini. Er lag regungslos; nur seine linke Hand machte über der Bettdecke winzige scharrende Bewegungen wie die eines Gelangweilten. »Er hat keine Lust mehr«, flüsterte Vittoria. »Massimo muß leben.« Und sie suchte sich jene groß aufrauschenden Empfindungen wiederherzustellen, aus welchen die starkmütigen Taten geboren werden.

Vittoria hatte die Fähigkeit des Überlegens und Erwählens eingebüßt. Sie war nicht mehr imstande, die ärztlichen Anweisungen, die Eigenschaften der Arzneien in ihrem Gedächtnis zu finden. War es dies Gefäß, war es jenes? Drei Tropfen oder fünfzehn?

»Ich weiß nichts mehr, ich kenne mich nicht aus! Soll ich ihm gar nichts geben? Allein dies Unterlassen könnte ja die gleiche Wirkung haben wie das Verabreichen des Irrigen!«

Mit einer heftigen Sehnsucht dachte sie, es müßte das höchste Glück der Menschen sein, gehorsam und voller Vertrauen in allen Stücken klaren Vorschriften folgen zu dürfen. Gleich danach aber schämte sie sich der Schwäche eines solchen Gedankens als einer knechtlichen Unwürdigkeit, welche ja den Menschen auf die Stufe eines wohlgezogenen Haustieres oder gar eines Werkzeuges gesetzt hätte; denn daß er in Entscheidungen und Kämpfe des Gewissens gestellt wird, dies einzig macht ja den Adel des Menschen aus.

Der Geruch all der wirksamen Stoffe auf dem Tisch befahl sie herrisch zu sich. Sie wußte nicht mehr, ob ihre Hand sich nach einem Werkzeuge der Heilung oder der Vernichtung streckte. Mit zitternden Fingern, das Gesicht abgewandt, griff sie in den Haufen.

»Gott, lasse Massimo gerettet werden!« betete sie und flehte im gleichen Zuge um Pandolfos Genesung. Sie hielt eine Flasche, sie schüttete eine verworrene Tropfenzahl in den silbernen Becher mit rotem Wein, welcher auf den Traubenbergen der Confini im Sonnenlichte gewachsen war.

Pandolfo trank gehorsam.

7

Vittoria fand es später nicht mehr in ihrem Gedächtnis, wie diese furchtbare Nacht zu Ende gegangen war. Sie erwachte am Vormittag nach einem kurzen und dumpfen Schlaf mit schmerzendem Kopfe, schweren Gliedmaßen, trockener Kehle und brennenden Augenlidern. Allein sehr viel anders war ihr Erwachen an keinem der letzten Tage gewesen.

Auf ihrem Bett sah sie die Katze kauern, welche zwischen einem zufriedenen Schnurren und der Hervorbringung eines rasselnden Geräusches von strengem Klang abwechselte. Vittoria liebte sonst den Anblick ihrer Augen, in denen sie die Farbe herbstlich gegilbten und von einer linden Sonne beschienenen Laubes wiederzufinden meinte. Heute drückten diese Augen ihr nichts aus als die Allgenügsamkeit der Natur; und dies will heißen, die Erbarmungslosigkeit der Welt.

Auf dem Gange begegnete sie Agata, die mit Tüchern und heißem Wasser aus der Küche kam.

»Wie geht es dem Herrn?« fragte Vittoria.

»Schwach«, antwortete die Magd und war vorüber.

Vittoria hörte die Stimme ihrer Schwägerin dröhnen und kam gerade ins Empfangszimmer, als eine teilnehmende Besucherin sich von Mafalda verabschiedete, eine ältliche Verwandte der Confini, deren Gatten der Großtyrann mit auf sein Jagdschloß befohlen hatte.

Vittoria wechselte mit der Aufbrechenden einige Worte der Höflichkeit.

»Nein, Galeazzo hat gestern um Wäsche geschickt«, sagte die Besucherin auf Vittorias Frage nach ihrem Manne. »Es scheint, die Jagdgesellschaft soll noch einige Zeit im Gebirge bleiben.«

Wenn sie zurückkommt, muß Massimo außer Gefahr sein, dachte Vittoria.

»Was macht der junge Messer Confini?« fragte die Besucherin, schon im Durchschreiten der Tür. »Ist er unterwegs? Wann wird er erwartet?«

Sie schied mit einer feierlichen Umarmung und mit kummervollen Wünschen für Pandolfo.

»Ja, richtig: Diomede!« sagte Monna Mafalda. »Hast du nach ihm geschickt? Nicht? Wie konntest du das unterlassen? Kind, was für leichtwilligen Hoffnungsseligkeiten hast du dich denn ergeben?«

»Wie steht es?« fragte Vittoria flüsternd mit weggekehrten Augen.

»Ich habe dir gesagt, Diomede muß geholt werden! So schnell, wie es nur geschehen kann!« schrie Mafalda. »Wäre auf mich gehört worden . . .«

Tatsächlich hatte ihre Abneigung gegen den Neffen sie bis jetzt verhindert, seine Benachrichtigung auch nur zu erwägen.

Vittoria hörte starr die Schilderung der Schwägerin an. Mit der gleichen Starrheit nahm sie darauf in der Küche Agatas ergänzenden Bericht entgegen.

Confini war aus seinem Halbschlummer geworfen worden durch ein plötzliches Sichaufbäumen des Körpers, welches außerhalb seines Willens geschah und alle Merkmale einer gewaltsamen Zusammenreißung seiner Kräfte trug. Die Wildheit dieses Ausbruches, der von furchtbaren Beklemmungen des Atems, von lauten, aber unverständlich bleibenden Schreien begleitet war, hatte nicht nur Monna Mafalda, sondern auch Agata erschreckt. Versuche, ihm mit niederschlagenden Tränken, mit kalten Waschungen zu begegnen, mußten ohne Erfolg bleiben, denn es war weder möglich, dem Rasenden etwas einzuflößen noch überhaupt irgendeinen pflegerischen Handgriff an ihm zu tun. Keuchend schleuderte er Kissen und Decken beiseite und war schon im Begriffe, das Bett zu verlassen, als die Bewegungen seiner Arme und Beine sich zu verlangsamen begannen und er allmählich in einen Zustand der tiefsten Erschöpfung verfiel. In diesem verharrte er noch jetzt.

Vittoria ging zu ihm. Er war völlig verändert, und die mittelgroße Gestalt schien zwergisch verkümmern zu wollen. Auf seiner Stirne stand Schweiß, die Augen waren geschlossen. Vittoria griff nach seiner Hand. Der Puls ging schwach.

Vittoria verließ ihn, um Diomedes Kommen ins Werk zu richten. Eine halbe Stunde später brach der Bote nach Bologna auf, zu dringlichster Eile angehalten.

Ins Krankenzimmer zurückgekehrt, wurde sie von Mafalda am Handgelenk gepackt und auf die Seite gezogen.

»Es ist nicht der Gefahr wegen, Kind, nein, nein, keine Sorgen, aber um des erbaulichen Beispiels willen, auf uns sehen die Leute, du verstehst, die Sakramente, kurz, schicke nach seinem Beichtvater, aber das leidet keinen Aufschub, hörst du, es muß sofort sein, wer weiß denn, was über ihn bestimmt ist, und es geschieht ja, daß nach dem Empfang der Sakramente Besserungen eintreten, ich kenne Beispiele . . .«

Vittoria machte sich von ihr los und ging, um in steinerner Kälte die notwendigen Anordnungen zu treffen.

Der Diener Matteo wurde zum Beichtvater des Herrn Confini geschickt. Er kam zurück und meldete, er habe den Priester nicht zu Hause getrofffen, auch habe ihm nicht gesagt werden können, wann seine Rückkunft zu erwarten sei. Damit keine Zeit verloren werde, habe er sich an Don Luca gewandt, den Pfarrer von San Sepolcro; dieser werde in kurzem mit dem Allerheiligsten zur Stelle sein.

Die Frauen billigten seine Selbständigkeit. Es wurde erwogen, ob Pandolfo Confini zum Empfang der Sakramente in die Kapelle getragen werden sollte. Doch wurde trotz Monna Mafaldas anfänglichem Drängen hiervon zuletzt abgesehen, denn es wäre eine allzu große Anforderung an seine Kräfte gewesen.

In Eile richteten sie nun den Kranken her, welcher mit sich alles geschehen ließ, und räumten das Zimmer auf, bestrebt, ihm einen Anstrich von gottesdienstlicher Würde zu geben. Inmitten solcher Vorbereitungen wurde auf dem Gang schon die Stimme des Geistlichen gehört, der beim Eintritt den Friedenswunsch für das Haus und seine Bewohner betete.

8

Dieser Don Luca war ein alter und schlichter Mann, welchem vornehmlich die geringeren Leute ihr Vertrauen zuwandten. Das mochte auch im Zusammenhang stehen damit, daß er die Armen gern beschenkte, indem er lieber sich ausnutzen lassen als karg sein wollte. Hierin pflegte seine Haushälterin das Übermaß ihres Herrn zu tadeln und suchte ihn mit Strenge zu hindern. Da hatte er denn eine kindliche Freude an ihrer Überlistung, etwa wenn er einem Bettler, welchem sie die Tür gewiesen hatte, in Heimlichkeit nacheilte und ihm verstohlen hinter der nächsten Straßenecke ein Geldstück reichte. Die Verrichtungen seines Amtes, welche ihn leicht und natürlich dünkten, erfüllte er sorgfältig und aus dem heiteren Vertrauen seines von aller Beirrung freigebliebenen priesterlichen Gemütes; und so lebte er als ein glücklicher Mensch und genoß viel Zuneigung. In vornehme Häuser aber kam er selten, und es hätten ja auch sein ungepflegtes Haar und die bäuerische Beschaffenheit seiner Gebärden nicht recht in diese gepaßt.

Vittoria und Mafalda begrüßten ihn, und er spendete ihnen den Segen. Darauf verständigten sie ihn mit einigen Worten, denen er aufmerksam, aber schweigend zuhörte. Er nickte nur und ging zur Tür des Krankenzimmers, die Agata mit einer tiefen Verneigung vor ihm öffnete. Und nun war er mit Confini allein, um ihm die Beichte abzunehmen.

Mit ihm war sein Kirchendiener gekommen, ein stoppelbärtiger und beleibter Mann, und man hatte ihm einen Stuhl im Empfangszimmer angewiesen. Hier saß er in steifer Haltung und wartete, bis jenes Sakrament, das keinen Zeugen leidet, geendet sein und er gerufen werde. Vor sich auf den Tisch hatte er das Hostienbehältnis gestellt samt den übrigen gottesdienstlichen Gerätschaften. Das Ciborium war aus Silber gearbeitet und eine genaue Nachbildung des turmlosen, altertümlichen Rundbaues von San Sepolcro. Dies sollte bedeuten: »Kannst du nicht zur Kirche kommen, so kommt die Kirche zu dir.«

Unweit von ihm saßen Vittoria und Monna Mafalda, und selbst diese schwieg jetzt in der Vorstellung, sie habe ein Beispiel frommer Schicklichkeit zu bieten. Nur dazwischen seufzte sie, und alsdann geriet das Barthorn in Regung.

Endlich erschien Agata und meldete im Auftrag des Priesters, die Beichte sei geschehen und es solle dem Herrn Confini nun das Sakrament des göttlichen Leibes gereicht werden. Die beiden Frauen und der Kirchendiener erhoben sich und gingen langsam ins Krankenzimmer hinüber. Ihnen folgte Agata mit den übrigen Dienstboten. Einige Kräuterweiber und volksmäßige Heilkünstler schlossen sich an.

Leise auftretend, mit gefalteten Händen und gesenkten Köpfen, dennoch nicht ohne Blicke der Neugier, drängten sie sich hinein und fanden endlich unweit der Tür in einem halben Kreise ihre Anordnung. Dieser Eintritt, dies Rücken und Platzmachen und Stellesuchen dauerten noch, als der Mesner schon das Confiteor zu beten begonnen hatte.

Matteos Gesicht drückte bei allem angenommenen Ernst eine deutliche Genugtuung aus, denn er war es doch, der all diese fromme Anstalt zuwege gebracht hatte. So hatte er sich berechtigt geglaubt, sich seinen Platz ein wenig vor der übrigen Dienerschaft zu suchen und hier durch nachdrückliches Seufzen und Kreuzschlagen seinen besonderen Anteil an den heiligen Vorgängen darzutun. Er reckte seinen kurzen Hals, um die Züge des Priesters möglichst genau zu betrachten. Denn in ihm wie in manchen anderen der einfachen Leute mochte sich die neugierige und abergläubische Vorstellung regen, es könne sich am Ende aus Don Lucas Gesicht etwas von dem ablesen lassen, was den Inhalt der Beichte gebildet hatte.

Das geordnete Zimmer hatte ein fremdartiges, feierliches Ansehen gewonnen. Die wirren Anhäufungen von Arzneigefäßen waren verschwunden. Unweit des Bettes war ein Tisch gestellt, mit einer schweren, bis zum Boden reichenden, violetten Samtdecke belegt. Auf dem Tische stand zwischen zwei brennenden Kerzen ein Kruzifix und ihm zu Fuße, mit Salz gefüllt, eine kleine silberne Schale, welche als einen altertümlichen Schmuck das Geschlechtswappen der Confini trug. Zwischen Bett und Tisch amtete Don Luca mit seinem Mesner. Ihnen zunächst standen, fast durch die ganze Ausdehnung des Zimmers von den übrigen Anwesenden geschieden, Vittoria und Mafalda.

Mafalda hatte ein schwer bezwingbares Bedürfnis, zu sprechen. Da sie ihm nicht nachgeben konnte, schuf ihre Natur sich in lautem Ächzen sowie in häufigem Wechseln der Fußstellung einen Ausweg. Vittoria verhielt sich unbeweglich. Die Blicke der beiden gingen zwischen dem Priester und Pandolfo hin und her. Durch Auftürmung einer Anzahl von Kissen war bei dem Kranken eine Haltung bewirkt worden, welche zwischen Liegen und Sitzen die Mitte behauptete. Seine farblosen Hände waren gefaltet, sein Blick konnte von niemandem wahrgenommen werden, da er sich niederwärts auf die Bettdecke gerichtet hielt. Pandolfos Gesicht war ohne einen Ausdruck, der Schlußziehungen auf seinen Zustand erlaubt hätte.

Die feierlichen Handlungen wurden in Rücksicht auf Pandolfos Befinden so weit abgekürzt, wie die kirchlichen Vorschriften es irgend gestatten. Ohne aufzusehen, ja, ohne daß sich in seinen Zügen die geringste Veränderung angezeigt hätte, schluckte Pandolfo mühsam, als ihm die Hostie in den Mund gegeben wurde. In diesen Sekunden hob die kniende Vittoria ihr Gesicht, und ihr Blick fiel auf die spitz gewordene und verfallene Nase des Kommunizierenden. Sie spürte die furchtbare Starrheit, welche sich in ihr niedergelassen und verfestigt hatte, in eine wogende Lösung übergehen. Es stiegen ihr Tränen in die Kehle, sie schluckte schwer. Die Vorstellung, daß jener Mensch dort in den Kissen zu diesem Augenblick, entsühnt und gereinigt, Gott in sich empfing, überwältigte sie so gänzlich, daß alles zuvor Geschehene auf Sekunden aus ihrem Gedächtnis fortgelöscht war. Es hatte ein lebendiges Herz auch in diesem Menschen geschlagen, und es war ihre Schuld, daß sie es nicht aufzufinden vermocht hatte.

Gleich danach indessen fielen, höllische Fiebergespenster, die Erinnerungen der Nacht wieder auf sie. Sie spürte eine wahnwitzig lodernde Freude darüber, daß nun Massimos Rettung ihren sicheren Gang zu nehmen hatte, und sie spürte zugleich die Eiseskälte von Schauern über ihre Schulterblätter und ihren Nacken laufen.

Ihr Blick irrte von Pandolfo ab. Er haftete an dem geschorenen weißen Haar des Priesters, an seiner gebeugten Haltung und an der sicheren Sanftheit seiner Bewegungen. Diese Bewegungen mußten ein Zutrauen erwecken wie die eines säenden oder mähenden Bauern, welcher ja das Natürliche tut und es auf die richtige, zweckmäßige und allein mögliche Art ausführt. Und Vittoria war unterjocht von der einen Begierde, sich diesem alten Manne zu Knien zu werfen und alles zu bekennen.

Sie begann, um Pandolfos Genesung zu beten. Ja, konnte sie nicht mit dem von ihr Gereichten eine günstige Wendung der Krankheit heraufgeführt haben? Ihre Gedanken verwirrten sich. Dann fiel Massimo ihr ein, und nun meinte sie abermals einen sicheren Grund gefunden zu haben.

Es war bis dahin sehr still gewesen, und außer den halblauten Worten des Geistlichen und des respondierenden Mesners hatten höchstens hier und da einige Seufzer sich vernehmen lassen. Nun aber hörte Vittoria Hüsteln, Räuspern und Schneuzen und die behutsamen Fußbewegungen, mit welchen Menschen, die eine Weile unbeweglich gestanden haben, ihre Stellung ändern. Sie schrak auf, sie erhob sich, trat auf Pandolfo zu und drückte seine Hände, die immer noch verschränkt auf der Decke lagen. Mafalda beglückwünschte ihn mit einem überstürzten und undeutlichen Gemurmel zum Empfang der Wegzehrung, und ebenso tat nach ihr das Hausgesinde. Vittoria riß sich aus ihrer Versunkenheit, um jenes bescheidene Maß an Anordnungen zu treffen, das Monna Mafalda ihr verstattete.

9

Inzwischen war ein Arzt gekommen und wurde hereingeführt. Von dem Gang durch den glutheißen Wind liefen über sein Gesicht Rinnsale von Schweiß, die er umsonst mit einem gestickten Tuch zu entfernen trachtete. Er trat zu Confini und fühlte den Puls. Auf sein Geheiß wurde dem Kranken ein wenig Nahrung gereicht. Confini schluckte fügsam einige Löffel Brühe, welcher ein Heiltrank beigesetzt war.

Danach traten die beiden Frauen, Don Luca und der Arzt ans Fenster und besprachen sich halblaut. Monna Mafalda ließ die Augen nicht von der Tür, als erwarte sie das Kommen eines der übrigen Ärzte, um einer lautgewordenen Meinung eine andere entgegenstellen zu können. Doch kam keiner, und die vier wurden sich einig: Das Sakrament der Ölung sollte nicht hinausgeschoben werden.

Als habe sich schon eine bestimmte Ordnung hierfür festgesetzt, nahmen alle Gegenwärtigen wieder ihre Plätze ein.

Confini schien durch die empfangene Nahrung und Arznei ein wenig gekräftigt. Sein Blick war jetzt den Vorgängen voll zugewandt, sein Blick um ein kleines beweglicher. Dieser Blick schien zu fragen: »Was macht ihr mit mir?« – doch nicht im Sinne eines Vorwurfs, sondern einer geduldigen Verwunderung, welcher eine Nachdenklichkeit zugrunde lag.

Auch beim Sakrament der Ölung wurde ohne Zeiteinbuße verfahren. Don Luca sprach die Salbungsformeln gedämpft, doch hielt er sich von einer unziemlichen Hast fern. Als der Mesner, der alle seine Handbietungen geschickt und gleichmäßig verrichtete, die Bettdecke zur Seite schob und der Priester sich vorbeugte, um Confinis Füße zu salben, sprang Vittorias Katze, welche sich unvermerkt ins Zimmer geschlichen und in einer Ecke aufgehalten hatte, auf das Krankenbett, plusterte ihr langhaariges Fell auf, wie es wohl ein Vogel mit seinem Gefieder tut, und richtete die goldgelblichen Augen, in deren Mitte ein senkrechter schwarzer Strich stand, gleichgültig auf die beiden ihr fremden Männer. Dann rollte sie sich mit einem Schnurrlaut zusammen.

Monna Mafalda machte eine Bewegung, als wollte sie vorstürzen. Über das Gesicht des knienden Matteo lief ein Lächeln, dessen er erst durch einen Biß auf die Unterlippe Herr wurde. Die entschlossene Agata aber trat leise und mit gefalteten Händen hinzu, löste die verschränkten Finger erst hart vor dem Bett auseinander, packte die Quäkende am Nackenfell und trug sie aus dem Zimmer.

Hierbei verschoben sich einige Muskeln in Pandolfo Confinis Gesicht. Es schien, als habe sein Körper einen Vorgang von natürlicher Lebendigkeit empfunden und als habe sich ihm von dieser etwas mitgeteilt, das ihn nun für die allernächste Dauer nicht mehr verließ. Als Don Luca mit Hilfe des Salzes die Ölspuren von seinen Fingern entfernte, sah Pandolfo ihm zu wie ein sich Erinnernder.

Das Sakrament war vollzogen, doch verharrten die Anwesenden noch eine Weile in ihrer beterischen Haltung. Endlich bekundeten wie vorhin allerlei kleine Geräusche und Bewegungen das eingetretene Ende der Feierlichkeit. Confini hatte die Augen wieder geschlossen, doch meinte man in seinem Gesicht ein wenig rückgekehrter Farbe zu erblicken.

Es entstand die Frage, ob das weitere Verbleiben des Geistlichen und die Vornahme der Sterbegebete erwünscht sei. Der Arzt widerriet mit einem Hinweis auf des Herrn Confini kräftigeren Puls und auf die nachteilige Wirkung eines möglichen Erschreckens. Monna Mafalda, die sich plötzlich wieder von einer aufgeregten Hoffnungswilligkeit erfüllt zeigte, so als sei von Don Luca eine neue und vielverheißende Kur mit dem Bruder eingeleitet worden, Mafalda stimmte ihm mit Nachdruck bei. Vittoria nickte schweigend zu den Äußerungen der beiden.

Die übrigen hatten sich inzwischen entfernt. Die Frauen empfingen nun den Segen des Priesters und geleiteten ihn und den Mesner ehrerbietig zur Tür.

Sie kehrten in das Krankenzimmer zurück, das jetzt sehr leer und sehr still erschien. In dieser Stille wurde Pandolfos Stimme gehört. Er sagte klar und scharf: »Schreibzeug!«

Sie stutzten. Dies war das erste Wort, das Vittoria seit der Nacht von ihm vernahm. Mafalda eilte zu ihm, Vittoria aber ging nach dem Verlangten.

Das Geheiß des Pandolfo meinte einen hölzernen Kasten, dessen Deckel sich durch einen Federdruck aufrichten ließ, während die Berührung eines anderen Knopfes die eine Längswand niedergehen machte, so daß etwas wie ein kleines Pult entstand. Im Innern des Kastens fanden sich alle Schreibbedürfnisse.

»Soll ich etwas für dich schreiben? Willst du diktieren?« fragte Vittoria.

Er sah sie an und deutete mit dem Zeigefinger vor sich auf die Decke. Offenbar wünschte er eigenhändig zu schreiben und traute sich die Kraft zu. Vittoria zögerte, allein schon fiel Mafalda ein: »Der Kleine will schreiben, hörst du? Das ist ein gutes Zeichen, die Sakramente haben ihn gestärkt, sicherlich, Pandolfo, es kommt alles in Ordnung, schreibe nur, Kleiner, schreibe nur.«

Der Kasten wurde vor ihn hingesetzt und geöffnet. Vittoria schraubte den Deckel von dem hornenen Tintenfaß.

»Geht hinaus«, sagte Confini. »Alle hinaus«, wiederholte er streng, da sie Anstand nahmen, seinem Geheiß nachzukommen.

Mafalda ergriff den Arm der Schwägerin. »Komm nur, komm nur«, flüsterte sie. »Pandolfo will schreiben. Pandolfo wird sicherlich bald gesund sein, darum riet ich ja so dringend, den Priester zu holen.«

Sie gingen. Draußen wurde Mafalda von einem Bewegungsdrang überkommen, der sie zu der Vorstellung führte, bei ihr im Hause könnten sich die ärgsten Unordnungen ereignen, wenn sie nicht selber zum Rechten sähe. »Gott sei gedankt, daß es ihm besser geht«, rief sie. »Ich kann ohne Gefahr das Haus verlassen. Ich gehe, Kind. Sollte es nötig werden, so schicke augenblicks nach mir. Im anderen Falle bin ich gegen Abend wieder da.«

Vittoria verbrachte eine Viertelstunde im Schwanenzimmer. Darauf kehrte sie zu Pandolfo zurück.

Pandolfo schrieb nicht. Seine Körperlage hatte sich gänzlich verändert. Durch eine Verzerrung der Oberlippe waren die schadhaften Zähne bloßgelegt worden. Schwärzlich und verquollen lag die Zunge im offenstehenden Munde. Die behaarte Nase hatte sich noch entschiedener zugespitzt.

Das Ende schien nicht über ihn gekommen zu sein ohne eine letzte Auflehnung seiner Natur. Von einer solchen zeugte der umgestürzte Kasten. Die Tinte hatte sich über Bett und Boden ergossen, Schreibblätter lagen wirr umher.

Vittoria verstand, daß ihr Mann tot war, und fühlte ein Nachgeben ihrer Beine, das sie langsam in die Knie zog.

10

Exequien und Beisetzung des Herrn Confini sollten in der Klosterkirche der Minderbrüder vorgenommen werden, denen von seinem Vater und Großvater bedeutende Spenden zugewandt worden waren; auch hatten beide in dieser Kirche ihre Stätte gefunden.

Einstweilen war der Leichnam in der Hauskapelle aufgebahrt. Mehrere Geistliche verrichteten die Gebete. Die Flügeltür zum großen Saale, welcher trauerlichen Schmuck trug, stand offen, und es herrschte ein unablässiges Kommen und Gehen, da alle Freunde, Verwandten und Bekannten des Hauses Confini sich eingefunden hatten. Einer nach dem anderen traten sie an die Leiche, um dem Abgeschiedenen ihre Achtung zu bezeugen, und danach standen sie in einem höflichen Gedränge, halblaut sprechend, im Saale umher. Hier wurde Wein und das herkömmliche Trauergebäck gereicht. Viele erschienen mitgenommen von der Witterung und fächelten sich häufig Luft zu. Es wurde auch von Diomede geredet und gefragt, wann er erwartet werde.

Monna Mafalda war unermüdlich, den Trauergästen ihres Bruders Krankheit und Hingang zu schildern. Ab und zu verstummte sie und drückte ein Tuch gegen die Augen.

»Der arme Kleine! Er hätte gerettet werden können, ich weiß es«, versicherte sie immer wieder. »Warum hat nur Vittoria nicht rechtzeitig nach mir geschickt? Es wurde ihm stets besser, wenn ich kam.«

Denn in ihrem Gedächtnis hatte sich eine Verschiebung ereignet, derzufolge ihr nicht mehr bewußt blieb, wie Pandolfos Sterben plötzlich geschehen war, nicht sehr lange, nachdem sie das Haus verlassen hatte.

Dann preßte sie gewalttätig eine junge Frau an ihre Brust und fuhr zu gleicher Zeit über deren Schulter hinweg einen Diener an: »Wo hast du deine Augen, du Hohlkopf? Siehst du denn nicht, daß Messer Sellacagna noch kein Gebäck angeboten worden ist?« Und fast im nämlichen Augenblick erzählte sie wieder von ihrem letzten Zusammensein mit Pandolfo. »Was er hat schreiben wollen? Nun, ich denke, einen Abschiedsgruß und ein Dankeswort an seine Schwester, die ihn erzogen und gepflegt hat. Das ist mir tröstlich zu wissen, daß sein letzterer Gedanke mir zugekehrt gewesen ist.«

Dunkel und verschleiert, ein Inbild nonnenhafter Witwenstrenge, stand Vittoria unter den Gästen. Immer wieder trat jemand auf sie zu, drückte ihr die Hand oder umarmte sie und sprach dabei Worte, denen der Eingang in Vittorias Bewußtsein verschlossen blieb.

Plötzlich verstand sie, daß Nespoli es war, der ihr jetzt murmelnd die Hand drückte. Wie eine jäh zu sich Gerufene hob sie ihr Gesicht.

In diesem Augenblick ging eine Bewegung durch die Versammelten. Die halblauten Gespräche brachen ab, man drängte raumgebend zur Seite, man verneigte sich. Es war, als sondere dieser Augenblick unwiderruflich und mit Schärfe die letztvergangenen Minuten von den nächstkommenden.

Der Großtyrann, von dessen eben geschehener Rückkehr nach Cassano noch niemand Kenntnis gehabt hatte, war eingetreten.

Vittoria sah Nespoli nicht mehr. Vor ihr stand der Großtyrann und reichte ihr die Hand. Sie neigte sich tief und hörte ihn sagen: »Ich beklage das Abscheiden des Herrn Confini. Könnte mein Wunsch dem Gebet der Kirche zur Unterstützung dienen, so würde ich sagen: Das ewige Licht leuchte ihm. Ich denke mich einzufinden, wenn dem Toten sein Ruheplatz gegeben wird.«

Der Großtyrann begab sich in die Kapelle und verweilte einige Augenblicke in Stille bei dem Toten. In den Saal zurückgekehrt, musterte er die Gegenwärtigen, hier und da das Wort an jemanden richtend.

Nespoli ging blaß auf ihn zu, um in der Nähe zu sein, wenn der Großtyrann, welcher ihn schon bemerkt haben mochte, ihn zu sprechen wünschte.

Vittoria verfolgte beide Männer mit brennenden Augen. Den Diener, der aufgeregt mit Wein und Gebäck auf den Großtyrannen zukam, entfernte er durch eine Kopfbewegung. Darauf winkte er Nespoli mit einem Blick und einem Anheben des Kinnes zu sich und verließ, von ihm begleitet, den Saal.

11

Jener Raum, der auf drei Seiten von dem Confinischen Hause und seinen Nebenbauten, auf der vierten von der Stadtmauer umschlossen wurde, teilte sich in Hof und Garten. Inmitten der Gemüsebeete und der Obstzucht fand sich ein Stück baum- und buschreichen, mannigfach verwilderten Zierlandes. Es enthielt einen zerbrochenen Röhrenbrunnen mit unregelmäßigem Wasserfluß und in dessen Nähe ein offenes Lusthäuschen, dessen rundes Dach von bewachsenen Säulen getragen wurde; diesen Säulen dienten zusammengekauerte steinerne Löwengestalten zum Tragegrunde.

Hierher begab sich der Großtyrann und wählte sich als Platz die Steinbank, die in einem halben Kreise an einigen der Säulen entlanglief.

Nespoli stand wartend vor ihm.

Der Großtyrann, über den Witterung und Wind seiner Natur nach keine Gewalt hatten, schien nicht ungut gelaunt. Mit lächelnder Selbstverspottung sprach er einige Worte über die Jagdtage im Gebirge. Nespoli wußte, daß es nicht die Jagd selbst war, was den Großtyrannen von Zeit zu Zeit fortlockte, sondern die vollkommene Einsamkeit, in welcher er sich dort oben behagte. Er war ein gewandter Jäger, bewundert auch von einfachen Leuten, welche ja nicht schmeicheln, und bekundete dennoch häufig eine Mißachtung gegenüber der Jagdleidenschaft der allzu Eifrigen. Auf eine ähnliche Art achtete er auch seinen heerführerlichen Ruhm gering, obgleich dieser sich aus einer Reihe glücklicher Feldzüge für alle Welt fest gegründet hatte, und liebte es, mitunter eine wohlwollende Abschätzigkeit gegenüber allen Kriegsleuten von Beruf zu offenbaren.

»Nun, ich bin nicht gekommen, dir von meinen Jagden zu erzählen, sondern von den deinigen zu hören. Wer hat Fra Agostino getötet?«

In der Geradewegigkeit dieser Frage – da er doch früher gefragt hatte: Wie steht es um deine Nachforschungen? – lag etwas Bestürzendes. Nespoli schwieg und erinnerte sich bitter daran, daß er in diesem selben Lusthäuschen vor Zeiten zum ersten Male ohne Zeugen mit Vittoria zusammen gewesen war.

Er hatte diese letzten Tage in einer Zurückhaltung hingebracht, so nämlich, daß er die Geschäfte seines Amtes pflichtmäßig, aber ohne Hingabe behandelte. Was an ihn herantrat, darum kümmerte er sich; allein er selber trat an nichts mehr heran. Mit einem Nagen im Herzen hatte er immer von neuem an jenen Abend im Schwanenzimmer zurückgedacht, dessen Einzelheiten er gleichwohl zu vergessen strebte. Sie liebt mich, aber sie will mich besitzen – diese Kennzeichnung hatte er für Vittoria gefunden. Ich liebe sie, aber ich kann mich nicht besitzen lassen.

Unter der Einwirkung des Wetters war, von Tag zu Tag erstarkend, ein Geist der Aufsässigkeit und des Gleichmuts gegenüber deren Folgen in ihm eingekehrt; und zum Wachstum dieses Geistes hatte die Abwesenheit des Großtyrannen beigetragen. Das Gegenwärtige schien ihm in eine Ferne gerückt. Häufig kehrten in diesen Tagen Nespolis Gedanken zu seiner toten Frau und seinem toten Sohne. Es dünkte ihn auch, er träume von ihnen in den Nächten, doch blieb ihm hiervon bei Tage keine deutliche Erinnerung.

Zum Schutze seiner selbst hatte Nespoli die Meinung angenommen, der Großtyrann werde vielleicht bis zu seiner Wiederkehr noch eine längere Weile verfließen lassen. Die unversehene Rückkunft des Großtyrannen, die nackte Plötzlichkeit der gestellten Frage empfand er wie Schläge; allein wie Schläge, die eher aufreizen, als daß sie niederwerfen. Die heiße giftige Luft hielt seine Stirn umpreßt wie eine Klammer. Das Blut rauschte ihm in den Ohren. Bisweilen war es ihm, als hingen Schleier zwischen ihm und dem Manne, der dort ruhig vor ihm saß.

Als er jetzt antwortete, da nötigte er sich zu einer Ergebenheit des Tones; dennoch offenbarte dieser ein Weniges von Nespolis Seelenverfassung. Nämlich so, als sei über diese Dinge noch nie verhandelt worden, zählte er eine Reihe von Leuten auf, von deren keinem es sich beweisen ließ, daß er die Tat begangen hatte, ebensowenig wie man bei ihnen etwas über Ursache oder Zweck der Tötung hätte angeben können; freilich konnte von diesen auch nicht bewiesen werden, daß sie die Tat nicht begangen hatten. Er sprach hiervon, als ginge ihn das wenig an, als erfülle er mit dieser Herzählung eine gleichgültige Pflicht und fordere den Großtyrannen auf, sich aus den Angeführten nach seinem Gefallen jemanden auszuwählen.

Der Großtyrann hörte ihm zu und spielte lässig mit einem Blütenzweige, der seitlich in das offene Lusthäuschen hereinhing.

»Soll das heißen, du habest deine Forschungen eingestellt?« fragte er, jedoch ohne Schärfe.

»Im Gegenteil, Herrlichkeit. Es sind Ergebnisse meiner Forschungen, die ich soeben der Herrlichkeit unterbreitete«, antwortete Nespoli fast höhnisch.

»Nun, dann bist du freilich nicht müßig gewesen. Du erschaffst Mörder, wie der Vikar Christi Heilige und wie der Kaiser Edelleute erschafft. Mir aber ist nicht mit erschaffenen, sondern mit gewordenen Mördern gedient. Du hast mir eine Anzahl halber Täter genannt. Aber bei aller Achtung vor deiner Rechenkunst kann ich dir nicht verschweigen, daß es mich nach einem ganzen verlangt. Ich höre, daß Zampetta zurückgekehrt ist. Hast du mir nicht etwas von Venedig zu erzählen?«

»Nein«, gab Nespoli schroff zur Antwort.

Der Brunnen, welcher eine Zeitlang geschwiegen hatte, warf jetzt einen Strahl Wasser von sich. Der Großtyrann sah sich flüchtig nach ihm um und wandte sich dann Nespoli wieder zu.

»Du mußt nicht zornig sein, Massimo. Ich habe sagen hören, Gott gefalle die Sanftmut der Bekümmerten. Ich bin wohl zu lange fortgeblieben. Lasse uns nachrechnen, wieviel Zeit war es? Und wie verhielt es sich denn mit unserer Frist? Mir scheint fast, du habest die Grenze meiner Fristsetzung bereits überschritten.«

»Nehme die Herrlichkeit meinen Kopf!« schrie Nespoli. »Ich habe nicht mehr Lust, ihn ihr streitig zu machen.«

»Ereifere dich nicht, mein Massimo«, erwiderte der Großtyrann in Ruhe. »Wer sagt dir denn, daß wir nicht über eine neue Frist sollten verhandeln können? Ich denke, du kennst mich als einen Geduldigen. Aber sage mir eins: Warum hassest du mich, Massimo?«

»Die Herrlichkeit hat ein Anrecht auf meine Dienste. Ein Anrecht auch auf Rechenschaften über meine Dienste, nicht auf Rechenschaften über meine Gefühle.«

»Sehr wahr. Über einen Hohlraum ist niemand zur Rechenschaftslegung verpflichtet.«

»Ich könnte die Frage nicht zurückgeben. Was habe ich getan, daß die Herrlichkeit mich mit ihrem Hasse verfolgt?«

Der Großtyrann schüttelte in gleichmütiger Verwunderung den Kopf. »Ich hasse niemanden, Massimo. Kann denn ein Regent hassen? Wer haßt denn seine eigenen Hilfsmittel, die ihm doch dienlich sind zu dem, das er nach dem Willen der Vorsehung erreichen soll?«

»So verachtet die Herrlichkeit mich als ein Werkzeug?«

»Ich achte dich nach deinem Wesen und Werte.«

Nespoli kam plötzlich der Gedanke von der Brücke in die Erinnerung, und er spürte mit einem wilden und freudigen Schrecken, daß er von einer solchen Selbstbefreiung nicht mehr weit entfernt war; dies freilich vermochte er nicht zu erkennen, daß seine selbstbefreierische Entschlossenheit nicht aus einer ruhigen Kraft seines Innern, sondern zu einem guten Teile aus der Aufreizung des bösen Windes stammte.

12

Als habe der Großtyrann es erraten, daß Nespolis Gedanken bei jenem Zusammensein am Brückenbau verweilten, fragte er: »Warum hast du mich damals nicht von der Brücke gestoßen, Massimo? Du weißt doch, ich verstehe mich nicht auf das Schwimmen. Auch ist die Strömung dort sehr kräftig, und sie hätte mich davongetragen, bevor jemand vom Ufer bei mir gewesen wäre.«

Nespoli antwortete mutig: »Stünden wir eben jetzt auf dieser Brücke, so würde ich die Herrlichkeit des Anlasses überheben, eine solche Frage an mich zu richten.«

»Ach, Massimo, Massimo! Du bist zornig und möchtest an mir einen Gefährten deiner Zornigkeit haben. Aber du nimmst eine vergebliche Mühe auf dich: Ich bin nicht aufgelegt, mich zornig machen zu lassen, denn ich strebe ja nach der Langmut als nach einer Herrschertugend. Dennoch ist es nicht geraten, sich auf diese Langmut eine zu gewisse Rechnung zu machen. Es wird nur eine kurze Zeit sein, und du wirst erschrecken über die Worte, die du zu mir gesprochen hast. Dann wirst du, da du sie ja nicht in deinen Hals zurückbefehlen kannst, bemüht sein, sie zu vergessen, um nicht ein unablässiges Entsetzen aus ihnen zu empfangen. Nun, ich komme dir entgegen, ich werde dich nie an sie erinnern, und ich will ebenfalls bemüht sein, sie zu vergessen. Du hast Beweise meiner Langmut erhalten, und du erhältst jetzt einen neuen, indem ich dir ungebeten abermals eine Frist von drei Tagen bewillige. Aber nun kaufe die Zeit aus. Mache dich an deine Arbeit. Eile dich.«

»Ich habe keine Eile«, erwiderte Nespoli kalt. »Ich beabsichtige nicht, in dieser Zeit noch etwas zu verrichten. Die Herrlichkeit will mein Geschick von einer Zufälligkeit abhängig machen. Gut. Ich werde dem Zufall nicht vorgreifen. Was ich tun konnte, das habe ich getan. Mag also der Zufall eintreten, daß der Mörder bis zum Freitag gefaßt wird. Oder mag der Zufall eintreten, daß er bis zum Sonntag oder aber bis an seinen Tod unentdeckt bleibt. Was kümmert das mich? Für mich, der ich nicht in einer Welt der Zufälle lebe, sondern es mit Ursachen und deren Folgen zu schaffen habe, für mich besteht kein Anlaß, an diesem Spiel um Zufälligkeiten teilzunehmen.«

Der Großtyrann sah voll zu Nespoli auf; wie es schien, befriedigt oder gar belustigt. »Gut, gut«, sagte er halblaut in einem beifälligen Tone.

Nespoli fuhr fort: »Daß aber die Herrlichkeit einen Zufall zum

Richter über mich setzen will, nachdem ich ihr anderthalb Jahrzehnte gedient habe . . .«

.»Es ist wahr, Massimo, du hast mir anderthalb Jahrzehnte gedient. Allein glaube nicht, mir mit deinem Dienen ein Geschenk gemacht zu haben. Du hast Sold und Wappenbrief, Haus, Felder, Weinberge und Leute dafür erhalten. Mehr noch, ich gab dir die Möglichkeit, so zu leben, wie es deine innerste Natur verlangt. Ist einer im Debet, so bist du es.«

»Es ist nicht fürstlich, zu rechnen.«

»Du hattest die Rechnung begonnen, nicht ich. Fürstlich aber ist es, Beleidigungen zu überhören, die ein Niedrigerer im Zorn ausspricht. Täte ich nicht dergleichen, es stünde übel um deinen Kopf.«

»Ich sagte es der Herrlichkeit bereits: Ich hänge nicht mehr an ihm! Aber nun will ich wisssen, was die Herrlichkeit mit mir vorhat! Und warum will sie mich verderben?«

»Wir mißverstehen uns«, antwortete der Großtyrann. »Es handelt sich nicht um einen Menschen namens Nespoli, sondern um den Vorsteher derjenigen Behörde, welcher die Sicherheit meiner Person wie des Staates aufgegeben ist.«

Nespoli sprach jetzt überlaut mit einer Erregung, die sich bei jedem Wort mehrte und ein Keuchen in seine Stimme brachte.

»Ich könnte nach allerlei Hilfsmitteln greifen. Ich brauchte nur die Schuld auf einen jener Auswärtigen zu werfen, die am Morgen nach der Tat unsere Stadt verließen. Ich brauchte nur irgendeinen schlecht beleumundeten Lumpen zu verdächtigen und ihn bei der Gefangennahme in einem Kampfe um sein Leben kommen zu lassen, ich brauchte nur . . .«

Er brach ab, er hatte die Miene des Großtyrannen wahrgenommen.

»Vergib, Massimo, wenn ich lächle«, sagte dieser. »Aber es ist mir bei deinen Worten jenes Wäschermädchen eingefallen. Beiße dich getrost auf die Lippen, ich werde vergessen, daß ich dies Lippenbeißen gesehen habe; denn es ist mir ja nichts an deiner Beschämung gelegen.«

»Ich leugne ja nicht, mich in dieser Angelegenheit getäuscht zu haben!« rief Nespoli.

»Richtig!« sagte der Großtyrann. »Du hattest dich getäuscht. Aber wir wollen – ich glaube, ich tat das bereits bei unserem letzten Zusammensein – den Sinn dieser Worte deutlicher werden lassen und also sagen: Du hattest dich einer Täuschung schuldig gemacht oder doch eines Täuschungsversuches. Dieser Versuch gelang dir bei dir und mißlang dir bei mir. Antworte mir nicht, Massimo, du sollst davor behütet sein, Worte zu sagen, welche dir leid sein würden. Ich glaube, es möchte dir bekömmlich sein, wenn wir unser Gespräch endigen. Auch verlangt es mich nach Bewegung und nach freierer Luft, als sie sich hier darbietet. Darum gehe hinein und hole mir den Schlüssel des Mauerpförtchens.«

13

Nespoli verneigte sich und ging. Er spürte wohl die Absicht, die den Großtyrannen leitete. Indem er ihm nämlich diesen unwichtigen und dienerhaften Auftrag des Schlüsselholens erteilte, wollte er auch alles Vorangegangene nachträglich seiner Größe und seines menschlichen Gewichtes entkleiden. Nespoli sollte abgehen wie etwa ein Schauspieler, der nach einer Szene von tragischer Gewalt durch irgendeine alltägliche Verrichtung wie das Wiederknüpfen eines aufgegangenen Schuhbandes vor den Augen der Menschen sich selber um alle Wirkung brächte und in Lächerlichkeit absänke.

Nespoli trat vom Hof durch die rückwärtige Tür ins Haus. Über den langen Gang eilten Bediente mit Wein und Gebäck. Matteo, der mit leerer Schüssel aus dem Saale kam, hielt er an und erteilte ihm den Auftrag. Während Nespoli auf seine Rückkehr wartete, fiel ihm ein, ob er nicht, um seine neue Gesinnung zu bekunden, den Diener mit dem Schlüssel zum Großtyrannen schicken und selber nach Hause gehen sollte.

»Nein. Er soll nicht denken, ich scheue sein Gesicht. Und ich selber werde mir nicht erlauben, sein Gesicht zu scheuen.«

Vittoria trat aus dem Saale, blieb stehen, hob den Schleier und fächelte sich Luft zu. Nespoli eilte zu ihr.

»Massimo!« rief sie und fuhr leise fort: »Pandolfo ist tot.«

Mehr zu sagen, gelang ihr nicht; auch meinte sie, er müßte sie ohne ein deutliches Wort verstehen.

Nespoli starrte sie an zwischen Sehnsucht und Abneigung.

»Ich betrauere ihn mit allen anderen«, antwortete er höflich.

Vittoria empfand eine Betäubung von der Leere und Kälte dieses Tones. Welch ein Fremder war das? Konnte jener Abend vergessen sein, jener Abend und alles, was ihm gefolgt war?

»Massimo!« flüsterte sie heiß. »Du darfst nicht verderben! Wie steht es? Was wirst du tun?«

»Nichts«, antworte er und zuckte die Achseln.

Menschen, die einander vertraut sind, haben kein stärkeres Wort zu Gebote und keine gewaltigere Beschwörung, als daß der eine den Namen des andern nennt, welcher ja des Menschen Wesen umgreift und in tausend Abschattungen gesprochen werden kann. »Massimo«, sagte Vittoria noch einmal.

Sein Gesicht rührte sich nicht.

»Ich habe dir vor einigen Tagen geschrieben, Massimo. Hast du den Brief nicht erhalten?«

»Doch«, antwortete Nespoli.

»Und was hast du mir zu sagen?«

»Nichts, Monna Vittoria.«

Ihr Herz tat jählings einen heftigen Schlag; darauf aber meinte sie es stocken zu fühlen.

Der Diener näherte sich mit dem Schlüssel. Zugleich kam Agata, offenbar wollte sie eine häusliche Frage an Vittoria richten. Beide Dienstboten, seit Stunden gehetzt, blieben stehen und erwarteten in Ungeduld das Ende des Herrschaftsgespräches.

Nespoli verneigte sich vor Monna Vittoria und ging.

Ohne auf Agata zu hören, sah sie ihm nach, den langen Gang hinunter. Dieser Mann hielt sich, abgesunken in eine unbegreifbare Gleichgültigkeit, zum eigenen Untergang bereit. Sie hatte ihm einen Rettungsweg zu eröffnen gemeint; der Weg lag frei. Nun stand er davor, ein plötzlich Versteinerter, unfähig, ihn zu beschreiten.

Mit der jählings zur Hellsicht gesteigerten Sehkraft ihres Herzens erkannte Vittoria die Eigensucht ihrer Liebe. Sie sagte: »Alles, was ich bin und tat, hat keinen Wert, solange ich meine Liebe zu ihm nicht dahin heben kann, daß ich nichts mehr für mich begehre, sondern alles für ihn. Ich weiß nicht, ob ich schuldig geworden bin an Pandolfos Tode. Aber das weiß ich, daß ich schuldig werden will an Massimos Errettung. Von mir wird es gefordert, von mir allein.«

Nespoli fand den Großtyrannen nicht mehr im Lusthäuschen. Endlich gewahrte er ihn in der Nähe der Pforte. Er stand vorgeneigt und beobachtete ein Ameisenvolk, das sich am Mauerfuß regte. Als er Nespolis Schritte hörte, winkte er ihm lässig zum Zeichen, daß eine Störung ihm noch nicht gelegen war. Nespoli öffnete behutsam das Pförtchen und wartete.

Nach einer Weile schien des Großtyrannen zuschauerische Lust gesättigt.

»Ich danke dir, Massimo«, sagte er. »Ich trage dir nicht nach, was du gesprochen hast. Da ist nur ein Uhrwerk in Unordnung geraten.

Einem Uhrwerk trage ich nichts nach. Höchstens lasse ich den Uhrmacher kommen und es wieder richten. Und geht das nicht mehr an, so werfe ich das Uhrwerk auf den Rumpelhaufen und beschaffe ein neues an seiner Statt, dergleichen ist nicht schwer.«

Nespoli schloß hinter ihm zu. Während er den Schlüssel in das Haus zurücktrug, meinte er zu fühlen, wie sich seine Züge vor kaltem Haß versteinerten. Viel mehr als alles Vorangegangene erbitterten ihn jetzt des Großtyrannen letzte Worte, mit welchen er erkennen ließ, wie gering er von Nespolis neuer Seelenstärke dachte.

Nespoli übergab den Schlüssel einem Dienstboten und verließ rasch das Haus, als scheue er sich davor, Vittoria noch einmal zu begegnen.

14

Früh am Morgen wurde des Herrn Confini mächtiges Bett auf den Hof hinausgetragen. Agata nahm es in seine Stücke auseinander, lüftete, reinigte und klopfte. Über dieser Verrichtung fand sie Gesellschaft, denn es stellte sich der Schieler ein, welcher sich mit seines Herrn verändertem Wesen nicht zurechtfand. In seiner düsteren Gleichgültigkeit fühlte Nespoli Widerwillen gegen des Schielers Gegenwart und Dienstleistungen und litt ihn noch weniger um sich als nach jenem Besuch im Gäßchen der Wäscherinnen. Sich selbst überlassen, war der Schieler zum Confinischen Hause geschlendert; er hatte keine Botschaft hinzutragen, dennoch trieb ihn die Gewohnheit, nicht an jener Stelle zu fehlen, wo jetzt für seinen einsiedlerischen Herrn die einzige Verbindung zur Menschenwelt lag.

Die Hände in den Taschen, stand er zuschauend neben Agata, hin und wieder zu einem Handgriff aufgefordert. Da hatte er ihr die Bürste einzutauchen oder frisches Wasser vom Brunnen zu holen. Agata schlug mit Ingrimm auf die Polster ein und antwortete kurzatmig auf sein knurriges Geplauder. Ihr schweißfeuchtes Gesicht lag in verdrossenen Falten.

Da Agata zwei tintenfleckige Polster voneinanderzerrte, kam ein Blatt Papier zum Vorschein.

»Da ist ja ein Brief«, sagte der Schieler.

»Ein Brief? Meinethalben«, antwortete Agata und zog das Papier hervor. Es war zu einem Teile beschrieben und trug ein Siegel.

Der Schieler konnte nicht schreiben, verstand sich aber ein wenig auf das Lesen, insbesondere großer und klarer Handschriften, während Agata beider Dinge unkundig war. Doch erkannte sie augenblicks das Siegel mit dem Wappen des Hauses Confini.

Sie betrachtete das Papier und meinte: »Das wird etwas Ärztliches sein, eine Anweisung für den Apotheker.«

Der Schieler sah ihr über die Schulter in das entfaltete Blatt und suchte die schwer lesbaren Schriftzüge zu verstehen. Es machte ihm Mühe.

»Gib mir den Brief«, sagte er.

»Wozu?«

»Gib ihn mir.«

Er nahm ihr das Papier aus der Hand und betrachtete es noch eine Weile. Dann faltete er es zusammen und schob es in seine Rocktasche. Er hatte es eilig, aufzubrechen; Agata wunderte sich über seine Erregung.

Über den Hof auf den Torweg zugehend, gewahrte er Vittoria. Sie stand unbeweglich an einem rückwärtigen Fenster und hielt den Blick auf die arbeitende Agata gerichtet. Auf ihrer Schulter saß die Katze. Der Schieler verneigte sich im Gehen nach seiner wenig geschliffenen Art und nahm die Mütze ab.

Es war dem Schieler nicht fraglich, welch eine Bedeutung dem gefundenen Zettel beikam; er beabsichtigte mit Selbstverständlichkeit, ihn in die Hände seines Herrn zu geben. Doch zweifelte er, ob er den Sinn des Schriftstückes durchaus recht aufgenommen habe. Denn die Handschrift war klein und undeutlich, dazu verwischt und mit Tintenflecken bespritzt. Auch hatte seiner geringen Übung im Lesen die flüchtige Betrachtung nicht genügen können. Er wünschte Gewißheit, Wort für Wort, ehe er den Fund überlieferte.

Als er am Zunfthause der Seiler vorbeikam, lockte ihn die menschenleere und kühle Vorhalle. So trat er durchs Portal und entfaltete das Papier.

Er spürte die Berührung eines Fingers auf seiner Schulter und sah auf. Vor ihm stand der Großtyrann; es blieb ungewiß, ob er gleich dem Schieler von der Straße aus eingetreten oder aus dem Innern des Hauses gekommen war.

»Sieh da, bist du unter die Schriftgelehrten gegangen«, sagte er lächelnd, »denn obwohl dein Blick an jener Bankschnitzerei haftete, schien er mir doch das Papier zu meinen. Wer schreibt dir Briefe mit so schön geschnittenem Wappensiegel?«

Er streckte die Hand aus, in welche der Schieler mit einer Verneigung das Blatt legte.

Der Großtyrann las, ohne seine Miene zu ändern. Danach steckte er den Zettel zu sich und fragte: »Wie kam dies Schriftstück in deine Hände? Wer las es außer dir?«

Der Schieler berichtete wahrheitsgemäß und setzte bei, er sei auf dem Heimweg gewesen in der Absicht, das Schreiben seinem Herrn zu überbringen.

»Und wolltest es hier in Behagen zuvor zur Kenntnis nehmen? Du verstehst dich auf das Lesen? Ein wenig? Nun, für dieses Mal wird deine Kunst ausgereicht haben. Du kannst mich ins Kastell begleiten und magst dich bei mir aufhalten, bis dein Herr zum Vortrag kommt. Aber gehe ein paar Schritte vor mir her.«

Der Schieler verstand, daß der Großtyrann mit Nespoli über das Schriftstück reden wollte, ohne daß dieser zuvor in Kenntnis gesetzt sei. Und er sollte nicht hinter dem Großtyrannen hergehen, um nicht heimlich irgendeinem Begegner ein Zeichen geben zu können, welches vielleicht eine Botschaft an Nespoli bedeutet hätte.

Indessen rief der Großtyrann den Schieler nach einer kurzen Zeit Gehens zu sich und bemerkte, da von dem Herrn zur Zeit wenig zu erlangen sei, so möge der Abwechslung wegen doch einmal der Gehilfe Vortrag halten und ihm erzählen, was sich in Cassano während seiner jagdlichen Abwesenheit zugetragen habe.

Den Schieler dünkte es rätlich, des Großtyrannen Gedanken von der Mordsache abzulenken. So berichtete er von einigen kleinen, den Einwirkungen des Windes zuschreibbaren Übertretungen, wendete es so, als käme diesen eine Wichtigkeit zu, und war bestrebt, das hierbei von Nespoli Unternommene in einem Licht unermüdbarer Pflichtverfolgung aufglänzen zu lassen. Er erwähnte, daß sich die Pestbefürchtung zerstreut und somit seines Herrn Meinung von dieser Sache erwahrheitet habe. Auch ließ er beiläufig merken, Nespoli habe unter dem Wetter zu leiden und verdiene Schonung. Endlich, als er nicht mehr viel zu reden wußte und sie gerade an der Werkstatt des Sperone vorübergingen, erwähnte er eine Äußerung des Färbers, welche ihm letzthin zugetragen worden war. Dieser nämlich sollte in Aufgreifung des evangelischen, bereits vom Großtyrannen umdeuterisch verwandten Wortes zu einigen seiner Anhänger gesagt haben: »Ego vos faciam piscatores domini – ich will euch zu Herrenfischern machen.« Und es sei vielleicht nicht undenkbar, daß sich hier ein arger Sinn vorwage, dergestalt nämlich, daß unter dem Herrn der Großtyrann verstanden sein könne und also zu Unternehmungen hochverräterischer Natur aufgefordert werde; und wo es nicht so gemeint sei, da könne es von dem unwissenden Volke doch leicht so hingenommen werden. Der Großtyrann sagte zu all diesem kein Wort.

Als sie den Torweg des Kastells durchschritten, rief er ins Fenster der Wachstube hinein: »Laßt diesen Mann bei euch bleiben und auch an eurer Mahlzeit teilnehmen. Aber redet nicht mit ihm und sorgt auch, daß er mit niemanden in Verkehr trete. Am Nachmittag, Schieler, wenn dein Herr bei mir war, magst du mit ihm heimgehen.«

Der Schieler trat in die Wachstube, nickte den Männern zu und legte sich auf eine leere Pritsche. Er sagte: »Wenn es Essen gibt, mögt ihr mich wecken.« Hiermit kehrte er sich zur Wand, denn wie manche Menschen, die von Gleichmut erfüllt sind, hatte er die Fähigkeit, jede leere Zeitspanne nach seinem Belieben zum Schlaf zu verwenden.

15

Die für Nespolis Vortrag gewöhnliche Stunde kam und ging. Der Schieler, welcher geschlafen, gegessen und wieder geschlafen hatte, beobachtete aus dem Wachtstubenfenster den Torweg und wunderte sich, seinen Herrn nicht durchgehen zu sehen. Befremdet, ja, in einer Unruhe, fragte er einen der Männer in der Wachtstube, ob Nespoli während seines Schlafes das Kastell betreten habe oder sonst etwas von ihm gehört worden sei. Der Angesprochene schüttelte stumm den Kopf; dies war ihm unverboten. Schon hatte es längst zum Engel des Herrn geläutet, da erschien der Großtyrann im Torwege, rief: »Schieler, komm mit«, und ging rasch zur Stadt hinunter.

Nespoli lag auf seinem Bett, geschlossenen Auges, mit verschränkten Armen, wobei er die Finger überkreuz in das Fleisch der Oberarme preßte, als könne er aus dieser Haltung eine Kraft der Abwehr ziehen. Je näher die Stunde des Vortrages rückte, um so bissiger zerrte an ihm die Versuchung, aufzuspringen und seinen bräuchlichen Nachmittagsweg anzutreten.

Er löste die aufeinandergepreßten Zahnreihen, um sich selber laut sagen zu hören: »Ich werde den Schritt nicht tun. Mag er mich gewaltsam holen lassen. Er soll gewahr werden, daß es mir ernst ist um das, was ich gestern geredet habe.« Dies sagte er mehrere Male.

Draußen schlug eine Glocke. Es kam nun eine stolze Erstarrung der Seele über ihn, denn die Stunde war vorüber.

»Ich habe mir den Sinn befreit, wie ich es mir vorsetzte. Er ist mir klein geworden wie ein Spielzeug.«

Es dämmerte schon, als Nespoli die Stimme des Schielers zu hören meinte. Die Tür wurde aufgerissen, der Großtyrann trat ein; hinter ihm kam der Schieler, machte Licht und verschwand. Nespoli war aufgestanden und verneigte sich. Der Großtyrann nickte ihm zu und setzte sich in einen Sessel.

»Ich habe nichts zu berichten«, erwiderte Nespoli. »Denn ich fürchte ja nun die Ungnade der Herrlichkeit nicht mehr, nachdem ich ihr gesagt habe, es sei nicht länger meine Absicht, ihr meinen Kopf streitig zu machen.«

»Ach, Massimo, du schmollst wie ein Mädchen. Ich bin weniger empfindlich als du. Du hast nicht zu mir kommen mögen; nun, so bin ich zu dir gekommen. Du hast mir deinen Bericht vorenthalten, ich erstatte dir den meinen: Der Mörder des Mönchs ist gefunden. Ich habe sein Geständnis, und es ist ein freiwilliges.«

Nespoli trat einen Schritt vor; dieser Schritt war wie der Ansatz zu einem Sprunge. Darauf aber senkte er den Kopf.

»Was hältst du hiervon, Massimo?«

»Ich darf annehmen«, erwiderte Nespoli mühsam, »der Täter habe sich durch meine Nachforschungen bedroht gefühlt . . . wie im Fangnetz . . .«

Und mit diesen Worten verstummte er wieder und hob sein Gesicht in gieriger Frage zum Großtyrannen.

Dieser lächelte und meinte: »Ach nein, mein Lieber, hier scheinen deine Verdienste den Ausschlag nicht gegeben zu haben.«

Er zog das Schriftstück hervor und streckte es Nespoli hin.

Nespoli nahm es, Nespoli erkannte das Siegel, Nespoli las: »Ich, Pandolfo Confini, bekenne im Angesicht des Todes aus meinem freien Willen, daß ich den Fra Agostino getötet habe, nachdem . . .« Hier schien der Schreiber von seiner Kraft verlassen worden zu sein. Die ausgeglittene Feder hatte einen langen, schräg nach unten laufenden Strich gezogen.

Nespoli wich zurück, die Hand, welche den Zettel hielt, sank nieder. Er selber spürte, wie die Blutströme seines Leibes aufwärts in sein Gesicht schossen, dann, als seien sie plötzlich gegen einen Damm geprallt, noch einmal aufwallten, nun abwärts fluteten und seinen Kopf leer zurückließen.

Der Großtyrann wandte sich voll Schonung ab und sah aus dem Fenster, bis er meinte, Nespoli möge die Beherrschung seiner selbst wiedererlangt haben. Danach fragte er, ob Nespoli zu der Täterschaft des Confini etwas zu sagen wisse.

Nespoli begann zu sprechen, anfangs mit viel Beschwerde, hernach flüssiger und mit sich erwärmendem Eifer. Gewiß sei es nicht unverdächtig gewesen, daß Pandolfo Confini gerade jene Nacht in so sonderbarer Einsamkeit draußen im freien Lande verbracht haben wolle. Ja, er müsse jetzt gestehen, daß ihm der Gedanke von der Täterschaft des Herrn Confini auch schon aufgestiegen sei, doch habe er zur Herrlichkeit nicht davon sprechen mögen, da es ja an sicheren Untergründen gemangelt habe. Immerhin sei er nach jenem Vortrage auf dem Säulenaltan, also schon am ersten Tage seiner Nachsuchungen, abends ins Confinische Haus gegangen, um den Erkrankten in Vorsicht zu verhören. Diese Einvernahme habe seinen Argwohn bestärkt, doch sei Confini im Fieber so erschöpft gewesen, daß nicht viel aus ihm habe herausgebracht werden können. Leicht sei es denkbar, daß die Erkrankung zurückgehe auf ein maßloses Aufschwellen aller Leidenschaftskräfte, wie es sich im Zusammenhang mit dem Geschehenen dringlich annehmen lasse.

Der Großtyrann hörte ihm zu und lächelte dabei zwischen Mitleid und Spott.

»Ach, Lieber«, sagte er endlich, »wie schnell hast du dich in ein neues Verhältnis der Dinge gefunden! Und wo ist der auftrotzende Mut geblieben, mit dem du gestern, ja, noch vor einer halben Stunde bereit warst, mir alles vor die Füße zu werfen, darunter gar dein Leben! Du hältst also den Herrn Confini für den Schuldigen? Es ist nur zu bedauern, daß seine Kräfte nicht zur gänzlichen Vollendung der Niederschrift vorhielten – da er doch offenbar die Absicht hatte, noch weiteres auszusagen, nämlich von dem, was ihn zu seiner Tat getrieben hat. Hier kann ich noch keine rechte Meinung gewinnen. Und auch von dir will ich zur Zeit keine hören. Ich ersehe zwar mit Genugtuung aus deinen Worten, daß dir deine Amtsfreudigkeit flugs wiedergekehrt ist. Da ist es schade, daß ich von ihr in diesem Stück keinen Gebrauch mehr werde machen können; in allem anderen magst du fortfahren. Aber da du selber dich einmal in diese Zurückhaltung begeben hattest, so will ich die Sache mit eigenen Händen zu Ende führen. Denn obwohl ja durch dies Geständnis eine Klarheit eingetreten ist, halte ich doch noch einige Untersuchungen für notwendig. Veranlasse du die Aufschiebung der Exequien. Die Leiche des Herrn Confini mag eine vorläufige Aufbewahrung finden, da ja noch ein Urteil wird gesprochen werden müssen: Enthauptung, Vierteilung, Begräbnis auf dem Schindanger, Einziehung des Vermögens, je nach der Bewandtnis der Dinge.

Auch habe ich nicht vor, diese Sache meinem Stadtgericht zu überlassen; vielmehr muß ich die Urteilsfindung mir selbst aufbehalten, da doch die Tat mich nahe angeht. Guten Abend, Massimo.Ö

Nach des Großtyrannen Weggang fand sich Nespoli in dem Zustande, in welchem ein wahnsinniges, ein tierisches Aufschreien, und vielleicht nichts als dies, ihn hätte erleichtern und sich selber zurückgeben können. Allein selbst zu einer solchen Entladung hatte ihn die Kraft verlassen. Ja freilich, er durfte sich gerettet glauben. Aber er konnte es nicht hindern, daß ihn ein Ekel faßte vor dieser Rettung, vor dem Wege, auf welchem sie gekommen war, und vor sich selbst. Nach einer Weile ging er mühselig in seine Kanzlei hinüber und befahl dem Schieler, ihm den Hergang zu erzählen. Abgewandten Blickes hörte er ihm zu. Sodann fertigte er der Leiche halber einen schriftlichen Befehl aus. Die Amtlichkeit eindeutig zu machen, ließ er ihn nicht durch den vertrauten Schieler, sondern durch den Leithund der Witwe Confini überbringen.

Dies war ihm gewiß: Er werde, er dürfe nach diesem nie mehr die Möglichkeit haben, Vittoria zu begegnen und ins Gesicht zu sehen.

Nachts, in Heimlichkeit und ohne Fackelschein wurde der Sarg aus dem Hause Confini zu den Minderbrüdern verbracht und hier in einem Gewölbe abgestellt.

DRITTES BUCH

Diomede

1

Die verstörliche Nachricht, der abgeschiedene Herr Confini habe nicht lange vor seinem Ende jenen Mord begangen, hatte sich in Cassano mit ungeheurer Schnelligkeit ausgebreitet; dies um so mehr, als der Großtyrann zu seinen Höflingen und in der Anwesenheit von Bedienten noch bei der Abendtafel hiervon gesprochen hatte.

Diomede Confini, der Sohn des Toten, erfuhr die Kunde bereits am Stadttor. Von Staub überkrustet, mit verklebten Haaren, sprang er am Morgen des anderen Tages im Hof seines Erbhauses aus dem Sattel und lief ins Wohngebäude. Sein schmales, mutiges Gesicht flammte. Gleich danach rief er aus einem der Fenster: »Satteln! Ein frisches Pferd!«

In der Hast seiner Reise hatte er seit der vergangenen Mittagsstunde noch keine Nahrung genommen. Er verschmähte sie auch jetzt und trank nur einige Becher Wein, mit Wasser untermischt.

Vittoria hatte gegen Morgen einige Stunden geschlafen oder sie doch in einem schlafnahen Zustande verbracht. Danach kleidete sie sich an und betrat den Festsaal, um zur Kapelle zu gehen, in welcher tags zuvor der Sarg gestanden hatte. In dem riesigen und öden Raume wurde sie von Agata eingeholt.

»Der junge Herr ist gekommen!« rief sie.

Vittoria blieb stehen und nickte. Dann kehrte sie um und ging langsam zu Diomede. Sie begegneten einander im Gang. Diomede, welcher um acht Jahre jünger war als seine Stiefmutter, stutzte, als er ihrer ansichtig wurde. Er hatte eine schöne Frau in der Reife ihrer frühsommerlichen Jahre im Gedächtnis; nun gewahrte er eine in Strenge verschleierte Witwe. Darauf aber sprang er ihr entgegen, preßte ihre Hände und redete Worte, wie ein unzügelbarer Schmerz, ein unzügelbarer Zorn und eine Verrückung allen Gleichgewichtes sie eingeben. Er fragte bitter, warum er nicht eher benachrichtigt worden sei.

Vittoria erwiderte ohne Ausdruck in der Stimme: »Deine Vatersschwester und ich, wir waren beide des Glaubens, es könne eine solche Gefahr nicht verhängt sein. Erst zuletzt ist die Wendung zum Argen erkennbar gewesen.«

»Und jetzt? Was wirst du tun?«

Vittoria antwortete: »Ich denke, man wird mich vorladen und mich um meine Zeugenschaft vernehmen. Dies wird, so glaube ich, heute oder morgen geschehen. Dabei werde ich aussprechen, was nötig und wahrhaft ist.«

Sie gingen in eines der rückwärtigen Zimmer. Diomede stellte hastig noch vielerlei Fragen, war aber kaum imstande, Antworten abzuwarten und zu hören. Häufig lief er ans Fenster und schaute auf den Hof. Das Pferd hätte längst zur Stelle sein können, wenn es sich um ein bloßes Satteln gehandelt hätte; doch schien es dem Pferdepfleger nicht denkbar, was immer geschehen sein mochte, ein Tier ungeputzt aus dem Stall zu führen.

Vittoria wollte ihren Stiefsohn bestimmen, auszuruhen, sich zu säubern und umzukleiden. »Später, später«, entgegnete er. Kaum wurde das Pferd aus dem Stalle gebracht, als er ohne Abschied hinausstürzte. Er jagte zum Kastell, er hatte den Torweg hinter sich, ehe die Wache ihn halten konnte. Der Haushofmeister wich zurück, als er Diomede vor sich sah. Er achtete den Zustand des jungen Menschen, dessen Ursache ihm ja bekannt war, und versprach, ihn sofort zu melden.

In einer halben Stunde wollte die Herrlichkeit Messer Diomede Confini empfangen. Der Haushofmeister schickte ihm zwei Diener, die ihm Kleider und Schuhwerk reinigten, ihn wuschen und rasierten. Die Anspannung lockerte sich und verschwand; Diomede duldete, was sie mit ihm vornahmen. Nachdem die Diener gegangen waren, wartete er dumpf, bis der Haushofmeister ihn abholte.

2

Der Großtyrann saß hinter einem Schreibtisch, welcher mit Landkarten, Rollen und Papierblättern bedeckt war. Er sah, daß der Eintretende sich nicht in der Herrschaft hatte, sondern zitterte wie ein Fieberischer und am liebsten in einer Gewalttätigkeit den Ausweg aus seiner Not gefunden hätte.

Diomede war nicht vermögend, eine Anrede des Großtyrannen abzuwarten. Er sprach wild und voller Empörung von dem

Schimpf, den man seinem toten Vater zufüge, und die Raserei seiner Ankunft hatte sich augenblicks wiederhergestellt.

»Du kommst zu mir«, antwortete ihm der Großtyrann, »als habest du eine Rechenschaft von mir zu fordern. Diesen Gedanken mußt du nicht haben. Du weißt ja, daß ich dem Hause Confini niemals übel gesinnt gewesen bin. Und was habe ich denn getan? Ich erhielt ein schriftliches Tatbekenntnis von der Hand deines Vaters. Und hieraus zog ich keine anderen Folgen, als daß ich ein Untersuchen der Sache anordnete.«

»Es ist Wahnsinn, Herrlichkeit!« rief Diomede. »Was hat mein Vater mit diesem Mönch zu schaffen? Kaum bin ich sicher, daß er auch nur zwei Worte mit ihm gesprochen, ja, kaum daß er ihn je gesehen hat.«

»Nun, hierin könntest du um so leichter irren, als du doch, wie ich höre, lange von Cassano abwesend warst.«

»Aber was für Ursachen denn sollte mein Vater zu einer solchen Tötung gehabt haben?«

»Hierüber kann ich dir noch nichts sagen. Ich beklage es, daß sein Geständnis inmitten eines Satzes abbricht. Den Gründen wird nachzuforschen sein. Aber erkläre mir: Wie ist nach deiner Meinung dieses Einbekenntnis zustande gekommen?«

»Ich werde den Beweis leisten, daß mein Vater unschuldig ist! Das Geständnis ist eine Fälschung! oder aber es ist geschrieben in einer Verwirrung des Geistes, im Vorfieber des Todes!«

»Was dieses angeht, so könnte ich dir erwidern, daß das Fieber dem Rausche gleicht, insofern nämlich es nicht erfinderisch macht, sondern nur ausplauderisch. Was aber Echtheit oder Unechtheit betrifft, so magst du hierauf einen Blick tun.«

Damit suchte der Großtyrann unter den Papieren auf der Tischplatte und legte endlich ein beschriebenes Blatt vor Diomede hin; doch hielt er die Hand mit den ausgespreizten Fingern über das Schriftstück, dergestalt, daß der Lesende in den Fingerzwischenräumen wohl die Handschrift, nicht aber Zusammenhang und Sinn der Sätze erkennen konnte.

»Ist das deines Vaters Hand?« fragte er.

Diomede verneinte mit Feuer.

»Nun, ich sehe, daß du mit den Schriftzügen deines seligen Vaters nicht sehr genau vertraut bist«, sagte der Großtyrann, seine Hand von dem Schreiben zurückziehend; denn was ich dir vorlegte, das war nicht jenes Schuldbekenntnis, sondern eine Eingabe, welche dein Vater vor mehreren Wochen an mich machte in Sachen eines eurer Halbkornpächter, gegen den ein Steuereinnehmer sich allerlei Übergriffe erlaubt haben soll. – Aber lasse dich nicht davon beschweren, daß du jetzt nicht in der Verfassung eines klaren Urteils bist. Die Schrift wird untersucht werden, und ich verspreche dir, was ja keines Versprechens bedarf, daß ich in aller Billigkeit zu Werke gehen will. Du aber halte mir zugute, daß ich ja nicht nur das Geschlecht der Confini zu schützen habe, sondern auch die Gerechtigkeit in Cassano.«

»Ich bitte um Vergebung, Herrlichkeit«, sagte Diomede beschämt.

»Ich habe dir nichts zu vergeben. Du hast in deinem Zorn zu Irrtum einen Verfolger und Verunglimpfer deines Vaters in mir erblikken wollen; dies ist zu begreifen. Aber sei nicht mein Feind, wir dienen alle der Gerechtigkeit, und wenn ich zutreffend berichtet bin, so hast du vor, ihr nach Beendigung deiner Lehrzeit erst recht zu dienen.«

Hierbei betrachtete der Großtyrann mit Wohlwollen die Züge des Jünglings.

Indessen hatte es nicht lange gedauert, und Diomede war von seiner Beschämung in den anfänglichen Zorn zurückgekehrt. »Die Herrlichkeit hat mir eine billige Untersuchung zugesichert«, sagte er, »und ich nehme diese Zusicherung mit Dank entgegen. Aber die Herrlichkeit erlaube mir nun, das Folgende zu fragen: Wenn sich im Ablauf dieser Untersuchung irgendwelche scheinbare Gründe finden sollten, nach denen ein Böswilliger, ein Voreingenommener meinen Vater für schuldig halten könnte – was für Folgerungen gedenkt die Herrlichkeit daraus abzuleiten?«

»Du bist sehr erregt, Diomede. Ich will also deine Frage so verstanden haben, was für Folgerungen ich zu ziehen gedenke, im Falle die Untersuchung die Richtigkeit des Geständnisses erhärtet; denn vom bloßen Anschein und von Böswilligkeiten wird nicht die Rede sein. Und auf diese Frage antworte ich, daß ich solchenfalls gegen deinen Vater erkennen werde, wie ich gegen einen Lebenden erkennen würde.«

»Es ist mir am Stadttor etwas erzählt worden, das zu glauben ich mich weigere: Die Herrlichkeit habe die Absicht, meinen Vater auf dem Schindanger verscharren zu lassen und seinen gesamten Besitz einzuziehen!«

»Die Gesetze sehen dergleichen vor.«

Diomede schwieg eine Weile. Dann sagte er mit einer großen Festigkeit:

»Ich kann nicht erwarten, in meinen bisherigen Jahren bereits den Blick der Herrlichkeit auf mich gelenkt zu haben. Sonst wüßte sie, daß ich auch im stillen nie zu ihren Feinden gezählt habe. Denn die Gedanken, die ich auf der Hochschule mir gemacht und erworben habe, meinen ein Staatswesen, das durch einen Gewaltherrn an seiner Spitze selbst dem Letzten seiner Zugehörigen eine Kräftigkeit gibt, wie sie nicht sein kann, wo Kürschner und Wollkrämer miteinander um Amtssitze hadern. Ohne in einen Verdacht niedriger Schmeichelei zu geraten, darf ich dies aussprechen, weil ich ja auch das Folgende aussprechen werde: nämlich, daß es mir leid wäre, wenn eine offenbare Ungerechtigkeit mich sollte erschüttern müssen mit jenen Gefühlen, mit welchen ich der Regierung der Herrlichkeit bis nun ergeben gewesen bin!«

Diomedes Stimme, welche anfangs verquollen und rauh geklungen hatte, war zu einer leidenschaftlichen Klarheit befreit worden. Sein Blick begegnete offen dem des Großtyrannen; dessen Miene zeigte Überraschung an, allein Überraschung innerhalb der Ruhe. Diomedes Worte waren fast eine Drohung und darum eine Tollkühnheit, denn sie drückten eine Bereitschaft des Sprechers aus, sich der Partei derjenigen beizugesellen, welche innerhalb der alten Geschlechter sich mit des Großtyrannen Gewalt nicht hatten abfinden können und welchen immer noch die Geneigtheit zu Verschwörungen zugetraut wurde.

Diomede fuhr fort: »Und also sage ich der Herrlichkeit meinen Kampf an. Vielmehr nicht der Herrlichkeit«, verbesserte er, jedoch ohne Eile, »aber all den Bekundungen und Vornahmen, sie mögen kommen, woher sie wollen, die meinen Vater zu einem Meuchelmörder und meinen Namen zu einem beschimpften machen möchten! Die Herrlichkeit hält es nicht für notwendig, zu sagen: ›Hier ist ein Mann gestorben, der zu seinen Lebzeiten untadelhaft war, so ziemt es mir nicht, wie ein Gerichtsbüttel seinem nachgelassenen guten Namen zuzusetzen.‹ Daher werde ich, der ich diesen Namen erbe, nicht abstehen, mich dem allem in den Weg zu werfen, was gegen meinen Vater geschieht. Und hiermit bitte ich die Herrlichkeit, mich zu entlassen.« Diomede stand auf.

»Ich entlasse dich gern, Diomede«, versetzte der Großtyrann. »Doch kann ich das nur tun, weil wir unter vier Augen geredet haben. Denn ich als Herrscher darf langmütig sein. Hätte aber Nespoli als der Vorsteher meiner Sicherheitsbehörde oder hätte ein anderer meiner Diener diese Rede mit angehört, so müßte ich dich wohl im Kastell behalten. Nun aber darf ich den gegenwärtigen Zustand deines Inneren in Rechnung setzen. Auch gefällt es mir wohl, daß du dich mit solcher Leidenschaft deines Vaters annimmst. Ich habe keinen Sohn und somit niemanden, welcher dergleichen für mich täte, wenn mir nach meinem Abscheiden Anschuldigendes nachgeredet würde.«

»Dies würde ich tun, Herrlichkeit«, antwortete Diomede mit einer plötzlichen Aufwallung.

Der Großtyrann hob sein Gesicht zu der schlanken Gestalt des vor ihm Stehenden. »Vorausgesetzt, daß ich jetzt nach deinem Willen verfahre«, sagte er und winkte danach entlassend mit der Rechten.

3

Es lebte damals in Cassano ein Mann, welcher der Rettichkopf genannt wurde; sein eigentlicher Name war den Leuten über dieser Bezeichnung aus dem Gedächtnis gekommen. Er galt für einen Kenner von allerhand Gelehrsamkeiten, ohne daß ihm dieser Ruf eine große Achtung eingetragen hätte; denn er war schmutzig, böszungig, habgierig und vertrunken, und sein tristes Grinsen, sein vertrauliches Zwinkern war vielen zuwider. Er nährte sich aber davon, daß er unkundigen Leuten Schriftstücke an Behörden aufsetzte und Ratschläge gab, wie er denn einige Rechtskenntnisse hatte. Zwischen großen und kleinen Aufträgen machte er keinen Unterschied, sondern nahm ohne Stolz alles, was sich ihm anbot. Manchmal reiste er umher, wußte sich in entlegenen Klöstern bewirten zu lassen und forschte hier nach alten und unnützen Handschriften, die er hernach mit Vorteil an Liebhaber und Gelehrte verkaufte; waren sie unvollständig oder zerstört, so unternahm er mit Geschick ihre Ausbesserung und Ergänzung.

Der Rettichkopf hatte keine eigene Haushaltung, sondern lebte zur Miete in der Dachstube eines handwerkerlichen Gebäudes hinter der Kirche der Zwölf Apostel. Der faulige Raum war angefüllt mit Essensabfällen, leeren Weinkrügen, staubigen Büchern und Schriften und sonst allerlei widrigem und ordnungslosem Gerümpel.

In diese Lumpenhöhle trat am frühen Vormittag der Großtyrann. Der Rettichkopf, welcher noch im Bette lag – denn es fiel ihm nicht leicht, sich zum Aufstehen zu entschließen, wie auch sonst irgendeinen Zwang gegen sich zu üben –, wollte aufspringen, doch der Großtyrann wehrte es ihm, indem er sagte: »Bleibe liegen, ich sehe dich lieber bedeckt.«

Der Rettichkopf stützte den Arm auf das verschlissene Polster, und seine kleinen unruhigen Augen funkelten vor Neugier.

Der Großtyrann reichte ihm das Blatt mit dem Confinischen Siegel und sagte: »Sieh dir das an.«

Fast hätte der Rettichkopf es ihm aus der Hand gerissen. Die schnuppernde Nase lief über die Zeilen, denn der Rettichkopf hatte ein kurzes Gesicht. Er wollte sich einen höfischen Zwang antun und vermochte es nicht; er schnalzte mit der Zunge, er pfiff durch die Zähne, er machte kußliche Bewegungen mit den Lippen.

»Ich will wissen, ob die Schrift echt ist«, fügte der Großtyrann bei, nachdem der Rettichkopf gelesen hatte. »Und für den Fall, daß sie es nicht ist, sollst du mir sagen, wen in Cassano du einer so geschickten Fälschung für fähig hältst. Oder gibt es hier keinen Schriftkünstler außer dir?«

»Mit der gnädigen Erlaubnis der Herrlichkeit, ich traue mich wohl, dieses Schreiben nach Echtheit oder Unechtheit zu erkennen«, plapperte der Rettichkopf, »aber die gnädige Erlaubnis der Herrlichkeit vorausgesetzt, möchte ich es mit anderen Schriftproben des seligen Herrn Confini vergleichen dürfen. Ich bitte daher die Herrlichkeit, mir dies Blatt für eine Weile anzuvertrauen, ich werde trachten, unbezweifelte Papiere des Seligen zu erlangen, und mit der Herrlichkeit gnädiger Erlaubnis . . .«

»Ich habe einen meiner Trabanten bei mir, er steht vor dem Hause«, sagte der Großtyrann, ohne Ungeduld den Schwätzer unterbrechend. »Ich kann mich ohne sein Geleit behelfen. Nimm diesen Mann mit dir, begib dich ins Haus Confini und beschaffe dir, wessen du zum Vergleich bedarfst.«

Schon während dieser Worte näherte er sich der Tür, als sei es ihm undenkbar, seinen Aufenthalt in einem solchen Raume auch nur um Augenblicke über die strengste Notwendigkeit hinaus zu verlängern.

4

Der Großtyrann, dessen Gepflogenheit es ja war, unangemeldet und überraschend einzutreten, wo es ihm beliebte, glich auch hierin nicht den Vornehmen, welche er beherrschte, daß er etwa dem Dome von Cassano oder einer der großen Klosterkirchen einen

Vorzug vor den geringeren städtischen Gotteshäusern gegeben hätte. Vielmehr pflegte er bald hier, bald dort den geistlichen Verrichtungen beizuwohnen, indem er es keineswegs verschmähte, sich unter Handwerker, Krämersgattinnen oder Landleute zu mischen.

Von des Rettichkopfs Behausung kommend, betrat er die Kirche von San Sepolcro, die um diese Stunde nach geendigter Messe meist wenig gefüllt war. Er verneigte sich vor dem Hochaltar und befahl den Mesner zu sich, welcher mit der Löschung der Kerzen beschäftigt war.

»Wer hat Messe gelesen?« fragte er.

»Don Luca, Herrlichkeit.«

»Ist er schon heimgegangen?«

»Er mag noch in der Sakristei sein. Befiehlt die Herrlichkeit, daß ich ihn hole?«

Der Großtyrann winkte ab und ging. In der Sakristei, welche als ein ärmliches Gemisch aus Rumpelkammer, Kanzlei und Kapelle erschien, fand er Don Luca. Dieser hatte seine gottesdienstliche Gewandung bereits abgelegt und schickte sich zum Fortgehen an.

»Gelobt sei Jesus Christus«, sagte der Großtyrann.

Der alte Priester sah überrascht auf; ohne Furcht zwar, doch in einer sonderbaren Mischung aus Verlegenheit, Ehrerbietung und jenem Zutrauen, das er allen Menschen entgegenbrachte, begrüßte den Eingetretenen mit den fortführenden Worten »in Ewigkeit, Amen« und trachtete, einen kleinen Unmut über den entstandenen Verzug in sich zu ersticken; denn er hatte sich auf sein liebes Gärtchen gefreut.

In diesem brachte er viele Zeit hin. Auch befaßte er sich mit der Bienenzucht, indem er sich Aufzeichnungen über die wunderwürdige Lebeart dieser Tiere machte. Er sammelte Pflanzen, Schmetterlinge und Käfer und hatte Neigung, Gottes Größe im Winzigen zu bestaunen.

Der Großtyrann erbat sich Don Lucas priesterlichen Segen und empfing ihn mit einer Beugung des Nackens.

Darauf fragte er: »Du warst der Beichtvater des Herrn Confini?«

»Nein«, gab der Geistliche zur Antwort. »Vielmehr habe ich ihm nur die letzte Beichte abgenommen. Man hat mich geholt, weil der Beichtvater nicht erreicht werden konnte und die Zeit des Herrn Confini drängte.«

»Immerhin kanntest du ihn?«

»In geringem Maße, Herrlichkeit. Wie man einen Menschen kennt, mit welchem man in der gleichen Stadt lebt, nicht mehr.«

»Es ist auf den Abgeschiedenen ein Verdacht gefallen«, sagte der Großtyrann. »Und ein Verdacht, welcher nicht leicht wiegt.«

Der Großtyrann hielt inne und beobachtete das ruhige Gesicht des alten Mannes.

»Du hast von der Sache gehört?« fragte er dann.

»Nein, Herrlichkeit«, erwiderte der Geistliche.

»Nun, es ist der Verdacht einer Menschentötung, die er unmittelbar vor seiner Erkrankung vollbracht haben soll, und ich habe Anlaß gesehen, seine Beisetzung einstweilen noch zu verbieten. Kannst du mir vielleicht hierüber etwas mitteilen?«

»Ich sagte der Herrlichkeit soeben, daß ich von der Angelegenheit nichts gehört habe.«

»Gut, gut. Aber du verstehst mich nicht recht. Ich fragte ja nicht nach dem, was du etwa aus einer Kenntnis der in Cassano umlaufenden Gerüchte und Meinungen wissen könntest, denn es gäbe ja keinen Grund für mich, eine solche Frage gerade an dich zu richten. Sondern du wirst wohl begreifen, daß ich dich frage, weil du derjenige Mensch bist, mit welchen als mit dem letzten der Herr Confini vor seinem Ende gesprochen hat und welcher ihm in articulo mortis die Beichte abnahm.«

»Die Herrlichkeit verzeihe, aber es ist ihr ohne Zweifel bekannt, daß meine Unterredung mit dem Herrn Confini unter dem Verschwiegenheitssiegel der Beichte stattgefunden hat.«

»Oh, ich habe nicht die Absicht, dir einen Bruch des Beichtgeheimnisses anzusinnen, denn ich weiß doch, daß die Bewahrung einer solchen Verschwiegenheit zu deinen vornehmsten Amtspflichten gehört, und ich würde es nie unternehmen, dich zu deren Verletzung bewegen zu wollen. Auch möchte ich von dir denken, daß ein Versuch dieser Art umsonst getan wäre.«

»Ich möchte das auch denken, Herrlichkeit«, erwiderte Don Luca freundlich und mit einem kleinen Lächeln.

»Dennoch«, so fuhr der Großtyrann fort, »denke ich von dir einige Auskünfte zu erlangen, die mit deiner Obliegenheit in keinem Widerspruch stehen. Zum Beispiel wirst du mir sagen können, ob Confini dir etwas mitgeteilt hat, das mit der Tötung des Fra Agostino – denn um diese handelt es sich – in irgendwie geartetem Zusammenhang stehen könnte. Merke wohl, hiermit habe ich nicht gefragt, ob er dir einen Mord gebeichtet hat.«

»Ich bitte um Vergebung, Herrlichkeit«, antwortete der Priester.

»Allein diese Frage scheint mir einer Frage nach dem Inhalt der Beichte gleichzukommen oder doch auf eine beunruhigende Weise verwandt zu sein.«

»Diese Auffassung könnte deiner Pflichtstrenge zur Ehre gereichen, wenn sie nicht einem verständlichen und entschuldbaren Denkfehler entsprungen wäre. Denn meine zulässige Frage ist, wie du ohne Zweifel einsehen wirst, einer unzulässigen Frage nach dem Inhalt der Beichte nur benachbart, nicht aber verwandt oder gar gleich.«

Der Großtyrann nahm sich einen Stuhl und sagte:

»Setz dich ebenfalls. Du bist älter als ich und hast mir gegenüber den Vorrang des geistlichen Charakters. Ich habe vorhin vielleicht nicht das richtige Wort gefunden; ich will meine Frage anders stellen. Nämlich so: Könntest du es ruhigen Gewissens geschehen lassen, daß etwa ein Urteil gegen den Verstorbenen erginge, das zwar ihn selber nicht mehr berühren würde, wohl aber in einer sehr empfindlichen Art dasjenige, das er zurückgelassen hat: seinen guten Namen, seinen noch unbestatteten Leib, seine Habe; dazu, und dies ist nicht das Geringste, seine Witwe sowie seinen Sohn?«

Der Großtyrann betrachtete mit viel Aufmerksamkeit Don Lucas Gesicht über den rohen Holztisch hinweg, welcher zwischen den Sitzenden stand, und fuhr fort, ohne eine Antwort abgewartet zu haben: »Aber es könnte auch etwas anderes eintreten. Nämlich, es sind in dieser Sache schon mancherlei Leute verdächtigt worden, und nichts hindert, anzunehmen, daß noch heute Verdächtigungen geschehen. Denn da ja die Sippe des Toten keinen heftigeren Willen haben kann als den, seine Unschuld zu erweisen, so wird sie vielleicht bemüht sein, den Verdacht der Tat auf andere zu leiten. Sagen wir zunächst auf einen Messer Ohnenamen. Gibst du mir recht?«

Don Luca neigte in Zustimmung seinen weißhaarigen Schädel.

»Gut. Gegen diesen Messer Ohnenamen werden sich, dies versichere ich als ein Kenner, höchst gewichtige Anzeichen richten, denn das ist die Weise jeder Rechtsübung, daß sie Schuldige zu finden trachtet, und es ist leider um menschlicher Unvollkommenheit und um der Eigengewalt der Einrichtung willen zwischen dem Finden und dem Erschaffen keine vollkommene deutliche Grenze gesetzt. So möchte wohl unserem Freunde Ohnenamen ein Todesspruch drohen. Sein Leben könnte in deinen Händen sein, und vielleicht wird dich Gott einmal nach ihm fragen. Könntest du es also ruhigen Gewissens geschehen lassen, daß eine dieser beiden Möglichkeiten zur Begebenheit wird?«

Don Luca erwiderte bedächtig, aber wie einer, dessen Sichbedenken der Wahl der angemessenen und treffenden Form seiner Aussage gilt, nicht ihrem Inhalte, welcher keiner Überlegung mehr bedarf. Er sagte: »Die Frage dünkt mich an den Falschen getan. Denn was haben die Entscheidungen eines weltlichen Gerichtsherrn mit meinem Gewissen zu schaffen? Vielmehr scheint es mir darum zu gehen, ob der Gerichtsherr es ruhigen Gewissens geschehen lassen kann, daß ein Urteil gesprochen wird ohne Rücksicht darauf, daß unter dem Mantel des Beichtgeheimnisses unerfahrbare Dinge liegen, von denen, wie ja die Herrlichkeit durch ihre Fragen selber einräumt, die Möglichkeit besteht, sie könnten dem ganzen Gerichtsverfahren ein anderes Antlitz geben. Mein Gewissen aber heißt mich, das Siegel der Beichte unbeschädigt zu lassen und im übrigen Gott zu bitten, er wolle den Richter erleuchten.«

»Du meinst also, der Richter sei in Finsternis befangen?«

»Es bedarf ein jeder Mensch göttlicher Erleuchtung, zumal ein solcher, in dessen Geist die Entscheidung über Sterben oder Lebenbleiben eines anderen gelegt ist.«

»Ein Teil dieser Entscheidung – vielleicht die ganze – kann in deiner Hand liegen.«

»Ich bitte ja Gott auch um Erleuchtung für mich«, sagte der Priester mit gesenkter Stimme.

»So scheinst du mir deines Falles noch nicht gänzlich sicher zu sein, wenn du zugibst, einer Erleuchtung noch zu bedürfen. Aber wir wollen das noch ein wenig auf die Seite stellen. Es ist die Meinung aufgetaucht, der Herr Confini, welcher inmitten der Niederschrift seines Schuldbekenntnisses vom Tode erlangt wurde, könne sie bereits in einer Verwirrung des Geistes vorgenommen haben. Ich bitte dich, mir zu sagen, was du hiervon denkst. Diese Frage aber – das sage ich zu deiner Beruhigung – richte ich nicht an den Priester, welcher die Beichte hörte, sondern an den unbefangenen Menschen, welcher als letzter eine längere Weile mit dem Verblichenen allein zusammen gewesen ist. Daher wirst du mir ohne Beschwernis antworten können.«

Der alte Priester hatte im Anfange mit seinem kindlichen und natürlichen Mut geredet, denn es war ja nicht in seiner Gewohnheit, bei den Menschen, mit welchen er zu schaffen hatte, Unterscheidungen zu treffen nach ihrer Stellung in der Welt. Nun aber war es ihm, als bewege er sich inmitten eines Gestrüpps voll unsichtbarer Fußangeln und Fallstricke. Wäre er unter andern Umständen befragt worden, in welcher Verfassung er den Kranken gefunden habe, so hätte er nicht das schwächste Bedenken gehabt, davon zu reden. Jetzt sagte er betrübt: »Herrlichkeit, ich bitte dich von Herzen, lasse mich heimgehen und lasse mich weiterleben in Frieden und in Unscheinbarkeit. Ich bin ein alter Mensch und habe nicht die Klugheit, die du hast. Es ist mir zu entscheiden unmöglich, ob die Beantwortung irgendeiner von deinen Fragen oder auch ihre Nichtbeantwortung eine Beschädigung des Beichtsiegels darstellte oder nicht, denn ich kann ja nicht im vorhinein die Folgen und Schlüsse übersehen, die du aus meinen Antworten, aber auch bereits aus der bloßen Tatsache der Beantwortung oder Nichtbeantwortung ziehen würdest. Darum meine ich, eine Sicherheit für die unangetastete Bewahrung des Beichtsiegels könne nur dann vorhanden sein, wenn dies Gespräch, dessen du mich würdigst, überhaupt nicht stattfände. Und so bitte ich dich denn: Erweise mir die Huld, keinerlei Fragen an mich zu richten und diese Unterredung zu enden.«

»Du hast es sehr eilig, mein Freund«, entgegnete der Großtyrann. »Du bist sehr um dein Gewissen besorgt; besorgter als um die Verhütung eines möglichen Unrechts, welches vielleicht nicht wieder gutgemacht werden könnte. Ich weiß nicht, ob dies den Gedanken entspricht, die ein Priester von seinen Pflichten haben soll. Denn nun sehe ich wohl, daß du in geistlichen Dingen ein Hab- und ein Selbstsüchtiger bist, dem alles an der Ungefährdetheit des eigenen Gewissens gelegen ist, nichts aber daran, ob ein anderer, nämlich, ich, der ich ja auch ein Gewissen habe und Gott Rechenschaft schulde –, ob also dieser andere, sage ich, sein Gewissen mit einem unrechten Urteil, ja, möglicherweise mit schuldlosem Blute verunreinigt.«

»Mich dünkt, Herrlichkeit, hier kann ein Ausweg gefunden werden«, sagte Don Luca nach einigem Zögern. »Gib den Leichnam des Herrn Confini zu einem christlichen Begräbnis frei und überlasse es Gott, den Schuldigen an den irdischen Tag zu bringen oder aber ihn nach seinem Gefallen dem Anbruch des himmlischen Tages aufzubehalten. Dergestalt wirst du sicher sein, daß dein Gewissen keine Befleckung erfährt.«

»Dies müßte mir eine andere Gewissensbeschwerde eintragen«, meinte der Großtyrann. »Denn ich bin ja jene Obrigkeit, welcher das Schwert gegeben wurde und welche selber sündigt, wenn sie eine Schuld ungestraft läßt und damit in den Gemütern der Menschen eine Sicherheit zum Sündigen und Gewalttun emporruft.«

Hierauf wußte der Priester keine Erwiderung und richtete seine Augen auf die viereckigen Fliesen des Estrichs, welche in Schachbrettweise zwischen der weißen und der roten Farbe abwechselten. Der Großtyrann aber fuhr in einer sanften und dennoch lauersamen Art fort:

»Für den Fall übrigens, daß Pandolfo Confini dir in der Beichte von dem Morde nichts gesagt haben sollte, hättest du – nämlich wenn er dennoch der Mörder wäre oder gewesen sein könnte –, dir zu überlegen, ob er nicht einen Gottesraub begangen hätte mit einer wissentlich unvollständigen Beichte, die dann ja ungültig sein müßte. In diesem Falle hätte er als ein Unwürdiger die Sakramente empfangen, sich also einer Todsünde von solcher Schwere schuldig gemacht, daß ihm vielleicht das Begräbnis zu verweigern wäre. Also denke ich, deine kirchlichen Oberen würden nicht viel Einwendungen zu machen haben, wenn ich seinen Leichnam nach geschehener Vierteilung auf dem Schindanger vergraben ließe.«

Don Luca sah erschrocken auf. Aber er vermochte die sehr ruhigen Augen des Großtyrannen nicht zu ertragen. Sein ängstlich abirrender Blick fiel auf eine schönfarbige bepelzte Raupe, die sich über die roten und weißen Vierecke des Bodenbelages fortbewegte in ihrer langsamen Art des Leibziehens, welche den Menschen zu gleicher Zeit fremdartig und aufs höchste zweckmäßig anmutet. Sie befand sich aber im Durchgang durch einen Bezirk farbigen Lichtes, das sie wunderbar aufleuchten machte; denn von den schmalen Fenstern der Sakristei waren einige bunt verglast. Dies geringe Tier wollte ihm in der Richtigkeit aller seiner Bewegungen ein Unterpfand dafür sein, daß jene Klarheit und Eindeutigkeit aller Weltendinge, an die er geglaubt hatte, ihren unverstörten Fortbestand behaupteten.

5

Über diesem nahm das Gespräch seinen Weitergang. Der Großtyrann bewies ein reichliches Maß an Geduld und lenkte Don Luca gemächlich auf die Frage zurück, ob er an Pandolfo Confini Anzeichen einer geistigen Trübung wahrgenommen habe. Er könne doch wohl sagen, ob Confini vor und nach der Beichte bei klarer Besinnung gewesen sei; hiermit sei ja mit keinem Wort an die Beichte gerührt.

Der Priester hatte die Empfindung, einer gänzlichen Unüberschaubarkeit entgegengestellt zu sein. Schon war er so unsicher, daß er nicht mehr unterscheiden zu können meinte, was unter das

Beichtsiegel rechne und was außerhalb seiner verbleibe. Allein über den Worten des Großtyrannen dünkte es ihn zuletzt selber eine grillige Störrigkeit, daß er auch diese Frage unbeantwortet hatte lassen wollen, und so bequemte er sich endlich zu der Mitteilung, er habe den Herrn Confini sehr schwach gefunden, immerhin jedoch fähig und bereit, sich in den Formen der Kirche mit seinem Schöpfer versöhnen zu lassen. Wie weit er jedoch in irdischen Dingen die Klarheit seines Geistes noch gehabt habe, dies vermöge er nicht zu beurteilen. Es könne ja auch eine Verwirrung später, nämlich nach seinem Fortgange, aufgetreten sein.

»Du räumst also die Verwirrung ein?« fragte der Großtyrann.

»Ihre Möglichkeit muß ich einräumen«, antwortete Don Luca.

»Das ist bereits etwas. Hast du mir in diesem Punkte nachgegeben, so wirst du wohl auch in anderen Stücken nicht mehr so ganz hartköpfig sein. Ich könnte nämlich daraus, daß du die Verwirrung nur für denkbar erklärst, nicht aber zugeben magst, den Schluß gewinnen, Pandolfo Confini habe noch so viel Klarheit besessen, dir wissentlich in der Beichte den getanen Mord zu verschweigen. Ja, dies würde ich einstweilen annehmen *müssen*, solange du mir nicht mit Ja oder Nein deutlich sagst, ob der Beichtende dir etwas mitgeteilt hat, das zu der Meucheltat in einer Bezüglichkeit steht. Und so wiederhole ich jetzt meine vorhin erhobene Frage und rufe dir noch einmal deine Verantwortung ins Gedächtnis.«

»Aber die Herrlichkeit weiß doch sicherlich, daß die Rechtsgelehrten den Satz verteidigen, es dürfe dem, was ein Geistlicher etwa unter Beschädigung des Beichtgeheimnisses aussagt, niemals ein Gewicht beigelegt werden, vielmehr sei es dem Zeugnis unehrlicher und unglaubwürdiger als: Huren, Gaukler und Scharfrichter gleichzusetzen, deren Bekundungen doch auch keine Beweiskraft haben.«

Don Luca fühlte gleich darauf, daß er so nicht hätte sprechen sollen. Denn mit diesen Worten war er ja von der lauteren Strenge eines göttlichen Geheißes auf den vieldeutigen Bereich menschlicher Rechtsordnungen abgetreten. Er wollte das Gesagte zurechtrücken, allein er fand die passenden Worte nicht in seinem Hirn, das ihm öde und verwüstet erschien. Aber sei es, daß der Großtyrann den Vorteil nicht wahrnahm, der sich ihm bot, sei es, daß er ihn aus irgendwelcher Ursache zu benutzen verschmähte – genug, er unterließ es, ihn von dieser Seite her anzugreifen. Obwohl er bis jetzt kein Zeichen von Ungeduld zu erkennen gegeben hatte, stand er nun auf, und dieses Aufstehen hätte bei einem minder beherrschten Menschen wohl die Form eines Aufspringens gehabt. Augenblicks erhob sich auch der Priester. Der Großtyrann aber drückte ihn auf seinen Stuhl zurück und tat schweigend ein paar Schritte. Darauf umging er den Tisch und blieb vor Don Luca stehen. Er sagte: »Aber, Lieber, du kehrst ja zu deinem alten und für mich kränkenden Irrtum zurück, indem du mir abermals die sündhafte Absicht unterstellst, ich wollte dich zu einer Siegelverletzung bestimmen.«

Er trat wieder auf die Seite, und es war nun von der Raupe nichts mehr zu sehen als eine winzige Spur, welche bei den nächsten Schritten der linke Schuh des Großtyrannen hinterließ. Bald aber war auch diese verrieben.

»Entlasse mich, Herrlichkeit«, rief Don Luca mit einem Tone bekümmerten, ja, verzweifelten Flehens. »Ich bitte dich darum. Bringe mich nicht in Verwirrung.«

»Nicht in Verwirrung will ich dich führen, sondern in Versuchung. Aber ich führe dich in Versuchung, das Rechte und Fromme zu tun. Der Teufel hingegen will dich versuchen, nur an dein ungefährdetes Gewissen zu denken. Und es scheint, er hat damit ein leichtes Spiel bei dir, weil er sich seine Überredungsmittel aus dem Rüsthause der Klerisei entlehnt.«

Don Luca dachte an die Raupe. Er wußte, wie töricht es war, in diesem winzigen Geschehnis etwa ein Abbild erblicken zu wollen. Er fragte sich vergebens, was ihn denn ermächtige, gerade dem Geschick dieses einen Tieres eine Wichtigkeit zu geben, da doch zwei Motten vor dem Kleiderschrank, welcher die gottesdienstlichen Gewänder enthielt, unangefochten umeinanderflatterten und mehrere Fliegen behaglich über das Bücherpult und das hölzerne Schnitzwerk der Heimsuchung Mariä krochen.

»Ich kann nicht mehr sagen«, antwortete er dem Großtyrannen, und seine Stimme war bereits voll der äußersten Ratlosigkeit.

Der Großtyrann sah ihn lange an, und es lag dabei ein eigentümlicher Ausdruck von menschenerforscherischer Leidenschaft in seinem Gesicht.

»Nun, ich habe ja noch andere Mittel der Frage«, sagte er endlich. »Es könnte geschehen, daß du mich zu ihrer Anwendung nötigst. Hierbei mußt du aber nicht glauben, ich würde dir zur Krone des Martyriums verhelfen. Du hättest nicht zu leiden um einer priesterlichen Pflichttreue, sondern um eines bäuerischen und greisigen Eigensinnes willen. Denn nicht, dies beachte wohl, um dir ein Beichtgeheimnis zu entreißen, würde ich dich auf die Streckbank legen lassen, sondern damit du all das aussagest, was nicht mit voller

Sicherheit unter das Geheimnis des Bußsakramentes fällt. Du kannst jetzt heimkehren und mit dir zu Rate gehen. Ich werde nach dir schicken und meine Frage wiederholen.«

6

Vittoria war ihres Stiefsohnes nicht mehr ansichtig geworden; vom Großtyrannen zurückgekehrt, hatte er sich, unfähig, seiner Erschöpfung länger Widerstand zu tun, entkleidet und zu einem Schlafe niedergeworfen, der ihn umschlossen hielt wie ein Sarg.

Unterdessen hatte der Rettichkopf sich auf den Weg begeben.

»Geh zwei Schritte hinter mir«, befahl er dem Trabanten. Er watschelte gebläht, er schaute sich flinkäugig um, ob auch jeder Begegner sähe, daß er einen Pikenträger von der Trabantenwache zu seiner Verfügung hatte.

»Warte hier vor dem Portal«, sagte er zu seinem Begleiter und stieg die Stufen hinan.

»Monna Vittoria, ich küsse die Hände!« rief er fröhlich, als er vorgelassen war.

»Ich habe diesen Besuch nicht erwartet«, sagte Vittoria. »Sein Anlaß?«

Der Rettichkopf rieb sich die Hände. »Wenn es gefällig ist, wollen wir uns setzen.« Er kicherte und gluckerte.

»Bitte«, sagte Vittoria, und er hüpfte auf die Polsterbank. Vittoria blieb stehen.

»Ich komme nicht aus eigenem Antrieb, denn wie dürfte ich dazu den Mut finden?« begann der Rettichkopf. »Ich bin hier, darf ich sagen, in amtlicher Verrichtung, in einer Verrichtung von hohem Ernst, einer Verrichtung von außerordentlicher Spaßhaftigkeit. Der gottgeliebte Beherrscher dieser Stadt ehrte mein Dach mit geneigtem Besuch! Er sendet mich her, da bin ich! Er gibt mir eine Ehrenwache mit, da steht sie!«

Hierbei sprang er von seinem Platz, lief ans Fenster, schlug mit der Linken den Vorhang zurück und deutete mit der Rechten großbogig hinaus wie ein Schausteller.

Vittoria trat zögernd zum Fenster und gewahrte den Trabanten.

»Nun?«

Der Rettichkopf kehrte auf die Polsterbank zurück, lehnte sich an und schlug die Beine übereinander.

»Ich habe den Auftrag, mich in das Haus des seligen Messer Confini zu begeben und mir hier – falls nötig unter Beiziehung jenes Trabanten – Schriftstücke zu beschaffen, welche unanzweifelbar von der Hand des geehrten Seligen herrühren. Diese habe ich zu vergleichen mit einem sicheren Zettel, welchen die Herrlichkeit mir anvertraute, und danach zu befinden, ob dieser Zettel echt ist oder etwa gefälscht. Eine wohlgefällige Aufgabe, eine preiswürdige Aufgabe! So viel ehrendes Vertrauen also setzt Herrlichkeit in meine Sachkenntnis und in mich.«

Vittoria schwieg eine Weile hinter ihrem Schleier. Dann fragte sie rauh:

»Ist dieser Auftrag dahin zu verstehen, es seien Zweifel an der Echtheit jener Handschrift erschienen?«

»Zweifel? Sagte ich ja, so hätte ich zu viel gesagt. Nein, Zweifel wohl nicht. Allein selbst wenn das geschehen sein sollte: Die Entscheidung darüber, ob diese Zweifel verbannt werden oder ob ein Wert auf sie gesetzt wird, diese Entscheidung liegt bei mir. Bei niemandem als bei mir!«

»Es ist gut«, sagte Vittoria. »Ich will annehmen, dein Auftrag sei vollzogen. Du magst hier noch eine Weile sitzen bleiben, damit es den rechten Anschein habe. Ich werde dir Wein schicken. Trinke den in Ruhe aus, und dann entferne dich. Meiner Gegenwart wirst du nicht bedürfen.«

Sie wandte sich ab und ging auf die Tür zu.

»Aber, Monna Vittoria!« rief der Rettichkopf vorwürfig. »Und die Papiere? Ihr werdet sie mir bringen? Oder werde ich selber den Schreibtisch des hochzuverehrenden Seligen durchsuchen?« Er war aufgesprungen und lief ihr nach wie ein Hündchen.

»Was soll das?« fragte Vittoria über die rechte Schulter. »Was für Ungereimtheiten redest du?«

»Aber, allergnädigste Frau!« winselte er. »Die Papiere! Ich brauche doch die Papiere! Die Papiere zum Vergleich!«

»Es ist niemand in der Nähe«, sagte Vittoria unwillig, aber schon mit einem eigentümlichen Befremden. »Keiner hört zu, es bedarf deines Spieles nicht, wir können offen sprechen und ohne Scheu.«

»Aber spreche ich denn nicht offen? Offen und ohne Scheu?« fragte der Rettichkopf verwundert. »Ich bedarf der Papiere, der Papiere!«

Das rief er fast weinerlich.

Vittorias Gesicht zuckte vor Ungeduld. »Ich habe dir gesagt«, erklärte sie mit Schärfe, »es sei kein Lauscher zu fürchten. Willst du dir herausnehmen, mich zum besten zu haben? Ich verstehe dich nicht. Was soll das bedeuten? Und selbst wenn dir solche Schriftstücke nötig sein sollten – vielleicht damit du dem Großtyrannen erweislich machen kannst, daß du den Auftrag ausführtest – habe ich dir nicht Handschriften genug gegeben? Handschriften zu Vorlage und Vergleich?«

»Mir? Handschriften?« rief der Rettichkopf voll Erstaunen. »Monna Vittoria! Welch seltsamer Irrtum des Gedächtnisses! Ich erinnere mich an nichts.«

Vittoria durchfuhr es, als müsse sie ihm ins Gesicht schlagen. Sie bezwang sich und sagte: »Gut. Du willst die Schriftstücke um des Auftragerteilers willen ein zweites Mal in der Hand haben. Ich hole sie dir. Nur darum bitte ich dich in Dringlichkeit, höre auf, hier ein äffisches Spiel zu treiben.«

Zorn und Strenge hatten Monna Vittorias Stimme derart gefärbt, daß der Rettichkopf mit einem Grinsen voll Wehmut, Spott und Neugier den Kopf schüttelte und sagte: »Allergnädigste Frau, ich gehorche. Lassen wir also die Papiere. Aber da habe ich nun diesen Auftrag von der Herrlichkeit erhalten. Darüber wird wohl noch ein Wörtchen zu reden sein.«

»Was ist darüber zu reden? Was willst du? Mich dünkt, du kannst jetzt gehen und deinem Auftraggeber erklären, der Zettel habe seine Richtigkeit.«

»Ihr meint also, ich soll sagen, der Zettel sei echt?« fragte er in recht nachdenklichem Ton. »Euch ist daran gelegen, ja? Habt Ihr bedacht, was Ihr Euch das kosten lassen wollt?«

»Nichts, du Lump«, erwiderte Vittoria.

»Nichts? Lump? Aber was denn, was denn? Ihr habt mich belohnt, es wäre unbillig, das leugnen zu wollen. Allein damit bin ich doch nicht bis an meinen Tod bezahlt. Neuer Dienst, neue Rechnung.«

»Mein Lieber«, sagte Vittoria fest, »du wirst von mir nicht ein Kupferstück mehr erhalten. Und jetzt wirst du dich packen, wenn du nicht wünschest, daß ich läute und dich aus dem Hause peitschen lasse.«

Der Rettichkopf lächelte mit der Milde eines Gönners. »Holdseligste Frau«, sagte er, »wie mögt Ihr so hart sein? Ihr wollt mich also ohne Lohn lassen dafür, daß ich mein Gutachten so abstatte, wie es Euch gefällig ist?«

»Du hast keine Wahl«, antwortete Vittoria. »Du weißt, was dir geschieht, wenn der Zettel für unecht erfunden wird.«

»Schönste Frau!« schrie der Rettichkopf mit einem scheppernden

Gelächter. »Gerade dann wäre ich ja am sichersten! Vorausgesetzt nämlich, daß ich selber es bin, der den Zettel für untergeschoben erklärt. Eben deswegen wird doch ein jeder überzeugt sein, daß ich die Unterschiebung unmöglich begangen haben kann. Behaupte ich aber, der Zettel sei wirklich von der Hand des geehrten Seligen, so könnte ein Übelwollender am Ende meinen, ich sagte dies, um zu meinem Nutzen den Fälschungsverdacht aus der Welt zu bringen: So ist es: Ich brächte ein Opfer, ein gefährliches Opfer, wollte ich die Echtheit des Schriftstückes erhärten. Und so werde ich also, was ja immer geraten scheint, der Wahrheit – aber was ist Wahrheit? Sankt Paulus, bitte für uns! – die Ehre erweisen und werde sagen: Dies, Herrlichkeit, ist eine Fälschung, obzwar eine lobenswürdig, ja eine ruhmeswert vollzogene.«

»Nein!« rief Vittoria.

»Nein?« fragte er. »Nein? Nun, ich bin kein Hartherziger.« Und hiernach setzte er sich behaglich auf die Polsterbank.

»Ich werde also ohne Entgelt Euch zu gefallen sein und den Zettel für gültig erklären. Und nun, andächtige Gemeinde, laßt uns miteinander betrachten, was sich in diesem Falle weiterhin ereignen wird. Ich rühme mich nicht unbillig, wenn ich sage, daß ich auch ein wenig ein Rechtskundiger bin; dazu hatte die Herrlichkeit den gnädigen Einfall, mir einige Andeutungen zu gewähren. Die Herrlichkeit ist entschlossen, der Sache nachzugehen und dem geehrten Herrn Seligen ein Urteil zu sprechen.«

»Er ist an einem Ort, da ihn weder Urteil noch Nachrede mehr anrührt«, gab Vittoria zur Antwort.

»Aber Euch, schöne Frau!« krähte der Rettichkopf. »Euch, Euch, Euch, Euch! Euch und den jungen Herrn Diomede!«

»Keiner von uns beiden hat dich zu seinem Sachwalter bestellt«, sagte Vittoria mit deutlichem Abweis und dennoch neuerlich von einer sonderbaren Beschattung erfaßt.

»Hier würde auch kein Sachwalter mehr helfen. Und kurz gesprochen: Das Schuldbekenntnis ist echt, der Selige ein Mörder, es geschehen allerlei Unannehmlichkeiten mit seinem noch unbestatteten Körper. Außer diesem aber« – und hier machte der Rettichkopf eine Pause, kreuzte die Arme über der Brust und zwinkerte vergnügt –, »außer diesem aber wird seine gesamte Habe, bewegliche und unbewegliche, zugunsten der Herrlichkeit eingezogen.«

Vittoria ging langsam auf einen Stuhl zu und setzte sich. Dann sagte sie sehr bestimmt: »Das ist nicht möglich.«

»Für die Möglichkeit oder Unmöglichkeit eines Dinges gibt es mit Eurer gnädigen Erlaubnis nur eine einzige Probe: nämlich ob dies Ding sich ereignet oder sich nicht ereignet. Den Gebrauch des Wortes unmöglich solltet Ihr daher noch hinausschieben. Das Ereignis freilich würde mir im Herzen leid tun.«

Und nun begann er von allerlei Urteilen zu berichten, in welchen auf Vermögensbeschlagnahme erkannt worden war ohne Rücksicht auf die Hinterbliebenen; auch führte er Stellen an aus Gesetzesbüchern und aus den Schriften berühmter Rechtslehrer.

Vittoria widersprach heftig und mit Empörung. Ihre Einwände waren nicht nur die eines bedrohten Weibes, welche ja gemeinhin in dem immer wiederholten Worte: »Das kann doch gar nicht sein!« zu gipfeln pflegen, sondern auch die eines männlich geschulten Verstandes, der am Für und Wider eine denkerische Arbeit zu tun vermag. Allein gerade darum konnte sie gegenüber den wohlgestellten Beweisgründen, den geschliffenen Rechtserläuterungen des Rettichkopfes auf die Länge nicht verschlossen bleiben. Sie trocknete sich die Stirn. Sie hörte seine Worte nicht mehr. Sie widersprach ihm nicht. All das wirre und verruchte Treiben dieser Tage drang mit erneuter Gewalt auf sie ein.

Daß sie sich aus dem höllischen Dickicht zu Massimo hätte flüchten können! Ein Wort nur von ihm, ein Händedruck, ein Blick wäre genugsam. Es kam nichts, er ließ sie allein. Wie leicht wäre es ihm gewesen, ihr Haus zu betreten, um selber die Verbringung des Sarges ins Kloster anzuordnen! Er verschmähte die Gelegenheit.

Erst hatte sie gemeint, seit jenem Gewitterabend in einem solchen Grade des Einverständnisses mit ihm zu sein, daß es keiner Verabredungen bedürfe. Sie hatte gemeint, indem sie für ihn, ob auch ohne ihn handelte, müsse eine gänzliche Einswerdung geschehen. Einswerdung von unausmalbarem Glanze. Nun hatte sie gewahren müssen, daß sie sich eben dadurch von ihm geschieden hatte. Sie war völlig allein; verlassener als in der Nacht vor Pandolfos Tod.

7

Der Rettichkopf schloß: »Gott will lieber erhalten als umreißen und eine Stadt langsamer verderben, als er die ganze Welt erbaut hat, darum hat es nur sechs Tage zur Erschaffung der Erde gebraucht, aber sieben zur Eroberung Jerichos. Ich halte mich an das göttliche Vorbild, indem auch ich lieber meine Hand biete zu einem Bewahren als zu einem Zerstören. Was also wollt Ihr mir zuwenden, wenn ich Euch und Euren Stiefsohn vor dem Bettelsack schütze, indem ich erklären die Handschrift des Seligen sei nachgeahmt?«

Er erhielt keine Antwort. Vittoria saß gerade und ohne eine Regung. Der Rettichkopf glitt von der Bank und wandte sich eitel wie ein Pfau. Dann ging er auf den Zehenspitzen mit einem lächerlichen Heben der Beine und der Schultern auf Vittoria zu.

»Ihr erlaubt, schöne Frau.« Dreist und behutsam zugleich, erinnernd an die Gebärde, mit welcher er vorhin den Fenstervorhang zur Seite gezogen hatte, lüpfte er den Schleier und starrte in ihr Gesicht.

Vittoria hatte nicht die Kraft, ihn zurechtzuweisen.

Vielleicht stimmte ihre Miene ihn zu einem Mitleid, denn er sagte: »Wir werden helfen, wir werden helfen. Wir werden verneinen, und Monna Vittoria wird gerettet sein.«

Auch dies mochte auf ein erwachtes Mitgefühl deuten, daß er darauf verzichtete, sie ausdrücklich um ihr Einverständnis zu befragen und damit zu einem Bekennen ihres Jammers zu nötigen. Allein gleich darauf gewann er es doch nicht über sich, einen kleinen Ausfall zu unterdrücken, indem er fortfuhr: »So also ist es: Da werden Leidenschäftchen gezüchtet, da werden Anschläge geflochten; dann aber soll es übers Geld gehen, flugs ist alles zerblasen. Ich darf doch wohl annehmen, daß Ihr, hochzuverehrende Dame, eine bestimmte Absicht verfolget damit, daß Ihr mir den Auftrag zur Anfertigung jenes Schreibens erteiltet. Dieser Absicht, so möchte ich folgern, kann nur dann gedient werden, wenn das Schreiben auch wirklich für ein Schreiben des seligen Herrn Confini geachtet wird. Demnach, so folgere ich weiter, müßtet Ihr, wenn Ihr die Einziehung des Besitzes vermeiden wollt, auf die Durchführung dieser bestimmten Absicht Verzicht leisten. Das, so vermute ich, würde Euch leid tun, und darum stehe ich nicht an, zu sagen, daß es mir ebenfalls leid tun würde. – Was also bekomme ich«, schrie er plötzlich, »wenn ich mein Gutachten bejahend, nein, wenn ich es verneinend halte?«

»Bejahend? Verneinend?« fragte Vittoria matt. Sie faßte den Sinn der Worte nicht mehr. Sie verstand nur, daß sie in der Gewalt dieses Menschen war. »Fordere«, setzte sie hinzu.

Der Rettichkopf senkte den Schädel. Er preßte die gekreuzten Hände für einen Augenblick gegen die Brust und breitete sie dann mit einer großen Bewegung der Unterarme seitlich geöffnet aus.

»O nein!« rief er wie in einer Verzückung. »Ich fordere nicht! Wollte ich jetzt eine tatsächliche Forderung aussprechen, so beraubte ich mich ja der Vielzahl der möglichen Forderungen! Es kann doch keine gedacht werden, die Ihr mich nicht bewilligen würdet, wenn ich nur recht herzlich bitte. Denn da ich ja Euch und den hübschen kleinen Diomede vor dem Verlust der sämtlichen Habe retten soll, so wäre es nicht zu viel, wenn ich mir dafür das halbe Confinische Vermögen erbäte. Was sage ich da? Das halbe? Ich Verblendeter, der zu seinem Schaden allzusehr auf andere bedacht ist! Das halbe? Zwei Drittel! Drei Viertel! Vier Fünftel!«

»Und nun begann er, von kleinen Gelächterstößen unterbrochen, sprudelhaft weiter zu zählen in Heiterkeit und Hast, welche beide unheimlich wuchsen, bis er, bei siebenundzwanzig Achtundzwanzigsteln angelangt, des Spieles überdrüssig wurde und Vittoria mit offenem, triefendem Munde blinzelnd anstarrte.

»Nein, nein, ich muß es noch bedenken«, fuhr er raunend fort. »Vielleicht Geld, vielleicht Landbesitz, vielleicht noch anderes ... dieses und jenes ...«

Er verstummte überwältigt. Es war ihm ein großer Gedanke aufgestiegen, nämlich dieser: »Es liegt alles in meiner Hand, eines Jungfernkindes, dem die Leute von Cassano ihren Spott und ihre Mißachtung zeigen. Nicht nur diese Frau, die in meinen Willen gegeben ist, nein, alles, alles! Ob ich so oder so verfahre, diese Entschließung fasse oder jene, das bestimmt den Schicksalverlauf so und so vieler Menschen, welche zu den Vornehmsten der Stadt gehören und auch noch ihrer Nachkommen! Ja, vielleicht eines ganzen Gemeinwesens. Oder gar, wenn ich mir nur die Kette weit genug gespannt denke, über Jahrhunderte hinweg: der ganzen Erde! Der Welt! Denn es hängt ja ein jedes Ding vom andern ab.«

Und hier kam eine Berauschung über ihn, daß er nicht mehr an sich zu halten vermochte. Er huschte wie eine tolle Ratte im Zimmer umher, seine Augen hatten einen irren Glanz; er vergaß Vittorias Gegenwart, seine Hände vollführten krallenhaft greifende Bewegungen in der leeren Luft. Es sah aus, als müßte er schreien, und doch kam nichts von seinen Lippen als ein pfeifendes Auslassen des gestauten Atems. Sein Herz pochte rasend; es dunkelte ihm vor dem Blick, er glitt auf die Polsterbank.

Plötzlich lachte er laut auf. »Ach, und ich soll in der Tat zugeben, es sei eine Schriftenunterschiebung geschehen?« rief er kläglich. Ich will es nicht tun, mein Herz sträubt sich dagegen. Aus Mitleid mit Euch sträubt es sich. Denn was wäre die Folge? Man wird fragen: Von wem kann eine Fälschung ausgehen, die sich im Hause Confini ereignet hat? Wer konnte Siegel und Papier beschaffen? Wer endlich den Zettel in das Bettzeug des Verewigten bringen? Es wird ein

Verdacht auf Euch fallen, schönste Frau, ein häßlicher Verdacht. Und ist es kein Verdacht, es ist es doch der Schatten eines Verdachtes, und dieser Schatten schon müßte eine beträchtliche Verfinsterung bewirken. Und wer weiß, vielleicht wird es dahin getrieben, daß zwar nicht des lieben Seligen Hinterlassenschaft beschlagnahmt wird, wohl aber das auf Euch entfallende Teil, oder daß Ihr in eine Lage versetzt werdet, in der Ihr Eurer Habe nur noch insofern froh werden könnt, als sie zur Lesung von Seelenmessen für Euch verwandt wird.«

»Aber der Fälscher bist ja du selbst!« sagte Vittoria matt.

»Bin ich es? Wer sollte es mir nachweisen? Vielleicht Ihr? Welche Beweismittel denn habt Ihr in Händen? Mich sollte man für den Fälscher halten, wenn ich selber die Fälschung aufdeckte? Ach nein, ich rate Euch in aller Wohlmeinenheit: Macht mir Anerbietungen oder erwartet meine Forderungen für den Fall, daß ich den Zettel zu Recht bestehen lasse. Freilich, Ihr werdet arm, aber was ist irdisches Gut? Und wird es nicht dem ehrenwerten Herrn Nespoli eine Lust sein, sorgend für Euch einzutreten?«

Diese Erwähnung riß Vittoria aus ihrem stummen Elend. Sie hatte dem Rettichkopf den Grund ihrer Fälschung nicht mitgeteilt, doch war es ihm leicht gewesen, ihn zu erraten, da er ja von Nespolis Bedrohung Kenntnis hatte, gleich wie jeder Einwohner von Cassano.

»Rede nicht von ihm!« rief Vittoria leidenschaftlich. »Ich habe dir nie seinen Namen genannt!«

»*Ich* nenne ihn, schönste Frau, *ich* nenne ihn! Denn es ist doch kein Lauscher in der Nähe, und wir können offen sprechen, offen und ohne Scheu. Wer weiß, wenn das Trauerjahr abgelaufen ist . . . Ein schönes Paar, ein stattliches Paar! Und wer erbarmt sich des armen Rettichkopfes, der so viel Glück stiftete? Freilich würde das voraussetzen, daß Ihr nicht Grund fändet, auch noch Messer Nespolis wegen ein Trauerjährchen zu halten. O Gott, wie reich ist die Welt an Vorfällen, wie reich an Möglichkeiten! Er stöhnte ergriffen.

Vittorias Oberkörper fiel kraftlos nach vorne auf die Knie zu. Ihr Leib bebte vor Schluchzen.

»Nein, nein«, sagte der Rettichkopf mitleidig, »das alles wollen wir nicht tun. Ich werde sagen: Herrlichkeit, die Handschrift ist nachgeahmt, man muß fragen, wem diese Untat zugute kommt, und man muß antworten: dem Herrn Nespoli. Also wird der Herr Nespoli seinen anschlägigen Kopf verlieren – was tut es, zu retten ist dieser Kopf ohnehin nicht mehr –, Ihr aber werdet unangefochten im Besitz Eurer Habe bleiben, eine wohlbegüterte Witwe, eine stattliche Witwe, es finden sich Freier, und vielleicht, vielleicht . . . ich bin zwar nicht schön, aber ich bin unterhaltsam, das ist gewiß! Ihr werdet über Langeweile nicht zu klagen haben. Kurz, wir sind einig, ich nehme Abschied, ich küsse Eure Hände, vom Lohn wird ein anderes Mal geredet!« Er wollte sich erheben, um zur Tür zu gehen, allein er konnte sich die Lust eines Abschiedsscherzes nicht versagen. Er blieb sitzen und flüsterte: »Noch eins. Ihr dürft auf mich rechnen. Sollten da Gerüchte aufkommen, boshafte kleine Gerüchte etwa über das Ableben des Seligen – ich werde ihnen entgegentreten, ich werde zur Herrlichkeit sagen . . .«

»Du Bestie!« schrie Vittoria auffahrend und lief auf ihn zu.

Sie war nur der einen Vorstellung noch fähig, nämlich diesen faltigen Hals über dem unsauberen Kragen mit ihren Händen zu umschließen und so lang zu pressen, bis die äffische Teufelsgestalt als ein leerer Schlauch zu Boden glitte.

Der Rettichkopf sprang mit einem Satz von der Bank und ihr aus dem Wege. »Aber, meine Schöne, meine Schöne!« rief er hinter dem schützenden Tisch hervor. »Ereifere dich nicht! Liebes Kind, ich tu dir jeden Willen. Ich bin ja bereit, mein eigenes Werk zu verleugnen. Kann ein Liebhaber Höheres über sich gewinnen? Der andere Liebhaber freilich wird gut tun, sich auf sein Ende zu bereiten.«

Sie stand ihm gegenüber, vorgebeugt und auf die Tischkante gestützt. Sie spürte selbst, daß ihre Kraft zu nichts anderem mehr reichte als dazu, sich durch solches Stützen vor dem Umsinken zu bewahren.

Der Rettichkopf erkannte ihren Zustand und stolzierte hinter dem Tische hervor.

Er riß den Zettel aus seiner Brusttasche, entfaltete ihn und schlug mit der Rechten gegen das von der Linken gehalten Blatt.

»Und bitte, das soll nicht echt sein?« rief er. »Betrachte doch, schöne Frau! Hier das große C mit der Schleife! Nein, nein, ich müßte ja gewissenlos sein, wollte ich diese unnachahmbare Handschrift für untergeschoben erklären. Das kann nicht von mir verlangt werden.« Lachend ging er hinaus. Allein dann steckte er den Kopf noch einmal durch den Türspalt. »Ich werde, da doch vor Irrtum niemand geschützt ist, den Zettel noch einmal in Ruhe prüfen. Vielleicht, daß doch . . . Freilich, sollte dieses C gefälscht sein, so wäre es eine Meisterleistung. Küssenswürdig wäre es, küssenswürdig!«

8

Es verdient Betonung, daß von vielen Leuten in Cassano an die Schuld des Herrn Confini nicht recht geglaubt wurde. Andere freilich nahmen sie voller Gier auf als einen Erweis dafür, daß den Vornehmen eine jede Schlechtigkeit zugetraut werden müsse. Alle Parteien aber, die Gläubigen, die Zweiflerischen und die Ungläubigen, verleugneten keinen Augenblick ihre leidenschaftliche Anteilnahme. So wurde es auch viel beachtet, daß Monna Vittoria sich am frühen Nachmittage ins Kastell begab.

Zu diesem Gange hatte sie ihre letztverbliebenen Kräfte aufgerufen. Sie vermochte nicht abzuwarten, was dem Halbtollen, in dessen Hände sie gefallen war, mit ihr als mit seinem Spielwerk zu tun belieben werde. Vielleicht, so glaubte sie, könne ihr aus einem Gespräch mit dem Großtyrannen ein wenig von jener Klarheit zukommen, die sie in sich selber nicht mehr zu finden wußte. Zum mindesten werde sie erfahren, ob die Schrecknisse, die der Rettichkopf ihr hingezeichnet hatte, zur Wirklichkeit werden konnten.

Der Großtyrann empfing sie mit Achtung und geleitete sie zu einem Sessel, indem er ihr für ihr Kommen dankte; dieses habe ihn der Notwendigkeit überhoben, sie zu sich zu bitten.

»Ich ersehe daraus«, sagte Vittoria, »daß die Herrlichkeit Auskünfte von mir wünscht, wie sie in solchen Vorfällen gebräuchlich sein mögen. Ich werde jede Antwort geben, wie ich es vor dem Gesetz schuldig bin. Ich kam aber nicht vornehmlich in dieser Absicht, sondern weil ich in Beunruhigung versetzt worden bin durch Andeutungen, welche von der Herrlichkeit ausgegangen sein sollen. Nämlich es heißt, das zweifache Unglück, das über mich verhängt worden ist, scheine noch nicht zu genügen; es bestehe die Absicht, mir noch Habe und Lebensunterhalt zu nehmen.«

»Hier sorgt Ihr Euch vorzeitig«, erwiderte der Großtyrann. »Wir haben für jetzt keine andere Bestimmung als die, das Geschehene nach seiner Wahrheit zu erforschen. Bei aller Ehrfurcht vor Eurem Schmerze will ich Euch bitten, mir in dieser Erforschung zur Seite zu stehen, soweit Ihr es über Euch gewinnen könnt; denn über das Maß des Möglichen hinaus kann kein Zwang geübt werden.«

»Ich erwarte die Fragen der Herrlichkeit.«

Die Fragen, welche der Großtyrann stellte, bezogen sich zunächst auf die Abwesenheit Pandolfo Confinis in jener Nacht, danach auf seine Krankheit, seine letzte Stunde und das Geständnis.

»Ich habe gemeint, mein Mann wolle etwa einen Testamentszusatz machen, vielleicht für Don Luca und die Armen seiner Pfarrei. Er verlangte allein zu sein. Als ich wiederkehrte, war er verschieden.«

Aber wie könne denn, fragte der Großtyrann, einem Sterbenden die Kraft zugetraut werden, ohne Beistand zu siegeln – was doch im Bett in nur halb aufgerichteter Lage selbst für einen Gesunden sein Beschwerliches habe –, wenn er nicht einmal kräftig genug mehr gewesen sei, seine Niederschrift zu vollenden?

Vittoria erklärte, ihr Mann habe in seinem Schreibkästchen stets eine Anzahl ungeschriebener, auf Vorrat gesiegelter Blätter gehabt; nach seinem Tode hätte sich deren eine ganze Reihe gefunden.

»So könnte die Möglichkeit gedacht werden, daß sich ein Unberechtigter in den Besitz eines solchen Blattes gebracht hätte?«

Vittoria zögerte mit der Antwort. »Ich brauche nur ja zu sagen, deutlich und ohne Einschränkung, und mit allen meinen Kräften bei diesem Ja auszuharren, so ist es gleich, ob der Rettichkopf die Schrift für gültig oder ungültig erklärt. Selbst seine Gültigkeitserklärung brauchte noch nichts zu beweisen als die Vortrefflichkeit der Fälschung. Ich brauche nur darzutun, daß ein Blatt entwendet sein kann, und es bleibt der Ausweg, der wirkliche Mörder habe es beschreiben lassen; so kann Pandolfo nicht verurteilt und ich nicht zur Bettlerin gemacht werden«, dachte sie.

Und Massimo? Abermals war sie vor die furchtbare Frage gestellt, die sie unter den Reden des Rettichkopfes gefoltert hatte: Wollte sie all ihren Besitz einbüßen, ja, die ganze Gestalt des Lebens, in welcher sie zu Hause war, oder wollte sie Nespoli preisgeben und verderben lassen? Allein war denn Nespolis Rettung noch möglich? Hatte nicht der Rettichkopf die Versperrtheit jedes Weges erwiesen? Und hatte sie Nespoli und ihre Liebe nicht schon verraten mit jenen Augenblicken, da sie des Rettichkopfes teuflischen Possen Gehör gab? Verraten, wie Nespoli sie selber verraten hatte?

Sie fand nicht die Stärke, sich zu entscheiden. So sagte sie endlich: »Ich erblicke diese Möglichkeit zwar nicht. Allein dies berechtigt mich nicht, sie auszuschließen.«

»Auch ich schließe sie keineswegs aus«, antwortete der Großtyrann. »Und ich habe auch das Gewimmel im Auge, das, wie ich höre, in Eurem Hause stattfand, zum ersten während Pandolfos Krankheit durch allerlei Heilkundige und Anteilnehmende, zum zweiten nach seinem Tode durch die vielen Trauerbesuche. Die Schrift wird geprüft. Und sollte in der Tat – was anzunehmen ich einstweilen noch keinen Grund sehe – die Handschrift gefälscht sein, so würde dem freilich eine große Bedeutung zukommen, denn alsdann müßte sich uns doch über den Fälscher der Weg zum Mörder eröffnen oder zu jemand anderem, dem mit diesem Zettel gedient sein könnte.«

Vittoria schauderte es, obwohl der Großtyrann diese letzten Worte weder durch einen besonderen Ton ausgezeichnet noch etwa durch einen Blick in ihr Gesicht begleitet hatte. Vielmehr ruhten seine Augen auf der Seitenlehne des Armstuhls, auf die er seine lange und schmalgliedrige Hand gelegt hatte. Ruhig fuhr er fort:

»Allein angenommen, es habe mit dem Schriftstück seine Richtigkeit – welch einen Grund denn könnte Pandolfo gehabt haben, dem Fra Agostino etwas Übles zu wünschen, geschweige denn zu tun?«

Vittoria gewann es nicht über sich, ihren Verrat an Nespoli so weit zu treiben, daß sie etwa gesagt hätte, es sei Tollheit, an Pandolfos Schuld zu glauben. Sie schilderte die Fremdheit, in welcher Pandolfo und sie nebeneinander lebten, so daß sie wenig Kenntnis voneinander gehabt hätten. Sie erinnerte sich wohl, sich einmal beklagt zu haben, daß Fra Agostino sie auf der Straße und in der Kirche dreist anstarre. Von hier aus könne Pandolfo eine Abneigung gegen den Mönch erfaßt haben. Vielleicht habe das bereits in ihm stekkende Fieber ihm seine Abneigung gegen Fra Agostino verzerrt und vergrößert und endlich bei beeinträchtigter Freiheit des Urteils und der Willensentschließung zur Gewalttat gedrängt.

Die Erklärung, die sie hier gab, hatte Vittoria sich vor längerem zurechtgelegt. Nun aber riß es sie fort, diese Dinge zu größerer Glaubwürdigkeit auszuspinnen, indem ihr plötzlich vorgegaukelt wurde, sie könne auf solche Weise doch noch etwas für Nespoli ausrichten und ihren Verrat ungeschehen machen.

Fra Agostino habe einige Male das Confinische Haus umschlichen. Ja, er habe sich unterwunden, sie anzureden; sie erinnerte sich der Entrüstung, mit welcher ihre Beschwerde von Pandolfo angehört worden sei.

»Pandolfo war eifersüchtig?« fragte der Großtyrann, und es wollte Vittoria erscheinen, als sei für die Zeit eines Atemzuges etwas wie der Anflug eines Lächelns über sein Gesicht gegangen. »Und gar eifersüchtig in so hohem Grade, daß er sich zu einer solchen Tat hinreißen ließ? Nun, das erscheint seltsam. Ich meine, er ist wohl nicht immer gleichmäßig zur Eifersucht angeregt gewesen. Da müßte denn freilich sein Fieber zur Erklärung herhalten. Ich habe ihn gekannt als einen ruhigen und wohlbedächtigen Mann. Wer sollte bei ihm so heftige Leidenschaften vermutet haben? Indessen gelten ja Gewässer mit stiller Oberfläche für tief und strudelreich.«

»Mein Mann war ein Sonderling und dazu ein verschlossener«, sagte Vittoria. »Es ist selbst für mich nicht leicht, mir die Beweggründe seiner Handlungen oder Unterlassungen zu deuten.«

Wie zu sich selber sprechend, fuhr der Großtyrann fort, ein Wesensbild des Toten von großer Schärfe und Klarheit zu entwerfen; hiermit bekundete er, der mit Confini doch wenig zu schaffen gehabt hatte, die Untrüglichkeit seiner Menschenbeobachtung und zugleich die Lust, die er an dieser Beobachtung hatte. Er sprach von Pandolfo Confinis Sinn für das Schickliche und Hergebrachte, er zeichnete ihn als einen trockenen, unmitteilsamen Mann ohne starke Leidenschaften, es seien denn die des Erwerbens und Erhaltens, einen Mann, wie sie in allen Ständen zu Hunderten gefunden werden: klug im engen Rahmen dessen, was ihm durch Erfahrung zugänglich war; das nicht unmittelbar Nützliche nur so weit zulassend, als es von einem Herkommen beglaubigt wurde.

Der Großtyrann endete in einem unverhohlenen Zweifel, ob denn einem solchen Manne ernsthaft eine Tat wie die vorgefallene zugetraut werden dürfe.

Vittoria war nicht fähig, dieser Rede mit Aufmerksamkeit zu folgen. Ihr geängstigter Geist klammerte sich wiederum an Erinnerungen aus der abendlichen Aussprache im Schwanenzimmer. Hatte nicht Nespoli auf die Möglichkeit hingewiesen, Pandolfo könne den Mord in der Tat begangen haben? Und vielleicht hatte sie selber mit ihrer Fälschung nichts unternommen als einen verzeihlichen Kunstgriff, eine kleine Täuschung, um der Wahrheit an den Tag zu helfen? Dieser Gedanke hatte etwas Bestürzendes; allein da sie seiner bedurfte, so schien er ihr gleich danach richtig, ja unwiderlegbar. Welche Gründe Pandolfo gehabt haben sollte? Was wußte sie von seinen Gründen?

Ich habe ja niemanden als Massimo, wie kann ich ihn im Stich lassen? Aber läßt denn nicht er mich im Stich? Nun, so will ich von uns zweien die Großherzigere sein. Nein, ich kann nicht leben als eine Bettelfrau. Pandolfo ist unschuldig. Soll ich Mafaldas Gnadenbrot nehmen? Er darf unsere Habe nicht antasten! Hierzu muß ich ihn bestimmen. Das andere nehme seinen Lauf.

Dies war ein Versuch, sich den äußersten Entscheid zu ersparen, dessen sie in ihrer Zerrüttung nicht fähig war. Er muß mir versprechen, jede Absicht einer Beschlagnahme fallen zu lassen. Erreiche ich das, soll Pandolfo als Mörder gelten und Massimo frei ausgehen.

Erreiche ich es nicht . . . nein, an diesen Fall darf ich nicht denken, und ich darf auch nicht daran denken, daß ich ja in der Hand dieses verfluchten Schriftkünstlers bin!

»Und was haltet Ihr von der Möglichkeit, Messer Confini habe jenen Zettel in einer Verwirrung des Geistes geschrieben?« fragte der Großtyrann.

»Ich habe hierin kein Urteil«, versetzte Vittoria müde und halbherzig. Aber fast noch im gleichen Atemzug fuhr sie mit einer plötzlich erwachten zähen Entschlußkraft fort: »Die Herrlichkeit ist bekannt als ein Liebhaber der Gerechtigkeit. Sie wird es nicht zulassen, daß eine ihres natürlichen Schutzes beraubte Witwe um ihres Gatten willen schuldlos an ihrem Lebensgehalt gestraft werde. Das kann auch nicht Recht und Gesetz sein, weder vor Gott noch vor Menschen! Und selbst wenn mein Mann, was ja erst des Beweises bedarf, eine Meucheltat verübt hätte!«

Der Großtyrann sah sie überrascht an, da sie jählings wieder zum ersten Gegenstand der Unterredung zurückkehrte, ohne, sei es in Zustimmung oder in Ablehnung, seine Worte über Pandolfo Confini aufzugreifen.

»Ich weiß«, sagte er halblaut wie in einem Selbstgespräch, »daß es leichter ist, alles andere zu opfern und sogar das Leben selber als diejenige Form des Lebens, in welcher man daheim ist. Mancher wird eher bereit sein, seine Brust einem tödlichen Stoß preiszugeben als sein herrenhaftes Dasein gegen ein solches der Bettelknechtschaft hinzutauschen.«

Diese Worte hätten Vittoria vielleicht befremden müssen, denn sie hatten innerhalb des Gespräches keine eigentliche Folgerechtheit. Doch war sie von ihrem Eifer so hingenommen, daß sie hierfür keine Aufmerksamkeit haben konnte.

»Mein Gatte ist tot«, fuhr sie fort. »So hat er kein Vermögen mehr, welches beschlagnahmt werden könnte. Vielmehr ist seine Habe zur Zeit der Urteilsfällung bereits seines Sohnes und seiner Witwe unanfechtbarer Besitz.«

Nachdenklich entgegnete der Großtyrann: »Dessen bin ich nicht gewiß. Ich möchte erwidern, daß Herr Confini unanzweifelbarer Besitzer seines Vermögens war, als er – ich setze den Fall – die Tat beging, mit welcher er seine Habe verwirkte. Und der Zeitpunkt der Tat dünkt mich entscheidend, nicht der der Urteilsfällung. Mit dem Augenblick des Mordes nämlich ging seine Habe dem Gesetze nach bereits auf den Landesherrn als den Vertreter der beleidigten Gerechtigkeit über. Dies kann sich nicht ändern durch den Zufall, daß Aufdeckung und Urteilsfindung bis nach des Täters Ableben sich verzögern.«

»Aber mein Stiefsohn und ich haben geerbt von Rechts wegen«, antwortete Vittoria beharrlich.

»So mag es scheinen. Allein mit gleicher Sicherheit könnte man sagen, Ihr habet ein Vermögen geerbt, das dem Erblasser nicht mehr gehörte. So wäret Ihr denn etwas gewesen wie gutgläubige Hehler.«

Vittoria geriet in eine leidenschaftliche Hitze des Widerspruchs.

Zuletzt sagte der Großtyrann: »Ist es nicht sonderbar, daß wir beide miteinander streiten, da wir doch zum ersten keine Rechtsgelehrten sind und da zum zweiten die Voraussetzung einer möglichen Beschlagnahme, nämlich die Schuld des Toten, noch nicht von einer richterlichen Erkenntnis bestätigt wurde? Seine Schuld oder Unschuld wird durch richterliche Untersuchung an den Tag zu bringen sein. Die andere Frage indessen, die nach der Zulässigkeit eines Vermögenseinzuges, denke ich zu klären, indem ich eine rechtsgelehrte Fakultät um ihr Gutachten angehe. Da aber schon der einzelne Mensch irren kann, geschweige denn eine Gesellschaft von Menschen, so behalte ich mir vor, wie weit ich den Spruch der Fakultät zur Richtschnur meiner Entscheidung nehme.«

9

Diomede hatte eine Reihe von Stunden geschlafen. Sein Erwachen war dumpf und heiß, und dennoch genoß er gleich jedem anderen Erwachten ohne Bedenken das Glück, seinen Körper kräftig und durchaus vorhanden zu fühlen. Indessen währte dies nur Augenblicke; danach kehrte alles in sein Bewußtsein zurück: der Tod seines Vaters, die Schande, welche über dem Geschlechte hing, die drohende Armut – ein Gewirr unerlebbarer, kaum vorzustellender Schrecknisse. Siedeglut in den Adern, sprang er auf, ohne doch seinem Zorne ein eindeutiges Ziel zu wissen. Denn obwohl der Großtyrann mit einem Worte dem Unheil hätte ein Ende setzen können, so empfand Diomede doch eine sonderbare Behinderung, in ihm den Urheber alles Übels zu erblicken.

Er tauchte den Kopf in Wasser, er gelangte über den gewohnten Verrichtungen des Ankleidens in den Wiederbesitz seiner kämpferischen Entschlußkraft und jener Klarheit des Denkens, welche ihn zu seinen Studien getrieben hatte und durch eben diese Studien geschärft worden war. Immer wieder zwar wollte eine wilde Aufbegehrlichkeit des Gemüts ihn in einen Zustand treiben, der sich nur in Geschrei oder Gewalttat hätte entladen können, immer wieder aber fand er sich in die Stärke, sie soweit niederzuhalten, daß sein Urteilsvermögen ihm ungeschmälert zu Gebote blieb und an die Aufgabe dieses Tages und der ihm folgenden Tage gesetzt werden konnte.

Diomede bedachte während des Ankleidens sein Verhalten im Arbeitszimmer des Großtyrannen, und es wollte ihn verletzen, daß er sich dem Gewaltherrscher gegenüber hatte gehen-, vielmehr hinreißen lassen. Er hielt sich vor, er habe den Großtyrannen verstimmt in einer Zeit, da ihm doch alles an seiner Geneigtheit liegen mußte; zugleich aber schmeichelte seinem jugendlichen und wirbelsinnigen Stolz das Bewußtsein, daß er ohne Furcht, ja, mit Tollkühnheit dem Mächtigen seine Gesinnung offenbart hatte.

Er verließ den Raum, bestellte sich eine Mahlzeit und aß heißhungrig. Er hörte aus dem Schwanenzimmer die Stimme seiner Stiefmutter und seiner Vatersschwester. Mafalda sprudelte und tobte; Vittoria sprach wenig und ohne Klang, ihre Worte konnte Diomede nicht verstehen.

Er beendete ohne Eile seine Mahlzeit und ging zu ihnen. Mafalda preßte ihn gegen ihr Fett, strich ihm über die Haare und sagte schluchzend: »Armer Kleiner, armer Kleiner. Ich habe vieles an dir anzustellen gehabt, davon soll nicht mehr geredet sein. Dein Vater ist tot, armer Kleiner, von jetzt an werde ich dir zur Seite stehen. Beim bösen Christus, das will ich!«

Es schauderte ihn, als das Barthorn stachlig über seine Wange hinfuhr. Er erinnerte sich, wie sehr er sich als Kind vor diesem Auswuchs gefürchtet hatte.

Endlich ließ sie von ihm ab und begann umständlich und geräuschvoll von Pandolfos Krankheit und Tod zu berichten. Vittoria saß zurückgelehnt, ihr Gesicht war bleich, und es dünkte Diomede in seinen Linien noch schärfer gezeichnet als in der Frühe. Sie ließ der Schwägerin gänzlich das Wort.

»Er hätte gerettet werden können, er hätte gerettet werden können«, wiederholte Mafalda. »Warum hast du nicht rechtzeitig nach mir geschickt, Vittoria? Du mußt wissen, Diomede, es wurde deinem Vater stets leichter, wenn ich kam.«

Diomede erwartete, daß der in Jahren gesparte Zorn seiner Stiefmutter jetzt einen Ausweg finden werde; indessen geschah nichts von dieser Art. Vittoria sagte ruhig: »Lasse dich bitten, Mafalda, wir wollen jetzt keinen Streit miteinander haben. Pandolfo ist noch nicht unter der Erde. Und wir wissen nicht, ob er auf eine christliche und ziemliche Weise unter die Erde gelangen wird.«

Diomede hatte bisher mit einer kühlen und verschlossenen Miene zugehört, vorgeneigt in seinem Sessel, die Hände über dem Knie verschränkt. Welche Heilversuche unternommen, welche Arzneien gereicht worden waren, das alles schien ihm gleichgültig; ihm war, als seien Jahre seit seiner Ankunft in Cassano verstrichen. Jahre voll von Gespenstern und abgelebten Dingen. Er stand auf, wechselte, die Hände auf dem Rücken, zwischen Stehen und Schrittemachen und richtete seine Fragen, die nicht mehr dem Vater, sondern der erhobenen Anschuldigung galten, an Vittoria.

Vittoria antwortete, als habe sie sich die Worte mühsam abzuringen, denn der Kräfteaufwand des Ganges ins Kastell hatte sie gänzlich entblößt zurückgelassen. Sie berichtete von ihrem Gespräch mit dem Großtyrannen. Vom Besuch des Rettichkopfes schwieg sie und begnügte sich, zu erwähnen, der Großtyrann habe eine Prüfung der Handschrift angeordnet, auch sei um Papiere von Pandolfos Hand geschickt worden. Darauf sank sie wieder in ihre Abgestorbenheit zurück.

Diomede beschwichtigte mit höflicher Geringschätzung Mafaldas wortselige Ausbrüche. Endlich redete er kurz von seinem Gespräch mit dem Großtyrannen.

Mafalda lachte höhnisch, als er den drohenden Einzug des Familienvermögens erwähnte. Vittoria blieb stumm.

»Ich kenne mich aus!« erklärte Mafalda. »Mein Mann ist nicht umsonst Stadtrichter gewesen, der Storch kannte alle Gesetze. So etwas ist nicht möglich! Ich habe es Vittoria vorhin bewiesen, ehe du dazukamst.«

»Es ist möglich«, antwortete Diomede.

»Wie? Alles wegnehmen? Alles?« schrie Mafalda. Ihre Kinne flogen.

»Alles«, sagte Diomede. Er hörte ihr nicht zu, er ging eine Weile schweigend auf und ab. Er blieb stehen und erklärte:

»Ich weiß nicht, wie all dieses hat zustande kommen können, und es ist mir, als sollte ich meinen Verstand einbüßen vor all dieser gespensterhaften Verwirrsamkeit. Ich kann mich nur festhalten an dem einen: daß mein Vater unschuldig ist, wie auch immer das übrige zusammenhängen mag. Und so werde ich diesen Kampf aufnehmen, wie ich es jenem Manne im Kastell angekündigt habe. Welches auch das Ergebnis der Handschriftenuntersuchung sein mag, ich werde es nicht abwarten, sondern unverzüglich beginnen, das meine zu tun. Und selbst wenn die Schrift für echt erfunden wird, werde ich, da es ja hierin keine Unfehlbarkeit gibt, fortfahren, ihre Echtheit zu bestreiten oder doch im ärgsten Fall die Beweiskraft dieses Zettels, denn es ist ja auch denkbar, der Vater könnte in den letzten Augenblicken von seiner klaren Einsicht verlassen worden sein.«

»Du willst den Mörder ausfindig machen?« rief Mafalda. »Recht so, mein Kleiner, recht so.«

»Nein«, antwortete Diomede. »Ich darf nicht hoffen, es werde mir gelingen, was allen bisherigen Nachforschungen verwehrt geblieben ist. Ich will des Vaters Schuldlosigkeit an den Tag bringen, nicht die Schuld irgendeines anderen Menschen.«

Er wurde durch Agatas Eintritt unterbrochen. Sie hielt einen Brief in der Hand. »Das hat einer von den Schreibern aus dem Kastell gebracht«, sagte sie und bedachte sich eine kleine Weile, ob sie den Brief der Frau oder dem jungen Herrn abzugeben habe. Endlich legte sie ihn auf den Tisch und ging.

Vittoria rührte sich nicht. Mafalda reckte sich vor. Diomede löste das Siegel und las laut, einmal durch einen Ausruf sich selber unterbrechend. Das Schreiben enthielt ein Verbot, durch Ausleihung, Schenkung, Verpfändung oder Verkauf irgend etwas am Besitzstande des Hauses Confini zu ändern, bevor in Sachen des Mordes ein Urteil gesprochen sei. Diomede erkannte, daß es dem Großtyrannen völliger Ernst war. Jetzt erst merkte er, daß er selber bis zu diesem Augenblick nicht durchaus daran hatte glauben können.

Mafalda schrie auf. Beide Frauen sahen ihn an. Er sagte mit einer großen Festigkeit. »Ich werde unseren Besitz ungeschmälert erhalten, und ich werde die geschädigte Ehre meines Vaters herstellen.«

»Recht, recht!« rief Mafalda. Beim bösen Christus, ich helfe dir!«

»Was willst du tun?« fragte Vittoria.

Diomede sprach mit einer kalten Ruhe, als ginge es um den Rechtsfall eines Fremden.

»Der Vater hat in der Jagdhütte genächtigt. Dies ist uns gewiß, allein ich fürchte, es wird nicht zu beweisen sein.«

»Nicht zu beweisen?« rief Mafalda. »Und seine Krankheit? Woher soll er sie geholt haben, wenn nicht aus dem Sumpflande?«

»Man würde uns einwenden, daß ein jeder an jedem Orte von Krankheiten aller Art befallen werden kann«, antwortete Diomede und hatte nun für die nächsten Minuten seine Mühe, der störrischen

Alten begreiflich zu machen, daß ja nicht er es war, der Pandolfo Confinis nächtlichen Aufenthalt in der Jagdhütte heimtückisch anzweifelte.

»Niemand hat den Vater gesehen«, fuhr er endlich fort, »sei es in der Jagdhütte oder in ihrer Nähe. Dies hat er selber, wenn ich eure Erzählungen recht verstanden habe, zu Nespoli gesagt, und ich habe keine Neigung, seine Worte in Zweifel zu ziehen; allenfalls könnte er in der Nähe der Jagdhütte von irgend jemandem bemerkt worden sein, ohne das selber wahrgenommen zu haben; doch würde dieser Zeuge, selbst wenn es uns gelänge, seiner habhaft zu werden, zunächst beweisen müssen, daß er selber an der in Rede stehenden Örtlichkeit gewesen ist. Da wir also einen Beweis für des Vaters Aufenthalt in der Jagdhütte schwerlich zu führen vermögen, so werden wir vielleicht trachten müssen, einen Beweis dafür zu erbringen, daß er sich in dieser Nacht an irgendeinem anderen Orte aufgehalten hat, von dem aus er unter keinen Umständen zur Zeit des Mordes in den Kastellgarten und an den Fra Agostino gelangen konnte.«

»Aber er *war* doch in der Jagdhütte!« schrie die Alte erbost.

»Hast du ihn dort gesehen? Versteht mich recht, ich bestreite doch nicht, daß der Vater in der Jagdhütte war. Aber ich rede jetzt nicht vom Wirklichen, sondern vom Erweislichen. Und in diesem Betracht ist es ebenso möglich, daß der Vater jene Nacht nicht in der Jagdhütte verbracht hat, sondern an irgendeinem anderen Orte. Auf diesen Umstand gründet sich die gegen ihn entstandene Anklage, auf diesen Umstand wird sich vielleicht auch ihre Widerlegung zu gründen haben. Es dünkt mich nicht geraten, in jedem Falle bei der Behauptung zu verharren, der Vater habe in der Jagdhütte geschlafen, denn diese Behauptung, sie mag richtig sein oder nicht, ist unbeweisbar. Sondern ich werde den Ort ausfindig machen, von welchem durch Bekundungen von Zeugen festgestellt werden kann, daß der Vater sich an ihm aufgehalten hat. Und dieser Ort wird nicht der Kastellgarten sein.«

Diomede ließ sich von Monna Vittoria wiederholen, was der Großtyrann über das Gutachten geäußert hatte.

»Hiermit«, so meinte er dann, »ist ein Aufschub gegeben. Aber ein Aufschub nur für die etwaige Fortnahme unserer Habe, nicht ein Aufschub für das Urteil gegen den Vater. Die Zeit wartet nicht, wir werden nicht lange wählen dürfen; was sich bietet, wird aufgegriffen werden müssen. Jetzt will ich gehen und meine Arbeit beginnen. Ich werde mich umhören, ob es nicht doch einen Menschen gibt, der bezeugen und beschwören kann, den Vater in jener Nacht gesehen zu haben, wenn nicht bei der Jagdhütte, so anderwärts. Ich werde jemanden auftreiben – und wenn ich ihn aus der Erde scharren sollte!«

Vittoria hob langsam den Kopf aus ihrer Erstarrung, als sie diese Worte hörte. ». . . und wenn ich ihn aus der Erde scharren sollte!« Sie erinnerte sich, daß Nespoli sich der gleichen Redewendung bedient hatte, als er im Schwanenzimmer von der Notwendigkeit sprach, dem Großtyrann den Täter zu überliefern; und für einen winzigen Augenblick entsetzte sie sich vor der sündhaften Verstrikkung alles menschlichen Wesens. Gleich darauf aber kehrte sie zurück in ihre Unbeweglichkeit.

»Wir werden diesen Kampf nicht führen können, wenn ein jeder nach seinem Kopfe handelt. Darum bitte ich euch beide, mir zur Seite zu stehen und euch den Schritten anzubequemen, die ich tun werde.«

Sie versprachen es, Vittoria mit einem Nicken, Mafalda mit vielen Ausrufungen.

Diomede schloß: »Ich hoffe euch in kurzem zu sagen, was zu geschehen hat.« Hiermit verabschiedete er sich und ging aus dem Hause.

10

Diomede fand die Stadt voller Unruhe und Gerücht. Die Schatten fielen bereits lang, allein das Näherrücken des Abends brachte keine Frischung. In heißen Schwaden stockte die Luft zwischen den Häusern. Die einfallenden Windstöße schoben diese Schwaden hin und her, ohne sie aufzulösen.

Müßige Leute standen in Gruppen auf den Straßen, trockneten sich die Stirnen und redeten überlaut. In manchen dieser Ansammlungen wurde gestritten. Diomede zog viele Blicke auf sich. Man grüßte ihn beflissen, mit Neugier oder mit Teilnahme. Das Blut strömte ihm in den Kopf, sobald er in den Gesprächen den Namen seines Geschlechts hörte.

»Weint, Kinder, weint!« klagte schrill die Stimme der Kuchenhändlerin.

Diomede ging zum Kloster der Minderbrüder und verlangte, an den Sarg geführt zu werden. Der Mönch, welcher ihn durch den Kreuzgang geleitete, wollte den Prior benachrichtigen; denn es war herkömmlich, daß die Glieder der Familie Confini als Beschenker und Begünstiger des Klosters mit besonderer Achtung empfangen wurden. Diomede verbat es sich.

Der Bruder führte ihn an einen engen, kapellenartigen Raum, welcher aus der ersten Bauzeit des Klosters stammte und nicht benutzt wurde. Diomede schauderte es in seiner Kühle und Dunkelheit; es war ihm, als sei er in ein Grab geraten. Der Mönch ließ ihn allein und wartete vor dem Eingang.

Allmählich unterschied Diomede den mächtigen und prunkvollen Sarg. Er legte seine Hände auf die kühle Platte und trachtete vergebens zu glauben, daß dieses Gehäuse seinen Vater umschlösse. Er betete lange, doch ohne Aufmerksamkeit.

Es hatten zwischen Diomede und seinem Vater keine innigen oder auch nur warmen Gesinnungen bestanden, zu welchen ja auch Pandolfo Confini nicht geschaffen war. Überdies hatte Diomede von je dem Vater seine Heirat mit Vittoria nachgetragen und gleichermaßen den für ihn als einen jungen Menschen unbegreiflichen Mangel an Widerständigkeit, mit welchem Pandolfo seiner Schwester Mafalda begegnete. Auch befand er sich in jenem Lebensalter, in welchem jeder von uns einen auflehnischen Widerwillen gegen seine Sippe hat, wie sie sich ihm in dem älteren Geschlecht darstellt. Ist er aber höher geartet, so empfindet er abseits von solchem Widerwillen und mit all der ahnenden Ehfurcht, deren diese Jahre fähig sind, die geheime Würde der Geschlechterfolge. Er haßt Belehrungen und Geschwätz älterer Verwandter, verlacht sie unbarmherzig und geht ihnen aus dem Wege; sind diese Verwandlungen aber tot, so trägt er ihre Namen achtungsvoll in Geschlechtsregister ein. Auf diese Weise hatte auch Diomede nie aufgehört, selbst der ihm unleidlichen Monna Mafalda in seinem Inneren eine, wiewohl begrenzte, Stätte der Ehrerbietung aufzubehalten. Vollends im Vater sah er das Haupt eines ihm ehrwürdigen Geschlechts. Als er die Nachricht von seiner Krankheit erhalten hatte und mit seinem Ableben rechnen mußte, da war er nicht nur entschlossen, ihn auf eine wohlanständige Art zu betrauern, sondern auch geneigt, sich selber mit Bitternis Vorwürfe zu machen wegen der fremdtuenden Höflichkeit, in welcher Vater und Sohn miteinander umgegangen waren. Jetzt war ihm der trockene und strenge Mann, der ihm nie ein wärmeres Gefühl zu erkennen gegeben hatte, in die Verklärung eines Vorfahren getreten. Aus solchen Gesinnungen war er entschlossen, den Kampf aufzunehmen, nicht anders, als wäre er durch eine leidenschaftliche Zuneigung mit seinem Vater verbunden gewesen. Er beugte sich über die Platte und küßte sie.

Diomede kehrte in die heiße Helligkeit des Kreuzganges zurück. Der Mönch wollte ihm etwas Anteilnehmendes sagen, Diomede winkte ab und schenkte ihm ein Geldstück. Er verließ das Kloster, und damit begann für ihn eine taumelhafte Zeitspanne voll düsterer Geschäftigkeit.

Zuerst ging er zu Nespoli, in der Meinung, von dem Manne, welcher die Fahndungen des Angangs geführt hatte, vielleicht etwas Dienliches erfahren zu können. Der Schieler öffnete ihm. Messer Nespoli sei nicht zu Hause und die Stunde seiner Heimkehr ungewiß.

Diomede reihte Besuch an Besuch. Er ging zu vielen Männern seiner Bekanntschaft und seines Standes. Es schien ihm wichtig, jenen Einblick in alle Bewandtnisse des cassanesischen Lebens, den er über seiner langen Abwesenheit eingebüßt hatte, wiederzugewinnen. Irgendwo, so dünkte es ihn, in irgendeinem Gespräch, irgendeiner Beobachtung müsse ihm plötzlich ein Fingerzeig entgegenblitzen. Er erneuerte Bekanntschaften, er sprach mit Leuten aus dem niederen Volk. Was den Mörder anging, so neigte er bald zu der Meinung, die er bei manchen seiner Bekannten gefunden hatte: nämlich die Tötung des Fra Agostino möchte mit dessen unterhändlerischer Tätigkeit zusammenhängen und vielleicht von einem Orte außerhalb Cassanos bewirkt worden sein.

Abgehetzt und müde kehrte Diomede lange nach Dunkelwerden ins väterliche Haus zurück. Er befahl ein Pferd, ließ sich den Schlüssel des Mauerpförtchens geben und ritt den Weg seines Vaters. Er galoppierte durch die einsame, schwarze und ungnädige Nacht. Mit einer Blendlaterne durchleuchtete er die Jagdhütte, ob er etwas fände, das Zeugnis ablegte von seinem Vater, vielleicht einen Abfall seines Nachtmahls, ein paar Körner des Hafers, den er seinem Pferd geschüttet haben mochte. Er entdeckte nichts. In der Morgenfrühe forschte er in den Gehöften. Er fand niemanden, der von einer Begegnung mit dem Herrn Confini hätte berichten können. Dies enttäuschte ihn wenig; denn so hatte er es erwartet.

Auf einem Bauernhof ließ er sein erschöpftes Pferd stehen und lieh sich ein frisches aus. Durch den trüben Dunst des gewachsenen Tages jagte er nach Cassano zurück. Seine Haare klebten an den Schläfen. Er fand Höflichkeit, er fand Freundschaft; daß er weder Rat noch Rückhalt zu erwarten hatte, gewahrte er bald.

Wieder fragte er nach Nespoli und erhielt vom Schieler die gleiche Auskunft wie am Vortage. Nun verstand er, daß Nespoli nicht gewillt war, sich von ihm sprechen zu lassen.

11

Unter den Gängen, die Diomede unternahm, waren auch solche in Vorstadtgassen zu allerlei zweideutigem Volk, zu Geldverleihern und Geschäftemachern. Mitunter wollte ein Ekel über ihn mächtig werden. Dann erwog er wohl, ob der Zwang, sich erniedrigender Mittel bedienen zu müssen, nicht ärger war als der Verlust all der Güter, um deren Erhaltung er kämpfte. Dieser junge Mensch, welcher erfüllt war von dem Gedanken der Würde aller rechtlichen und staatlichen Dinge, von der Würde der Geschlechterfolge, des Erbes und unbefleckten Namens, eben dieser Mensch hatte um eben dieser Dinge willen eben diese Würde in seinen Handlungen zu verleugnen. Es verging keine Stunde, da dieser Widerstreit nicht von neuem anhub und von neuem zu beschwichtigen war. Er konnte nicht beschwichtigt und es konnte der Ekel nicht überwunden werden.

Der schwüle morgenländische Wind, Beförderer alles Bösen, strich um Diomede her. Drei Male noch kehrte er voller Zweifel an den Sarg im Kloster der Minderbrüder zurück, als könnte er von diesem Ort eine Klarheit erwarten. Er legte sich die Frage vor, wie wohl sein Vater in einem solchen Falle gehandelt haben würde. Aber er mußte sich eingestehen, daß er, wollte er ehrlich bleiben, keine Antwort auf diese Frage finden konnte. Er hielt sich die Ungeheuerlichkeit der empfangenen, der angedrohten Beschimpfung vor Augen, um das Geplante, das schon Eingeleitete vor sich selber zu rechtfertigen. »Der Kampf ist mir aufgezwungen – wie kann ich ihn durchzufechten hoffen, wenn ich nicht mit den gleichen Waffen zurückschlage?« Endlich überwand er sich zu der Entschlossenheit, sich Gewalt anzutun und so zu handeln, als gäbe es weder jenen Widerstreit noch jenen Ekel, noch irgendeine andere Lähmung.

Diomede schloß Scheingeschäfte mit Wucherern in schmutzigen und übelriechenden Hinterzimmern. Er nahm Geld auf und legte es an. Er verpfändete, verkaufte, überschrieb Äcker, Nutzungsrechte und Weinberge. Er entzog Eigentumswerte dem drohenden Zugriff durch verzwickte undurchschaubare Übereinkünfte, indem Schuldverschreibungen und Dokumente zurückdatiert wurden, als seien sie vor dem Erlaß jenes Verbotes ausgefertigt worden. Diese Geschäfte waren gewagt und kamen unter wucherischen Bedingungen zustande. Immerhin gelang es Diomede, einen Teil seines Erbgutes zu sichern. Und über solchen Verrichtungen, über behutsamen, lauerhaften und verführerischen Gesprächen, die er hier und dort in Heimlichkeit hatte, lernte er, seines Ekels ungeachtet, eine ingrimmige Freude kennen an der Scharfsicht und List, zu denen er sein überreiztes Hirn zu nötigen hatte und zu nötigen vermochte.

Im Schwall dieser Geschäftigkeit spürte Diomede immer erneut die Kraft jener Anziehung, welche der Großtyrann auf ihn übte. Es war ihm nicht möglich, ihn so zu hassen, wie er es wünschte. Ja, er betraf sich manchmal auf Gedanken, die von einer bewundernden Zuneigung gezeichnet waren. Er gewahrte, daß er schon Umschau hielt, ob er nicht Anlaß oder Vorwand habe, ihn aufzusuchen. Doch leistete er diesem Verlangen Widerstand, bis seine Zubereitungen und Pläne jenen Grad der Reife erlangt hatten, welchen der Gang ins Kastell voraussetzte.

Dies war am folgenden Vormittag der Fall. Nach all der glühenden Hast seiner Verrichtungen hatte Diomede einige Stunden geschlafen und fühlte nun in sich eine überwache Leichtigkeit, fast eine Hellsicht des Denkens, wie sie manchen fieberischen Zuständen eigentümlich ist. Es war ihm, als habe alles eine neue Schärfe der Umrisse gewonnen; sein Gewicht dünkte ihn verringert, sein Schritt federte wie der eines Schwerttänzers, und er spürte eine große Macht. Er rückte Menschen hin und her gleich Brettfiguren nach seinem Gefallen und nach seiner Einsicht.

12

Der Großtyrann empfing ihn abermals am Schreibtisch seines Kabinetts. Er wies ihm einen Sessel an und eröffnete das Gespräch: »Ich denke, du bist gekommen, um mir etwas in der Angelegenheit deines Vaters zu sagen oder um in dieser Angelegenheit etwas von mir zu hören. Es tut mir leid, daß ich in Sachen der Handschrift nichts Gewisses äußern kann. Allein die Untersuchung ist noch nicht beendet, und mein Untersucher hat mich um Geduld gebeten, weil ja eine solche Prüfung einer großen Sorgfältigkeit bedarf und weil er außer den Schriftzügen auch noch die Beschaffenheit der Tinte erforschen und sie mit der Tinte in deines Vaters Schreibzeug vergleichen will. So muß ich denn auch dich noch um Geduld bitten.«

»Ich habe hierin keine Eile, Herrlichkeit«, antwortete Diomede. »Denn für mich kann das Ergebnis dieser Untersuchung nur noch auf einem Umwege seine Bedeutung haben: Indem es nämlich, wie ich hoffe, den Beamten der Herrlichkeit die Auffindung des Mörders erleichtern wird. Auf meinen Vater aber wird es keine Bezüglichkeit mehr haben. Denn was auch die Schriftkundigen von diesem Zettel sagen mögen – von jetzt an wird es nicht mehr angängig sein, an der Unschuld meines Vaters zu zweifeln, da ich für die Stunde des Mordes seinen Aufenthalt nachzuweisen vermag.«

Der Großtyrann zog mit Lässigkeit seine Augenbrauen in die Höhe.

»In der Tat?« sagte er. »Das ist mir angenehm zu hören. Du denkst an jene Jagdhütte, von welcher die Rede gewesen ist?«

»Nein, Herrlichkeit«, antwortete Diomede. »Mein Vater hat sich nicht in der Jagdhütte aufgehalten. Mein Vater . . .«

Er verstummte. Der Großtyrann blickte ihn fragend an, indem er den Kopf ein wenig zur Seite neigte.

Diomede hatte eine Scheu, den Satz auszusprechen, welchen er doch in Gedanken so häufig gebildet und für diesen oft ausgemalten Augenblick vorbereitet hatte. Er zögerte, obwohl ja in Cassano niemand in solchen Dingen ein strenges Urteil hatte.

Endlich sagte er mit einem raschen Anheben des Kinnes: »Mein Vater ist bei einer Frau gewesen. – Wenn er von der Jagdhütte gesprochen hat«, setzte er hinzu, »so geschah es aus Rücksicht auf Monna Vittoria. Denn mein Vater hatte genug Ritterlichkeit, um sie nicht kränken zu wollen.«

»Bei einer Frau?« wiederholte der Großtyrann langsam. »Da muß ich bedauern um Monna Vittorias willen.«

Hier kostete Diomede für die Dauer von Sekunden ein kleines Gefühl der Genugtuung, welches aus seiner Abneigung gegen die Stiefmutter herrührte.

»Oder vielmehr«, sprach der Großtyrann weiter, »um Monna Vittorias willen kann ich das nicht mit jener gänzlichen Freude hören, die ich sonst wohl empfunden hätte. – Wiewohl«, fügte er nach einer kurzen Weile hinzu, »es mir von Herzen lieb und willkommen ist, daß ich mir nun Hoffnung machen darf, deinen Vater gerechtfertigt zu sehen. Und diese Frau ist bereit, ihr Zeugnis abzulegen? Ich verspreche dir, Diomede, es mit Schonung und Behutsamkeit von ihr entgegenzunehmen.«

»Es ist keine Frau von Ehre«, sagte Diomede leise und nannte darauf den Namen eines schlechtberufenen Mädchens.

»Nun, das macht es mir leichter«, sagte der Großtyrann. »Freilich hätte das Zeugnis einer Frau von Ehre ein größeres Gewicht gehabt. Ein Mädchen dieser Art kann ich nicht vereidigen.«

»Es ist mir wohl bekannt, Herrlichkeit, daß sie zu jenen Personen gehört, deren Zeugnis hinter dem Unbescholtener zurücksteht. Doch vertreten die Rechtslehrer den Satz, daß es dem Richter seine Einsicht gestatte, aus der bedingten Glaubwürdigkeit solcher Zeugen eine uneingeschränkte zu machen, wenn die Bewandtnisse des Falles danach angetan sind.«

Und nun nannte er, der ja auf diesen Einwand des Großtyrannen vorbereitet war, eine Reihe angesehener Gelehrter aus der alten und neueren Zeit, führte Aussprüche und Beispiele an und erhöhte auf eine kluge und klare Weise den Wert solcher Zeugenschaft.

Der Großtyrann, welcher eine Vorliebe für scharfsinnige Überlegungsreihen aus der Rechtskunde hatte, hörte ihn mit großer Aufmerksamkeit an, ja, mit großer Geduld, denn Diomede sprach etwas zu lange, wie es jungen Menschen begegnet, wenn sie im Eifer sind. Nun aber schien er es für gut zu halten, Diomedes Eifer und Zuversicht ein wenig zu dämpfen, und so sagte er:

»Du verstehst vom Rechtswesen sicherlich mehr als ich, denn ich bin ja einer von denen, welche Gesetze schaffen, nicht von denen, welche sie erklären, ausnutzen, hin und her wenden und nachträglich begründen, indem sie schöne und gelehrte Worte darüber machen. Immerhin bist auch du noch kein fertiger Rechtsgelehrter, sondern schickst dich erst an, einer zu werden. Und so mußt du es mir überlassen, wieweit ich dem Zeugnis des Mädchens Raum gebe. Denn ich bin ja – soweit das Recht außer seiner göttlichen noch eine irdische Quelle hat – die Quelle des Rechtes in dieser Stadt und ihrem Umkreise und damit auch der Herr über seine Auslegung.«

»Ich weiß es, Herrlichkeit«, antwortete Diomede mit einem Neigen des Oberkörpers, welches Zustimmung anzeigte, ohne knechtlich zu erscheinen. »Und jetzt bleibt mir noch eine Frage. Befiehlt die Herrlichkeit, daß ich jenes Mädchen dem Stadtgericht nenne, damit es dort zur Aussage vorgeladen werden kann? Oder wem sonst beliebt die Herrlichkeit die richterliche Untersuchung zu übertragen?«

»Niemandem, mein Lieber«, erwiderte der Großtyrann. »Vielmehr habe ich vor, nicht nur die Untersuchung, sondern auch die Rechtsfindung mir, und zwar mir allein vorzubehalten. Du wirst zugeben, daß die in meinem Garten und nur wenige Schritte von meiner Person geschehene Tat mich sehr nahe betrifft. Und da weiß ich nicht, ob die städtische oder irgendeine andere Rechtsbehörde auch vorwurfsfrei arbeiten würde. Vielleicht nämlich würde sie, um mir zu gefallen, schärfer und voreingenommener zu Werke gehen, als es der Gerechtigkeit angemessen wäre. Und doch wiederum dürfte ich ein solche Bestreben der Richter nicht tadeln, soweit es nämlich nicht darauf abzielte, niedrigerweise meine Gunst zu erwerben, sondern die Grundsätze zu stützen, denen als Notwendigkeiten des Staates meine Herrschaft folgt. Ich habe mir oft Gedanken über diese Dinge gemacht; aber du weißt ja, daß ich ein Ungelehrter bin. Darum wäre es mir lieb, auch deine Gedanken zu erfahren, nicht so sehr über den Fall, der uns beide nahe angeht, sondern über die Grundlage der Rechtsprechung überhaupt. Sage mir, Diomede, bist du der Meinung, es sollen Urteile gefällt werden im Namen und nach dem Bilde einer irgendwo über den Wolken schwebenden Gerechtigkeit? Und ohne einen Bezug auf die Besonderheiten, die Bedürfnisse und Bedingnisse des Gemeinwesens, in welchem die zu Urteil stehende Übertretung geschehen ist und das Recht gesprochen werden soll?«

Diomede glaubte in der Frage des Großtyrannen irgendeine Fußangel zu spüren, obwohl sie ihm nicht deutlich werden wollte. Dennoch war er außerstande, seine Antwort einer Erwägung der Zweckmäßigkeit unterzuordnen. Sondern er fühlte sich angerufen im Kreise jener Gedanken, um welche es ihm sehr ernst war. Denn Diomede war jung und ein Trachter nach dem Unbedingten, und er hatte noch nicht die Erfahrung machen können, daß alles menschliche Rechts- und Staatswesen es mit dem Bedingten zu tun hat, während dem Unbedingten ein Raum einzig in der Frömmigkeit zugewiesen worden ist.

Er sagte mit Leidenschaft und völlig vergessend, aus welchem Anlaß er sich in diesem Zimmer befand und zu welchen Dingen der ihm so vertraulich gegenübersitzende Mann ihn gezwungen hatte:

»Ich kann nicht anders glauben, als daß jede Justiz sich zur Dienerin von Zufälligkeiten und Niedrigkeiten machen, ja, sich selber aufheben müßte, wenn sie ablassen wollte, sich allein an jenes Inbild zu halten, von welchem die Herrlichkeit mit einem leichten Spott oder mit einem leichten Tadel meint, es schwebe irgendwo über den Wolken. Wenn sie nämlich beginnen wollte, sich nach Erwägungen zu richten, die nicht jenes himmlische Inbild meinen, sondern das, was einem menschlichen Gemeinwesen oder einer Staatsform für einige Augenblicke zuträglich erscheint, so könnte sie in den Fall kommen, wissentlich Unrecht zu sprechen statt Recht; denn es kann unter Umständen mit einem ungerechten Spruch einem Staatswesen mehr gedient sein als mit einem gerechten, wie ja auch etwa in einem Besitzstreit, einer der beiden Parteien mit einem ungerechten Urteil besser gedient sein muß als mit einem gerechten.«

»So bist du nicht der Meinung, der gesicherte Bestand eines Gemeinwesens sei schon in sich selbst jenem Inbilde der Gerechtigkeit verwandt, und indem ein Urteil ergehe zu seinem Nutzen, so ergehe es auch zum Nutzen jener himmlischen Gerechtigkeit?« fragte der Großtyrann. »Anders gesprochen: Willst du mir nicht die Erlaubnis zugestehen, meine Gerechtigkeitspflege so zu handhaben, daß sie dem Fortbestand des mächtigen und blühenden Gemeinwesens von Cassano dient als ihrem obersten Ziel, mag darüber vielleicht auch einmal der kleine Gerechtigkeitsanspruch einer Markthökerin zu Schaden kommen?«

»Vergib, Herrlichkeit!« rief Diomede. »Aber ich habe gelernt und geglaubt, daß jene Herrschaft am sichersten steht, welche keinem einzigen Hökerweibe sein Recht vorenthält. Und dieser Meinung bist ja auch du, Herrlichkeit, denn eben darum hast du den Fall des Fra Agostino der Rechtsprechung des Stadtgerichts entzogen. Und so bleibt wohl das Wort in Gültigkeit: fiat justitia, pereat mundus – die Welt gehe unter, die Gerechtigkeit nehme ihren Lauf!«

»Ich weiß wohl«, sagte der Großtyrann, »daß man diesen Ausspruch, der manchem großen Monarchen der alten Zeit in den Mund gelegt wird, mitunter in einer mißbräuchlichen Weise anwendet; so zwar, als habe der Buchstabe des Gesetzes erfüllt zu werden, und sollte darüber auch das Lebendige selbst, zu dessen Diensten doch das Gesetz berufen und geschaffen ist – und zu diesem Lebendigen zähle ich auch das Staatswesen –, ja, sollte darüber die ganze Welt zu Stücken brechen. Ich weiß auch, daß dies eine von den gewöhnlichen Auffassungen der Jugend ist, welche ja das Unbedingte liebt. Aber ich habe mir sagen lassen, die Meinung dieses Wortes sei eine andere. Nämlich wie die ewige Gerechtigkeit Gottes unwandelbar geschieht und sich auch offenbaren würde inmitten eines Zerfallens der ganzen Welt, so hätte auch der Richter, der mit einem Rechtsstreit beschäftigt ist, diesen fortzuführen und nach seinem Gewissen und seiner Kenntnis zu entscheiden, selbst wenn derweilen der Untergang der Welt mit allen vorverkündeten Schrecknissen seinen Anfang nähme. Aus dieser Meinung gewinnt die Justiz ihren Adel, und auf ihr baut alle Arbeit der Gerechtigkeitsbehörden sich auf. Davon aber, daß das Gewissen des Richters nicht auch gebunden sein dürfte an die Wohlfahrt des Staatswesens, davon finde ich in diesem Ausspruch nichts gesagt.«

»Welcher Mensch«, rief Diomede, »dürfte den Mut haben, ein Urteil zu fällen oder auch nur ein Gericht anzurufen, wenn wir nicht des Glaubens sein könnten, es gäbe einen ewigen und unverrückbaren Maßstab des Rechts? Einen Maßstab, der unabhängig ist von allen äußeren Umständen einer Tat, unabhängig von allen Bedürfnissen eines Gemeinwesens, eines Geschlechts oder einzelnen? So allein sind alle Dinge des Rechts zu handhaben. Und wo ein Rechtsprechender oder ein Rechtbegehrender in einem anderen Sinne handelt – und vielleicht zu handeln gezwungen ist –, da wird er die Qualen eines mit sich selber uneins gewordenen Gewissens zu erdulden, ja, sie als eine verdiente Buße auf sich zu nehmen haben.«

Bei diesen letzten Worten war eine Röte in Diomedes Gesicht gestiegen; auch hatte seine Stimme sich gesenkt, ohne daß er beides gewahr geworden wäre. Denn die Kraft der Verstellung war noch nicht in sein Inneres gedrungen, wenn er sie auch von außen her mit Geschick zu üben wußte.

Der Großtyrann sah ihn mit einem Lächeln an, in welchem sich Zuneigung und auch ein wenig Mitleid ausdrückten.

»Ach, Diomede«, sagte er, »auch du wirst noch jene Erfahrung machen – und vielleicht hast du sie an deinem eigenen Teile schon gemacht und dich nur gescheut, klare Folgerungen aus ihr zu ziehen –, jene Erfahrung, daß nichts Oberes in unserer unteren Welt sich rein darzustellen vermag und daß wir zufrieden sein müssen, wenn es noch einen schwachen Schein in sich hat, welcher den Ursprung ahnen läßt. Aber ich will dich noch etwas anderes fragen. Du sprichst mit viel Eifer von der Gerechtigkeit, und du stehst zugleich in einem hitzigen Kampfe, um deinem toten Vater sein Recht zu verschaffen; ich denke, du wirst einer ungemeinen Anspannung aller Spürkräfte bedurft haben, um diesen Besuch deines Vaters bei dem Mädchen in Erfahrung zu bringen. Sage mir doch: Ist es nur die Gerechtigkeit, in deren Namen du handelst? Mir scheint vielmehr, hier geht es dir um das Erbvermögen des Hauses Confini?«

»Ich leugne nicht«, antwortete Diomede freimütig, »daß mir an meinem Erbe gelegen ist. Denn es ist der Besitz eine jener Säulen, deren kein Geschlecht lange entraten kann, wenn es nicht in Unehre absinken will. Aber es ist das nicht allein, sondern ich will mein Erbe als ein unbeflecktes haben, und ich weiß ja, daß es nicht befleckt worden ist, da mein Vater so etwas nicht hat tun können und nicht getan hat. Diese Unbeflecktheit begehre ich anerkannt vor aller Welt. Und ein Erbe besteht ja nicht nur aus solchen Dingen, die ihren Preis in Geld haben, sondern in der Verpflichtung eines unbefleckten und ehrfürchtigen Fortsetzens. So kämpfe ich nicht nur um meine Habe, sondern auch um meine Verpflichtung.«

»Ich kann diese Meinung nur loben«, sagte der Großtyrann. »Aber nun beantworte mir noch dies: Würdest du nicht genau ebenso handeln und kämpfen, nämlich um eines solchen Erbes willen, wenn du von der Unschuld deines Vaters nicht so gänzlich überzeugt wärest, wie du es zu sein scheinst?«

Diomede antwortete erst nach einigem Zögern. »Ich hätte es leicht, diese Frage der Herrlichkeit zu verneinen. Allein ich will redlicher sein und will dich bitten, Herrlichkeit, eine solche Frage nicht an mich zu richten. Und was könntest du auch mit ihrer Beantwortung gewinnen?«

»Es ist gut, Diomede«, sagte der Großtyrann freundlich. »Ich habe also die Frage nicht gestellt. Ich danke dir für alles, was du mir gesagt hast. So will ich denn hören, was jenes Mädchen zu bekunden hat. Und was dich angeht: So oft du mich in dieser oder sonst einer Sache sprechen willst, sollst du mir zu jeder Zeit willkommen sein.«

13

Jenes Mädchen, das die Cassanesen »Perlhühnchen« nannten, war wie viele ihres Gewerbes von einer schläfrigen Gutmütigkeit. Ihre Gebärden waren flink, ihre Gedanken langsam. Diomede hatte die Meinung gewonnen, daß sie sich besser als andere zu seinem Vorhaben schicken möchte. Ein lebhafter und gescheiter Mensch läßt sich verwirren; ein stumpfes Geschöpf wie das Perlhühnchen, so dachte Diomede, kennt gleich der Trommel bloß einen einzigen Ton. Prägt man ihm diesen nur fest genug ein, so wird es bei ihm verharren, und kein Kreuz- und Querfragen wird es aus der Ordnung bringen können. Diomede ging freundlich und freigebig mit dem Mädchen um, und er schmeichelte ihr dadurch, daß er sie fühlen ließ, welche Wichtigkeit plötzlich ihrer Person zukam. Hier also besorgte er nichts, alles war eingeübt, alles war vorbedacht, jedem möglichen Einwande zum voraus seine Widerlegung bereitgestellt. Allein es erwuchsen dem Diomede Erschwerungen von einer Seite, von welcher er sich ihrer nicht versehen hatte. Denn während Vittoria seine Mitteilung in Unbeweglichkeit entgegengenommen hatte, schrie Mafalda: »Das ist nicht wahr! Der Kleine hat so etwas nicht getan. Du mußt dich schämen, Diomede!«

Die Schwierigkeit hatte damit begonnen, daß Monna Mafalda, als Diomede mit dieser Eröffnung in ihrem Hause erschienen war, sein Kommen für den pflichtschuldigen Höflichkeitsbesuch genommen hatte und es nicht verstehen wollte, daß er den Tribut dieses Besuches nicht schon tags zuvor oder schon vor zwei Tagen entrichtet hatte. Diomede entschuldigte sich mit allem, was er in Sachen des Mordverdachtes zu besorgen gehabt habe. Monna Mafalda hatte jedoch immer wieder die eine Entgegnung: »Aber so viel Zeit hättest du dir nehmen müssen, um deine nächste leibliche Verwandte aufzusuchen. Wen hast du denn noch außer mir? Und wen habe ich noch, nachdem mein armer Bruder hat sterben müssen? Und da läufst du jetzt her und willst mir solche Ungeheuerlichkeiten sagen!«

»Ich tue es ja nicht leichten Herzens!« rief Diomede heftig. »Zeige mir einen anderen Ausweg, ich will jeden gehen! Aber da ist keiner! Wollen wir nicht zugeben, daß der Vater bei dem Mädchen war, so ist ja zugegeben, daß er im Kastellgarten gewesen sein und den Mönch getötet haben kann. Und bequemte sich Vittoria als die Gattin zu dieser Darstellung, um wieviel leichter kannst du als die Schwester es tun.« Und er erinnerte sie an ihr Versprechen, alle die Maßnahmen, die er für notwendig befinden werde, zu unterstützen.

Diomedes Gründe verfingen nicht. Monna Mafalda begann weinerlich davon zu sprechen, wie sie in der Pflege Pandolfos, in Heranziehung und Befragung der Heilkundigen mehr als das Menschenmögliche getan habe. »An mir lag es nicht, Diomede, an mir gewiß nicht!« Darauf ließ sie plötzlich diesen Gegenstand fallen und erkundigte sich nach Diomedes Ergehen, nach seinen Studien sowie nach der Gesundheit einiger längst verstorbener Personen in Bologna. Und so völlig war sie binnen kurzem mit diesen Fragen eingekehrt in den herkömmlichen Gesprächsablauf eines Höflichkeitsbesuches, daß sie alle Wirklichkeit der letzten Tage vergessen zu haben schien.

»Und Monna Elena, die Witwe meines lieben Bernabô Pizzardella, ist sie noch immer bei Laune? Ja, die Bologneser Luft ist gesund. Und hat sie noch ihre sieben schneeweißen Pudelhündchen?«

Diomede hatte anfangs getrachtet, die Alte behutsam von diesen Gegenständen wieder auf das Wirkliche, das Drängende und Furchtbare hinzulenken. Allein er gab das zuletzt auf und hoffte, auch sie werde nicht mehr darauf zurückkommen. Jetzt verwünschte er es, daß er ihr gegenüber überhaupt von jenem Mädchen und ihrer Zeugenaussage Mitteilung gemacht hatte; und er entschuldigte sich vor sich selber, indem er sagte: Wie konnte ich wissen, daß sie so kindisch geworden ist? So arg hatte ich es nicht im Gedächtnis.

Es war ihm lästig, daß er mit den beiden Frauen überhaupt zu schaffen hatte. Was zu tun war, das hatte er allein tun wollen, gleich als gehe es nur um seinen Vater, nicht auch gleichzeitig um Vittorias Mann oder gar Mafaldas Bruder. Dennoch war es notwendig, sie von seinen Entschlüssen zu unterrichten, damit sie nicht etwa in einer Befragung etwas ihm Hinderliches aussagten.

Mafalda redete noch eine Weile auf die vorherige Art weiter. Dann plötzlich gab sie dem Neffen mit einer Abschiedsumarmung zu erkennen, daß seine Besuchszeit abgelaufen war. Sie schlug ihn schallend auf die Schulter und sagte: »Und diese Geschichte mit dem schlechten Mädchen, das jage dir nur aus dem Kopf, mein Kleiner, man muß seinen Vater in Ehren halten. Vielleicht wirst du auch noch einmal Söhne haben. Es würde dir nicht gefallen, wenn sie solche Dinge von dir verbreiteten. Und nun gehe und sieh zu, daß die ärgerliche Sache mit diesem Zettel bald aus der Welt geschafft wird, damit wir den Kleinen unter allen Feierlichkeiten und Ehren bestatten können. Er war ein guter Bursche, der Kleine. Er verdient keine üble Nachrede.«

14

Nachdem Diomede gegangen war, ließ Monna Mafalda sich eine gekühlte Mischung von Limonensaft und Ziegenmilch bringen, der sie nach dem Vorgang eines ihrer Kräuterweiber allheilende Kräfte zuschrieb. Sie hatte die Vorstellung, besonderer Annehmlichkeiten würdig und bedürftig zu sein, nachdem ihr Diomedes Besuch ein Nachgefühl von Unbehagen hinterlassen hatte. Darum streckte sie sich ächzend auf ihr Ruhebett, ließ das Zimmer verdunkeln und sich von einer Magd zur Kühlung essiggetränkte Tücher, welche häufig gewechselt wurden, auf die Stirn legen. Sie geriet in ein behagliches Träumen, indem sie sich ihre Bologneser Bekannten vorzustellen trachtete und namentlich bei dem Gedanken verweilte, daß Diomede zwei von ihnen als verstorben genannt hatte. Sie aber, Mafalda, sie war gesund wie je, trank Ziegenmilch und Limonensaft, kein Tod konnte ihr etwas anhaben! Unter solchen Befriedigungen schlummerte sie ein.

Später machte sie einen Rundgang durch ihren Garten, bei welchem ihr Gärtner sie begleiten mußte, um abwechselnd Lob- und

Scheltworte zu hören. Plötzlich unterbrach sie ihn mitten in einer längeren Erörterung über vorzunehmende Bodenverbesserungen mit der Frage: »Kennst du ein Frauenzimmer mit dem Namen Perlhühnchen?«

Der Mann verneinte mit einem kleinen verwunderten Lächeln.

Monna Mafalda sagte: »Dann schicke sofort deinen Sohn aus, der wird sie kennen. Er soll sie zu mir bringen.«

Das Perlhühnchen war eine Stunde danach zur Stelle. Monna Mafalda lag gemächlich zurückgelehnt in einem Sessel, hielt die Hände über dem Bauch gefaltet und betrachtete das Mädchen mit Neugier, wobei ihre Miene zwischen Mißbilligung und Wohlwollen hin und her wechselte. Sie hatte sich das Perlhühnchen verworfen und lüstern gedacht und fand nun ein noch kindlich aussehendes Geschöpf, das in einer nicht anmutlosen Verlegenheit mit der Zungenspitze über die feuchtglänzenden roten Lippen hintänzelte.

Monna Mafalda musterte ihren Kopfputz, ihr Schuhwerk, ihren Gürtel und ihr Kleid, in dessen linken Ärmel das Abzeichen ihres Gewerbes gestickt war. »Du verstehst es, dich anzuziehen«, sagte sie.

Das Perlhühnchen lächelte gewohnheitlich, sah einen Augenblick zu Boden und starrte dann neugierig und befangen zugleich auf den schön gearbeiteten Marmorkamin, die goldverbrämten Samtvorhänge und die eingelegten Verzierungen der Tischplatte.

»Nun sage mir einmal, mein Kind, was hast du dir denn da einfallen lassen? Daß du dir ein schlechtes Gewerbe ausgesucht hast, darüber rechte ich nicht mit dir, jeder muß wissen, was er tut. Aber was sind denn das für Geschichten, die du vom seligen Messer Confini verbreitest?«

Das Perlhühnchen hob betreten die gutmütigen und gedankenlosen Augen zu der alten Frau.

»Also darum bin ich zu Euch geholt worden, Madonna«, sagte sie halblaut.

»Nun, du brauchst nicht so ängstlich zu werden«, erklärte Monna Mafalda und lachte. »Da, ich will dir etwas zur Aufmunterung geben.« Sie fischte aus ihrem Gürteltäschchen ein Goldstück und hielt es dem Perlhühnchen hin.

Das Perlhühnchen wollte zugreifen, aber Mafalda zog ihre Hand wieder zurück. »Du kannst übrigens auch etwas anderes zur Aufmunterung bekommen«, sagte sie. »Nämlich mein Pferdepfleger wird dich in den Stall führen und dir fünfzig Peitschenhiebe geben. Da magst du dich also nach deinem Gefallen entscheiden.« Sie legte das Goldstück neben sich auf den Tisch.

»Nun lasse uns erst einmal vernünftig miteinander reden. Wie bist du dazu gekommen, solche abscheulichen Dinge zu erzählen?«

»Man hat mich gefragt. Da habe ich geantwortet«, sagte das Perlhühnchen.

»Was geantwortet?«

»Nun, daß der gnädige Herr Confini so gut gewesen ist, mich zu besuchen.«

»Aber das ist doch eine Lüge!« schrie Monna Mafalda.

»Nein, das ist keine Lüge. Warum sollte er nicht zu mir gekommen sein?« erwiderte das Mädchen in seiner gedehnten und trägen Sprechweise.

»Ob es nun eine Lüge ist oder nicht – du mußt doch begreifen, daß es nicht zu seiner Ehre ist, wenn so etwas geredet wird.«

»Aber ich bitte, Madonna, ich habe ja nicht davon reden wollen. Ich bin verschwiegen, da hat sich noch keiner zu beklagen gehabt. Und ich weiß auch nicht, wie das gekommen ist. Vielleicht hat jemand den Herrn Confini zu mir ins Haus gehen sehen. Und da bin ich ins Kastell geholt worden, und der Allergnädigste hat mich selber befragt. Da durfte ich es doch nicht ableugnen, er hätte mir ja den Kopf abschlagen lassen!«

»Ist der junge Herr Confini bei dir gewesen, mein Neffe? Ich meine, hat er mit dir über diese Angelegenheit gesprochen?«

»Ja, Madonna, er ist gekommen und hat mich gefragt, ob es wahr ist, was er gehört hat, nämlich daß sein Vater bei mir gewesen ist in der Nacht. Und warum hätte ich da nein sagen sollen, wo es doch die Wahrheit ist? Und es ist für mich ja auch keine Schande, wenn ein vornehmer Herr einmal zu mir kommt und noch dazu einer von älteren Jahren. Das ehrt einen doch.«

»Du kannst erzählen, was du willst! Beim bösen Christus, ich glaube dir kein Wort! Und im Kastell hat man dir geglaubt?«

»Ja, Madonna. Und wie ich das gesagt habe, da ist dann noch mehr gefragt worden, wann der selige Herr Confini gekommen und wann er wieder gegangen ist, und ein Schreiber hat alles aufgeschrieben, und zuletzt haben sie mir eine Feder gegeben, und ich habe drei Kreuze darunter machen müssen.«

»Mein liebes Kind, passe einmal auf, was ich dir jetzt auseinandersetze. Ich habe dir vorhin etwas von einer Aufmunterung gesagt. Aber diese Aufmunterung wäre nur ein Anfang, und das Richtige wird noch kommen. Also du wirst diese dumme Geschichte in Ordnung bringen und wirst deine Aussage widerrufen. Ich verlange nichts Unbilliges von dir; du sollst nicht hingehen und sagen, du hättest gelogen. Sondern wie du das nun ankehren willst, das ist deine Sache. Meinetwegen sage, du hättest jemand anderen für den seligen Confini genommen oder ein Betrunkener hätte sich den Spaß gemacht, sich schamloserweise einen so geachteten Namen zuzulegen, oder es sei einer von jenen anderen Confini gewesen, denen mit den Schindeln im Wappen, die fälschlicherweise behaupten, mit uns verwandt zu sein. Das ist mir einerlei. Aber du wirst hingehen und die Sache im Kastell widerrufen. Und wenn du das in Ordnung gebracht hast, dann bekommst du von mir – nun, was soll es sein? Ich bin nicht geizig, da kannst du fragen, wen du magst, ich bin bekannt dafür, daß ich mich gern übervorteilen lasse. Wenn du willst, verheirate ich dich an einen meiner Bauern, einen ordentlichen Mann, und gebe dir eine Aussteuer. Da hast du ein sicheres Leben, bist ehrlich gemacht und brauchst dir von niemandem etwas nachrufen zu lassen. Aber das ist mir schon einerlei; wenn du es lieber magst, kannst du statt dessen auch bares Geld haben. Überlege es dir gut. Bleibst du aber eigensinnig, dann ist es mit der Aufmunterung im Stall nicht abgetan. Denke nicht, daß der junge Herr Confini dich beschützen könnte. Der kehrt nach Bologna zurück, aber ich bleibe hier. Ich habe Geld, und jeder hört auf mich. Ich werde dir ein Leben machen, an dem du kein Gefallen haben wirst. Beim bösen Christus, das werde ich! Dort in der Ecke steht ein Stuhl. Da setzest du dich hin und überlegst dir, was ich gesagt habe.«

Das Perlhühnchen wollte den Mund öffnen, die Alte rief: »Still! Geh in die Ecke!« Und das Perlhühnchen gehorchte.

Monna Mafalda schloß die Augen. Sie hatte sich vorgenommen, bis tausend zu zählen. Als sie bei dreihundertfünfzig angelangt war, ertrug sie es nicht länger. Sie sah sich nach dem Mädchen um, das regungslos in der Ecke saß und seine Schuhspitzen betrachtete.

»Steh auf!« befahl Monna Mafalda. »Komm her.«

Das Perlhühnchen kam, stellte sich vor Monna Mafalda hin und sah sie fragend an.

Monna Mafalda schob ihr das Goldstück über die Tischplatte zu. »Nun? Welche Aufmunterung willst du haben?«

»Das Goldstück«, antwortete das Perlhühnchen.

»Das ist gescheit. Nimm es dir.« Und sie schob ihr die Münze vollends hin.

Das Perlhühnchen nahm sie, bespuckte sie wohlanständig hinter der vorgehaltenen Hand und steckte sie dann sehr geschwind in die Gürteltasche.

»Du willst also widerrufen?«

»Warum soll ich nicht widerrufen, wenn es so ist?« gab das Perlhühnchen zur Antwort.

»Du bist brav und vernünftig«, lobte Monna Mafalda. »Und was willst du: Geld oder einen Mann?«

»Wenn der Mann danach ist, warum sollte ich nicht den Mann nehmen? Und wieviel Tagwerk Acker werden denn dabei sein?«

Einige Minuten redeten sie noch miteinander, dann küßte sie Monna Mafalda den Ärmel und ging.

15

Der Beachtung nicht unwert ist der Umstand, daß die Einwohner von Cassano in späterer Zeit jedesmal Hemmnissen begegneten, so oft sie den Versuch unternahmen, in ihren Hirnen die Vorgänge jener Tage in ihrer zeitlichen Nacheinanderfolge wieder aufzurichten. Sie mochten es anfassen, wie sie wollten, es blieb ein verworrener Wirbel; und was späterhin in der Erinnerung haftete, das war nicht die Kenntnis einer Kette von Begebenheiten, deren eine immer aus der anderen sich herschrieb, sondern ein verstörliches Gefühl der Beschämung, wie es manchmal ein Trunkengewesener nach seinem Erwachen empfindet.

Wie in allen Gemeinwesen, in welchen keine vollkommene Freiheit öffentlichen Meinungsaustausches gewährt wird, gab es in Cassano eine rasch, ja, eine unbegreiflich rasch wirkende Art gerüchtweiser Verständigung; und diese betraf nicht zum wenigsten diejenigen Angelegenheiten, welche ehedem in Öffentlichkeit von den städtischen Behörden verwaltet worden waren, nunmehr aber vom Kastell aus ihre Besorgung fanden. Die Nachricht, der verstorbene Confini sei um die Stunde des Mordes beim Perlhühnchen gewesen, lief sehr schnell durch die Stadt. Es hatte aber die Erregung der Leute bereits einen sehr hohen Grad erreicht; dennoch war ihr ein weiteres Ansteigen verhängt. Das giftige, düstere und lockende Rätsel des Mordes war durch jene schriftliche Einbekennung des Herrn Confini nicht behoben, sondern nur in neue Geheimnisse hinübergeflochten worden; immerhin hatte es Leute gegeben, denen sie als Erklärung des Vorgefallenen zu genügen schien. Nun aber rückte das Gerücht von seinem Besuch beim Perlhühnchen alles aufs neue in eine Ungewißheit. Die Frage nach dem Täter war abermals gestellt. In Schankwirtschaften und Barbierstuben, in Kaufgewölben, Apotheken und Wohnzimmern ging das Raunen und Tuscheln weiter; Vermutungen und Verdächtigungen flatterten auf, nisteten sich ein und breiteten sich aus.

Zu all diesem trug auch Monna Mafaldas Verhalten bei. Denn sie ging nun in der Stadt umher, von einer Bekanntschaft zur andern, und gab allerlei Meinungen aus. Wie zuvor mit den Ärzten, so hatte sie es jetzt mit den Rechtsgelehrten. Sie berief sich häufig auf ihren verstorbenen Mann, den Stadtrichter, und liebte es, allerlei Ausdrücke und Wendungen, wie sie in der Rechtspflege gebräuchlich sind, in ihre Reden zu flechten.

»Was sagt ihr nur zu meinem Neffen, zu Diomede?« rief sie zwei begegnenden Frauen zu, über die ganze Breite der Straße hinweg. »Der junge Mensch läuft umher und gibt sich alle Mühe, seinen toten Vater in Unehre zu bringen – als ob mein Bruder ein Hurenjäger gewesen wäre!« Und sie gewöhnte sich neuerlich, in Diomede einen mißratenen Sohn zu erblicken, gegen den sie die öffentliche Stimme von Cassano anzurufen habe.

Es war nämlich in ihrem willkürlichen und ungeordneten Geist eine dergestaltige Verschiebung vorgefallen, daß ihr Blick durchaus abgeschweift war vom Ursprung der Handlungen Diomedes; vielmehr wollte es sich ihr darstellen, als häufe er nicht nur unehrerbietiger-, sondern auch böswilligerweise allerlei Befleckungen auf das Andenken seines Vaters. Und diese Böswilligkeit wurde ihr nur verständlich, indem sie ihre alte Abneigung gegen den Neffen betrachtete und sich in dieser auf eine erhebende Art bestätigt fand. So war es denn ihre Aufgabe, solcher Befleckung entgegenzuwirken; dies um so mehr, als Vittoria in einer für Monna Mafalda unbegreiflichen und rügenswerten Art jeder handelnden Anteilnahme entsagt zu haben schien. Tadelte Monna Mafalda das in Gesprächen mit Bekannten und antworteten ihr diese mit Hinweisen auf einen Seelenschmerz, der wohl Verstörung und Versteinerung bewirken könne, so entgegnete sie: »Seelenschmerz? Ich habe auch Seelenschmerz. Aber überdies habe ich Seelenkraft!«

Auch in ihren Tadelreden über Diomede begegnete sie häufig einem Widerstande. Messer Sellacagna, einer der wenigen Männer aus den alten Geschlechtern, die sich unter die Hofleute des Großtyrannen begeben hatten, erwiderte ihr: »Aber der junge Confini ist ja doch offensichtlich bestrebt, seinen Vater vom Verdachte des Meuchelmordes zu entblößen und seinem Leichnam ein Eingraben auf dem Schindanger zu ersparen! Und versteht Ihr denn nicht, daß Ihr selber auf die Festigung dieses Mordverdachtes hinzuwirken scheint?«

Monna Mafalda schnob durch die Nase und schüttelte so kräftig den Kopf, daß die weißen Haarzotteln gleichwie die Kinne in eine schlenkernde Bewegung fielen. »Aber wer redete denn davon, Messer Sellacagna? Und was haben diese Dinge miteinander zu schaffen? Ich will dartun, daß mein kleiner Bruder seine Nächte nicht mit schlechten Mädchen hinbrachte! Ich bin seine Schwester, ich lasse nichts Arges auf ihm sitzen.«

Wenige Augenblicke danach aber erklärte sie: »Um die Wahrheit geht es mir! Beim bösen Christus, ich bin keine alte Jungfer, die in Ohnmacht fällt, wenn von solchen Dingen die Rede ist. Ich habe hierin ein weites Herz; ich weiß, daß auch Edelmänner keine Heiligen sind. Nur mein Storch war anders – ich hätte es ihm auch nicht anraten mögen! Aber der Kleine ist nun einmal nicht bei diesem Perlhühnchen gewesen. Das ist die Wahrheit, und Wahrheit muß Wahrheit, Recht muß Recht bleiben!«

Und eine ähnliche Empörung stieg jählings in Monna Mafalda auf, als sie sich zufällig erinnerte, daß sowohl Diomede als auch Vittoria davon gesprochen hatten, Pandolfo Confini könne vielleicht jenen Zettel, seine noch unerwiesene Echtheit vorausgesetzt, in einer Geistesverwirrung geschrieben haben. Es war ihr, als sei das eine Schande, nicht nur für ihn selber, sondern auch für sie, die sie seine Schwester war und ihn erzogen hatte. Augenblicks eilte sie zu Monna Vittoria und schalt: »Wie, du willst behaupten, mein Bruder sei sinnesschwach gewesen? Bist du denn so unerfahren geblieben, daß du nicht weißt, wie du ihn damit herabsetzest? Er war klar und kräftig! Klar und kräftig bis an seinen letzten Augenblick! Und wäre ich rechtzeitig geholt worden . . .«

Monna Mafalda hatte binnen kurzem den Überblick über das Begonnene verloren; zugleich aber hatte sie Wichtigkeit und Gefallen an all diesem Wesen gefunden. Und so brachte sie sich leicht zu der Meinung, sie habe, indem sie mit dem Perlhühnchen jene Vereinbarung traf, noch nicht genug getan, und es müsse in der Angelegenheit noch etwas Weiteres geschehen. »Wer bürgt mir denn«, fragte sie sich erschrocken und zugleich befriedigt, »daß das Perlhühnchen auch wirklich verabredetermaßen ihre neue Aussage machen wird? Verlasse sich einer auf solche Mädchen!«

Und schon erkannte sie die Notwendigkeit, mit Rücksicht auf Pandolfos ungeschändetes Andenken die Glaubwürdigkeit des Perlhühnchens zu erschüttern und damit ihren Widerruf in seiner Wirkung zu kräftigen und sicherer zu machen.

Glühend vor Eifer wie ein Kind, das in einem neu erdachten Spiel alle Seligkeit beschlossen findet, machte sie Pläne um Pläne. Endlich entschied sie sich für einen jungen Nichtstuer, einen gewissen Nardo, welcher ein Vetter ihres Gärtners war und mit Geldbelohnungen zu allen Dingen gebracht werden konnte. Dieser hatte hinzugehen und anzugeben, er habe mit dem Perlhühnchen die fragliche Nacht zugebracht, vom Abend bis an den Morgen. Hiermit mußte Pandolfo endgültig von dem Verdacht unordentlicher Neigungen gereinigt sein.

16

Das Perlhühnchen hatte eine Kammer zur Miete bei ihrer älteren Schwester Teresa, welche mit dem Sattler Ombrapalla verheiratet war. Diese Teresa war eine sparsame und entschlossene Frau, die keinen Vorteil ausließ. Als das Perlhühnchen zu Monna Mafalda geholt wurde, fühlte Teresa sich von einer witternden Neugier gepackt; als sie wiederkehrte, lag Teresa bereits auf der Lauer. Es währte nicht lange, da hatte sie der Schwester alles entlockt und sie auch veranlaßt, das Goldstück in ihre, Teresas, Verwahrung zu geben.

Teresa wog nüchtern die Aussichten ab oder meinte doch, sie nüchtern abzuwägen. In der Tat war sie einer solchen Abwägung nicht mehr fähig. Wie man wohl von einem Menschen, welcher in eine Raserei des Zornes geraten ist, zu sagen pflegt, er sehe rot, so sah sie gold. Es flimmerte, es gleißte ihr vor den Augen.

Das Perlhühnchen war in die Wahl gestellt worden zwischen zwei Angeboten und hatte sich redlich für das der Monna Mafalda entschieden. Mit funkelnden Blicken, mit krallenartigen Spreiz- und Zuschnappbewegungen der Hände, mit Zischen und Flüstern und Schreien setzte Teresa der Schwester zu.

»Heilige Madonna! Siehst du denn nicht, daß an beiden Seiten verdient werden kann? Hier muß auf allen zwei Achseln Wasser getragen werden! Ich helfe dir, ich helfe dir, höre nur auf mich, laß mich nur machen!«

Am Abend wurde Diomede durch Matteo gemeldet, der Sattler Ombrapalla habe eine Nachricht geschickt, es sei wegen des bestellten Zaumzeuges: Ob der Herr nicht die Gnade haben wolle, die Werkstatt mit seinem Besuche zu beehren, es gebe da noch etwas zu besprechen.

Diomede verstand die Botschaft und begab sich sofort auf den Weg.

Es war nach Feierabend, und der Sattler saß mit seinesgleichen im Zunfthause beim Wein; sie stritten sich lärmreich und überhitzt um den Mord an Fra Agostino, gingen aber bald dazu über, auflüpfische Reden zu führen von alten kaiserlichen Freibriefen und Privilegien, welche der Herrenstand unterschlagen habe, der Großtyrann aber herzustellen gesonnen sei, wenn man es ihm nur auf die geeignete Weise nahe brächte.

Seine Leute wußten, daß der Sattler von solchen Anlässen erst spät heimzukehren pflegte. Das Perlhühnchen erwartete Diomede vor der Werkstatt und führte ihn hinauf in ihre Kammer. Teresa schlich nach und horchte, zitternd vor Gier.

Das Perlhühnchen hielt sich genau an Teresas Anweisungen. Zuerst erzählte sie von ihrem Gang ins Kastell und ihrer Einvernahme. Diomede lobte ihr Geschick und machte ihr auf der Stelle ein Geldgeschenk.

Danach berichtete sie, wie sie zu Monna Mafalda befohlen und dort hart bedroht worden war. Die atemlos horchende Teresa fand, ihre Schwester erzähle das nicht eindringlich genug; sie hätte schildern sollen, wie der Pferdepfleger fünf Stachelpeitschen zur Auswahl habe bringen müssen und wie ihr Leben in Gefahr gewesen sei. Des öfteren hatte Teresa Mühe, sich von antreibenden Zurufen an die Schwester zurückzuhalten.

Diomede hörte finster zu. Er tat einige Ausrufe des Zornes. Dann hielt das Perlhühnchen jedesmal inne und sah ihn ängstlich an. Er mußte sie mehrfach zum Fortfahren ermutern. Ihre Darstellung war so, als habe sie der Monna Mafalda ein paar unverpflichtende Zureden gegeben, nur um heil aus ihrem Hause zu entkommen. Sehr ausführlich dagegen verweilte sie bei den ihr gemachten Verheißungen. Die Summen vervielfachten sich, die Aussteuer wuchs; der vorgeschlagene Mann war kein erbuntertäniger Bauer, sondern ein freier Pächter, Herr über stattliche Ackergründe, Herden und Weinberge.

»Du brauchst keine Furcht zu haben«, sagte Diomede. »Es wird dir nichts entgehen; ich werde für deine Schadloshaltung Sorge tragen. Bleibe genau bei allem, was ich mit dir vereinbart habe. Monna Mafalda kann dir nichts anhaben, ich werde dich beschützen und nicht leiden, daß eins von deinen Haaren gekrümmt wird.«

»Aber Ihr werdet nach Bologna zurückkehren, und Monna Mafalda bleibt hier.«

»Du kannst dich auf mich verlassen. Ich werde hierbleiben, bis alle diese gerichtlichen Dinge ihr Ende gefunden haben. Oder nein: bis ich dich unter die Obhut eines tüchtigen Mannes gegeben habe. Lasse Monna Mafalda wissen, daß du mit ihr nichts zu schaffen haben willst, und gib ihr das Goldstück zurück, so bist du ihr nichts schuldig.«

Teresa war nahe daran, aufzuschreien.

»Hier hast du ein neues.«

Das Perlhühnchen bedankte sich und steckte das Goldstück ein. Teresa wurde es ein wenig leichter.

»Oder nein. Sage Mafalda nichts, du würdest sie nur aufmerksam machen. Auch das Goldstück behalte.«

Teresa hätte hineinstürzen und dem jungen Herrn Confini die Hände küssen mögen. Gleich danach erhob er sich. Teresa floh, um von dem Aufbrechenden nicht getroffen zu werden.

17

Die richterliche Untersuchung machte eine große Anzahl von Verhören notwendig. Einige von diesen nahm der Großtyrann selbst vor. Außerdem aber hatte er einen seiner Hofbeamten mit der Befragung und mit der Entgegennahme der Aussagen betraut. Dieser also, ein besonnener, gewandter, aber ehrgeizloser Mensch, saß in einer Kanzleistube des Kastells und hörte geduldig alle die kargen oder weitgeschweiften, die erregten und empörten, die trockenen oder gespreizten Bekundungen an, die von allerlei Leuten aus der Stadt getan wurden. Und er brachte unter der Beihilfe eines Schreibers alles aufs Papier und legte es dann dem Großtyrannen vor, wobei er sich eigenen Urteilens nach seiner Gewohnheit enthielt. Seine Arbeit war aber eine sehr umfangreiche, denn außer den Leuten, welche aufs Kastell bestellt worden waren, drängten sich viele von selber hinzu und sprachen mit einer Freude an der lebhaften Schilderung und am schönen, blinkenden Wort. Es ist sonst wohl hergebracht, daß der gemeine Mann allenthalben das Bestreben hat, sich der Pflicht der Zeugnisabgabe zu entziehen, wie ihm ja überhaupt unlieb ist, mit Amtspersonen zu schaffen zu haben, von denen er sich freilich auch nichts Gutes erwarten kann. Hier aber geschah das Gegenteilige, so groß waren in der Stadt die Erregung und die Verwirrung, so groß die Gier nach dem Beteiligtsein. Und von dem Augenblick an, da die Nachricht von Pandolfo Confinis Besuch beim Perlhühnchen und damit von seiner Schuldlosigkeit sich in Cassano verbreitet hatte, stand ja auch wieder die ausgesetzte hohe Belohnung als eine herrische Lockung vor den Menschen.

Monna Mafalda gehörte nicht zu jenen, die vom Großtyrannen selber vernommen wurden. Dies kränkte sie ein wenig, so als werde ihren Äußerungen eine geringere Bedeutsamkeit beigemessen als etwa denen ihrer Schwägerin, welche in diesen Tagen noch zweimal ins Kastell beschieden wurde. Monna Mafalda freilich brauchte auch den Weg nicht zu machen, denn es wurde ein Schreiber zu ihr geschickt, der sie höflich über ihres Bruders Erkrankung und Tod samt allerlei ihr unwichtig scheinenden Seitenumständen ausforschte. Sie gab umschweifige und verworrene Dinge zu Papier. Sehr bald suchte sie die Rede auf das Perlhühnchen und auf jene Nacht zu bringen; allein der Schreiber erklärte, dies liege jenseits seiner Aufgabe.

Was nun Vittoria anbelangt, so hatte es den Anschein, als könne weder der Großtyrann selbst noch der untersuchende Beamte aus ihrer Befragung sehr viel gewinnen.

»Ich vermag keine Meinung zu haben«, sagte sie. »Ich als seine Frau möchte es nicht für möglich halten, daß mein Mann diesen Mord sollte begangen haben. Aufs andere freilich denke ich, er hätte sich durch Begehung einer solchen Tat, wenn er sie nämlich begangen hätte, derart von mir geschieden, daß ich in diesem Falle mich nicht an seiner Verteidigung beteiligen könnte. Man wird nicht von mir erwarten, daß ich Dinge ausspreche, die imstande wären, zu seiner Belastung zu dienen, und dies um so weniger, als mir ja für den Fall seiner Verurteilung der Einzug meiner Habe angedroht wird. Wiederum bin ich um der Wahrheit willen nicht imstande, Dinge zur Entkräftung seiner Selbstanklage beizubringen. Vielmehr muß ich dies alles in Ehrerbietung der Herrlichkeit überlassen, die ja als Freund und Finder gerechter Urteile bekannt ist. Aber eben als Freund und Finder gerechter Urteile wird sie, so vertraue ich, das zum Himmel schreiende Unrecht gegen meinen Stiefsohn und mich nicht geschehen lassen.«

Der Großtyrann antwortete mit einem Hinweis auf das noch ausstehende Gutachten. Hernach aber, als sie allein waren, wandte er sich an den Beamten mit der Frage, was er wohl von Monna Vittoria halte. Der Beamte erwiderte erst nach einigem Zaudern.

»Diese Frau, die ich als einen warm atmenden Menschen gekannt habe, hat die Weise eines hölzernen Schnitzbildes angenommen. Ich weiß nicht, Herrlichkeit, ob ich ihre Selbstbeherrschung zu bewundern oder ob ich mich vor ihrer Gleichgültigkeit zu erschrecken habe; und vielleicht liegt dahinter eine große Verzweiflung. Ich möchte fast glauben, daß Monna Vittoria allerhand Angaben in die Schuldwaage ihres Mannes zu legen hätte, sobald sie wüßte, daß sie keinen Verlust ihres Eigentums fürchten müßte.«

»Dies könnte sein«, versetzte der Großtyrann mit einem mehrdeutigen Lächeln.

»Und wenn die Herrlichkeit ihr verspräche, von jeder Eigentumsfortnahme abzusehen?«

»Ich binde mich nicht«, antwortete der Großtyrann.

Vernommen wurde Agata samt der übrigen Dienerschaft des Confinischen Hauses; hier ging es vornehmlich um die Auffindung des Zettels. Vernommen wurden auch die Ärzte; sie sollten aussagen über den Geisteszustand des Herrn Confini sowie darüber, ob er wohl noch imstande gewesen sei, zu schreiben. Aber da keiner von ihnen die alleinige Obsorge für den Kranken gehabt hatte, so ergaben ihre Worte eine solche Fülle von Unübereinstimmungen, daß sich ihnen nichts abgewinnen ließ. Es war, als sei ein jeder nur von der Neigung geleitet, eine andere Ansicht zu haben als seine Genossen; die Verantwortung für Pandolfo Confini wies jeder weit von sich.

Endlich wurden vernommen alle diejenigen, welche unaufgefordert erschienen. Unter diesen war das Perlhühnchen. Monna Mafalda hatte nämlich den Sohn ihres Gärtners zu dem Mädchen geschickt und fragen lassen, ob es im Kastell gewesen sei und seine erste Aussage zurechtgerückt habe. Das Perlhühnchen verneinte, der Bursche mahnte und drohte, wie es Monna Mafalda ihm eingeschärft hatte. Teresa war nicht daheim, das Perlhühnchen wußte sich keinen Rat.

»Mache dich sofort auf den Weg«, befahl der junge Mann. »Ich werde hinter dir hergehen, um gewiß zu sein, daß du nicht vor dem Kastelltore umkehrst.«

Das Perlhühnchen machte Einwendungen und sogar Verheißungen, doch erreichte es bei dem Burschen nichts. Sie brachen auf.

Unterwegs plagte das Perlhühnchen sein winziges Gehirn um einen Ausweg; endlich meinte es einen gefunden zu haben, der es beiden Auftragerteilern recht machen mußte. Sie beschloß also, Monna Mafalda mit etwas Widerrufartigem zu dienen und zugleich dem jungen Herrn Confini zuliebe darauf zu beharren, daß sein Vater bei ihr gewesen sei. Und so sagte sie denn, als sie in der Kanzlei vor dem Hofbeamten und seinem Schreiber stand, es wären ihr nachträglich Zweifel gekommen, ob sie sich neulich bei ihrer Aussage nicht in der Zeitangabe geirrt habe. Sie habe noch einmal nachgerechnet, und da sei es ihr zur Gewißheit geworden, daß der Besuch des Messer Confini sich nicht in jener, sondern in der folgenden Nacht ereignet habe.

Der Hofbeamte hörte sie sehr ruhig an. Als sie fertig war, sagte er: »Ich fürchte, mein Kind, in dieser Rechnung ist dir ein Fehler unterlaufen. Denn am folgenden Tage ist ja der Herr Confini bereits krank gewesen und hat in seinem Hause zu Bett gelegen unter der Pflege seiner Frau und seiner Schwester. Hierüber haben wir die sichersten Zeugnisse auch von Ärzten und Dienstboten, und ferner hat Messer Nespoli an seinem Krankenlager gesessen. Ich möchte also glauben, du seiest in einem Irrtum, und da ist es vielleicht besser, wenn ich es gar nicht erst niederschreiben lasse.«

Hierauf wußte das Perlhühnchen nichts zu erwidern. Weil aber der Hofbeamte ohne alle Drohung, ja, freundlich mit ihr gesprochen hatte, legte sich auch ihre Verwirrung wieder, und nach einer Weile schlug sie sich mit der flachen Hand gegen die Stirn wie eine ungeschickte Schauspielerin, von der ihre Rolle verlangt, sie solle sich plötzlich an etwas Vergessenes erinnern und zugleich über ihre Vergeßlichkeit erschrecken. Nun, so erklärte sie, sei es ihr ganz deutlich und an eine Verwechslung oder einen Irrtum nicht mehr zu denken: Der selige Herr Confini sei zwar in der bewußten Nacht bei ihr gewesen, aber nicht zu jener Stunde, welche sie bei ihrer ersten Einvernahme angegeben hatte, sondern er sei des Abends gekommen und noch vor Mitternacht wieder gegangen. Dies ließ der Hofbeamte aufschreiben, und das Perlhühnchen mußte an Namensstelle drei Kreuzchen daruntersetzen. Sie tat es in einer plötzlichen Beunruhigung; denn es kam ihr ins Bewußtsein, daß die Dinge, in welche sie sich eingelassen hatte, ja, in welche sie verstrickt und verschlungen war, eine gänzliche Unüberschaubarkeit angenommen hatten. Der Hofbeamte entließ sie, und sie ging. Aber während ihrer ersten Schritte spürte sie schon den Drang, umzukehren und um Ungültigmachung des Niedergeschriebenen zu bitten. Sie empfand deutlich, daß sie etwas Verkehrtes begangen hatte, allein sie vermochte nicht mehr zu erkennen, worin es bestehen könnte. Wenn sie diesem Drang nicht zu Willen war, so nur deshalb, weil der kindische Drang, aus der Kanzlei zu entrinnen und mit allem nichts mehr zu schaffen zu haben, noch heftiger auf sie einwirkte.

18

In diesen Tagen wurde Monna Vittoria der Besuch des Rettichkopfes gemeldet. Sie lehnte es ab, ihn zu empfangen, und ließ ihm sagen, er werde auch bei einem etwaigen Wiederkommen die Tür verschlossen finden. Der Rettichkopf begann auf Matteo, welcher ihm diesen Bescheid überbracht hatte, mit großer Heftigkeit und zugleich vertraulich einzureden. Er erreichte damit nichts. Matteo lachte und hielt ihm die Tür geöffnet. Nun pfiff er und grinste und entfernte sich.

Als er heimkam, fand er jenen Trabanten, der ihn damals zu Monna Vittoria begleitet hatte, im Stiegenhaus auf den unteren Stufen sitzend. Der Mann nickte ihm lässig zu, ohne die Hände aus den Rocktaschen zu nehmen.

»Ich habe hier auf dich gewartet«, sagte er. »Die Herrlichkeit läßt fragen, ob du mit jener Untersuchung fertig bist, welche dir aufgetragen wurde.«

»Ich bin fertig«, antwortete der Rettichkopf. »Ich stehe jederzeit zu Diensten; die Herrlichkeit wird übermäßig zufrieden sein. Wann befiehlt die Herrlichkeit, daß ich komme und ihr meine Mitteilung mache? Morgen? Heute? Sofort?«

»Die Herrlichkeit läßt dir sagen«, erklärte der Trabant, »sie bedürfe im Augenblick deines Berichtes noch nicht; du mögest also deine Ergebnisse noch bei dir behalten. Die Herrlichkeit wird es dich wissen lassen, wann es ihr gefällig sein wird, deine Meinungsäußerungen entgegenzunehmen. Dies habe ich auszurichten. Und nun gib mir ein Trinkgeld, weil ich so lange auf dich habe warten müssen. Auch bist du mir noch eins schuldig von neulich her für meine Begleitung.«

Der Rettichkopf lachte höhnisch auf und rannte an dem immer noch sitzenden Trabenten vorbei die Treppe hinauf, seiner Kammer zu.

Nespoli verharrte indessen weiter in seiner Zurückhaltung. Wie von manchen Tieren berichtet wird, daß sie sich in gefährlichen Augenblicken steif und tot stellen, so hatte er zu seinem Schutze eine Leblosigkeit in sich erzeugt. Er hatte sich verkrochen und versperrt in sich selber; denn hier meinte er sich einen kalten und unzugänglichen Schlupfwinkel geschaffen zu haben, und er strebte, alle Gedanken abzuweisen, die eine Neigung bekundeten, ihm bis hierher zu folgen. Und doch gab es Augenblicke, da er sich in Gefahr sah, aufzuspringen und ins Confinische Haus zu stürzen. Solchen Lockungen wußte er nicht anders zu begegnen als mit Gehässigkeit: »Vittoria hat in Absichten gehandelt. Was erwartet sie von mir? Wie hat sie nur glauben können, sich meine Liebe dadurch zu sichern, daß sie mir Fesseln einer Verbindlichkeit auferlegte?«

Es waren ihm die sonderbarsten Einfälle gekommen: Welche Torheit ist das alles gewesen! Hätte Pandolfo Confini alles gewußt, vielleicht hätte dieser undurchdringliche Mensch freien Willens einen solchen Zettel unterschrieben und dabei gedacht: Was kümmert es mich! Wo ich hingehe, da reicht kein Nachruhm hin und kein Nachschimpf. Ja, und konnte nicht Confini wirklich den Zettel geschrieben, vielleicht gar wirklich den Dolch geführt haben? Hiermit verfiel Nespoli, wiewohl nur auf sehr kurze Zeit, in ähnliche Trügnisse wie damals im Gäßchen der Wäscherinnen, wo er ja zum erstenmal der eigenen Urteilskraft Gewalt angetan und jene argen Winkelwege betreten hatte.

Wie schwer, dies erfuhr Nespoli, ist es, jemandem etwas zu verdanken, und welche Probe der Liebe, dem geliebten Menschen alles verdanken zu müssen! Er spielte mit einer furchtbaren und lockenden Vorstellung. In jenem Gespräch am Brunnen hatte er die äußerste Höhe der menschlichen Freiheit erstiegen; er hatte sie nicht zu behaupten vermocht. Allein nun glaubte er einen Weg zu ihrem Wiedergewinn zu sehen. »Wenn ich vor ihn hintrete und alles offenbare? Wenn ich ihm sage: Der Mörder ist nicht gefunden, hier ist die Frau, ich habe sie als des Gattenmordes und der Fälschung verdächtig in Haft genommen. Tue die Herrlichkeit mit ihr und mit mir nach ihrem Gefallen!« Und während er geschlossenen Auges in seinem Kanzleistuhl hockte, konnte er sich nicht genug tun an einem gierigen und zugleich sorgsamen Ausmalen der Unterredung, die er in dieser Sache mit dem Großtyrannen würde haben können.

Nespoli unternahm nichts von dieser Art. Er übte nun wieder sein Amt wie ehedem, und er tat sich eine große Gewalt an, so zu handeln und, wo es anging, auch so zu denken, als wäre dieses alles nicht gewesen. Allein das war nicht leicht; denn es war nach des Großtyrannen Willen ja alles das seiner Amtstätigkeit entzogen, das zu der Tötung des Fra Agostino in irgendeinem Bezuge stand. Und da die Gedanken und Handlungen der Leute in Cassano in dieser Tötung immer noch ihren Mittelpunkt hatten, so stieß er allenthalben gegen diese Gesetze wie gegen einen ausgespannten Seidenfaden, welcher leicht durchrissen werden kann und dennoch durch eine strenge Fügung zu etwas Unverletzbarem bestimmt ist; der sich dem Auge verbirgt und erst offenkundig wird, wenn die Glieder des unsicher Schreitenden ihn fast schon berührten.

Es kamen auch viele Leute zu Nespoli, die Aussagen machen wollten. Diese ließ er durch den Schieler abweisen und ihnen die Richtung aufs Kastell geben. Am härtesten fiel es ihm, daß er selber wiederum täglich jene Richtung zu nehmen hatte. Doch der Großtyrann verlangte ja von ihm die Weitererfüllung seiner Obliegenheiten und somit auch die tägliche Berichterstattung; indessen erleichterte er ihm diese dadurch, daß er, wenn er sich überhaupt sprechen ließ, nur sehr kurze Fragen stellte und mit keinem Worte an die bisherigen Vorfälle streifte. Und doch war es für Nespoli jedesmal eine Überwindung und eine Beschämung, vor ihn hintreten zu müssen. Einmal hatte er ihm nachzureiten. Hierbei gewahrte er, daß die ihm angekündigten Begleitreiter nicht mehr am Stadttor hielten.

Es war niemand, den nicht die brodelnde Fieberunruhe ergriffen hätte, und nur der Schieler ging unangefochten und unbekümmert durch alle die verstörerische Wirrung dieser Zeit. Er tat seine Verrichtungen um den Herrn, rasierte und bediente ihn wie je, nur daß er nicht mehr viel redete, außer wenn Nespoli ihn dazu aufforderte. Und wenn er Neuigkeiten aus der Stadt berichtete, so waren es vorzugsweise solche, von denen für Nespolis Gedanken kein Hinüberschweifen zu Fra Agostinos Tötung und all ihren Weiterfolgen sich voraussehen ließ. Auch als er aufs Kastell beschieden und über die Auffindung des Zettels vernommen worden war, tat er dessen zu Nespoli mit keinem Worte Erwähnung.

Nespoli erkannte mit einer widerwilligen Verwunderung in des Schielers Verhalten eine heimliche Zartheit, deren er sich nicht versehen hatte. Sie peinigte ihn im Anfange als der Ausfluß jenes Wissens und Durchschauens, das ihm nach dem Besuch im Gäßchen der Wäscherinnen des Schieler Anblick so schwer erträglich gemacht hatte. Dann aber gewöhnte er sich an des Schielers neue Art, welche ja unaufdringlich war, und überließ sich ihr.

Der Schieler ging seiner Gewohnheit nach wohl noch hin und wieder in das Confinische Haus, plauderte mit Agata, ließ sich Wäsche flicken, reinigte Schuhwerk oder rechnete; doch sprach er davon nicht zu Nespoli, und er hatte ja auch keine Botschaften mehr hin und wider zu tragen.

19

Es ist erwähnt worden, daß es den Diomede zum Großtyrannen zog. Hierbei aber ging es ihm ähnlich wie einem Nachtschmetterling, der von einer Leuchte angelockt wird und, im Begriffe, sich ihr zu nähern, gegen das durchsichtige Hemmnis einer gläsernen Scheibe prallt. Das Kerbtier freilich sieht sich auf eine ihm rätselhafte Art vom Ziele seiner Sehnsucht zurückgehalten (und es kann nicht wissen, daß dies Hemmnis seinem Heile dient). Diomede war der Meinung, die Hemmnisse, die sich seinem häufigen Kommen, ja, seiner gänzlichen Hinwendung zum Großtyrannen entgegensetzten, in Erwägungen der Schicklichkeit suchen zu sollen, indem er fürchtete, aufdringlich zu erscheinen oder sich in den Verdacht der Gunstumwerbung zu begeben. Auch hatte er sich dem Zwang unterworfen gefühlt, dem Großtyrannen zürnen zu sollen.

Seit er sein Spiel mit des Perlhühnchens Hilfe gewonnen meinte, sah er die Zeit seiner Freiheit kommen; denn nun mußte doch bald alles schmähliche und befleckende Wesen sein Ende nehmen. Des Großtyrannen Gerichtsurteil mußte den Vater reinsprechen, mußte den Vollbesitz des Erbes Diomede und seiner Stiefmutter freigeben. Diomede war sich dessen gewiß, daß er nicht von heute auf morgen das Nachgefühl all der Erniedrigungen überwinden werde, zu denen ihn die Verdächtigungen seines Vaters gezwungen hatte. Allein er war jetzt doch in der Hoffnung, zurückzugelangen in sein Leben, das auf der Einheit seiner Gesinnung und seiner Handlungen beruht hatte.

In einer solchen Meinung des Gemüts durfte er der Bewunderung, zu welcher des Großtyrannen schöne und geisterleuchtete Männlichkeit ihn stimmte, wieder mehr ihren freien Lauf gewähren, obwohl er immer noch eingedenk zu sein hatte, daß er zum Herrn von Cassano in Feindschaft stand. Es drängte ihn nun, diese Zeit abzukürzen und vom Großtyrannen zu erreichen, daß die gegen den Vater anbefohlene Untersuchung niedergeschlagen werde. Dies meinte er, gestützt auf die Bekundungen des Mädchens, erlangen zu können. Denn von des Perlhühnchens soeben geschehener neuer Aussage hatte er noch keine Kenntnis.

Am frühen Nachmittag ging er ins Kastell. Schon auf dem Hofe kam ihm ein Diener entgegen und meldete, der Großtyrann sei auf eine seiner Besitzungen geritten.

Diomede wollte umkehren. Der Diener sagte: »Es steht ein Pferd bereit, Herr, für den Fall, daß Ihr nachreiten mögt.«

»Aber bin ich denn erwartet worden?« fragte Diomede verwundert.

»Das Pferd pflegt für Messer Nespoli in Bereitschaft gehalten zu werden. Aber die Herrlichkeit hat ausdrücklich befohlen, es schon eher zu satteln – denn Messer Nespolis gewöhnliche Stunde ist es noch nicht –, und wenn Messer Confini käme, dann möge er den Vorrang haben.«

»Es ist gut«, sagte Diomede. »Ich werde reiten.«

»Befehlt Ihr eine Begleitung?« fragte der Diener.

Diomede schüttelte den Kopf. Das Pferd wurde vorgeführt. Diomede saß auf und ritt.

In der Stadt, in welcher die Tiere aus den Stallungen des Kastells bekannt waren, sahen die Leute auf und redeten, wie ja in diesen Tagen nicht das geringste vorfallen durfte, ohne daß sie ihre Vermutungen daran hängten.

»Seht doch«, sagte einer, »da reitet er hin zum Gewaltherrn; er will ihn beschwatzen und sich gutes Wetter erbitten, damit er im Wohlstand seines Vaters, des Mörders, verbleiben kann.«

»Und er hat es schon so weit gebracht, daß der Herr ihm seine Pferde zur Verfügung hält.«

Ein dritter aber flüsterte: »Weißt du es denn noch nicht? Der Allergnädigste will ihm doch jenes Amt übertragen, das bisher der Herr Nespoli innegehabt hat.«

Die Straße, die Diomede einzuschlagen hatte, führte durch das Tor der Barmherzigkeit aus der Stadt und stieg, nachdem das Vorstadtgelände überwunden war, zu bewaldeter Höhengegend empor, so daß sie dieses Waldgebiet in seiner Querausdehnung durchschnitt, welche viel geringer war als die Längserstreckung. Diomede war es lieb, daß die dunstige Stadt hinter ihm blieb. Dennoch gaben auch die Felsenwände keine Kühlung, selbst wo sie im Schatten lagen; vielmehr hatten sie wie Kaminkacheln die Hitze festgehalten.

Von diesem Waldgebiet wurde gesagt, es sei in der heidnischen Zeit ein bestelltes Land gewesen, und vorzüglich sollten sich hier ausgedehnte Ölgärten befunden haben, von denen es noch immer der Ölgarten genannt wurde. In der Tat waren verwilderte Ölbäume noch hier und da als Grundbestand des Waldes zu erkennen; doch hatten sie sich zu Gesträuchen umgebildet, die sich stachelzweigig zu Dickichten und Hecken ineinanderdrängten. Außer ihnen aber war da ein Gewirr von Eschen, niedrigen Eichen, Haselsträuchern, Kastanien und allerlei anderem Wachstum, das über den Felsen sich beiderseits der Straße in die Höhe zog und nur an wenigen Stellen schmale, aufwärtsführende Pfade freigab. Von dort oben her kam ein kräftiger Pflanzengeruch auf die Straße.

Wo der Wald sich wieder öffnete, lag auf einer Hochfläche ein einsamer Meierhof, umstanden von dunklen, fast schwarzen Steineichen, auf deren Blättern sich ein weißer Kalksteinstaub niedergelassen hatte. Der Hof bezeichnete den Anfang jener Besitzung, die der Diener im Kastell als Ziel des Rittes angegeben hatte. Hier fragte Diomede nach dem Gewalthaber; doch wurde ihm geantwortet, man sei seiner nicht ansichtig geworden, obwohl die Straße die ganze Zeit über im Blickfeld gelegen sei. So schien es, als habe der Großtyrann mit einer seiner plötzlichen Absichtsänderungen unvermutet einen anderen Weg genommen. Diomede erquickte sich mit einem Becher Brunnenwasser und kehrte unschlüssig um. Er trachtete vergebens, den Ort zu erkennen, an welchem der Großtyrann die Straße verlassen haben und auf einen der wenigen Seitenpfade abgebogen sein möchte. Doch war die Straße so steinig, daß sie keine Hufspuren aufzunehmen vermochte.

Eine Weile war Diomede geritten, als er in einiger Entfernung einen Mann rechter Hand von den Bergen steigen und die Straße erreichen sah. Nun ging er vor ihm her, und der gefüllte Sack, welchen er auf dem Rücken trug, war dem Diomede zugekehrt.

In der Meinung, vielleicht von diesem Manne etwas über des Großtyrannen Ritt erfragen zu können, galoppierte Diomede auf ihn zu und hatte ihn in wenigen Augenblicken eingeholt. Es fiel ihm auf, daß der Mann sich nicht umdrehte, wie man es wohl tut, wenn man plötzlich in der Stille einer Waldstraße Hufschläge hinter sich hört. Erst jetzt, da Diomede neben ihm sein Pferd verhielt, wandte der Mann ihm ohne Eile den Kopf zu und sagte: »Gelobt sei Jesus Christus!«

»In Ewigkeit, Amen!« antwortete Diomede und fragte ihn, ob er abseits der Straße im Walde den Großtyrannen zu Gesicht bekommen habe. Aber ehe er eine Antwort erhalten konnte, setzte er hinzu: »Bist du nicht Sperone, der Färber?« Denn so wollte ihm der seit langem nicht gesehene Mann erscheinen; doch war er der Sache nicht ganz sicher.

»Ja«, antwortete der Mann und fügte lächelnd hinzu: »Daß ich ein Färber bin, das möchten schon meine Arme verraten, selbst wenn mein Mund es leugnen wollte.« Dabei reckte er ein wenig den mageren rechten Arm aus dem leinenen Rockärmel, während der linke unterhalb des Schlüsselbeines den Sackzipfel festhielt. Der Arm war von den Fingerspitzen bis unweit des Ellbogens bläulich vom Saft der Waidpflanze, wie es die Arme von Färbern sind, welche die mühselige und sehr viel Zeit raubende gänzliche Säuberung nur zu den Feiertagen vorzunehmen vermögen.

»Ja, ich habe den Herrn wohl gesehen, Messer Confini«, fuhr Sperone fort, »und ich freue mich darüber, daß du mich nach ihm fragst und ich dir Bescheid geben kann. Ich bin nämlich der Meinung, es sei wichtig, daß ihr beide zusammenkommt, der Gewaltherr und du, und ich wollte, ihr würdet bald einig. Denn damit könnte alles um ein Stück weitergebracht werden, und es ist ja schon genug entstanden aus dieser einen Tötung, und es ist Zeit, daß alles Unwesen in Cassano sein Ende nehme.«

Diomede sah ihm überrascht ins Gesicht. Dies Gesicht war hager und knochig und drückte zu gleichen Teilen einen vielleicht schwermütigen Hang zur Grübelei aus und eine fröhliche, auch wohl schalkhafte Zuversichtlichkeit. Die Augen waren groß und, wie es schien, von der Fähigkeit eines schnellen Farbenwechsels. Beide Lippen waren sehr schmal, als preßten sie sich häufig aufeinander. Dabei aber konnten sie ein kindliches Lächeln zeigen, das sich an den Mundwinkeln hinabzog und in dem dünnen, nicht recht männlichen Gestrüpp des Kinnbartes sich verlor. Der Färber mochte im Anfang der dreißiger Jahre stehen. Diomede erinnerte sich jetzt, mancherlei Merkwürdiges über ihn gehört zu haben.

Er wollte ihn nach der Meinung seiner Worte fragen; aber Sperone hatte schon begonnen, seine Wegebeschreibung zu geben. Er hatte den Gewalthaber weiter oberhalb getroffen auf einem Pfade, der in die Nähe der großen Nordoststraße führte. Daraus zog er den Schluß, er möchte zu seinem Brückenbau geritten sein. Und hieran knüpfte er Mitteilungen über den Weg, den Diomede am vorteilhaftesten nehmen würde.

20

Diomede dankte ihm für seine Auskünfte und hätte nun weiterreiten können. Allein betroffen von den Äußerungen und dem Wesen des Färbers, mochte er sich noch nicht von ihm trennen und ritt im Schritt neben ihm her. Um das Gespräch weiterzuspinnen, knüpfte er an seinen Dank einige Worte der Verwunderung darüber, daß sich Sperone als ein Städter so sehr genau in allen Waldpfaden auskenne. Denn das war nicht die Gewohnheit der cassanesischen Handwerker.

Sperone sagte: »Mein Handwerk ist von einer solchen Beschaffenheit, daß ich nicht dies Handwerk allein zu betreiben, sondern auch dasjenige zu besorgen habe, dessen ich zu seiner Ausübung bedarf. Da gleiche ich wohl einem Bäcker, der zugleich ein Ofensetzer, oder einem Henker, der zugleich ein Seiler oder Schwertfeger wäre. Zwar solche Dinge wie Waid und Krapp, Safran und Granatapfelblüten muß ich mir kaufen; aber es sind sehr viele Farbstoffe, die ich wohlfeiler und gegen eine geringe Abgabe an die Obrigkeit aus den Wäldern gewinne, als: Galläpfel, Eichenrinde, Ginster, Wegedorn, frische Nußschalen, Heidelbeeren, das Holz und die Rinde des Sumach. So kenne ich das Gelände gut, weil ich hier je nach der Jahreszeit sammelnd umherstreife, teils den Bedürfnissen meines Handwerks zufolge, teils auch weil ich gern ohne menschliche Störung meinen Gedanken nachgehe. Darüber bin ich jetzt froh. Denn nun habe ich in den Notwendigkeiten meiner Hantierung einen Zwang und eine Freiheit, diese toll und arg gewordene Stadt hinter mir zu lassen und mir zu schaffen zu machen in den Wäldern und in den Bergen, welche ja von keiner Schuld wissen. Ihre Schuld freilich haben auch sie, denn sie müssen ja teilnehmen an der Schuld alles Erschaffenen, aber sie wissen es nicht, und so wird es ihnen nicht zugerechnet.«

Die freimütige Art, in welcher Sperone redete, mußte den jungen Confini um so inniger anrühren, als er ja einen Ekel hatte an jener winkelzügigen Welt des Unfreimütigen und Vorbedachten, in die er sich hatte begeben müssen und der wieder zu entkommen es ihn so heftig verlangte. Und zugleich empfand er mit einer besonderen Schmerzlichkeit die Verzwiespältigung und Verunreinigung seines Gewissens vor den Worten, aber auch schon vor der bloßen Stimme dieses Mannes.

»Ich möchte dich wohl beneiden um deine häufige Abkehr von allen Gesprächen und Gerüchten der Stadt«, sagte er endlich. »Aber nun ist es einmal so, daß ich in dieser Stadt und all ihrer Verwirrung festgehalten werde durch Notwendigkeiten, über welche ich nicht Herr bin. Und ich muß in ihnen ausdauern, bis ich das gerechte Ziel meines Kampfes erreicht habe. Ich glaube auch hoffen zu dürfen, daß damit der Zeitpunkt nicht mehr fern ist, da in der ganzen Stadt ein anderer Gemütszustand zurückkehrt.«

Hier hob Sperone, dessen Blick auf der Straße vor seinen Füßen gelegen hatte, plötzlich das Gesicht zu Diomede und sagte: »Meint Ihr?« Und dies fragte er mit einer großen Dringlichkeit. Danach senkte er den Kopf wieder, schwieg eine kleine Weile und stieß dann die Worte aus: »Ich hoffe, es wird die Kraft dazu da sein.«

»Welche Kraft?« fragte Diomede.

Hierauf antwortete der Färber nicht. Seine Schultern zuckten, und er schien sehr erregt. Diomede betrachtete ihn mit Verwunderung und voll einer ihm selbst nicht recht deutlichen Betroffenheit.

Endlich nahm der Färber wieder das Wort: »Ich lebe ja abseits von dem, was die Leute in der Stadt reden. Dringen solche Dinge bis zu mir, so ist es ein Anzeichen, daß sie sehr allgemein geworden sind und eine Herrschaft üben. Es ist das Geringste, daß die Unordnung von allem Handel und Handwerk Besitz genommen hat und daß niemand Liefer- und Zahlungsfristen innehält. Aber es geschieht anderes. Der Bruder umspäht den Bruder und ist bereit, ihn zu verkaufen. In der Vorstadt haben sich gestern zwei Leute um eine Kleinigkeit gestritten. Endlich hat der eine in seinem Zorn jene Frage getan, die man jetzt so häufig vernimmt, nämlich: Wo warst du denn überhaupt in Fra Agostinos Sterbenacht? Daraus ist eine Schlägerei entstanden, bei welcher ein Mensch getötet wurde und ein zweiter das Licht der Augen verlor. Und in meiner Nachbarschaft ist heute früh eine Frau auf die Gasse gerannt, besessen von der Sucht, üble und aufregende Neuigkeiten zu erfahren; so geschwind überkam es sie, weil sie draußen Leute stehen und tuscheln sah, daß sie ihr Kind ohne Aufsicht am Fenster ließ. Es ist auf die Straße gefallen und hat sich zu Tode geschlagen. Solcher Vorkommnisse hat sich eine Reihe ereignet und ereignet sich weiter, und vielleicht sind diese noch die geringeren und haben ihre Bedeutung nur als Anzeichen dafür, daß alles Böse, was gefesselt war, sich losgebunden hat.«

Diomede sagte ihm etwas Beschwichtigendes; die heillose Beunruhigung, die in alles Leben Eingang gefunden habe, werde mit ihrer Ursache entweichen. Dabei aber fiel ihm ein, daß ihm eine eigensüchtige Verwechslung unterlaufen war; denn wenn er jetzt beim Großtyrannen mit Hilfe des Perlhühnchens sein Ziel erreichte, so war damit doch nur von ihm und den Seinen ein Unheil abgewendet, während die schleichende Frage nach dem Mörder weiterhin umgehen und ihre vergiftenden Wirkungen werde tun müssen. Und so brach er ab, mitten in einem Satz, beschämt und erschrocken.

Sperone schien nicht hingehört zu haben. Er lud seinen Sack von der linken auf die rechte Schulter um, atmete tief und wischte sich mit der Hand den Stirnschweiß fort. Halb als spräche er zu sich selbst, raunte er mit einer sehr eindringlichen und fast beschwörerischen Stimme: »Alles käme darauf an, daß man gewisse Schriftstellen recht verstünde. Wenn uns gesagt ist, wir sollen das Böse nicht mit dem Bösen vergelten, so heißt das, hierüber kann ja kein Zweifel sein, daß wir nicht rachsüchtig auf eine Missetat mit einer Missetat antworten dürfen. Aber es ist dennoch nicht recht deutlich, was mit diesem an zweiter Stelle gebrauchten Wort vom Bösen sonst noch gemeint ist. Ist es nur dasjenige, was wirklich böse ist an sich? Oder aber heißt es, daß wir auch in einer guten Sache nicht mit einer bösen Verfahrensweise antworten sollen?«

Hiermit sprach er in seiner sehr einfachen Weise dasjenige aus, das sich vielfältiger und umwundener, ja, in manchem verhüllt durch rechts- und weisheitsgelehrte Verfeinerungen, als ein beständiger Glühherd geschärfter Stacheln in Diomedes Gehirn angesiedelt hatte.

Diomede antwortete nichts; es blieb ihm ungewiß, ob der Färber mit einer Antwort, sei es Zustimmung oder Erwiderung, überhaupt gerechnet haben mochte, denn wenige Schritte danach blieb er stehen und sagte: »Ich muß hier abbiegen. Mein Weg geht linker Hand zur Höhe. Ihr folgt noch zwei oder drei Minuten der Straße, dann schwenkt Ihr rechts ein.«

Damit kehrte er sich ab, überquerte die Straße und schickte sich an, einem wenig ausgetretenen Bergpfad zu folgen. Diomede sah ihm einige Augenblicke nach, rief ihm ein verwirrtes Dankeswort zu und ritt weiter. Er hatte nur wenige Pferdelängen zurückgelegt, als er den Färber hinter sich wie mit einer großen Kraftanstrengung rufen hörte: »Herr! Herr! Messer Confini!«

Diomede wandte sich im Sattel um und gewahrte eine maßlose Erregung in Sperones Gesicht. Seine Lippen zuckten, er öffnete den Mund und schloß ihn wieder, während er langsam und wie ein Widerstrebender von der geringen Höhe, die er bereits gewonnen hatte, auf die Straße zuschritt.

»Was gibt es?« fragte Diomede.

»Nichts . . . nichts . . .«, stammelte Sperone. »Ich . . . Herr . . . ich will dir . . . ich muß . . . nein, nein . . . Ich habe dir noch etwas zu sagen.«

Diomede machte kehrt und ritt auf ihn zu. Sperone stand vorgeneigt etwa in der Höhe eines Hausgeschosses über Diomede, der nun halten blieb und ihn erwartungsvoll ansah.

»Was gibt es denn?« fragte er noch einmal.

Sperone hatte die Augen wieder sehr weit geöffnet und schluckte mehrere Male. Plötzlich lachte er wie einer, der sich zur Unbefangenheit zwingen will, und nun überkam ihn jählings eine höchst sonderbare Redseligkeit. »Also, was den Weg angeht, den Ihr reiten müßt, da ist darauf zu achten, daß Ihr hinter der zweiten Gabelung die gestürzte Eiche zur Linken laßt . . .«

Hastig, ja, plappernd mit zahllosen Wiederholungen und Abschweifungen gab er noch einmal die Wegebeschreibung von vorhin. Mitten darinnen brach er ab, schüttelte den Kopf und lief hurtig, als müsse er flüchten, bergauf in den Wald.

Diomede hatte ihm bestürzt zugehört. Aber erst später auf dem rechter Hand zur Höhe führenden Seitenpfade wurde ihm plötzlich klar, daß der Färber ihm wohl etwas ganz anderes hatte sagen wollen, dann aber durch irgendeinen Umstand seines Inneren daran gehindert worden war.

21

Das Zusammentreffen mit dem Färber hatte Diomede beunruhigt und verstört, denn es ließ ihm das Gefühl zurück, es sei da ein Geheimnis am Werke. Bis an dieses Zusammentreffen war es ihm gemessen an den Verfinsterungen der letzten Zeit leicht zumute gewesen, denn er hatte ja geglaubt, nun bald aller Befleckung zu entrinnen. Jetzt aber hatte die Begegnung mit dem Färber einen Schatten über sein Gemüt geworfen.

Und wie sonderbar ist es, dachte Diomede, daß der Färber sich von meinen Unterhandlungen mit dem Großtyrannen eine Besserung der in der Stadt aufgekommenen Heillosigkeit verspricht. Weiß er denn so viel von mir?

Er ritt sehr schnell, um desto bälder zum Großtyrannen zu gelangen und damit ein Ende aller Verworrenheiten herbeizuführen. Am Ort des Brückenbaues gewahrte er diesseits des Flusses zwei grasende Pferde mit gelösten Vorderzeugen. Unweit davon fand er den Reitknecht. Er überließ ihm sein Pferd und fragte nach dem Großtyrannen. Der Reitknecht wies ihn über die Notbrücke. Diomede kniete am Ufer nieder und erfrischte sein glühendes Gesicht aus den hohlen Händen. Dann ging er hinüber.

Auf halber Höhe der zum Brückenkopf ausersehenen Kuppe fand er endlich den Großtyrannen, der sich im Schatten eines blätterreichen und starkriechenden Strauches gelagert hatte und in halbaufgestützter Haltung die ausgebreiteten Zeichnungen betrachtete. Neben ihm hockte der Baumeister und deutete, eifrig sprechend, hier und da auf eine Stelle des Planes.

Bei Diomedes Kommen sah der Großtyrann auf und nickte ihm zu, lud ihn aber nicht ein, sich zu nähern, sondern fuhr in seinem Gespräch mit dem Baumeister fort. Endlich, nach Verfluß einer reichlichen Viertelstunde, entließ er diesen und winkte Diomede zu sich.

Diomede bedankte sich für die Bereitstellung des Pferdes. Der Großtyrann antwortete: »Nun, ich sagte dir doch, daß ich jederzeit für dich zu sprechen bin. Da war ich es wohl auch schuldig, die Hilfsmittel zu stellen, welche das Einlösen dieser Zusicherung möglich machen. Aber hast du dich schon ein wenig auf meinem Baugelände umgetan? Und was meinst du zu meiner Brücke und ihrer Kopfbefestigung?«

Diomede wußte, daß im Umgang mit dem Großtyrannen viele zu Schmeichlern wurden, oft wider Willen, und er hatte eine Furcht davor, ihnen beigezählt zu werden. Darum vermied er es, den Bau zu loben, und sagte: »Mir scheint, daß diese Anlage von Straße, Brücke und Befestigung einer Notwendigkeit Rechnung trägt, und diese Notwendigkeit dünkt mich so sehr am Tage zu liegen, daß es mir unbegreiflich vorkommen will, wie nicht schon vor Jahrzehnten auf eine solche Schöpfung Bedacht genommen wurde.«

»Du tust den Männern früherer Jahre unrecht, Diomede. Denn diese Notwendigkeit sahen sie wohl. Und doch konnte die Arbeit nicht zustande gebracht werden, weil es zu viele verschiedene Meinungen gab sowohl über den Bau selbst als auch über die Art der Geldbeschaffung. Zudem ist es ein Unternehmen von sehr langer Dauer, und weil doch vormals die Herrschaftsverhältnisse unter den Parteien der Geschlechter und der Zünfte häufig wechselten, so traute man sich nicht recht, ein solches Werk anzugreifen. Da ich es endlich begann, habe ich keineswegs verschmäht, den früheren Entwürfen manches Brauchbare zu entnehmen.«

Und nun begann der Großtyrann dem Diomede an Hand der Zeichnungen diese und jene Einzelheit zu erläutern. Dabei erging es Diomede, wie es ihm schon manchmal ergangen war; nämlich so, daß er in der vordringsamen Eile, mit welcher er etwas aus seiner eigenen Angelegenheit zu des Großtyrannen Ohren hatte bringen wollen, ungeduldig auf einen schicklichen Anlaß gepaßt hatte, während der Großtyrann von allgemeinen Gegenständen redete. Dann aber nahm das Gespräch des Großtyrannen ihn so sehr hin, daß er sein Anliegen auf Augenblicke fast vergessen konnte; und der Großtyrann sprach ja auch von Dingen, welche für Diomede eine Wichtigkeit hatten.

»Ich habe«, erklärte der Großtyrann, nachdem eine Weile von der Brücke und den Befestigungsanlagen die Rede gewesen war, »am Bauen eine besondere Lust. Nur trachte ich diese Lust so zu lenken, daß dabei etwas entsteht, das meinem Gemeinwesen nutzbringend und angemessen ist. Aber ich möchte wohl glauben, daß mich eigentlich etwas anderes treibt als dieser Gedanke. Denn ich wünsche, daß mich auf sehr lange Zeit etwas Gewisseres überlebe, als es die Aufzeichnungen der Geschichtsschreiber und die mündlichen Erzählungen der Menschen sind; nämlich etwas, das faßbar sei auch für das Auge desjenigen, der vielleicht nie meinen Namen hören wird, und an dem Namen ist ja auch nicht viel gelegen.«

Diomede antwortete: »Die Staatswirkung der Herrlichkeit wird, so glaube ich, den Zukünftigen deutlich sein auch ohne solche Denkmale.«

»Ich weiß, Diomede, daß du so denkst und daß deine Denkart sich hierin unterscheidet von der deiner Altersgenossen aus den Stadtgeschlechtern, welche gleich ihren Vätern immer noch meinen, es könne ein anderer Zustand eintreten – womit sie, dies steht bei der Zukunft, vielleicht recht behalten werden. Nur soll niemand erwarten, ich würde es der Vorsehung erleichtern, einen solchen Wechsel herbeizuführen. Übrigens würde ich den Trieb zum Bauen vielleicht nicht so heftig empfinden, wenn ich Kinder hätte. Nun aber wird ja später die Nachkommenschaft meines Neffen in Cassano regieren. Und das ist mir lieb. Hätte ich Söhne, so hätte ich die Verantwortung für sehr viele Geschlechter zu allen meinen übrigen Verantwortungen. So aber hat diese Verantwortung mein gestorbener Bruder. Außer dieser hat er nie eine Verantwortung getragen noch zu tragen vermocht.«

Diese Worte befremdeten Diomede, denn es schien ihm natürlich, daß ein Mann den Trieb habe, sein Dasein auch leibhaft fortzusetzen, und er dachte mit Verwunderung daran, wie er sich unter lauter Leuten bewegte, die zu einem kinderlosen Sterben verurteilt waren; er aber, er wollte nicht sterben, sondern Söhne zeugen und in ihnen ewig sein, so wie er ewig sein wollte im Gedächtnis der Menschen. Doch sagte er höflich und zugleich im Glauben an das, was er sagte:

»Die Nachkommenschaft der Herrlichkeit wird aus all dem bestehen, was in späteren Zeiten irgendein Lebenszeugnis in Cassano ablegt.«

»Dies sind Dinge«, sagte der Großtyrann, »über denen man bisweilen den Verstand verlieren, ja, in gänzliche Verzweiflung fallen könnte. Was tut denn ein Staatsmann? Er bemüht sich, einen kräftigen Zustand herbeizuführen. Ich setze den Fall, es gelingt ihm. Was geschieht dann? Der Zustand erreicht den Gipfel seiner Reife und Kraft und beginnt zu altern. Nun wird er sich, je nach der Stärke seines Urhebers, noch eine Weile behaupten, doch werden die Menschen inzwischen veränderte Gesinnungen bekommen haben und immer entschiedener gegen ihn ankämpfen, bis ein neuer Zustand geschaffen ist. Dieses Spiel setzt sich fort durch alle Jahrhunderte, und jeder neue Zustand wird das gerade Gegenteil des vorhergehenden sein, weil ja in der menschlichen Natur entgegengesetzte Strebungen liegen, von denen eine jede als etwas natürlich Erschaffenes ihr Recht hat und darum ihr Recht verlangt. Ich sage dir, Diomede, glücklich ist nur der, welcher nicht erkannt hat, was eigentlich das Leben ausmacht: nämlich der Umstand, daß der Trieb zur Dauer im Streite liegt mit der Erkenntnis der Vergänglichkeit. Und doch kann ich diesen Glücklichen nicht beneiden.«

22

Diomede war zu jung, als daß er diese Worte so hätte fassen können, wie sie gedacht waren. Immerhin faßte er sie mit seiner vorwegnehmenden Erkenntnis, da er sie ja mit jener Einsicht, die nur von der Erfahrung gespeist werden kann, noch nicht zu fassen vermochte. Er hätte gern etwas Tröstendes gesagt, doch fühlte er, daß dies nicht nur unschicklich gewesen wäre gegenüber dem Manne, der ihn zum Hörer solcher Gedanken gemacht hatte, sondern auch eine Lästerung Gottes und seiner Ordnung. So bemerkte er nur: »Die Worte der Herrlichkeit treffen auf alles menschliche Handeln zu, nicht nur auf jenes der Hochgestellten und mit besonderen Verantwortungen Belegten.«

»Gewiß«, erwiderte der Großtyrann. »Aber für den Staatsmann als den stärksten Handelnden haben sie wohl ihre deutlichste Gültigkeit. Du weißt noch nichts, Diomede, von den großen Zweifeln der Staatsmänner. Ein Landmann, ein Schneider, ein Arzt streben nach dem Möglichen. Sie können auch gewiß sein, daß sie den Willen Gottes und der Natur verrichten. Denn der Mensch soll ja Brot essen, sich bedecken und gesund sein. Der Staatsmann aber muß nach dem Unmöglichen streben und vielleicht sogar nach dem, das Gott nicht will. Denn will Gott wirklich jenen Zustand, bei dem der Wolf satt wird und die Schafe heil bleiben? Wollte er ihn, so hätte er uns wohl deutliche Fingerzeige zu seiner Herbeiführung gegeben.«

Die letzten Worte hatte er leise gesprochen und ließ nun, wie er es manchmal tat, die Lider über die Augen sinken. Dies war wie das Schließen eines Vorhanges, als wollte der Großtyrann verhindern, daß jemand durch seine Augen in sein Herz blickte.

Als er wieder emporsah, gewahrte Diomede in seinen Augen einen Glanz, der fast an Verzückung gemahnte. Er sagte mit starker Stimme: »Und doch, Diomede, gibt es nichts Herrlicheres und Manneswürdigeres auf dieser Erde als die Macht! Dazu sind wir geschaffen, nach ihr zu greifen und sie auszuüben!«

Diomede spürte sein Herz klopfen. Er hatte ein tiefes Erschrekken empfunden, da dieser verschlossene und rätselvolle Mann ihn auf eine so unbegreifliche Weise an seiner Selbstentblößung teilnehmen ließ. Diese letzten Worte des Großtyrannen jedoch hatten die Kraft eines glorienhaft aufrauschenden Triumphes, und von ihr wurde ein stolzes Anschwellen bewirkt auch in der Seele des Diomede. Ja, es schien sich eine sonderbare Gemeinsamkeit zwischen den beiden Männern hergestellt zu haben.

Allein dies hohe Gefühl hielt in Diomedes Innerem nicht stand. Denn die Richtung, welche das Gespräch genommen hatte, führte ihn zurück auf jene unlängst mit dem Großtyrannen gepflogene Unterredung, da er der irdischen Macht, von welcher der Großtyrann Zeugnis gab, das himmlische Inbild der Gerechtigkeit hatte entgegensetzen wollen. Und er fühlte, wie doch seine eigenen Verzweiflungen ihren Grund darin hatten, daß er diese Gerechtigkeit zwar noch verfechten wollte als eine himmlische Leitschnur, sie aber verlassen und verleugnet hatte in den Notwendigkeiten seines irdischen Tuns.

Der Großtyrann stand auf, und seine Bewegungen hatten eine jugendliche Schnellkraft. Diomede nahm die Pläne vom Erdboden, rollte sie zusammen und folgte. Sie stiegen zur Höhe hinan.

Diomede fühlte, daß es angemessener wäre, zu den Worten des Großtyrannen von seinen Verzweiflungen nicht zurückzukehren; denn diese Worte waren nahezu Geständnisse gewesen. Doch beschäftigten sie ihn so stark, daß er sich nicht von ihnen zu lösen vermochte. So konnte er sich nicht enthalten, nach einer Weile zu sagen: »Wir anderen erleiden unsere Verzweiflung als einzelne. Wie aber könnten solche Verzweiflungen dich hemmen? Denn du, Herrlichkeit, als der Wille des Volkes . . .«

»Hältst du mich dafür?« unterbrach ihn der Großtyrann mit

einem Lächeln des Selbstspottes. »Nun, ich weiß, daß ich nicht der Wille des Volkes bin. Und gleichwohl magst du recht haben. Denn es hat ja alles Geschaffene und auch der Mensch außer seinem offenbaren noch einen ihm selber verborgenen Willen. Das Pferd will grasen und in Freiheit springen; dennoch will es auch in Zucht genommen und in Herrlichkeit geritten werden. Der Wein möchte wachsen, blühen, Samen ausstreuen und verwildern; und doch will er auch geschneitelt, gekalkt, gelesen und gekeltert sein; denn er will ja als Trank auf Fürstentafeln schimmern, im Kelch zur Erlösung der Welt werden, Gedanken und Gedichte erzeugen, Liebe zwischen Männern und Weibern beflügeln und alles Erschaffene beglänzen. So bin auch ich der verborgene Wille des Volkes. Denn das Volk will nicht nur tagewerken und essen, hadern und Kinder zeugen, sondern es hat auch den Willen, ein erhöhtes Bild seiner selbst zu gewinnen. Und ich glaube wohl, ich habe ihm das gegeben. Zudem habe ich ja in vielem auch seinen offenbaren Willen vollbracht, indem ich ihm Sicherheit der Märkte und Straßen gab und den Leuten ihr liebstes Recht nahm, das Recht nämlich, mit gegenseitig geübter Gewalttat sich untereinander den Ertrag aller Mühsal wieder zunichte zu machen. Auf diese Weise magst du recht haben, wenn du mich den Willen des Volkes nennst.«

»So habe ich es gemeint«, sagte Diomede.

Der Großtyrann führte seine Gedanken weiter, indem er fragte: »Sage mir, Diomede, warum reißt man die Herrschaft an sich, und warum herrscht man?« Während Diomede auf eine Antwort dachte, fuhr der Großtyrann fort: »Einmal weil man dazu geboren ist und kein Mensch das zu tun unterlassen kann, wozu er seiner Natur nach geschaffen wurde. Also um seiner selbst willen. Zum zweiten aber um der Beherrschten willen, indem nämlich der Herrscher – diesen Fall setze ich – ein solcher ist, daß er den Willen der zu Beherrschenden deutlicher erkennt als diese selbst.«

»Aber läßt sich, Herrlichkeit, nicht der Fall setzen, daß er ihn vielleicht nur zu erkennen *meint*?«

»So belasse ihm seinen Irrtum. Er wird zu diesem Irrtum geboren sein wie jeder Mensch zu dem seinigen. Dies mag Gott schlichten. Jene beiden Dinge, so meine ich, müssen zusammentreffen, um den wahrhaften Herrscher zu beglaubigen und zu rechtfertigen. Außer diesen aber ist nichts erforderlich, weder eine kaiserliche Bestallung noch eine hohe Geburt. Die kaiserliche Anerkennung wird nicht ausbleiben, wo eine wirkliche Herrschaft sich aufgerichtet hat, und die hohe Geburt wird schon der erste Nachkomme dieses Herrschers aufzuweisen haben; vielleicht nicht zu seinem Vorteil, denn es ist besser, Ahnherr zu sein als Enkel.«

Diomede, welcher ja von der Kraft der Geburt und von der Bedeutsamkeit der Vorfahren eine andere Meinung hatte, hielt es für unschicklich, an diesem Orte etwas von ihr auszusprechen. Doch dünkte ihn gegen einen anderen Punkt eine Erwiderung gestattet. So sagte er: »Die Herrlichkeit erlaube mir, noch einmal zu meinem Einwande zurückzukehren und den Fall zu setzen, daß der Herrscher den Willen des Volkes nur zu erkennen meint, sich aber mit dieser Meinung in einem Irrtum befindet. Müßte, wer sich unterwinden wollte, den verborgenen und offenbaren Willen des Volkes zu sondern – da doch diese beiden so häufig miteinander im Streite liegen –, müßte der nicht ein Gott sein? Denn wer anders könnte hierzu die Fähigkeit und die Rechtfertigung haben? Und können denn irdische Hände so rein sein, daß sie sich an die Aufrichtung jenes Bildes, von dem du sprachst, wagen dürfen?«

»Nein«, entgegnete der Großtyrann lebhaft. »Hierin liegt ja einer der großen Widersprüchlichkeiten und Unvollkommenheiten unserer Welt, daß reine Hände nicht stark sein, starke aber nicht rein bleiben dürfen. Dies hat Gott der Erde verhängt. Willst du aber wirklich meinen, die Aufrichtung des Bildes habe deshalb zu unterbleiben? Und Gott scheint mir ja auch diese Aufrichtung bestimmt zu haben.«

»So wäre er im Widerspruch mit sich selbst?«

»Vielleicht müssen wir es so nennen. Es besteht ja alles Lebendige nur durch den Widerspruch in ihm selber. Und obwohl gewiß Gott an sich und in seiner Wirklichkeit gerade das ist, was keinen Widerspruch hat, sondern Spruch und Widerspruch in einem und der einzige, in dem keine Unterscheidung des offenbaren und des heimlichen Willens stattfindet, so bleibt unseren Augen doch dieses eine zu schauen verwehrt; höchstens, daß es unserem Herzen in seltenen Augenblicken zu ahnen erlaubt wird. Dies möchte ich wohl glauben, doch gestehe ich, hierin keine eigene Erfahrung zu haben. Und so müssen wir denn Gottes Widersprüchlichkeit – von der ich wohl weiß, daß sie nicht vorhanden ist! – dennoch als etwas Vorhandenes hinnehmen, denn anders können wir nicht handeln. Es geschieht ja auch, daß ein gerechter Kaiser eifrige und getreue Diener hat, deren er zur Vollstreckung seines gerechten Willens nicht entbehren kann, obwohl er weiß, daß sie seinen Willen nicht anders wirken können, als indem sie in seiner Vollbringung auch in Härten und Ungerechtigkeiten sich verstricken lassen. Das macht, der Kaiser thront in einem hohen und majestätischen Zentrum als ein Gewissen des Erdkreises; seine Diener aber müssen in sämtlichen Orten der Peripherie wirksam sein, wo sie es mit allen Unvollkommenheiten und Erniedrigungen der Erde zu schaffen haben. Und dennoch vollbringen sie seinen Wille, dem Kerne nach, und des Kasiers gerechter Wille, in welchem kein Widerspruch ist, wird geheimnisvoll in allem Geschehen zugegen sein.«

»Ich möchte, Herrlichkeit«, sagte Diomede, »hier nicht die Frage aufheben nach einer möglichen Unterscheidung zwischen dem offenen und dem verborgenen Willen auch des Kaisers oder jenes Herrschers, dessen wir vergleichsweise Erwähnung taten. Vielmehr möchte ich zurückkehren dürfen zu dem, was du über den Willen des Volkes gesagt hast. Ich rede hier aber nicht als ein Sachwalter der Unzufriedenen, sondern als einer, der noch manchen Zweifel hat, weil er nichts Ungeprüftes annehmen mag, und der seine Meinungen zu klären trachtet. Und so ist mir der Gedanke gekommen, ob es nicht möglich wäre, den verborgenen und den offenbaren Willen des Volkes in einem zu erfüllen, wobei ich freilich an die Erfüllbarkeit des Willens denke, nicht etwa an die Erfüllbarkeit jedes Wunsches oder Gelüstes. Denn es scheint mir nicht notwendig, daß diese beiden, der verborgene und der offenbare Wille, einander nun immer und in allen Stücken entgegengesetzt sein müßten.«

Der Großtyrann lächelte, als habe ein Kind, dem er wohlgesinnt war, einen Einwand vorgebracht. »Mich dünkt, wir sprachen bereits darüber, da wir von den Schwierigkeiten redeten, die sich in vergangenen Zeiten dem Bau dieser Brücke entgegensetzten. Denn diese Herrschaft der Parteien, wie sie damals bestand und auch in der cassanesischen Verfassung ihren Ausdruck hatte, ist sicherlich der offenbare Wille des Volkes gewesen. Seinen verborgenen aber hätte ich nie vollstrecken können, wenn ich diese Verfassung geachtet hätte. Bequem freilich wäre es mir gewesen, wie es ja auch sehr bequem ist, so zu regieren, daß man mit den Parteien im Übereinklang bleibt, denn herbei kann man das eigene Gewissen am unangefochtesten erhalten.«

»Aber wie kann denn einer so regieren«, entgegnete Diomede, »daß er mit allen den einzelnen Parteien gleichzeitig in Übereinstimmung sich befindet, da sie ja Entgegengesetztes wollen? Er kann es doch nicht zugleich den Vornehmen, den Ackerbauern und den Gewerken recht machen, denn um nur ein Beispiel zu nennen, es ist doch so, daß die Ackerbauern die Stadterzeugnisse wohlfeil kaufen möchten; und darum wollen sie, es sollen recht viele Handwerker sein, bei welchem Zustande immer der eine die Preise des anderen wird unterbieten müssen. Wogegen die Gewerbe wollen, es soll zum Handwerk nur zugelassen werden, wer ihnen als genehm und geeignet gilt, damit es wenige Handwerker gebe und diese untereinander ihre Preise brüderlich und nach Recht festsetzen und jeder seine auskömmliche Nahrung habe.«

»Es versteht sich von selbst«, sagte der Großtyrann, »daß es nicht allen Parteien zugleich recht gemacht werden kann. Indessen verlangen sie das auch gar nicht, wie laut auch eine jede danach ruft, daß es gerade ihr recht gemacht werde. Denn es gibt nämlich etwas wie einen Gesamtgeist der Parteien, und dieser heißt die einzelne Partei sich damit begnügen, daß überhaupt nach Wünschen von Parteien regiert werde, wobei er es offen läßt, welcher Einzelpartei dies Regieren nun im Augenblick gerade zustatten kommt. Denn man weiß gut, daß im Hin- und Herwechsel der Verhältnisse auf diese Weise jeder Partei einmal der Augenblick geboten wird, da sie ihre Rechnung findet. Verzichtet aber eine Herrschaft darauf, sich überhaupt von Rücksichten auf die Parteien bestimmen zu lassen, oder tut sie gar, als gebe es deren gar nicht, so hat sie den Gesamtgeist der Parteien gegen sich, und ich verhehle mir nicht, daß ich mich in dieser Lage befinde. Denn nun weiß ja jede Partei, daß nicht nur die feindliche, sondern auch sie selbst der Aussicht beraubt ist, für eine Weile ihren Vorteil zu finden.«

»Aber müssen nicht Parteiungen sein?« fragte Diomede. »Ich habe mir sagen lassen, ein Staatswesen könne auf die Länge nur gedeihen, wenn sich in ihm zwei einander widerstreitende Strebungen die Waage halten, so nämlich, daß bald die eine, bald die andere ein Übergewicht hat und damit die zeitweilig unterlegene zu neuen Kräfteentfaltungen nötigt.«

»Dieser Satz mag wohl Gültigkeit haben«, meinte der Großtyrann, »doch hat er sie nur für Gott oder für die betrachtende Nachwelt. Wollte aber der handelnde Staatsmann sich von ihm hindern lassen, auf gänzliche Überwindung des ihm Entgegenwirkenden auszugehen, so würde es freilich sehr bald nur die eine herrschende Strebung geben, doch wäre es die ihm feindliche. Dies gilt für einen jeden, sowohl für den Führer einer Partei, welche in Fehde mit einer anderen steht, als auch für denjenigen, welcher dem Gesamtgeist der Parteien den Kampf ansagte. Das Widerspiel, von dem du redest, mag notwendig sein, doch erwächst es ja aus sich selbst ohne den Willen der Wirkenden; diese vielmehr müssen und werden so handeln, als wüßten sie von diesem Satze nichts.«

»Und doch wissen sie von ihm«, sagte Diomede. »Zum mindesten weiß von ihm die Herrlichkeit selber.«

»Mein Lieber«, antwortete der Großtyrann, »wir haben uns neulich verstricken lassen in die sehr alte Frage vom Widerstreit zwischen den zwei möglichen Auffassungen des Rechtsprechens, das heißt also vom Widerstreit zwischen der Macht und dem Recht, wenn wir auch, erinnere ich mich zutreffend, diese beiden Worte wohl nicht ausdrücklich anwandten. Wir wollen uns heute nicht zu sehr verstricken lassen vom Gegensatz zwischen der Erkenntnis und der Fähigkeit zum Handeln, auf welchen deine letzten Worte hindeuteten. Auch der Gegensatz zwischen dem offenbaren und dem heimlichen Willen hat uns vielleicht zu sehr beschäftigt. Es ist möglich, daß alle diese Gegensätze den gleichen Urgrund haben und sich nicht anders lösen lassen als in der widersprüchlichen Unwidersprüchlichkeit Gottes.«

»Ich erbitte Vergebung«, sagte Diomede mit einer gewissen Andringlichkeit, »wenn ich mich nicht so sehr in der Gewalt habe, daß ich mich von allen Gegenständen unserer Unterredung hurtig genug abzukehren vermöchte. Aber es stellt sich mir erneut die Frage, ob der Herrscher, der sich vermißt, klar den offenen vom verborgenen Willen des Volkes zu sondern und jeden auf die ihm gemäße Art zu vollstrecken, ob dieser Herrscher nicht in der Tat ein Gott sein müßte?«

»Es wird ein Stück von Gott selbst wohl in ihm sein«, sagte der Großtyrann leise und mit abgewandtem Gesicht.

Diomede schauderte es. Denn hier zum ersten Male war es, als blicke er durch einen Mauerspalt ins Innere des Großtyrannen und gewahre, daß hinter aller zweiflerischen Klugheit dieses Mannes, von ihr umschirmt, aber von ihr nicht angefochten, ein Stück ungemessener, ja, fast wahnwitzig erscheinender Selbstüberhebung verborgen lag.

Der Großtyrann fuhr raunend fort: »Und ich will dir noch etwas sagen, das vielen ein Geheimnis ist, auch den Beherrschern mancher Städte und Länder: Wie nämlich ein rechter Herrscher mitten in allen Bedingtheiten des menschlichen Zustandes dennoch ein Abbild Gottes ist, so ist er ihm auch darin ähnlich, daß er zu handeln hat einzig nach den Grundsätzen *seiner* Wesenheit, nicht aber nach Richtmaßen, die außerhalb seiner entstanden sind, sie mögen sich herschreiben, woher sie wollen.«

23

Sie hatten unter diesen Gesprächen, die manchmal durch Fragen und Weisungen des Großtyrannen an die Arbeiter und deren Aufseher unterbrochen worden waren, den Brückensteg erreicht; ja, sie waren schon mehrere Male auf ihm hin und her gegangen und standen jetzt, den Blick gegen das blank rinnende Wasser gerichtet, auf seiner Mitte.

»Wie geht es zu, Diomede, daß ich solche Gespräche mit dir führe?« fragte der Großtyrann. »Dergleichen begegnet mir sonst nicht.«

Diomede sah keinen Anlaß zu einer Antwort und schwieg.

»Ich liebe die Jugend«, fuhr der Großtyrann fort. »Ich möchte mit jungen Leuten arbeiten. Es ist nicht lange her, da habe ich Ursache gehabt, dies hier am gleichen Ort einem älteren Manne zu sagen.

Diomede erriet, daß der Großtyrann Nespoli meinte – denn er wußte wohl, daß dieser seinem Herrn häufig auf Ritten nachzufolgen hatte –, und die plötzlich auftauchende Erinnerung an diesen Mann verwehrte es seinen Gedanken, sich verwundert oder geschmeichelt an des Großtyrannen letzte Worte zu hängen. Vielmehr riß sie ihn aus allen staatlichen Erwägungen und wollte ihm diese fast bloßstellen als müßige Ergötzungen des Geistes, über denen er Gefahr laufe, den dringlichen Kampf um seinen Vater und sich selbst zu vergessen. Und zugleich spürte er auch, wie günstig für ihn der Augenblick sein mußte, der so vertrauliche Äußerungen des Großtyrannen hatte hervorbringen können. Ohne abzuwarten, welche weitere Wendung der Großtyrann dem Gespräch zu geben wünschte, sagte er rasch: »Ich muß der Herrlichkeit noch einmal danken für den freien Zutritt, den sie mir gewährt hat. Denn er macht es mir möglich, nun, nachdem ja die geschehenen Untersuchungen und die Aussage jenes Mädchens das Bild der Wahrheit hergestellt haben, in gänzlicher Zuversicht meine Bitte vorzubringen: nämlich die Herrlichkeit wolle, soweit es meinen Vater angeht, die Sache für geendigt erklären, damit jede unverdiente Minderung seiner und meiner Ehre unterbleibe und er endlich gleich jedem Toten auf die angemessene Art zu seiner Ruhe gebracht werden kann.«

Hierauf erwiderte bedächtig der Großtyrann: »Ach, mein Lieber, wir hatten uns vorhin in schwierige Fragen der Staatslehre verwikkelt und haben da allerhand Meinungen ausgewechselt.« Bei diesen

Worten lächelte er, und dieses Lächeln gleichwie auch der Ton, in welchem er sprach, schien bestimmt, der vorangegangenen Aussprache nachträglich etwas von ihrem Gewicht zu nehmen, ja, sie als eine bloße Gedanken- und Redeübung geringschätzig abzutun. »Aber nun soll uns ein gleiches«, so fuhr er fort, »nicht auch noch mit den Gegenständen der Rechtslehre widerfahren, etwa indem wir uns jetzt verführen ließen, abermals die Frage der Glaubwürdigkeit unglaubwürdiger Personen zu erörtern und von dort aus, wie es uns schon einmal geschah, uns in luftige Auseinandersetzungen über den Grund aller Rechtsprechung zu verlieren.«

Mit einem deutlichen Unbehagen stand Diomede hier abermals vor des Großtyrannen eigentümlicher Art, plötzlich unanhaltbar zu werden und unversehens zu entgleiten, wie ein Fisch oder ein ölfeuchtes Gerät einer Hand entgleitet. Ja, er gewann die Meinung, der Großtyrann, welcher in allen Gesprächsablenkungen sehr gewandt war – freilich wurden ihm solche erleichtert durch den Umstand, daß er in jeder Unterredung der ranghöhere Partner war, dessen Bahnen der andere jeweils sich anzubequemen hatte –, der Großtyrann habe alles vorausgegangene Gespräch nur begonnen, weil er ihn hindern wollte, zur Sache seines Vaters zu sprechen. So wären denn diese Auseinandersetzungen, welche für Diomede einen solchen Ernst und ein solches Gewicht hatten, für den Großtyrannen nichts gewesen als Vorwände und Mittel zur Förderung eines Zweckes? Diomede fühlte, daß er mit einer solchen Meinung im Unrecht war; dies vermehrte seine Erbitterung.

Dennoch gedachte er mit einem geschwinden Zupacken den Augenblick wahrzunehmen und ihm eine Wirkung von Dauer geben zu sollen. So sagte er: »Es wäre unziemlich, Herrlichkeit, wenn ich versuchen wollte, ein Gespräch anzuspinnen, welches von dir nicht gewünscht wird. Und ich bitte dich, zu glauben, Herrlichkeit, daß ich dir nicht lästig fallen möchte mit allerlei Gedankenäußerungen; vielmehr habe ich ehrerbietig eine Bitte ausgesprochen, von der ich meine, sie sei durch die Entwicklung der Umstände gerechtfertigt, und ich wage es, sie zu wiederholen, selbst auf die Gefahr hin, daß meine Beharrlichkeit ein Mißfallen erregen könnte.«

»Was sollte mir daran mißfallen, Diomede?« fragte der Großtyrann. »Du weißt, daß ich Achtung habe vor der Heftigkeit, mit welcher du für dein Geschlecht eintrittst. Aber ich habe inzwischen erfahren, wie sehr ich im Rechte war, als ich mich gewarnt fühlte, den Aussagen dieses Mädchens – ich glaube, ihr nennt es das Perlhühnchen – allzuviel Gewicht beizumessen. Ich gebe zu, daß es eine Weile den Anschein haben konnte, als sei deines Vaters Unschuld völlig aufgehellt. Ja, ich freute mich bereits an der Aussicht, ich werde bald unaufgefordert das tun können, was du soeben von mir erbatest. Aber weißt du denn nicht, daß deine Zeugin heute vormittag zum zweitenmal im Kastell erschienen ist?«

Diomede zuckte zurück und sah den Großtyrannen aufflammend an.

»Sie hat«, fuhr dieser sehr ruhig fort, »ihre Aussage zurückgenommen, genauer gesprochen: sie in einigen Punkten abgeändert; so nämlich, daß dein Vater zwar bei ihr gewesen sei, aber nicht mehr zur Stunde des Mordes. Ich sage ja nicht, daß ich an deines Vaters Schuld glaube. Aber du begreifst wohl, daß ich ihn noch nicht gänzlich aus jenem Verdachte entlassen kann. Denn es ist nun der Zeit nach wieder die Möglichkeit da, er könnte sich, nachdem er das Perlhühnchen verließ, in meinen Garten begeben haben.«

Diese Mitteilung traf Diomede so hart, daß er kein Wort zu seiner Verfügung fand und nur mit Mühe einen Ausruf der Empörung zu unterdrücken vermochte. Ohne das Unhöfische dieser Gebärde zu bedenken, wandte er sich ab, stützte beide Hände klammernd auf einen Stegpfosten, preßte das Kinn gegen die Brust und stöhnte. Zerrissenen Gemütes und Gewissens sah er sich jählings zurückgeworfen in all das schmutzige Getreibe, dem er entronnen zu sein hoffte.

Der Großtyrann ließ ihn eine Weile gewähren. Dann sagte er: »Du bist, und das ist mir verständlich, in diesen Augenblicken des Glaubens, dein Leben bestehe in nichts anderem als in dem Hin- und Widerfluten jenes Kampfes um deinen Vater, in welchem du eben eine Enttäuschung erfahren hast. Aber dieser Meinung solltest du nicht sein, und du weißt ja auch, daß du sie nicht für eine lange Zeit wirst behalten können. Darum erinnere dich schon jetzt, daß es alle die Dinge gibt, von denen wir vorhin sprachen, und daß sie für dich ihre Wichtigkeit haben, ja, daß sie für dein Leben wohl eine noch größere Wichtigkeit bekommen werden. Denke also über die nächsten Tage hinaus, deren Verworrenheiten doch einmal ihre Lösung finden müssen. Du wirst wieder nach Bologna zurückkehren und von neuem deinen Bemühungen um die Rechts- und Staatskunde nachgehen. Dazu will ich dir etwas sagen, was ich zuvor schon andeutete: Ende deine Studien und alsdann komme zu mir. Ich werde dir Gelegenheit bieten, deine Kenntnisse und Eigenschaften auf eine große Weise anzuwenden. Was hältst du von dieser Aussicht?«

»Mir scheint es der Herrlichkeit nicht angemessen, den Sohn eines Meuchelmörders in ihre Dienste zu ziehen«, erwiderte Diomede feindselig.

»Nun, hier könnte wohl Rat geschafft werden«, meinte der Großtyrann. Doch als besorge er, diese Worte könnten ihn zu sehr binden, indem Diomede sie vielleicht als die Andeutung eines Versprechens in Sachen seines Vaters auffassen möchte, fügte er rasch hinzu: »Ich habe keine Vorurteile. Mir liegt an Männern, nicht an ihren Vätern.«

Auf Diomede wirkte diese Äußerung so, als sei ein Köder der Versuchung nach ihm ausgeworfen worden, wenngleich kein ganz deutlich wahrnehmbarer. Aus irgendeinem Grunde mochte es dem Großtyrannen bequem erscheinen, daß Diomede seinen Kampf aufgebe, und hierfür stellte er ihm als Preis einen Vorteil in Aussicht; vielmehr keinen bloßen Vorteil, was ja niedrig gewesen wäre, sondern er zeigte ihm die Möglichkeit, den Sinn seines Daseins zu erfüllen. Und dieser, das wußte Diomede, konnte ja in nichts anderem bestehen als darin, daß er feurig und besonnen zugleich im Großen und ins Große tätig wäre und alle seine Gedanken von Staats- und Rechtsdingen in die Erscheinung setzte.

»Beiße dich nicht fest in deinen Unmut«, fuhr der Großtyrann fort. »Halte dich lieber an jene Gedankenbahnen, welche wir vorhin berührten. Der Streit um deinen Vater wird vergangen sein; aber das Leben, das vor dir steht, hat noch eine Unendlichkeit, und es liegt bei dir, daß es auch Größe habe.«

Diomede schwieg in der Verstockung eines rechtmäßigen Ingrimms.

»Wir wollen heimreiten«, sagte der Großtyrann.

Da sie den Hohlweg hinter sich hatten, nahm der Großtyrann noch einmal das Wort, als habe er zu begütigen. »Nimm es dir nicht allzusehr aufs Herz, Diomede, daß du einen Mißerfolg erlitten hast; es wird sich abklären und entscheiden. Freilich fürchte ich wohl, du wirst auf ein verläßlicheres Auskunftsmittel denken müssen, als dieses Mädchen es war.«

Diomede erschrak. Denn lag nicht in diesen so ruhig gesprochenen Worten ein Hinweis, daß der Großtyrann alle Täuschung durchschaut habe?«

Und als habe der Großtyrann Diomedes Erschrecken wahrgenommen und verstanden, fügte er hinzu: »Du mußt nicht meinen, Diomede, ich hätte dich in einem Verdacht. Vielmehr bin ich überzeugt, daß du des guten Glauben warst, der Fall sei mit der ersten

Aussage des Mädchens ins klare gesetzt. Freilich sollst du nicht denken, dieser gute Glaube sei eine Entschuldigung oder ein Verdienst. Denn das ist eine alte Beobachtung von mir, daß jedermann, selbst der offenbares Unrecht tut, sich im guten Glauben befindet, weil er anders nicht zu handeln vermöchte. Du hast, so will ich annehmen, sicherlich alles das, was du mir vorbrachtest, für wahr gehalten; nun aber haben die meisten Menschen ja in den Dingen des Fürwahrhaltens keinen freien Willen, sondern ihre Meinung geht nach dem, was ihnen notwendig ist, um ihre Ziele zu erreichen. Auf diese Weise siehst du, daß ich dir keinen bösen Willen unterstelle.

Diomede sagte kein Wort mehr. Er war voller Feindschaft gegen den Großtyrannen, gegen das Perlhühnchen und gegen sich selber.

24

Es soll nicht jeder einzelne Gang des tollen Bauwerks, das in Cassano sich errichtete, betreten und nachgezeichnet werden. Die Begebnisse glichen dem kunstreichen Graben- und Stollenbau, wie er stattfindet zwischen Belagerern und Belagerten, denen beiden ein wachsamer Späherdienst jede Absicht des Gegners verrät. Auf jeden Stollen der Belagerer wird augenblicks mit dem Vortreiben eines Widerstollens aus der Festung geantwortet, und es geschieht endlich eine vollkommene Unterwühlung des geduldigen Erdbodens. Das kunstreiche Mit- und Widereinandersein zahlloser Laufgänge schafft zuletzt eine gänzliche Verwirrung. Es ist nicht mehr auszumachen, welche Partei diesen, welche Partei jenen Graben ausführte. Sie schneiden einander, sie kriechen verdeckt untereinander durch. Feinde begegnen sich unvermutet, Bestürmer sehen sich plötzlich in einen Kreis Umlagerter eingeschlossen. Verteidiger kommen inmitten von Angreifern furchtbar zu sich.

Diomede war nahe daran gewesen, von aller Verbindung mit dem Perlhühnchen abzutreten und sich zurückzuziehen auf die Behauptung, sein Vater habe den Zettel in einer Umnachtung des Geistes geschrieben. Dann aber wollte ihm das als ein allzu beschämendes Eingeständnis seines Mißerfolges erscheinen. Zugleich erfuhr er, daß Monna Mafalda sich nicht müßig verhielt und daß neue Zeugen auftreten sollten. Nun schien ein Zurückweichen ihm unmöglich, und so war er der Lähmung, die sich nach jenem Brückengespräch seiner hatte bemächtigen wollen, wieder Herr geworden; Herr geworden auf eine finstere Art. Er bestimmte sich, seinen Kampf weiterzuführen ohne Rücksicht auf alle Verstörungen, die seinem Gewissen noch auferlegt werden könnten.

Die letzte Aussage des Perlhühnchens hatte es zuwege gebracht, daß Pandolfo Confini in der Nachrede eines nächtlichen Besuches verblieb, ohne dadurch des Mordverdachtes ledig zu werden. Monna Mafalda sah alle alte und neue Abneigung gegen Diomede gerechtfertigt und erfreute sich zugleich eines Triumphes. Denn noch am selben Tage machte der von ihr gedungene Nardo, Neffe ihres Gärtners, vor dem untersuchenden Beamten die Aussage, er habe jene Nacht in ihrer Ganzheit beim Perlhühnchen verlebt. Und Mafalda unterstützte diese Behauptung durch einen ihrer Hausbettler, welcher versichern mußte, er habe den Gärtnersneffen in der Morgenfrühe aus des Sattlers Haus kommen sehen. Nun wurde das Mädchen erneut vorgeladen. Diomede sparte nicht mit Vorwürfen, Drohungen, Belohnungen und Versprechungen und brachte sie damit zu der Behauptung, sie habe dem Nardo zwar diese Nacht versprochen und er sei auch im guten Glauben, bei ihr geschlafen zu haben, in der Tat aber sei er betrunken gewesen und habe es daher nicht wahrgenommen, daß sie ihm in der Dunkelheit statt ihrer ihre Schwester Teresa untergeschoben habe. Teresa hob an zu schreien und bedrohte die Schwester mit dem Küchenmesser, da sie von dieser Behauptung erfuhr. Allein sie hatte schon an so viel Argem mit Gier teilgenommen, daß weder das Perlhühnchen noch der eilig verständigte Diomede in Teresas Entrüstung etwas anderes erblickte als einen Versuch, den Kaufpreis für ihre Bestätigung der schwesterlichen Aussage in die Höhe zu treiben. Diomede zahlte, Teresa fuhr fort zu schreien, Diomede zahlte wieder, und ihr Geschrei ging in ein mildes Klagen über. Diomede zahlte abermals, und sie verstummte. Diomede machte neue Zahlungen, und Teresa beschwor die Behauptungen des Perlhühnchens. Es kam zu den Ohren ihres Mannes, wie ja nichts verborgen bleiben konnte in diesen tollen Tagen. Obwohl der Sattler Ombrapalla, der die Schwägerin ohne Anstoß bei sich zur Miete wohnen und ihr Gewerbe treiben ließ, in solchen Dingen kein Mensch von Strenge war, geriet er in eine Raserei, und Diomede hatte viel aufzuwenden an dringlicher Zurede, an Geld und Verheißungen, um ihn zu beschwichtigen. Ja, er mußte Monna Mafaldas Versprechungen überbieten, denn sie wiederum hatte dem Sattler angelegen, seine Frau Lügen zu strafen.

Das arme Perlhühnchen befand sich in einer vollkommenen Verwirrung und doch zugleich in einem rauschartigen Hochgefühl; war sie nicht zum Mittelpunkt geworden, um den das fieberische Leben der ganzen Stadt sich bewegte? Sie stand gleichsam im Kreise eines aufreizenden Geruches. Sie wurde beneidet von allen ihres Gewerbes, denn sie hatte nun einen Zulauf wie nie zuvor, und auch von solchen, die sonst den Umgang mit ihresgleichen verschmähten. Von zwei Seiten wurde ihr zugesetzt, denn auch Monna Mafalda hatte ihre Einwirkungsversuche wieder aufgenommen. Immer noch, da doch alles Gestrüpp fast von Stunde zu Stunde unentwirrbarer wurde, suchte das Perlhühnchen es beiden recht zu machen und damit ihrer Schwester sowie ihrem eigenen Vorteil. Sie verlor jede Übersicht, sie widersprach sich; endlich erklärte sie, ebenfalls betrunken gewesen zu sein. Immerhin war mittlerweile die ganze Zeitrechnung jener Nacht abermals ins Ungewisse gerückt, und damit schien die Möglichkeit wiederhergestellt, Pandolfo Confini könne sich doch bis über die Mordstunde hinweg bei dem Perlhühnchen aufgehalten haben.

All dieser Zustand fraß sich weiter wie ein Geschwür. Als gäbe es keine Wände mehr, konnte nichts in Heimlichkeit bleiben. Auf eine scheinbar unerklärliche Art wußte ein jeder jedes vom andern, jeder Schachzug einer Partei war im Munde der öffentlichen Stimme unmittelbar, nachdem er geschah; ja, oft streckte die Gegenpartei schon vorher die Hand zum Erwiderungszuge aus. Zeugen drängten sich auf. Meineidsanerbietungen waren wohlfeil. Da erschienen Leute bei Monna Mafalda, bei Diomede oder im Kastell und trugen ihren Eid dafür an, daß sie den Herrn Confini bei der Jagdhütte gesehen hätten. Der Besitzer einer einsamen, an der Landstraße gelegenen Schmiede wollte beschwören, er habe ihm gegen Morgen das Pferd beschlagen. Dabei war diese Schmiede von Cassano so weit entfernt, daß Confini ein Flügelpferd hätte haben müssen, um von dort aus um die Mittagszeit in der Stadt anlangen zu können. Zu Pandolfo Confinis Witwe, Sohn, Schwester, aber auch zu den Sattlersleuten und selbst zu Nespoli und dem untersuchenden Beamten kamen Einfältige, welche kaum wußten, um was es sich handelte. Wurde ihnen die gänzliche Unglaubwürdigkeit ihrer Mitteilungen vorgehalten, so erklärten sie sich zu gegenteiligen Beeidigungen bereit. Einer sagte mit dummdreistem Grinsen zu Diomede: »Ja, dann müßt Ihr mir eben erklären, wie es geschehen sein soll; für meinen Eid stehe ich gut.« Männer und Weiber meldeten sich unaufgefordert bei Diomede, behaupteten verworren, zu seinen Gunsten ausgesagt zu haben, und forderten eine Vergütung.

Nichts war so toll, daß es nicht erdacht, geglaubt, weitergetragen, ja, unter Eid gestellt wurde. Eine Greisin, die nur Ungefähres gehört und dies Ungefähre in ihrem löcherigen Hirn verstümmelt hatte, bot ihr Zeugnis dafür an, daß sie dem Fra Agostino am Morgen nach jener Nacht auf der bergwärts führenden Straße begegnet sei, und meinte sich damit ein Anrecht auf die Belohnung erworben zu haben. Ein siebzigjähriger Hagestolz aus der Zunft der Wollenweber brüstete sich damit, er habe das Perlhühnchen die ganze Nacht über in seinem Hause gehabt. Alte Jungfern wollten dagegen den Herrn Confini in ihren Armen gehalten haben. Wieder andere versicherten, sie hätten die Haustür der Ombrapalla vom Abend bis zum Morgen beobachtet; nach Belieben vermaßen sie sich, in jedem gewünschten Manne unter Eid jemanden wiederzuerkennen, den sie in jener Nacht die Wohnung des Perlhühnchens hätten betreten oder verlassen sehen.

Im Schwall dieser Tage hatte Diomede noch mehrere Unterredungen mit dem Großtyrannen. Denn indem ihm zu Ohren kam, welche Widergründe gegen das von ihm Vorgebrachte jeweils geltend gemacht wurden, mußte er ja trachten, jedem neuen Vorstoß beim Großtyrannen ohne Aufenthalt zu begegnen. Doch blieben diese Unterredungen durchaus beschränkt auf die Gegenstände, die ihren Anlaß bildeten. Und mit keinem Wort rührte der Großtyrann an die Gespräche ihrer früheren Begegnungen.

Sonderbar schien sich der Kampf mitunter von seinem eigentlichen Gegenstande zu entfernen, so, als ginge es gar nicht mehr um Pandolfo Confini, sondern nur noch um die Mißhelligkeiten und Widersprüche all dieser kleinen Leute. Gleichzeitig wurden neue Bezichtigungen laut. Da war einer, der sich des öfteren abfällig über Fra Agostino geäußert hatte; ein anderer sollte in einer Schenke gesagt haben: »Dem Mönch ist recht geschehen, das war so ein Heimlicher; dem hab ich's lange gegönnt.« Und die Kinder auf den Gassen, gleichsam flugs eingeweiht in die Verruchtheiten der Erwachsenen, nahmen an allem teil in Spielen, Liedern, Abzählversen und Zurufen.

In alles Leben hatte eine wechselweise geübte Belauerung Einlaß gefunden. Wer einen Gegner hatte, der beschuldigte ihn, er sei der Mörder oder stehe doch mit dem Morde in einer Verbundenheit; zum mindesten wisse er etwas, das mit Hilfe der Tortur von ihm erfragt werden könne. Wo es feindliche Brüder gab, zerrüttete Ehen, Erbstreitigkeiten und Rachbegierden, da trat schleicherisch die leichtwillige Verdächtigung auf, die namenlose Anzeige. Und auch Diomede sah sich gänzlich eingeschlungen in den wahnwitzigen Strudel dieses unsauberen Treibens.

25

Da nun so viele Leute sich zur Einvernahme drängten, war doch einer in Cassano, der in großer Sorge auf seine Vorladung wartete. Dies war Don Luca, der Pfarrer zu San Sepolcro.

Don Lucas Garten von mäßiger Ausdehnung, grenzte gegen das baufällige Pfarrhaus. Don Luca hatte ihn vor Jahrzehnten von seinem Vorgänger als ein halbverwildertes Gewirr von Küchenpflanzen übernommen. Jedes Beet, jedes Schatten- und Fruchtgebüsch hatte er angelegt, und auch jetzt noch besorgte er, seines Alters ungeachtet, mit der bäuerlichen Kraft seiner Gliedmaßen alle gärtnerische Verrichtung. Ja, er trug selber das Wasser herbei; denn er hatte seine Haushälterin dazu nicht willig machen können, weil er sich weigerte, seinen Garten den Bedürfnissen der Küche anzugleichen. Er hatte auch mit den eigenen Händen die Bank gezimmert, welche im Kreise den grauweißen Stamm des Feigenbaumes umlief. Dieser Feigenbaum stand auf einer kleinen Unebenheit, und von hier aus stellte sich ein bequemer Blick zu Gebote auf eine Gruppe seltener Pflanzen von ausländischer Abstammung, Geschenke eines von Don Lucas landstreichenden Schützlingen, der sie bei Nacht einem herrschaftlichen Gewächshause entnommen und den Priester mit einem einbildungskräftigen Bericht über ihre Herkunft beschwichtigt hatte.

In den Garten nahm Don Luca seine Zuflucht auch in diesen Tagen. Und doch war der Trost des Gartens gering. Jede Staude hatte ihren Ort und brachte ihre Blüten nach der Zeit des Jahres. Die Bienen flogen aus und ein und hatten ihre Ordnung wie in den Tagen der Erzväter. Die Luft hielt ihre vertrauten Wohlgerüche, die Lazerten glitten raschelnd durch den grünen Behang der Steinmauern, und selbst der schwüle Wind, unter welchem die Menschen litten, versucht wurden und sündigten, konnte sie nicht verstören. Nichts war hier geändert. Wie hatte es denn zugehen können, daß Don Lucas Leben von Grund auf anders geworden war seit jener Unterredung in der Sakristei? Der gütige Gott der Schöpfung hatte sich verhüllt.

Die Drohung hing über jeder Stunde. In seinem Studierzimmer mußte Don Luca von jedem Türklopfen, in seinem Garten von jedem näher kommenden Schritt sich jener Botschaft versehen, die ihn ins Kastell beschied, unter die Augen des Großtyrannen oder in seine Folterkammer. Und Türklopfen wie Schritte waren häufig in diesem Hause, das so viele Hilfsbedürftige aufsuchten, ohne zu ahnen, wie sehr der Hilfreiche selber der Hilfe bedürftig war.

Dazwischen kam jene äußerste Schwäche über ihn, welche uns in Bedrängnissen wohl treiben kann, in jedem Fernstehenden und sogar in jedem zufälligen Begegner einen zu Rat und Hilfeleistung, wo nicht Gewillten, so doch Fähigen zu erblicken. Und obwohl er wußte, daß dies eine Torheit und etwas Unmögliches sein würde, konnte er sich doch schwer der Lockung erwehren, seine harte und mürrische Haushälterin oder diesen und jenen aus der großen Zahl der Bedürftigen, der Betrübten, der gewohnheitlichen kleinen Ausnutzer, die, ihm nicht unterscheidbar, in sein Haus kamen, in seinen Lehnstuhl oder auf die Bank am Feigenbaum zu nötigen und in der wahnsinnigen Hoffnung auf Rat irgendeiner Seele in irgendeiner Verhüllung seine Not bloßzulegen.

Das Ebenmaß des Daseins, in welchem Don Luca gelebt hatte, gehorsam und gläubig, und das zugleich ein freundliches Altmännerbehagen gewesen war, dies war zerrissen durch eine große und strenge Prüfung. Von einer solchen hatte Don Luca manchmal geträumt, zumal in früheren Jahren. Allein dann war es ein klarer Streit gewesen zwischen Wohlergehen und Priesterpflicht, zwischen der Gefolgschaft Gottes und dem Dienst des Widergottes, und Don Luca hatte zuversichtlich gehofft, es werde ihm die Kraft zur Entscheidung nicht fehlen. Aber gerade diese Eindeutigkeit mangelte jetzt.

Don Luca wußte nicht, ob er um Stärke oder um Erleuchtung beten sollte. Er meinte zu spüren, wie die kreatürliche Furcht seines Leibes vor der Folter sich arglistig verlarvte in Zweifel, ob er in Ansehung des Beichtsiegels nicht tatsächlich sich übertriebene, ja, sündhafte Skrupel mache. Aber war es am Ende nicht in der Tat fehlbar, nur bedacht zu sein auf die Ungefährdung des eigenen Gewissens, alle anderen Dinge jedoch ihren Lauf nehmen zu lassen? Und war, was ihm solche Gedanken erregte, wirklich nur die Furcht seines Leibes? Konnte es nicht ebensogut die Vernunft sein, welche von Gott gegeben ist?

Er erschrak bei diesen Überlegungen. Es schien ihm hier wirklich jenes zuzutreffen, davon der Großtyrann, ob auch in einer anderen Meinung, gesprochen hatte: daß nämlich der Teufel das leichteste Spiel hat, wenn er sich seine Überredungsmittel aus dem Rüsthause der Kirche entlehnt.

In einem verführerischen Zwielicht bedrängten ihn des Großtyrannen Worte, nach denen ja eine Verletzung des Beichtsiegels nicht gefordert wurde. Oder wurde sie dennoch gefordert? Don Luca hätte sterben wollen im Gehorsam gegen die Stimme Gottes; nun aber hatten die Stimmen sich verwirrt, und es war keine Unterscheidung zwischen der Stimme Gottes und der Stimme des Widersachers. Was er auch tat, was er auch unterließ, er mußte, dies fühlte er, schuldig werden, und er war es bereits.

Da ja das Leben in Gleichmütigkeit weitergeht, hatte Don Luca über all diesem seinen Obliegenheiten nachzukommen, als wäre nichts geschehen. Er hatte Sakramente zu spenden, Beichten zu hören, Verwirrte und Angefochtene zu trösten und zu beraten. Und es wandten sich an ihn auch manche, die aus Anlaß jenes Mordes und seiner Weiterungen sich in Bedrängnis befanden. Da war es sonderbar und fast eines Lächelns würdig, daß keiner von ihnen auf den Einfall kam, auch Don Luca könne in einer Bedrückung stehen.

Don Luca hatte die Gewohnheit, auch die tägliche Brevierlesung in seinem Garten zu verrichten, den kiesbestreuten Pfad zwischen den Beeten hin und her wandelnd oder unter dem Feigenbaum sitzend; und er hielt dabei das Buch mit ausgestreckten Armen von sich, denn gleich vielen alt gewordenen Augen sahen auch die seinen auf die Nähe nicht mehr recht deutlich.

In einer Morgenfrühe quälte ihn unter dem Feigenbaum sein Unvermögen, den abirrenden Sinn ernstlich auf die Lesung zu richten. Die Raupe, deren Ausgang ihn in der Sakristei erschreckt hatte, war ihm aus dem Gedächtnis geraten. An ihrer Statt aber hatte sich ihm ein neues Sinnbild aufgerichtet.

Don Luca hegte eine besondere Zuneigung für den Feigenbaum. Ja, er war ihm eines jener vielen Zeichen, an denen er das Steigen und Sinken des Jahres zu betrachten liebte; hierbei erinnerte er sich gern der Worte, die Christus zu den Jüngern sprach: »Wenn des Feigenbaums Zweige saftig werden und die Blätter treiben, so wißt ihr, daß der Sommer nahe ist.« Und es hatte ihn gefreut, damit dem Herrn gleichsam auch auf eine natürliche Weise zu begegnen. Die fünflappigen breiten Blätter dünkten ihn Hände, die sein Garten und alle Schöpfung ihm entgegenstreckten. Das geschwinde Sprossen des Laubes im Frühling, das Reifen der Blüten, das herbstliche Kahlwerden und das winterliche Verharren einzelner unreif gebliebener Früchte an den Zweigen, das alles verfolgte er durch Jahre von einem Tag zum andern. Nun aber meinte er seinen Baum von einer Krankheit befallen, denn er hatte die Wahrnehmung gemacht, daß einzelne Blätter sich einrollten und sich mit hervortretenden gelben und rötlichen Punkten bedeckten. Und da er ja aus einem sehr langen Priesterleben an ein sinnbildliches Denken gewohnt war, so glaubte er jetzt, es sei ihm hierin seine eigene Verwerfung angekündigt, indem ihm Verfluchung und Verdorrung des Feigenbaumes beifielen wie der Evangelist sie berichtet hat.

Er schloß sein Buch, er erhob sich und ging den Kiesweg auf und nieder, und es drängten sich ihm Tränen in die Augen. Ja, dieser Garten, dieser Feigenbaum, diese Bienen und Schmetterlinge und Lazerten, dies alles war, so klagte er sich an, sein Abfall und seine Untreue, denn hatte er nicht hieran sein Herz gewendet?

Im Augenblick der Umkehr am Ende seines Weges war es ihm, als sei plötzlich ein Schattenband über den östlich besonnten Gang gefallen. Er hob die Augen, in welchen die Tropfen sich lösten. Vor ihm stand einer der Kanzleidiener aus dem Kastell.

Der Bote verneigte sich obenhin und reichte ihm einen Zettel. Don Luca fiel es nicht leicht, die Hand zu heben, um ihn entgegenzunehmen. Er entfaltete das Schreiben und las:

»Der Mann, welcher in der Sakristei mit dir gesprochen hat, bittet dich, nicht zu vergessen, daß du in einer Bedenkfrist stehst. Es könnte sein, daß sie plötzlich abgelaufen wäre. Hast du ihm nichts zu sagen?«

Don Luca antwortete, abgewandten Gesichts und mit brüchiger Stimme:

»Nein.«

VIERTES BUCH

Der Färber

1

Der Färber Sperone, von dem die Leute sagten, daß er in der Nachahmung Christi stehe, gehörte dem Dritten Orden an, welcher ja seine Angehörigen in der Welt und auch im ehelichen Stande beläßt. Doch war Sperone nicht verheiratet; alle häuslichen Verrichtungen besorgte er selbst in Gemeinschaft mit seinem einzigen Gehilfen. Dies war ein halbwüchsiger Lehrbursche, ein Elternloser von ungewisser Herkunft, der für den Färber eine sehr große Anhänglichkeit hatte. Er hieß Antonio, doch wurde er von Sperone mit dem Namen Giovanni gerufen; und die Anhänger des Färbers erblickten in dieser Namenswahl eine rührende Entsprechung auf St. Johann den Evangelisten als auf den Jünger, welchen der Herr lieb hatte. Sperones Gegner indessen nahmen hier einen Anlaß, den Färber zu tadeln, indem sie nämlich sagten, er treibe die Lästerung so weit, daß er sich Christo anzugleichen trachte. Besserwillige hätten auch wohl sagen können, es sei eine gewisse Art der Kindlichkeit, die ihn veranlasse, seine Nachahmung Christi bis auf manche äußere Umstände des Lebens zu erstrecken in einem unschuldigen Eifer, der sich nicht genugzutun vermöge.

Im ganzen hatte Sperone nicht viele Gegner. Allenfalls wurde er als ein Närrischer belächelt. Viele aber hatten ihn gern, auch die nicht zu seinem Anhang zählten. Sie rühmten seine zutrauliche und bescheidene Art und berichteten allerlei kleine Vorkommnisse, bei denen er sich gefällig und hilfsbereit erwiesen habe; darüber könne man ihm einige Narrheit wohl nachsehen. Auch ergötzten sie sich an einer mitunter vortretenden Drolligkeit seines Wesens; mit dieser hing seine Neigung zusammen, das Feindliche, nämlich Sünde und Teufel, zu verspotten, vergleichbar jener Art der Kinder, die sich höhnische Scheltworte zurufen, bevor sie handgemein werden.

Sperone hatte als ein einfacher Schwarzfärber begonnen und seine Arbeit allmählich auf die Buntfärberei ausgedehnt. Vielleicht hätte er zu Wohlstand gelangen können; allein dann war jenes gottesfürchtige Grübelwesen über ihn gekommen, und nun hatte sein Erwerb abgenommen, fast bis zur Armut. In seiner vernachlässigten Werkstatt fanden sich des Abends oft viele Leute ein. Mit diesen erörterte er Gegenstände des Glaubens, und seine Ansprachen hatten eine große Gewalt über sie. Ja, man behauptete von ihm, in der Inbrunst seines Gebetes sei er bisweilen so hingerissen worden, daß seine Füße sich um mehrere Handbreit vom Boden gehoben hätten.

Von diesem Manne erzählte eines Morgens das Gerücht, er sei im Kastell erschienen und habe sich des Mordes an Fra Agostino schuldig bekannt.

In jener Zeit der wahnwitzigen Gerüchte erschien dieses als das wahnwitzigste. Zugleich aber war es ausgezeichnet durch eine Bestimmtheit, wie sie allen anderen aufgetauchten Nachrichten gemangelt hatte.

Vittoria erfuhr die Kunde durch die vom Markt heimkehrende Agata, und dies war seit längerem das erstemal, daß von Vittoria ein Zeichen lebendiger Leidenschaft ausging. Sie schrie auf, sie faßte Agata bei den spitzigen Schulterknochen und schüttelte sie. Agata entsetzte sich vor dieser Gebärde und dem wilden Blick ihrer Herrin. Mit blutleeren Lippen begann Vittoria ihre Fragen zu haspeln, und ihr Atem ging in sehr heftigen Stößen. Das Frauenzimmer schwieg verschüchtert für eine kurze Weile. Danach wurde sie geschwätzig, doch erwies es sich bald, daß sie kein genaueres Wissen hatte. Vittoria sandte sie zum Schieler, um ein Näheres zu erfahren; denn in ihrer verstörten Zurückgezogenheit war es ihr nicht bewußt geworden, daß Nespoli und die Seinen in Sachen des Fra Agostino ja nicht mehr die Inhaber und Verwalter jeder Kenntnis waren. Sie selber lief zu Diomede.

Sie fand ihn auf der Säulenbank des Lusthäuschens über seinem Schreibheft grübelnd; denn in dieses hatte er sich gewöhnt, die Aussagen der Zeugen, soweit sie zu seiner Kenntnis gelangten, niederzuschreiben: Kein Gedächtnis war imstande, das flutende Wirrsal auf andere Weise festzuhalten und zu überblicken.

»Diomede!« schrie sie. »Diomede! Der Mörder des Mönchs hat sich freiwillig gestellt. Es ist der Färber Sperone. Diomede, mit welchen Dingen haben wir unnützerweise unsere Gewissen beladen!«

Diomede, welcher ja nichts wußte von allem Anteil, den seine Stiefmutter an den Geschehnissen hatte, konnte den eigentlichen furchtbaren Sinn dieses Ausrufes nicht fassen. So bezog er ihn auf alle Winkelwege, die von ihm und damit von der Gesamtheit des Hauses Confini in dieser Sache beschritten worden waren. Er wurde totenbleich, er griff nach Vittorias Hand, er klammerte sich an sie wie ein Abstürzender.

Und hieran bekundete sich Diomedes Art, daß er in diesen ersten Augenblicken keine Freude zu empfinden vermochte darüber, daß nun sein Vater gerechtfertigt und alles Unheil abgewendet war. Sondern ihn erschütterte ein Abscheu vor jenen Dingen, die er getan hatte gegen sein Gewissen und gegen sein Wesen; und nun war ihm bewiesen, daß er all dies Erbärmliche sinnloser, überflüssiger, ja, leichtfertiger Weise auf sich genommen hatte.

Er ließ Monna Vittorias Hand nicht los, er verbarg sein Gesicht in seinen Händen und in ihrer Hand. Und hier zum ersten Male hatte sich eine Gemeinsamkeit hergestellt zwischen diesen beiden Menschen.

Diomede erzählte seiner Stiefmutter von der Begegnung im Walde, die ihn nun erst verständlich dünkte. Besonders erinnerte er sich auch an jene Äußerung des Färbers: »Ich hoffe, es wird die Kraft dazu da sein.«

Hierin, so meinte er, habe sich Sperones Absicht kundgetan, doch habe er noch in sich selber gekämpft, um die Stärke zu einem freiwilligen Geständnis zu finden.

Agata kehrte zurück. Sie hatte den Schieler nicht angetroffen, doch waren inzwischen ergänzende Nachrichten durch die Stadt in Umlauf geraten. So konnte sie Monna Vittoria und Diomede in gewissere Kenntnis des Herganges setzen.

2

Der Färber war frühmorgens in Begleitung des Antonio oder Giovanni vor dem Kastell erschienen. Hier hatte er ihn umarmt und bekreuzt und ihm danach gesagt, er solle heimgehen. Der Bursche, so wurde erzählt, sei erschrocken gewesen über die Feierlichkeit dieses Abschiedes, für die er ja keine Erklärung hatte; doch habe er nach seiner Gewohnheit gehorcht ohne eine Widerrede oder eine Frage. Nun hatte Sperone bei der Wache nach dem Großtyrannen gefragt. Den Leuten am Tor war seine ungewöhnliche Blässe aufgefallen, doch habe er ein ruhiges Wesen gehabt, und auch die kleine Heiterkeit, die jedermann an ihm kannte, habe nicht durchaus gefehlt.

Es wurde ihm der Wahrheit gemäß eröffnet, der Großtyrann, welcher die Nacht über in seinem Gartenhause mit einigen auswärtigen Abgesandten verhandelt habe, sei schon vor einer Stunde fortgeritten, um in einem seiner entfernteren Marktflecken den Gerichtstag zu halten. Es sei möglich, daß er erst kommenden Tages heimkehren werde.

Über diese Auskunft schien der Färber enttäuscht. Er stand eine Weile stumm und überlegte. Einer der Torwächter fragte ihn lächelnd, was er denn dem Gewaltherrn so Wichtiges mitzuteilen habe. Der Färber überlegte abermals eine Weile, und es war schon, als wolle er sich zum Fortgehen anschicken. Dann aber erklärte er, sein Gewissen gebe ihm keine Ruhe mehr und würde auch einen Aufschub nicht ertragen. Er sei gekommen, ein Geständnis abzulegen. Er habe den Fra Agostino getötet.

Hierüber entstand ein großes Aufsehen. Allerlei Höflinge und Schreiber wurden geholt. Doch versicherte Sperone, seine Angaben nur dem Gewaltherrn selbst machen zu wollen. Endlich führte man ihn in eins der Kastellgefängnisse und fertigte einen Boten an den Großtyrannen ab.

Die Nachricht von Sperones Selbstanschuldigung durchlief die Stadt ebenso schnell, wie alle vorangegangenen Gerüchte und Neuigkeiten es getan hatten. Doch unterschied sie sich von diesen merkwürdig in ihrer Wirkung, indem sie nicht gleich ihnen eine verwikkelte Reihe von Entschlüssen, Gegenplänen, Vorstößen und Anerbietungen zur Folge hatte. Vielmehr führte sie, was Bemühungen solcher Art angeht, einen plötzlichen Stillstand herauf. Wen wollte auch jetzt noch die Frage kümmern, ob dieser oder jener des Nachts beim Perlhühnchen gewesen war oder ob die Tinte eines Zettels mit der Tinte eines Schreibkastens die Eigenschaften teilte?

Dennoch war der Eindruck des neuen Vorkommnisses ein solcher von Gewalt, und zwar zunächst um der gänzlichen Überraschung und Bestürzung willen.

Viele meinten: »Da sieht man es! Der Heilige! Denn ein Heiliger hat er ja sein wollen, oder aufs mindeste haben seine Nachläufer die Sucht bezeigt, ihm diesen Namen beizulegen.«

Andere wiederum sprachen von der Geistesverwirrung, in welche der Färber durch sein Grübeln und seine Schwärmerei sich gebracht habe, bis sie in einer solchen Tat ihren Ausweg fand. Seine Anhänger indessen, die freilich um ihrer schwachen Zahl wie um ihrer Unscheinbarkeit willen für das städtische Leben keine sehr große Bedeutsamkeit hatten, diese geringen Leute verblieben eine Weile in einem Zustand der Betäubung. Und hernach ging ihre Meinung dahin, durch den Arm desFärbershabe Gott selber einen entarteten Mönch, der alle priesterliche Gesinnung durch seine verschmitzte Teilnahme an den weltlichen Händeln verunehrte, richten wollen, und das solle ein Zeichen für die gesamte Kirche sein. Hiermit also übertrugen sie alle Verantwortungen in sehr vereinfachender Weise auf Gott, gaben Sperone nur die Bedeutung eines Werkzeuges und wichen allen weiteren Fragen aus dem Wege. Manche indessen wandten sich auch von dem Färber ab; vornehmlich solche, die unter den Erregungen der letzten Zeit in eine Leidenschaft des Frommseins gefallen waren und erst unlängst seinen Anhang verstärkt hatten.

Aus den Kreisen seiner Anhänger erschienen des öfteren verstörte, ja, verzweifelte Leute am Kastelltor und baten, doch zu Sperone ins Gefängnis gelassen zu werden. Sie alle wurden abgewiesen. Von ihnen gebärdete Giovanni sich am verzweifeltsten und wiederholte sein Flehen um Einlaß unter Tränen und allerlei Beteuerungen. Ja, es wurde später berichtet, er sei mehrfach in Zuckungen zu Boden gefallen.

3

Der einzige Mensch, dem es gelang, sich Zutritt zu Sperone zu verschaffen, war Monna Mafalda. Mit ihrem gewaltigen Willen, dem schwer Widerstand zu tun war, wurde sie aller Hemmnisse Meister. Vielleicht kam ihr hierbei des Großtyrannen Abwesenheit zustatten. Doch darf ebensogut angenommen werden, sie würde sich auch durch seine Gegenwart nicht haben hindern lassen. Denn der Großtyrann fürchtete sie und liebte es, sich gelegentlich mit einer lächelnden Selbstverspottung zu dieser Furcht zu bekennen. Sie mochte auch Ursache gewesen sein, daß er Monna Mafalda damals nicht zum Verhör ins Kastell geladen, sondern sie durch Entsendung eines Beauftragten in ihr Haus sich ferngehalten hatte.

Monna Mafalda zeigte sich, kaum daß die erste Kunde von Sperones Geständnis zu ihr gelangt war, von einer lauten Aufgeräumtheit erfüllt. Sie wußte nichts mehr davon, daß sie ja im Verlauf all ihrer absonderlichen Denk- und Handlungswege dahin gelangt war, die Blutschuld ihres Bruders als unwiderlegbar gelten zu lassen. Nun aber gab sie mit blitzenden Augen und sehr vernehmlicher Stimme jedem Begegner ihre Genugtuung zu erkennen. Der häßliche, der aberwitzige Verdacht, den die Kastellobrigkeit und Diomede auf den Kleinen geworfen hatten, war durch Gottes Eingreifen, das sie herbeigefleht und als selbstverständlich erwartet hatte, beseitigt. Nun brauche nur des Großtyrannen Rückkehr abgewartet zu werden, und alles komme wieder in sein Recht. Und sie entwarf bereits die Anordnung der Beisetzungsfeierlichkeiten, ja, sie sandte zu einem berühmten Musikmeister mit der Frage, an welchen Tagen dieser und der kommenden Woche er mit seinen Leuten noch unbeschäftigt sei. Hier war ein Pomp zu entfalten, dessen in Cassano nach Jahrzehnten noch gedacht werden sollte; dies war man dem guten Kleinen schuldig.

Zum ersten Male seit längerem betrat sie wieder das Haus ihres Bruders, das sie aus Abscheu vor Diomede eine Weile gemieden hatte. Sie umarmte Vittoria, klopfte ihr die Wangen und pries die rechtzeitig geschehene himmlische Hilfe. Ihre Kinne bebten, sie schnob gewaltig durch die haarbuschigen Nüstern. Sie sprach viel. Daß Vittoria schwieg, wurde sie nicht gewahr. Vom Confinischen Hause begab sie sich ins Kastell.

Die Höflinge des Großtyrannen hatten, da ja vom Herrn selber eine Verfügung noch nicht zu erlangen war, den Färber nicht in eins der finsteren unterirdischen Kerkerlöcher bringen, sondern ihm einstweilen einen zwar wohlvergitterten, aber nicht durchaus unwohnlichen Raum anweisen lassen, in welchem gelegentlich Häftlinge hohen Standes aufbewahrt worden waren. Er empfing ein wenig Licht, und er enthielt eine Lagerstatt, einen Tisch und einen Stuhl. Der Färber war ungefesselt geblieben. Auch war ihm nicht Brot und Wasser, sondern eine Mahlzeit aus der Dienerschaftsküche gebracht worden. Von dieser hatte er ein kleines Stück Lammfleisch, einen Becher Wein und ein wenig Weizenbrot zu sich genommen. Ob nun dieser oder jener vom Gesinde des Kastells sich im stillen zu Sperones Anhang hielt – genug, es wurde in der Stadt von diesem Essen gesprochen, und manche fühlten sich an Christi letzte Mahlzeit erinnert.

Monna Mafalda betrat mit ihren derben Schritten die Zelle, und ihre Gestalt schien den ganzen Raum einnehmen zu wollen. Der Schließer, der sie eingelassen hatte, verneigte sich und zog sich zurück. Der Färber, dessen Gesichtszüge Monna Mafalda noch nicht zu unterscheiden vermochte, hatte auf dem Stuhl gesessen. Jetzt stand er auf und rückte ihn schweigend der Besucherin entgegen. Monna Mafalda setzte sich spreizbeinig hin, neigte den mächtigen Oberkörper vor, stemmte die Hände bei auswärtsgewinkelten

Ellenbogen auf die Oberschenkel und begann zu reden. Sie sprach mit Sperone so, wie sie gleich manchen ihres Standes meinte, daß mit einfachen Leuten geredet werden müsse, nämlich laut, derb, grob und gutmütig.

»Nun lasse dich einmal anschauen, mein Lieber. Also so siehst du aus. Kein übler Kerl, beim bösen Christus! Man sieht es dir nicht an, daß du solche Stücke zuwege bringst. Nun, das geht mich nichts an, darüber habe ich nicht zu Gericht zu sitzen. Gott sei es gedankt. Aber das ist recht von dir, daß du endlich der Wahrheit die Ehre gegeben hast. Weißt du denn auch, was du alles angerichtet hast mit deinem langen Schweigen? Da hätte ich schon Grund, dir gewaltig böse zu sein. Nun, du hast dir eben nicht so recht klar gemacht, was dabei alles herauskommen konnte, wie? Ich mache dir keinen Vorwurf, ich gebe es zu, es ist nicht leicht für deinesgleichen, sich einen rechten Überblick zu verschaffen. Und zuletzt hast du ja auch die Wahrheit bekannt. Hast am besten so getan, Bruder. Sie waren dir ohnehin auf den Hacken, längstens in drei Tagen hätten sie dich verhaftet. Mit dem Leben kommst du nicht davon, aber sie werden es milde machen und dir nicht die Todesart verschärfen. Wenn nötig, lege ich selber ein gutes Wort für dich ein, auf mich hört man in Cassano! Was macht es schon aus, Bruder, sterben müssen wir alle, ich werde auch noch einmal heranmüssen. Und so wirst du einen schönen und christlichen Tod haben, bist ja sonst, wie ich höre, ein gottesfürchtiger Mann. Und nun gib mir die Hand.«

Sie ergriff die herabhängende Rechte des stumm vor ihr Stehenden und schüttelte sie kräftig hin und her.

»Du bist ein braver Geselle«, fuhr sie fort. »Du hast ein Gewissen und hast auf die Länge nicht gewollt, daß ein Unschuldiger nach seinem Tode noch an seinem ehrlichen Namen gekränkt werde. Dafür danke ich dir. Hast du Familie? Einen Bettschatz? Sage es mir nur dreist. Es ist, weil ich für die Leute sorgen will, die nach dir zurückbleiben. Beim bösen Christus, das tue ich! Ich bin nicht geizig, das wissen alle. Also, wie steht es? He?«

Der Färber gab keine Antwort.

»Nun, du bist jetzt nicht in der Laune, viel zu reden. Auch gut. Ich verstehe das. Ich komme vor Ende noch einmal zu dir, das verspreche ich. Bis dahin magst du dir deine Wünsche überlegen.«

Monna Mafalda klopfte ihn schallend auf die Schulter, als sie ging. Sperone lächelte verloren.

4

Der Großtyrann, welcher erst am dritten Tage heimgekehrt war, ließ sich wenige Stunden nach seiner Rückkunft Sperones Zelle aufschließen. Es war zu später Zeit, und der Diener, der ihn begleitete, setzte die florentinische Blendlampe auf den Tisch. Alsdann zog er sich zurück, und die beiden Männer waren miteinander allein in der gänzlichen Stille der Nacht. Es war kühl hinter den dicken Steinmauern, und die Witterung der unverschlossenen Welt drang nicht bis hierher.

Sperone hatte noch nicht geschlafen, sondern auf seinem Lager gesessen. Beim Kommen des Großtyrannen war er nicht gleich aufgestanden, denn die starke Blendung des Lichts hatte ihn gehindert, den Eintretenden zu erkennen. Danach hatte er sich erhoben und sich auf eine wenig geschickte Art verneigt.

Der Großtyrann winkte ihm, seinen vorigen Platz wieder einzunehmen. Er selbst setzte sich und rückte mit seinem Stuhl nahe an den Tisch heran, auf den er vorgeneigt die gekreuzten Unterarme legte.

Er betrachtete sehr aufmerksam Sperones Gesicht, welches ruhig und gesammelt erschien; denn die Anfechtungen der Kleinmütigkeit, welche er zu erleiden gehabt hatte in der langen und ihm so unvorhergesehen auferlegten Weile des Wartens, diese Anfechtungen waren von ihm gewichen.

»Ich höre, daß du ein Geständnis gemacht hast«, begann der Großtyrann. »Allein, ich möchte von dieser Sache jetzt noch nicht mit dir sprechen. Was bist du für ein Mensch, Färber? Denn ich liebe es, danach als nach dem ersten zu fragen, damit die zweite Frage: was hast du getan? sich mir desto leichter und zugleich tiefer beantworten könne.«

Sperones Ausdruck bezeugte eine kleine Verwunderung, die in ein Lächeln überging wie das eines verlegenen Kindes. Endlich sagte er: »Ich bin ein unberühmter Mensch, welcher Tuch färbt. Was soll ich dir weiter von mir sagen, Herrlichkeit?«

»Es ist da einmal eine Anzeige gegen dich bei mir eingelaufen«, begann der Großtyrann wieder. »Ich mochte ihr nicht stattgeben, doch bediene ich mich gern der Gelegenheit, dich jetzt nach dieser Sache zu fragen. Es hieß nämlich, du habest zu den Leuten deines Umganges gesagt, du wolltest sie zu Herrenfischern machen . . . piscatores domini . . . und einem Wohldenkenden, nicht aber Tiefdenkenden unter meinen Dienern kam der Einfall, es möchte in dieser Ausdrucksweise eine Wendung gegen mich enthalten sein. Wie also hattest du es gemeint? Oder hast du jenen Ausspruch am Ende gar nicht getan?«

»Ich glaube wohl, ihn getan zu haben«, erwiderte Sperone. »Wenn ich aber vom Herrn sprach, so habe ich gewiß nicht dich gemeint, sondern deinen und meinen Herrn. Und diesen müssen wir wohl so fangen, daß er uns gänzlich als Beute zufällt. Fangen aber sollen wir ihn als wie den mystischen Fisch, fangen im Netze unserer Liebe und Begierde. Er muß der Gefangene unserer Liebe sein, selbst unserer unvollkommenen.«

»So liebst du ihn noch nicht vollkommen?« fragte der Großtyrann.

»Liebte ich ihn vollkommen, so müßte ich ja die Macht haben, die Welt zu verwandeln; Macht, dem Monte Torvo zu befehlen: Hebe dich auf und stürze dich ins Meer.«

»Dies ist, wenn ich mich der Schrift recht entsinne, nicht von der Liebe, sondern vom Glauben gesagt. Soll ich denn aber annehmen müssen, du glaubest auch unvollkommen?«

»Mein Glaube ist noch nicht senfkorngroß«, sagte leise und mit abwärts gerichteten Augen der Färber.

Danach flüsterte er, als habe er des Gewaltherrn Abwesenheit vergessen, mit geschlossenen Lidern inbrünstig: »Mehre unsern Glauben. Stärke unsere Hoffnung. Entzünde unsere Liebe.«

Er bekreuzte sich. Hierbei hatten seine Bewegungen nichts Gewohnheitliches, vielmehr war jede, als geschehe sie zum ersten Male und sei gleichsam ein Nagel, mit dem er sich an das Kreuz des eigenen Knochenbaues heftete.

»Du bittest um die drei himmlischen Tugenden«, sagte der Großtyrann. »Gewiß soll um diese gebeten sein. Aber mich möchte es fast preislicher bedünken, ohne Hoffnung zu glauben und zu lieben. Dies wäre, wenn er nämlich lieben könnte – denn glauben kann er ja, ja, er weiß! –, der Zustand Luzifers. Und vielleicht ist dies auch der Zustand vieler Männer auf der Erde.«

Er hatte diese Worte mehr für sich gesprochen als zu Sperone. Nun aber wandte er sich, lebhafter werdend, wiederum dem Färber zu. »Vergissest du hierbei nicht, daß die Tugendlehre der Kirche außer jenen drei übernatürlichen noch vier natürliche Tugenden kennt? Darunter jene eine höchst wichtige Tugend: die der Mäßigung. Sie ist vielleicht nicht die Tugend, welche im Himmel am höchsten geschätzt wird, wohl aber die, welche auf Erden am notwendigsten ist. Denn sie erst führt jenen Ausgleich herauf, innerhalb dessen auch die übrigen Tugenden davor bewahrt bleiben, zu Lastern zu werden.«

»Vergib, Herrlichkeit«, erwiderte Sperone. »Sicherlich bist du im Recht. Ich aber habe, wenn auch in unvollkommener Weise, vor allem nach dem Erwerb der himmlischen Tugenden getrachtet.«

»Und wie ich meinen möchte, nicht vergebens«, sagte der Großtyrann. »Man erzählt von dir, du könntest allerlei Ungewöhnliches verrichten. Da ist die Rede von wunderhaften Heilungen.«

»Ich habe mich solcher Dinge nie gerühmt«, antwortete Sperone. »Was aber die Leute sagen, darum muß die Herrlichkeit sie selber fragen und nicht mich.«

»Ich kann das nicht wörtlich nehmen, was du über die Geringheit deines Glaubens sagst, denn es ist mir nicht unbekannt, daß du zu jenen Frommen gehörst, die ihr Heil in der Selbstverdemütigung suchen. Darum meine ich also, es möchten dir vielleicht doch gewisse Dinge möglich sein, welche uns übrigen verwehrt sind. Ich weiß wohl, daß du ein Auserwählter Gottes bist, und du weißt es auch. Habe ich nicht recht?«

5

Es war nicht des Färbers Art, sich lange voraus seine Reden zu überlegen, wie er denn überhaupt kein sehr vorbedachter Mann war. Sondern er hatte einen sehr festen Glauben daran, daß ihm das rechte Wort im Augenblick des Bedürfens ins Herz gegeben werde, und das war ihm auch jedesmal gewährt worden, sooft, was mitunter geschah, jemand ihm eine schwer lösbare Frage vorgelegt hatte; und er deutete sich das zu Recht oder zu Unrecht als eine göttliche Eingebung und setzte sie in Zusammenhang mit jenem Gebote Christi an seine Jünger: Sie sollten sich nicht sorgen, wie sie sich verantworten wollten, wenn sie vor Gericht stünden, vielmehr werde er ihnen ihre Antworten eingeben.

Er antwortete auf des Großtyrannen furchtbare Frage ohne Besinnen: »Es ist ein jeder Mensch auserwählt zur Verherrlichung Gottes. Aber es ist nicht einerlei Art der Auserwählung noch einerlei Art der Verherrlichung.«

»Allein, jene, die dich gut kennen, haben eine sehr genaue Vorstellung von der Art, in welcher du auserwählt und zur Verherrlichung berufen bist. Es soll, wie ich höre, ja auch davon gesprochen worden sein, daß man dir die Kraft zutraue, Tote zu erwecken. Und ich will dir gestehen, daß ich hierin nichts Ungewöhnliches fände. Denn zählst du dich nicht zu den Jüngern Christi? Und hat er den Seinen nicht geboten: Heilt die Kranken, reinigt die Aussätzigen, weckt die Toten auf? Oder solltest du am Ende dergleichen für unmöglich halten im Widerspruch freilich zu den Worten des Evangeliums? Ja, wie wäre es denn, wolltest du diese verheißene Kunst jüngerlich an jenem Toten üben, aus dessen Abscheiden sich so manche Ereignisse herleiten? – Ich meine, an Fra Agostino«, setzte er hinzu.

Der Großtyrann hatte diese Worte ohne eine spöttische Betonung gesprochen, eher mit einer gleichmäßigen und bereitwillig auf alle Gedanken des anderen eingehenden Gelassenheit. Und so war auch der fragende Blick, den er auf Sperones Gesicht gerichtet hielt.

»Es wäre in der Tat vieles Schwierige behoben, mein Lieber, wenn du diesen Mann auferwecken wolltest, so wie der Herr, dem du doch nachfolgst, den Lazarus auferweckte.«

»Gewiß bin ich der Meinung«, antwortete Sperone, »daß Gott als ein Allmächtiger auch die Gabe der Totenerweckung zuordnen kann, wem er will. Und sollte es ihm gefällig sein, sie mir aufzuerlegen, so würde ich nicht zögern, sie, an wem immer, dem Geheiße nach auszuüben.«

»Nun, vielleicht ist die Gabe dir verliehen wie andere Gaben auch, und damit wäre das Geheiß bereits ergangen. Und erging es nicht schon mit jenen an die Jünger gerichteten Worten Christi? Wer sagt denn, diese Worte seien nur gerichtet an die wenigen Jünger, welche der Zeit und dem Fleische nach bei jenem Geheiße zugegen waren? Ja, als er den Lazarus auferweckte, hat er das nicht getan, um erweislich zu machen, was er an anderem Orte eigens bestätigt: nämlich daß, wer ihm nachfolge, sich der gleichen Fähigkeiten zu versehen habe?«

Sperone begann zu reden, als hätten des Großtyrannen Worte nicht ihm unmittelbar gegolten, und gerade bei diesem Ausweichen meinte er von einer Eingebung seines Schutzengels geleitet zu sein. Er sagte: »Ich habe mir meine Gedanken gemacht über die Auferweckung des Lazarus, und ich habe mich gefragt, welchen Zweck sie haben sollte. Etwa den, daß Lazarus um einige Jahre oder Jahrzehnte länger lebte und seine Hantierung verrichtete? Warum hätte er diesen Vorrang haben sollen vor allen anderen Gestorbenen? Denn daß sein Leben wichtiger gewesen sei als das vieler anderer, davon ist uns nichts gesagt worden. Christus duldete ja auch den

Tod seines Nährvaters Joseph und des Täufers Johannes. Um der Maria und Martha willen? Aber warum ihnen diese Bevorzugung, da doch auch andere und gleich gottesfürchtige Frauen ihre Brüder verlieren mußten? Oder damit wir hieran Christi Kraft der Totenerweckung erkennen? Aber diese erkennen wir ja bereits an der Tochter des Jairus und an dem Jüngling von Nain. Und so bin ich auf den Gedanken gekommen, es sollte uns durch diesen Vorgang etwas ganz anderes gelehrt werden, nämlich die Ungültigkeit der Zeit.« Hierbei erschien in seinen Augen ein Licht, das sich mit dem eindringlichen Raunen seiner Stimme zu einer geheimnisvollen Wirkung verband. »Die Ungültigkeit der Zeit und die vollkommene Vergebung.«

»Wie ist das gemeint?« fragte der Großtyrann.

»Du wirst dich gewiß erinnern, Herrlichkeit«, erklärte Sperone eifrig, »daß Martha, des Lazarus Schwester, den eintretenden Heiland mit den Worten empfing: Wärst du hier gewesen, Herr, mein Bruder wäre nicht gestorben.«

»Ich erinnere mich«, sagte der Großtyrann.

»Mit diesen Worten, so möchte ich meinen«, fuhr Sperone fort, »gibt Martha zu verstehen, daß Lazarus nur deswegen hat sterben können, weil der Herr nicht zugegen war. Nun aber kommt er und hebt seinen Tod auf, welcher doch schon geschehen war. Er bewirkt, daß Lazarus nicht gestorben und daß er selber nicht abwesend war. Der Herr also hat die Macht des Widerrufs auch gegenüber jenem, das wir für unwiderruflich halten; und für unwiderruflich gilt uns das bereits Geschehene, das Vergangene. Er aber ist ein Herr auch über die Vergangenheit. Zu keinem anderen Ende ist die Auferwekkung des Lazarus geschehen, als uns dies Geheimnis zu lehren. – Ja, so habe ich es mir zurechtgelegt«, setzte er hinzu. Nicht nur Sperones Worte, sondern auch die Art seines Sprechens drückte hierbei ein Gemisch von Spitzfindigkeit und Verworrenheit aus, aber sowohl Spitzfindigkeit wie Verworrenheit trugen einen kindlichen Zug, dem etwas Rührendes innewohnte. Dies mochte auch der Großtyrann empfinden.

»Und von hier aus meine ich auch die Sündenvergebung zu begreifen«, fuhr Sperone fort. »Denn das ist ja nicht die vollkommene Vergebung, daß angenommen wird, die geschehene Sünde solle so gelten, als sei sie nicht getan. Vielmehr ist dies die Beschaffenheit der unvollkommenen Vergebung, zu welcher wir Menschen untereinander fähig sind. Die vollkommene Vergebung aber, die nur von Gott geübt werden kann, ist eine andere, denn durch sie ist die Vergangenheit aufgehoben: Die geschehene Sünde wird ungeschehen gemacht, sie ist nicht getan worden, so wie ja auch Lazarus nicht gestorben ist.«

»Es mag sich hören lassen. Aber wie kommt es, daß du dir so viele und so geartete Gedanken machst? Dergleichen ist doch nicht gewöhnlich unter Leuten deines Standes. Und hast du dir von jeher mit solchen Überlegungen zu schaffen gemacht? Oder ist es plötzlich über dich gekommen? Es soll ja Fromme geben, die sagen, es sei ihnen eine Erweckung geschehen, und die genau auf Tag und Glokkenschlag anzugeben lieben, wann dies vor sich ging.«

»Ich habe eingezogen gelebt. Die Färberei, Herrlichkeit, als ein Handwerk ohne viel Geräusche, ladet zur Nachdenksamkeit ein. Und mit ihren Verwandlungsvorgängen fordert sie auch zu Vergleichen auf. Da denkt man an den beispielhaften Unterschied zwischen der göttlichen und der menschlichen Färberkunst: daß nämlich diese nur das Helle dunkel, jene aber auch das Dunkle hell zu färben vermag. Da denkt man an die geistliche Krappfarbe, welche das Blut Christi ist. Oder an das Wort des Propheten, daß selbst unsere blutrote Sünde schneeweiß werden soll, und wenn sie scharlachfarben wäre, so sollte sie doch wie Wolle werden, nämlich wie gereinigte, aber noch ungefärbte Wolle. Auch hier ist die Rede vom Geheimnis der vollkommenen Vergebung; denn die Sünde soll ja nicht gleichsam schneeweiß werden, sondern schneeweiß. Und solcher Gedanken bieten sich einem Menschen meines Berufes wohl noch viele dar, beim Bleichen und Beizen, beim Anrichten der Farbbäder oder beim Hin- und Herziehen des Färbegutes in der Farbflotte.«

»Aber fürchtest du nicht, auf Fehlwege zu geraten?«

»Nein. Denn ich verlasse mich gänzlich auf den behütenden Engel.«

»Es mangeln dir mit Sicherheit die Weihen, wahrscheinlich aber auch die Kenntnisse, vielleicht die natürliche Urteilskraft. Wie willst du die nützlichen von den unnützlichen Gedanken scheiden?«

»Gott schickt uns die Gedanken wie alle anderen Dinge auch. So ist die Frage nach ihrem Recht oder Nichtrecht, die Frage nach ihrer Nützlichkeit oder Unnützlichkeit nicht zu erheben.«

»Es scheint mir keineswegs erwiesen«, entgegnete der Großtyrann, »daß alle Gedanken von Gott geschickt werden. Vielleicht gibt es Gedanken, die er allenfalls noch gerade duldet. Und ich wüßte dir manches Beispiel von der Unnützlichkeit der Gedanken zu nennen. Mein Vater hatte einen alten Vetter, der ein einfacher Mann war – denn du weißt ja, daß ich von keinem erlauchten oder auch nur angesehenen Geschlecht stamme. Dieser alte Mann, dessen ich mich aus meiner Kindheit noch wohl erinnere, war, wie er selber es nannte, ein Gedankenfreund. Das heißt: Er gab sich nichtsnutzigen Grübeleien hin, über denen er seine zeitlichen Angelegenheiten versäumte. So hat er sich viel mit der Frage zu schaffen gemacht, ob man für die Seelen des Kain und des Judas beten dürfe, ja, ob man es nicht müsse. Und von hier aus gelangte er weiter zu der Frage, wie es denn mit dem Gebet, ja, mit dem Messelesen für den Bösen selbst bestellt sein möchte. Zuletzt meinte er, dies sei eine vornehmlichere Obliegenheit als alle andern christlichen Pflichten, da doch niemand der Fürbitte in einem solchen Maße bedürftig sein könne wie eben der Satan. Er brachte es dahin, daß er, gänzlich verarmt, sein Gnadenbrot bei meinem Vater verzehrte, daß die Kinder ihm auf der Straße ›Teufelserlöser‹ nachriefen und er ein Gespött und Ärgernis war. Auch ist er einem geistlichen Gerichtsverfahren nur dadurch entgangen, daß er plötzlich hinstarb – wie man mit einigem Grund annahm, nicht ohne eigenes Verschulden, vielleicht sogar mit deutlichem Willen.«

»Ich kann, Herrlichkeit, in dem Ausgang dieses Mannes keinerlei Beweis erblicken, da wir doch Gottes Urteil über ihn nicht kennen. Ja, nicht einmal einen Beweis gegen seine Behauptung, daß jene großen Sünder mit Einschluß des Teufels unserer Gebete am bedürftigsten und mithin auch am würdigsten seien. Übrigens fordert St. Paul, der Apostel, uns in einem seiner Briefe ja auch auf, wir möchten unsere Gedanken und unsere Vernunftskräfte brauchen, indem er sagt, wir sollen nicht Kinder am Verständnis sein, sondern Kinder nur an der Bosheit; am Verständnis aber, so sagte er, seid vollkommen. Nun aber, Herrlichkeit, scheint mir, es sei diese ganze Stadt vollkommen an der Bosheit.«

Der Großtyrann ging auf diesen letzten Satz, der vom Färber fort und zu den cassanesischen Begebenheiten hinleiten sollte, nicht ein. Er meinte:

»Gut. Es war nur des Beispiels halber gesagt. Aber wenn nun ein Geistlicher dir dein Gedankenmachen verwiese?«

»Warum sollte er das tun, Herrlichkeit?« fragte Sperone verwundert zurück. »Ich habe es nie an der Ehrerbietung vor dem priesterlichen Amt fehlen lassen. Und ich bin ja auch willig, jede geistliche Belehrung anzunehmen.«

»Und wenn die geistliche Obrigkeit es dir untersagte, mit anderen Leuten zu beten oder von Glaubensdingen zu reden?«

»Wie könnte sie das? Da ich hiermit doch nichts anderes tue, als daß ich den klaren Geboten Christi und der Apostel folge?«

»Warum bist du nicht geistlich geworden?«

»Ich habe nichts gelernt. Ich verstehe nicht zu schreiben, nicht einmal zu lesen.«

»Und hast du dich nicht als dienender Bruder in ein Kloster begeben mögen?«

»Der Engel hat mir nichts davon gesagt.«

»Du hast zu deinem Engel ein sehr großes Vertrauen?«

»Ja«, sagte Sperone, »und ich glaube, daß den Engeln eine hohe Wichtigkeit zukommt und eine höhere, als manche Menschen, selbst unter den frömmsten, es annehmen. Denn daraus, so denke ich, erhellt des Menschen Würde, selbst des verworfensten, daß Gott ihm einen Schutzengel zuordnete vom Anfang der Welt her. Dieser Engel hat achten müssen auf alle Blutsteilchen in den Geschlechtern vor ihm. Er mußte sorgen, daß dieser oder jener vorbestimmte Urvater nicht von einer kindlichen Krankheit fortgenommen oder vorzeitig von einem Blitze getötet wurde. Er mußte sorgen, daß nicht der Schlag eines Pferdes aus meinen zahllosen Ältermüttern eine bestimmte traf, ehe sie jenes winzige Lebensstückchen weitergegeben hatte, das zum Bau meines Leibes verordnet war und sich verbinden mußte mit tausenden ähnlicher Stückchen aus anderen Urvätern und Ältermüttern, über welche ebenfalls dieser Engel eine Obhut zu üben hatte. Und nun hat er mich zu behüten, daß ich meinen Fuß an keinen Stein stoße.«

»Du bürdest den Engeln sehr vieles auf und gibst ihnen einen erhöhten Platz. Ich bin kein Gelehrter und weiß nicht, ob du hierin völlig mit der Kirche in Übereinstimmung denkst. Vielleicht ist es auch eine gefährliche Meinung, und du könntest mit ihr bei den geistlichen Oberen in einen schlechten Geruch kommen. Aber ich wollte dich noch an etwas anderes erinnern. Da du dich mit der Auferweckung des Lazarus befaßt hast, so wirst du wohl auch jenes alte und allgemeine Gerücht gehört haben, das sich die einfachen Leute von Lazarus erzählen, obwohl die Geistlichen dagegen ankämpfen. Das Volk sagt nämlich, Lazarus, der ja vier Tage im Grabe gelegen hat, habe bis an seinen zweiten Tod des Grauens nicht mehr Herr werden können und sei auf diese Weise der elendste unter allen Menschen geworden.«

Des Großtyrannen Kopf duckte sich ein wenig in den Schultern, wie eines Menschen, der mit einem Schauder an den Tod denkt. »Es ist etwas Grauenhaftes, daß wir sterben müssen«, sagte er flüsternd.

Dann hob sich seine Stimme. »Hast du auch bedacht, Färber, daß du deinen Tod anstellst? Färber, ich rate dir gut. Ziehe dein Geständnis zurück. Denn wer, glaubst du, könnte dir den Mord nachweisen, wenn du selber nicht darauf beharrst, es zu tun?«

Sperone schüttelte stumm den Kopf. Diese Gebärde war von einer großen Entschiedenheit.

Der Großtyrann stand auf und sagte: »Es ist gut. Ich werde diese Aufforderung nicht wiederholen. Morgen wirst du in mir den Richter sehen. Aber die Tür deiner Zelle wird unverschlossen sein bis zum Dämmern des Tages. Und meine Wächter werden Anweisung erhalten, dich nicht zu hindern, wenn du das Kastell verlassen willst. Sonst aber wird von morgen ab mit dir verfahren werden, wie es nach den Gesetzen hergebracht ist.«

Er nahm die Lampe vom Tisch und ging.

6

Der Großtyrann verbrachte den folgenden Tag damit, daß er einige auswärtige Abgesandtschaften empfing und mit ihnen im Gartenhause unterhandelte. Nach Sperone fragte er nicht.

Am Nachmittag fügte er diesen Geschäften eine Pause ein, indem er die Unterhändler für eine Weile beurlaubte. Er selber hielt sich in seinem Garten auf. Hierher ließ er auch Nespoli führen, als dieser ihm zur Abstattung seines Vortrages gemeldet wurde.

Seit jenem Morgen war Nespoli noch nicht wieder in diesem Garten gewesen, in welchem alle Geschehnisse ihren Ursprung hatten. Wie damals fiel wieder das Klagegeschrei der Pfauen in sein Gehör. Die Farben des Gartens schienen verdorrt. In der bleigrauen Luft lag ein blasser Sonnenschein.

Während sie miteinander die Wege auf und nieder schritten, berichtete Nespoli von einem kirchlichen Bittgang, der um Änderung des Wetters unternommen worden war, und von einigen Unordnungen, die sich bei diesem Umzug ereignet hatten. Hieran schloß er mehrere Meldungen ohne Belang. Und bei all diesem empfand er mit Verwunderung, daß des Großtyrannen Gedanken abwesend zu sein schienen, während er doch sonst die Art hatte, sich mit ungespaltener Aufmerksamkeit dem jeweils in Rede stehenden Gegenstande hinzugeben, mochte dieser auch geringfügig sein. So war er auch abgewichen von seiner Gewohnheit, den Vortragenden durch Zwischenfragen nach dieser und jener Einzelheit zu unterbrechen.

»Und von dem Totschlag auf dem Kräutermarkt sagst du mir nichts?« fragte der Großtyrann, als Nespoli schwieg.

Es wollte Nespoli scheinen, der Großtyrann habe sich zu dieser Frage gezwungen, um ihn nicht merken zu lassen, daß sein Geist mit anderen Dingen beschäftigt war.

»Die Herrlichkeit hat meinen Amtsbereich bekanntermaßen eingeengt. Ich sah keinen Anlaß, mich mit dieser Sache zu befassen. Denn es war mir von meinen Fischern gemeldet worden, der Zwist habe seinen Ausgang gehabt in der Beschuldigung, der eine der Streitenden solle sich zu einem Meineide erboten haben in Sachen des Herrn Confini oder eines jener Frauenzimmer. Und so habe ich verzichtet, mich darum zu kümmern.«

»Du hast meine Anordnung sehr wörtlich genommen, Massimo.«

»Ein Deuteln an den Befehlen der Herrlichkeit steht mir nicht zu.«

»Mein Lieber, in deinem jetzigen Verhalten bist du nicht ein Nutzen, sondern ein Hemmnis aller öffentlichen Ordnung.«

»Es steht der Herrlichkeit frei, dieses Hemmnis zu beseitigen, indem sie mir den Abschied gewährt. Die Herrlichkeit möge nicht glauben, daß ich an den schmalen Überbleibseln meines Amtes hänge.«

Der Großtyrann schüttelte stumm den Kopf, und seine Blicke gingen über einige entfernte Baumwipfel.

»Ich bin kein glücklicher Mensch«, sagte Nespoli. »Aber vielleicht trägt dieser Umstand zum Glück der Herrlichkeit bei. Darum wünscht sie mich in ihren Diensten zu behalten.«

»Ach, Massimo, wie jeder Bedrückte denkst du zu gering von der Gewalt der Zeit. Alles Jetzige wird einmal vorüber sein. Ich kann nicht sagen, wann das geschehen wird, doch möchte ich meinen: bald. Du wirst deine Verrichtungen und dein Leben haben wie zuvor. Und du wirst auch deinen Groll vergessen. Aber sage mir doch, was du von dem Färber Sperone hältst. Denn du wirst wohl gehört haben, daß er sich des Mordes schuldig bekannt hat.«

Der Großtyrann hatte in dem bisherigen Gespräch schnell geredet. Es war merklich, daß er ungeduldig gewesen war, an diesen Punkt zu gelangen. Und dies bestätigte sich für Nespoli auch in dem erzwungenermaßen beiläufigen Ton der Frage.

Mit der Hast eines Überredenwollenden, welche sonst seiner Sprechweise fremd war, fuhr der Großtyrann fort: »Hierin kannst du dich jetzt ohne den Zwang einer amtlichen Verbindlichkeit äußern, nachdem ich in dieser Sache eine solche ja von dir genommen habe. Und da ein jeder Einwohner von Cassano bis hinab zum letzten Gassenbuben eine Meinung hierüber hat, so wirst du wohl auch eine haben.«

Dies war seit längerem das erstemal, daß der Großtyrann in einem eigentlicheren Sinne wieder die Rede an Nespoli richtete; denn seither hatten sie wie zwei einander gänzlich Fremde nichts gewechselt als kurze Worte, die ihren unmittelbaren Bezug hatten zu den Gegenständen des Vortrages. Und Nespoli wunderte sich ein wenig darüber, doch auch er hatte ja heute mit seinen Äußerungen das knappe Maß des amtlich Notwendigen bereits hinter sich gelassen.

Indessen meinte er sich etwas zu vergeben, wenn er auf des Großtyrannen Aufforderung einginge, und dies um so mehr, als er ja seinen Drang, über Sperone zu reden und reden zu hören, wahrnahm. So antwortete er: »Mein schielender Diener, dem es ja nicht verboten ist, sich mit diesem Mordfall abzugeben und sich seine Gedanken zu machen, wird sicherlich eine Meinung haben. Ich habe keine. Er hat mir, nachdem die Selbstbezichtigung des Färbers geschehen war, beim Rasieren seine Mutmaßungen samt allerlei städtischen Gerüchten ausbreiten wollen, aber ich habe ihm den Mund verboten. Befehle die Herrlichkeit, so werde ich den Schieler hersenden.«

»Massimo! Massimo!« sagte der Großtyrann. »Gehst du so weit in deinem Grimm? Ich lege dir eine Frage vor, und du erbietest dich, sie durch deinen Diener beantworten zu lassen. Ist es dein selbstfeindlicher Wunsch, ich möchte dies als eine Ungezogenheit nehmen und danach mit dir verfahren? Daß ich dir die Bearbeitung des Mordfalles abnahm, war dies nicht zugleich eine Handlungsweise der Schonung? Ich dächte, dies solltest du verstehen, Massimo. Nun, es ist gut. Gehe jetzt. Wir werden schon wieder zusammenkommen.«

Der Großtyrann schien nicht nur verstimmt, sondern auch enttäuscht. Dies empfand Nespoli als eine kleine Genugtuung.

Sie trennten sich an der Stelle, an welcher sie in jener Morgenfrühe vor dem Leichnam gestanden hatten. Nespoli zuckte im Davongehen unhöfisch die Achseln. Und auch vor sich selber weigerte er sich, über Sperone eine Meinung zu haben, gleich als käme er schon damit dem Großtyrannen zu weit entgegen. Auch gaben ja alle seine Weltübung und Erfahrenheit, die sich doch nur vollendet hatten im Umkreis des irdisch Überschaubaren, ihm nirgends eine rechte Handhabe, um mit einer Erscheinung wie Sperone ins gleiche zu kommen.

7

Nach Nespolis Fortgang nahm der Großtyrann seine Besprechungen mit den fremden Abgesandten wieder auf. Erst lange nach Dunkelwerden wurden die letzten entlassen. Darauf schickte der Großtyrann nach Sperone.

Das ebenerdige Gartenhaus enthielt einen einzigen Raum, der nach allen vier Seiten je ein Fenster hatte. Die Wände waren gemalt mit den Geschichten großer Empörer, nämlich mit dem Aufruhr der Giganten gegen die Götter, dem Abfall des Absalom, dem Aufstande des Spartakus und der Verschwörung des Catilina; doch waren alle diese nicht in ihrer Erniedrigung und Besiegtheit dargestellt, sondern verherrlicht in der vollen Kraft ihres Aufbegehrens. Unter den Cassanesen, noch mehr aber unter den Ortsfremden hatte es Verwunderung erregt, daß der Großtyrann seinem Gartenhause gerade diesen Schmuck bestimmt hatte. Der Raum enthielt Ruhebett, Tisch und Stühle. Auf der Achatplatte des länglichen Tisches stand ein vielarmiger Silberleuchter. Die Kerzen brannten ruhig; die Fenster waren geschlossen.

Als Sperone eintrat, sagte der Großtyrann: »Ich sehe, du hast die Möglichkeit verschmäht, die ich dir öffnete. Wundere dich nicht, von jetzt an einen Richter in mir zu finden.«

»Ich habe ja den Richter begehrt«, antwortete Sperone.

»Du kannst dich setzen. Wir werden vielleicht lange miteinander zu tun haben. Womit hast du den Mönch getötet?«

»Mit einem Dolch.«

»Woher hattest du ihn?«

»Er ist von jeher in meinem Besitz gewesen.«

»Ist er noch in deinem Hause?«

»Ich habe ihn in die Senkgrube geworfen.«

»Woher wußtest du, daß Fra Agostino bei mir war, hier in diesem Raume?«

»Ich hatte ihn beobachtet.«

»Des längeren?«

»Ja.«

»Er sah dich nicht kommen?«

»Ich stand hinter einem Busch.«

»Gut. Wäre es nicht dunkel, so könnte ich dich in den Garten führen, damit du mir das Vorgefallene an seinem Ort genau wiederherstellst. Aber alle diese Dinge sind mir nicht von Wichtigkeit. Ich will etwas anderes wissen. Aus welchem Grunde hast du die Tötung begangen?«

»Warum fragst du mich danach, Herrlichkeit? Ich habe meine Tat gestanden. Ist das nicht genug? Strafe mich.«

»So leicht wird es nicht hingehen, Sperone. Wie kann ein Richter urteilen, wenn er nur die Tat kennt, nicht aber ihre Antriebe?«

Sperone geriet in eine sehr sonderbare Unruhe. »Nimm mein Leben«, rief er, »und versöhne mit ihm die beleidigte Gerechtigkeit! Aber warum willst du mein Herz erforschen, da doch die Tat offenbar ist?«

Der Großtyrann bog ein wenig ab von dem bisherigen Pfade des Gesprächs, indem er nachdenklich sagte: »Meine Erinnerung trifft zufällig auf eine Briefstelle des Apostels Petrus, welche dir vielleicht auch bekannt sein wird, da du ja in diesen Dingen so bewandert bist. Sie mag von den Jahren meiner Erziehung her sich in meinem Gedächtnis aufbewahrt haben. Nämlich er schreibt: Es möge von den Seinen niemand leiden als ein Mörder oder Dieb oder Amtsanmaßer oder sonst um einer Missetat willen; und nur wo er leide in seiner Eigentümlichkeit als Christ, nur da habe er keinen Anlaß zur Scham. Ist nun nicht in diesem Wort eine sehr klare Verurteilung für dich ausgesprochen?«

Er beobachtete Sperone sehr genau, als er das sagte. Des Färbers Gesicht aber hatte unter dieser Rede des Gewalthabers wieder eine große Ruhe angenommen. Ja, es war ein Lächeln auf ihm erschienen, das, obwohl es wehmütig war, doch an jene Drolligkeit erinnerte, welche Sperones Leute an ihm kannten. Er antwortete nur: »Mir war dieses Wort zwar fremd, Herrlichkeit, aber ich weiß wohl, daß ich einer Verurteilung bedarf.«

Der Großtyrann kehrte darauf wieder zu seinem richterlichen Verhör zurück und stellte noch eine Reihe von Fragen. Welche Berührungen denn zwischen ihm und Fra Agostino stattgefunden hätten? Ob Sperone von seiten des Mönches eine Kränkung erfahren habe? Oder ob er von einem Dritten zur Begehung seiner Tat angestiftet sei?

Auf all dieses antwortete Sperone entweder ausweichend oder verworren. Und wo der Großtyrann ihm mit seinen Fragen deutlichermaße zu Hilfe kam, selbst da wußte er sich dieser Hilfe in seiner Verwirrung nicht zu bedienen.

»Du hast also in Fra Agostino deinen Feind erblickt?«
»Es ist uns befohlen, alle Menschen zu lieben.«
»Aber nicht bei allen fällt die Erfüllung dieses Geheißes uns gleichmäßig leicht. Fiel es dir nun schwer oder leicht, den Fra Agostino zu lieben?«
Hier schien Sperone keine Antwort mehr zu wissen. Und wie ein eigensinniges Kind kehrte er immer wieder zu seiner Meinung zurück, daß doch dem Großtyrannen sein Schuldbekenntnis genug sein müsse.
Der Großtyrann ließ ihm Zeit, wieder zur Ruhe zu kommen, und beschäftigte sich eine Weile mit den Papieren auf seinem Tisch. Ohne von ihnen emporzusehen, trug er dem Sperone auf, die Kerzen, deren ebenmäßiger Brand allmählich in ein Flackern übergegangen war, zu säubern. Sperone nahm die Putzschere, die am Fuße des Leuchters lag, und verrichtete das Befohlene geschickt und sorgsam.
Endlich wandte der Großtyrann sich ihm wieder zu. »Nun, da du mir noch nichts Rechtes sagen magst über die Ursachen, die dich zur Tötung des Mönches veranlaßten, so will ich hierin aufs erste nicht weiter nachforschen – indem ich dies einer späteren Stunde aufbehalte – und will jetzt von dir nur erfahren, aus welchen Ursachen du deine Tat freiwillig einbekannt hast. Denn du weißt ja, daß ein Verdacht auf dich noch nicht gefallen war.«
»Mein Gewissen hat mich getrieben«, sagte Sperone.
»In welchem Sinne?« fragte der Großtyrann. »Etwa so, daß du deine Strafe erleiden wolltest, damit die verletzte Gerechtigkeit wieder heil werde?«
»Auch in diesem Sinne, Herrlichkeit. Allein vornehmlich doch in einem anderen. Nämlich um all dieser Leute in Cassano willen.«
»Wie ist das zu verstehen?«
»Herrlichkeit!« rief Sperone mit starker Stimme. »Du fragst mich danach, wie das zu verstehen sei? Ist denn der Zustand dieser Stadt nicht offenbar geworden? Ist sie nicht vergiftet bis auf den Tod? Es gab eine Zeit, da ist sie nicht sündiger gewesen als alle anderen Stätten, an denen Menschen beieinander ihr Leben führen. Jetzt aber ist bald nicht einer in Cassano, den die Verstrickung nicht ergriffen hätte. Da ist Versuchung, Verdacht und Verrat. Lüge und Meineid gehen um zwischen Brüdern und Ehegatten. Gewalttaten werden geübt, Leiber verderben und Seelen verderben. Kommt dich nicht ein Grauen an über all der Verruchtheit deiner Stadt? Und du fragst mich, wie das zu verstehen sei!«

Sperone war in eine Leidenschaft geraten, daß er aufsprang. Und nun sprach er in Jammer und in Zorn von den Dingen, die in Cassano vor sich gegangen waren von dem Tode des Mönches an; und doch wußte er nur einen Teil von ihnen.

»Das alles habe ich geschehen sehen, einen Tag um den anderen. Und was sollte weiter geschehen? Welche Seelen sollten noch zugrunde gehen? Da habe ich mir sagen müssen: Ist es nicht besser, daß ein Mensch sterbe, als daß die ganze Stadt umkomme?«

Schweißtropfen standen auf seiner Stirn. Er holte Atem.

Dann sagte er ruhiger: »Hierin, Herrlichkeit, wirst du doch meiner Meinung recht geben müssen: Was in Cassano geschieht, das ist nicht mehr das Gewissen desjenigen, der sich als Urheber der Begebenheiten zu fühlen hat, ertragen könnte.«

Der Großtyrann stützte den rechten Ellbogen auf den Tisch und verschattete mit der Hand seine Züge gegen das Kerzenlicht. Von des Färbers wilden Atemstößen getroffen, waren die Flammen aus der Stetigkeit ihres aufrechten Wuchses gewichen und schwankten erregt nach den Seiten.

Der Färber blieb jetzt in seinem Schweigen und der Großtyrann auch. Der Färber setzte sich wieder hin, und die Kerzenflammen nahmen ihre alte Ruhe wieder an.

Immer noch verharrte der Großtyrann in seiner Haltung, welche dem Färber den Anblick seines Gesichtes entzog. Ohne die verdekkende Hand vom Gesicht zu entfernen, sagte er endlich sehr langsam und mit einer eigentümlichen Bewegung der Stimme: »Dies glaubst du? Du meinst also, das Geschehene sei mehr, als daß das Gewissen seines Urhebers es zu ertragen vermöchte?«

»Ja«, gab Sperone zur Antwort. »Und aus diesem Grunde bin ich zu dir gekommen.«

Es verging abermals eine Pause. Dann sagte der Großtyrann: »Was ist das für ein Geräusch? Öffne das Fenster.«

Sperone gehorchte.

Der Wind rauschte in den Zweigen, die Tropfen prasselten. Ein Strom der Kühle gelangte in den Raum. Sie hörten auch die befreiten Atemzüge des Trabanten, welcher Sperone aus der Zelle hergeführt hatte und nun vor dem Gartenhause wartete, um ihn zurückzubegleiten.

»Es regnet«, sagte der Großtyrann. »Die Zeit des argen Windes ist vorüber.«

Er ließ die Hand sinken, und von nun an war auch seiner Stimme nichts Ungewöhnliches mehr anzumerken.

»Ist es dir sehr schwer geworden, Färber, jenen Entschluß zu fassen? Ich meine den Entschluß zu deinem freiwilligen Geständnis?«

»Ich habe meine Zeit gebraucht, Herrlichkeit. Denn das Fleisch fürchtet sich ja vor allem, was der Geist ihm auferlegt. Ich bin des Nachts oft in den Ölgarten gegangen und habe dort um Stärke gebeten. Und so habe ich noch in der letzten Nacht getan, ehe ich ins Kastell kam; so wie ich wohl weiß, daß der Herr auf dem Ölberg die Nacht hinbrachte, ehe er denn überantwortet wurde in die Hände seiner Richter. Und ich habe im Ölgarten die Stärkung des Engels erfahren. Da habe ich erkannt: Es ist von Zeit zu Zeit notwendig, daß jemand um des Volkes willen aus freien Stücken ein Leiden auf sich nimmt.«

»So meinst du, Christi Opfer sei nicht genugsam gewesen für alle Zeiten?«

Sperone zögerte, bevor er antwortete: »Diese Dinge sind nicht vergleichbar. Es ist mit Christi Opfertod sicherlich der Gerechtigkeit Gottes Genüge getan für die Ewigkeit. Dies schließt nicht aus, daß für einen begrenzten Kreis von Menschen von einer Zeit zur andern ein dem Tode auf Golgatha ähnlich erscheinendes, ob auch nicht zu vergleichendes Geschehnis nötig sein könnte, wie ja auch in der Messe das Opfer von Golgatha, wiewohl unblutig, seine Wiederholung hat. Nicht zuletzt, damit die Menschen beispielhaft erfahren, daß aus einer großen Liebe große Taten möglich sind. Und dies ist wohl gewiß: Wer in der Nachahmung Christi stehen will, der wird bereit sein müssen, nicht nur seinem Wandel nachzufolgen, sondern auch dem Werk, mit dem er seinen irdischen Wandel abschloß: Nämlich daß er sich freien Willens hingab als ein Löseopfer für viele.«

»Kehre jetzt in dein Gefängnis zurück«, sagte der Großtyrann. »Morgen werde ich Gericht halten und alles zu seinem Ende bringen.«

8

Um dieselbe Zeit, da der Großtyrann sich in seinem Gartenhause mit Sperone unterredete, saßen Monna Vittoria und Diomede im Schwanenzimmer beisammen.

Die Bewegung, sie darf wohl Erschütterung genannt werden, in welche sie durch Sperones Geständnis versetzt worden waren, hatte in beiden eine Hinwendung zueinander bewirkt. Und auf die Länge konnte Diomede seine Gedanken vor Vittoria nicht verborgen halten.

Diomede hatte die Tage seit des Färbers Selbstanklage in einer Zwiespältigkeit hingebracht, und es war ihm nicht möglich gewesen, in jene Erleichterung zu kommen, die er sich erhofft hatte. So war er bestrebt, die Glückwünsche, die freundschaftlichen Worte, die er von allen Seiten entgegenzunehmen hatte, maßvoll abzuwehren oder doch abzukürzen. Er mochte sich selber und seiner Stiefmutter ins Gedächtnis rufen, daß ihnen ja nun alles geworden war, um das sie gefürchtet und gestritten hatten, dennoch konnte er seiner großen Bedrückung nicht Herr werden. Ihn verstörte nicht nur, was er getan hatte: Ihn verstörte in stärkerem Maße noch der Gedanke an den Färber.

Er erneuerte sich alle Einzelheiten der Waldbegegnung. In seiner Vorstellung erschien immer wieder der schmächtige, dünnbärtige Mann mit der beunruhigten Stimme und der tiefen Bekümmernis über alles, was in der Stadt geschah, über alles, an welchem Diomede seinen Anteil hatte.

Es verlangte Diomede, vieles über den Färber zu erfahren. Dies war nicht schwer. Es bedurfte nur eines Ganges durch die Stadt, in welcher ja von keinem anderen Gegenstand so viel geredet wurde. Solcher Gänge tat Diomede manche. Allein wieviel er auch aus den Gesprächen der Leute an Kenntnis des Färbers gewann, es blieb geheimnisvoll und furchtbar, daß dieser Mann einer solchen Handlung fähig geworden war. Zu der gängigen Erklärung, Sperone habe sich fortreißen lassen von seiner Abneigung gegen diejenigen Geistlichen, deren Anteilnahme an den Händeln und Geschäften dieser Welt ihm ein Ärgernis war, hatte Diomede auch sich nötigen wollen. Allein wie schwer war es, sich den Sanftmütigen und Stillen im Rächerzorn zu denken!

In Unruhe wartete Diomede auf die Rückkunft des Großtyrannen. Des öfteren erschien er im Kastell und fragte, ob noch keine Nachricht über den Zeitpunkt seiner Heimkehr eingegangen sei. Er versuchte auch Zutritt zu Sperone zu erlangen; doch wurde ihm dies abgeschlagen, denn des Großtyrannen Leute hatten ein schlechtes Gewissen, weil ihnen die Kraft gemangelt hatte, Monna Mafaldas Besuch zu hindern, und wollten nun ihrer Verfehlung keine neue hinzufügen.

In seinem Triebe, von allen Lebensumständen Sperones ein verdeutlichtes Bild zu erwerben, suchte Diomede endlich Wohnung und Werkstatt des Färbers auf. Das armselige Anwesen lag unweit des Flusses, jedoch innerhalb der städtischen Ummauerung.

Das Hofespförtchen stand offen. Diomede trat ein. In den Fenstern der Nachbarhäuser erschienen Gesichter, welche seinem Kommen mit Neugier zusahen.

Der ummauerte Hof war recht ausgedehnt, denn er mußte ja Raum zum Bleichen und Trocknen bieten. Einige an Stricken ausgespannte Tücher bewegten sich, gleichwie von regelmäßigen Atemzügen getroffen, im Winde, welcher ja von seiner Herrschaft noch nicht abgelassen hatte, es sah aus, als seien sie vergessen worden. Der Erdboden zeigte vielerlei farbige Spuren; aus großer Höhe gesehen, hätte er einen Anblick gewähren müssen wie ein in Abständen mit flammenden Sommerblumen bestellter Garten.

Der Hof lag verlassen im heißen Mittagsschein, und Diomede fühlte sich angerührt von einer großen Traurigkeit und Öde. Ein Kübel mit eingetrockneter Krappfarbe leuchtete grell und blutigrot in der Sonne. Haus und Schuppen waren arm und in Verfall. In allem sprach sich eine geringe Erwerbsamkeit aus. Diomede klopfte an die Haustür. Niemand antwortete. Er rüttelte, die Tür blieb geschlossen. Diomede trat in den offenen Schuppen, in welchem mancherlei Gerätschaften ohne viel Ordnung umherstanden. In Körben und Holzhaufen fanden sich, voneinander gesondert, jene Walderzeugnisse, die Sperone zur Herstellung von Farbstoffen zu sammeln pflegte. Einiges war noch unangerührt; anderes hatte bereits diese oder jene Stufe der Farbgewinnung erreicht. In einem in der Ecke liegenden Sack meinte Diomede den gleichen zu erkennen, den Sperone im Walde auf dem Rücken getragen hatte.

Inzwischen hatten sich die Nachbarn des Färbers eingefunden.

»Suchst du Giovanni?« fragte ein alter Mann. »Er ist am Flusse und wäscht Tücher aus. Denn daß du den Färber selbst hier nicht suchen darfst, das wird dir doch bekannt sein.«

Ein junges Mädchen deutete auf eine Baumgruppe an der Mauerecke und sagte: »Jene Bank dort ist sein Lieblingsplatz gewesen.« Aber als habe sie wider Willen etwas Böses gesagt, verbesserte sie sich gleich darauf: »Jene Bank dort ist sein Lieblingsplatz.«

Ihre Stimme verriet, daß sie den Tränen nahe war. »Giovanni erzählt, daß er dort des Nachts oft gesessen und seine Erleuchtungen empfangen hat. Dann darf niemand bei ihm sein, auch Giovanni nicht.«

Diomede ging an den bezeichneten Ort. Dieser Teil des Hofes mochte vormals ein Garten gewesen sein. Als Bleibsel einer solchen Vergangenheit standen hier eng beieinander zwei Ulmen, ein

Sumachstrauch und ein Mandelbaum. Zwischen ihnen sproß ein wenig Gras. Doch gaben diese Gewächse einen kümmerlichen Anblick, denn sie waren durch die Abwässer und Ausdünstungen der Färberei beeinträchtigt und hatten wohl nicht mehr sehr lange zu leben. In ihrer Mitte stand eine roh gezimmerte Holzbank mit abgescheuerter Lehne.

Diomede empfand eine Ergriffenheit vor diesem ärmlichen Ruheplatz. Er setzte sich auf die Bank. Allein da meinte er in den elenden Gesichtern der Leute, welche ihm langsam über die Breite des Hofes nachgekommen waren, etwas wie Unwillen oder gar Erschrecken zu sehen, so, als habe er mit seinem Niedersitzen etwas Geweihtes verunehrt. Er stand auf.

»Willst du den Giovanni sprechen?« fragte der Alte. »Soll ich dich zu ihm führen? Ich kann aber auch meinen Enkel an den Fluß schicken und ihn holen lassen.«

»Nein«, sagte Diomede, »ich danke euch.«

Denn er hatte plötzlich den Wunsch, aus der feierlichen Beklommenheit dieses Ortes und dieser Menschen fortzugelangen.

Das Bild der Bank unter den armseligen Bäumen hatte sich ihm sehr fest eingeprägt. Er meinte sie noch vor Augen zu haben, da er bereits wieder auf der Straße stand.

Diomede hatte im Sinne gehabt, den Lehrburschen Antonio aufzusuchen. Nun aber dachte er: Wonach soll ich ihn fragen? Und was könnte ich von ihm zu erfahren hoffen, das mehr Gewicht hätte als diese Örtlichkeit unter den Bäumen? Hier also hat dieser Mann gesessen und hat sich seine Gedanken gemacht. Und hier wird er auch gegrübelt haben über jene Frage, von welcher er im Walde sprach: Wieweit nämlich der Mensch auch in einer wohlbestellten Sache auf ein ihm zugefügtes Böses mit einer bösen Verfahrensweise antworten dürfe. Aber was kann jenes Böse gewesen sein, daß dem Färber von Fra Agostino zugefügt wurde und auf das er mit dem Dolchstich als mit dem Bösen geantwortet haben soll?«

Das Blut sprang Diomede zu Kopf. Dieser Mann sollte den Dolch gezogen und sollte zugestoßen haben? Dieser Mann zu nächtlicher Zeit in den Kastellgarten gedrungen sein? Und woher wußte er denn vom Aufenthalt des Mönches beim Großtyrannen gerade in dieser Stunde? Er müßte ihn tagelang umlauert haben. Aber wie wenig schien der Färber geschickt zu solch vorbedachtem und heimlichem Handeln!

Diomede fühlte, daß es gefährlich war, sich Gedankenläufen von dieser Art zu überlassen. »Ich darf Mitleid haben«, sagte er sich,

»Mitleid mit jenem Menschen, mit dem ich diese sonderbare Begegnung auf der Waldstraße gehabt habe. Aber ich darf mir nicht die Freiheit einräumen, eine Verantwortung zu fühlen für sein Handeln und für sein Schicksal.«

Diomede war sehr erregt. Er verließ die Stadt. Ohne eine vorerwogene Absicht gelangte er ins Freie. Er sah auf und gewahrte, daß er den Weg zum Ölgarten eingeschlagen hatte. Er kam an die Stelle, da er von der Straße abgebogen war, um den Ort des Brückenbaus zu erreichen. Er ging weiter. Hier hatte er den Färber zuletzt gesehen, hier war Sperone zum Wald emporgestiegen, hier hatte er sich zurückgewandt und ihm »Herr! Herr!« nachgerufen. Hier hatte er sein sonderbares Wort gesprochen: »Ich denke, es wird die Kraft dazu sein.« Und hier etwa mochte Diomede ihn zuerst eingeholt haben.

9

Spät am Abend trat Diomede zu Monna Vittoria in das Schwanenzimmer. Das Fenster, welches nach Westen ging, stand offen. Vittoria saß zurückgelehnt auf der Polsterbank. Sie hatte den rotgelben Abendhimmel langsam verglimmen sehen. Nun lag ihr Blick auf der Schwärze der nächtigen Luft.

Die Katze war auf ihren Schoß gesprungen. Es waren des öfteren Stunden gewesen, da Vittoria sie an sich gepreßt hatte als das einzige warm Lebende, das zu ihr gehörte. Und das Tier ließ sich gleichmütig alle Zuneigung geschehen und bekundete doch als ein Naturteil, daß es nichts zu erwidern gesonnen sei.

Der Diener Matteo war noch einmal gekommen, um nach der Kerze zu sehen, dann hatte Vittoria ihn schlafen geschickt; die Katze hatte sie ihn mit hinausnehmen geheißen.

Diomede setzte sich zu ihr. Eine Weile dünkte es ihn, er werde nie die Worte finden, um dieses Gespräch zu eröffnen. Plötzlich fragte er: »Was hältst du von dem Färber?«

»Ich kenne ihn nicht«, antwortete Vittoria, »außer aus deinen Mitteilungen. Aber ich hatte einen Zorn auf ihn geworfen, denn er ist an vielem schuld geworden, zum ersten mit seiner Tat, zum zweiten mit seinem allzuspäten Geständnis. Weiß dieser Mensch, was er alles angerichtet hat?«

Diomede schwieg, und seine Augen liefen unschlüssig über den Fußboden.

»Ich habe den Zorn aber nicht festhalten können«, fuhr Vittoria nach einer Pause fort. »Ich habe mich entsetzt vor dem Mute des Bekennens, welchen der Färber in sich gefunden hat. Die Freiwilligkeit des Geständnisses ist eine völlige, denn, wie ich höre, ist seine Tat noch von keiner Entdeckung bedroht gewesen. Welch eine Kraft also hat er aufwenden müssen! Dies ist ein furchtbares Beispiel für jeden Menschen, auf dessen Gewissen eine noch verborgene Übertretung liegt.«

Diomede begann von neuem: »Ich habe dir etwas zu sagen. Aber ich habe eine Scheu, es auszusprechen; denn damit müßte ich eine neue Unwiderruflichkeit beginnen.«

»Sprich es aus, Diomede«, sagte Vittoria. »Denn die Zeit der Unwiderruflichkeiten ist gekommen. Ich habe erkannt, daß für den Menschen kein anderes Heil ist, als daß er sich den Unwiderruflichkeiten anvertraut.« und sie wiederholte flüsternd die ihr von Diomede überlieferten Worte des Färbers: »Ich hoffe, es wird die Kraft dazu da sein.«

Diomede berichtete von jener Frage des Färbers, welche dem Bösen gegolten hatte. Er mußte Vittoria Sperones Worte wiederholen. Darauf wiederholte sie sehr langsam diese Worte selbst. Und sie setzte hinzu: »Aber auch wenn es anders wäre, Diomede, wir wissen ja nicht einmal, ob die Sache, in der wir mit einer bösen Verfahrensweise antworten wollten, eine gute ist.«

»Von jenem Augenblick an, da du zu mir ins Lusthäuschen kamst«, so fuhr er fort, »von jenem Augenblick an habe ich gewußt, daß diese Worte des Färbers ja nicht ihm gegolten haben, sondern mir. Ich habe es mir nicht gestehen wollen bis heute. Nun aber kann ich es mir nicht länger verhehlen, mir nicht, dir nicht und niemandem mehr. Und du sagst es ja selber, daß die Zeit der Unwiderruflichkeiten ihren Anfang haben soll.«

Er schilderte ihr den Färber, schilderte ihr den ganzen Umkreis seines Lebens, schilderte ihr jenes Zusammentreffen im Walde in dem neuen Licht, in welchem sich ihm jetzt alle diese Dinge zur Schau stellten.

»Und so hat er mir zu verstehen geben wollen, daß ich nicht weitergehen dürfe auf dem Wege aller jener Handlungen, die ich in Sachen des Vaters unternommen habe, ja, daß die ganze Stadt nicht weitergehen dürfe auf diesem Wege. Und er hat nach der Kraft gesucht, diesem allem ein Ende zu setzen. Und zuletzt hat er diese Kraft gefunden.«

»Ich bin bereit, deiner Meinung beizupflichten«, sagte Vittoria.

»Denn welches auch die Gründe des Sperone gewesen sein mögen dafür, daß er seine Tat eingestanden hat – die Wirkung ist in jedem Falle die, daß er dich und mich vor weiteren Befleckungen des Gewissens behütet. Und ich will dir offen sagen, daß neben dieser Wirkung seines Geständnisses vielleicht jene zweite Wirkung geringer erscheinen mag: daß er uns behütet hat vor aller anderen Unehre und Einbuße.«

»Es ist falsch«, sagte Diomede langsam und mit großem Gewicht, »nach den Gründen seiner Tat zu fragen, statt nach den Gründen seines Geständnisses: Denn dieser Mensch hat diese Tat nicht begangen. Dieser Mensch will sich zum Opfer bringen für andere, es sei nun für den Mörder des Fra Agostino oder für jene, die durch Fra Agostinos Tod in Nöte und in Irrungen geraten sind, gleich wie du und ich.«

»Er hat die Tat nicht begangen?« schrie Vittoria vorschnellend, und wie eine Gespensterjagd schossen fetzenhafte Vorstellungen und Versuchungen durch ihr Bewußtsein: Sperone hatte nicht getötet – Pandolfo hatte getötet – war sie nicht gerechtfertigt?

Allein diese Augenblicke waren ihre letzte Versuchung. Sie hörte nicht auf die Überlegungen und Beweisgründe, die Diomede für des Färbers Unschuld aufführte, indem er unerbittlich rundend eines an das andere fügte. Sie wußte ja, daß Sperone schuldlos war, mit seinen ersten Worten schon hatte Diomede sie überzeugt. Und gerade weil Sperones Schuld ihr Leben und ihre Habe sicherte und alle Gefährdung forträumte, gerade darum mußte sie an seine Unschuld glauben. Denn es ekelte sie vor allem, das sie gewonnen hatte. Es ekelte sie vor jeder Gewißheit ihres Daseins.

Wer die Tötung begangen hatte – und sollte es selbst Pandolfo gewesen sein –, unter welche Drohungen Nespoli vom Großtyrannen gestellt worden war, welche Gefahren der Rettichkopf über sie verhängt hatte, was hatte dies alles mit ihr zu schaffen?

Ich habe – so sagte sie zu sich – nicht mehr nach dem zu fragen, was von andern getan worden ist, noch hierin meine Rechtfertigung zu suchen. Und auch nicht nach den Folgen, welche alle diese Dinge haben könnten, habe ich zu fragen. Sondern einzig nach dem habe ich zu fragen, was ich selber beging.

Diomede war verstummt. Beide hoben sie die Blicke zueinander. Durch das offene Fenster fuhr ein Windstoß und löschte die Kerze; der Wind hatte sich gewandt, der Wind kam von Westen.

»Zünde sie nicht wieder an«, sagte Vittoria. »Es ist nicht nötig, daß wir unsere Gesichter sehen in dieser Nacht.«

Der Wind fauchte in Stößen. Von draußen kam das Rascheln der Blätter, die von ihm gepeitscht wurden.

Diomede sagte: »Ich habe es nicht aufzuhellen vermocht, wer den Fra Agostino zum Tode brachte. Ich werde daran festhalten, daß mein Vater es nicht gewesen ist. Aber ich werde das nicht tun auf Kosten eines andern, welcher ebenso unschuldig ist wie mein Vater. Und so werde ich morgen aufs Kastell gehen und meine Gedanken sagen. Denn wie ich bisher beflissen gewesen bin, die Schuldlosigkeit meines Vaters zu erweisen, so werde ich mich von nun an mühen, die Unschuld des Färbers darzutun. Ich weiß, daß ich damit den Vater und uns von neuem gefährde. Aber ich will, daß in dieser Sache die Wahrheit an den Tag komme und daß Gerechtigkeit werde.«

Es verging abermals eine stumme Zeit von nicht geringer Dauer. Dann rief Diomede: »Nein! Das ist nicht genug. Sondern ich werde dem Großtyrannen alles eröffnen, was ich in Sachen des Vaters getan habe.«

Vittoria sagte: »Gehe morgen aufs Kastell, Diomede. Ich werde dich begleiten.«

Sie saßen im Dunkeln noch lange beieinander. Der Westwind hatte in großer Schnelle Wolken heraufgeführt, welche mit Feuchtigkeit gefüllt waren. Endlich rauschte der Regen auf die dürr gewordene Stadt herab.

FÜNFTES BUCH

Der Großtyrann und das Gericht

1

Es hatte geregnet bis ans Vergilben der Nacht. Der Morgen war kühl, windstill und von bemessener Klarheit. Allenthalben schimmerten die feuchten Blätter. Baumwipfel und Hausdächer hoben sich schön von dem frischen Himmel ab.

Auf den Straßen standen die Erwachten vor den Türen und genossen den Atem. Sie fühlten alle, daß das Atmen ein Glück ist und daß allein um dieses Geschenkes willen der Mensch die Schöpfung loben soll, und atmete er gleich im Elende. Viele lagen in ihren Fenstern und sahen in die reine und unbewegte Luft. Manch einer schüttelte den Kopf in Beschämung oder in Verwunderung, als seien es wüste und giftige Hexenträume gewesen, aus denen er erwacht war. Nun kamen sie alle zur Besinnung und wieder zu sich selber. Und was zuvor gegolten hatte, das galt abermals.

Auch Diomede stand atmend am offenen Fenster, und es erfüllte ihn eine große Klarheit. Es war ihm, als habe er sich zu wundern über alles Abgelaufene, und es wollte ihm unglaubhaft erscheinen, daß er hierin mitgelebt hatte. Unglaubhaft wollte es ihm auch erscheinen, daß er sich gequält hatte in seinen Gedanken und eine leidvolle Widersprüchlichkeit hatte finden wollen zwischen den irdischen Erfordernissen des Rechtes und dem Dienst an seinem himmlischen Inbilde.

Die Glocken der städtischen Kirchen läuteten zum Engel des Herrn, und der Klang hatte in der Reinheit der Luft eine große Fülle.

Diomede durchdachte die Geschehnisse seit seiner Ankunft in Cassano, und es gingen ihm nicht nur alle diese Geschehnisse durch den Kopf, sondern auch seine Gespräche mit dem Großtyrannen. In allen Begebenheiten fand er die verhüllte Widerspiegelung seiner Gedanken. Er hatte geglaubt, es könne die Gerechtigkeit wohnen und herrschen in allen Zuständen der Menschen. Dann aber war er gezwungen worden zu handeln, darum war er in Schuld gefallen und hatte alle Gerechtigkeit verleugnet.

»So ist denn wahr«, fragte er sich, »daß reine Hände nicht handeln, handelnde aber nicht rein bleiben können und keine Gerechtigkeit auf Erden möglich ist?« Und er fand sich die Antwort: Das Brot der Engel erfährt an seinem göttlichen Adel keine Einbuße, wenn es im Altarssakrament zum Brote der Menschen wird. Die Gerechtigkeit, die in einem ewigen Himmel wohnt, nimmt, wenn sie zur Erde niedersteigt, die Weise der Erde an, und sie bleibt doch, die sie war. Denn es bestehen wohl sämtliche Dinge aus einem göttlichen Gedanken und einem irdischen Leibe. Alle Rechts- und alle Staatskunst, will sie mehr sein als ein handwerksmäßiges Verwalten vorgefundener Gegenstände, wird immer von neuem den einen Versuch zu wagen, ja, an ihm zu zerschellen haben: den Versuch, die Macht mit der Gerechtigkeit, die Stärke der Hände mit der Reinheit der Hände zu versöhnen. Und auch jeder einzelne Mensch hat ja seine tägliche Aufgabe in einer ähnlichen Versöhnung. Die Kleinheit der Erde aber mag ebenso ihr Recht und ihren Raum haben in der Ordnung des Weltalls wie die Größe Gottes und seiner himmlischen Gerechtigkeit!

Um dieser Versöhnung willen hatte Diomede vor den Großtyrannen hinzutreten und nicht nur seine Überzeugung von der Unschuld des Färbers, sondern jede der Krummzügigkeiten zu offenbaren, deren er sich bedient hatte. Er war sehr ruhig und entschlossen, ja, fast von einer Heiterkeit des Geistes erfüllt. Und nun dünkte ihn die Stunde gekommen, da er zum Kastell hinaufgehen wollte, und es sollte alles in seine harte Klarheit gebracht werden.

Matteo trat ein und meldete einen Boten des Gewaltherrn. Diomede ging zu ihm in den Vorsaal. Der Mann trug am Gürtel eine offene lederne Tasche, welche mit Briefen gefüllt schien. Aus dieser zog er zwei Schriftstücke und überreichte sie Diomede. Eins war an ihn, das andere an Monna Vittoria gerichtet. Sie waren von der gleichen Kanzleischreiberhand geschrieben, und auch ihr Inhalt mochte der gleiche sein. Monna Vittoria und Messer Diomede Confini erhielten die Vorschrift, sich selben Tages zur Zeit des mittäglichen Geläuts in der kleinen Halle des Kastells einzufinden.

Der Mann empfing von Diomede seinen Botenlohn und ging.

2

Die kleine Halle war im Oberstock einer der östlichen Kastellbauten gelegen. Sie hielt die Mitte zwischen einem sehr großen Aufenthaltsraum und einem Versammlungssaal von mäßiger Ausdehnung. Mitunter wurde sie zu Gerichtstagen oder sonstigen Amtshandlungen benutzt. Zur Rechten der Eingangstür befand sich eine Erhöhung, auf welcher der Sitz für den Leitenden bereitstand. In seinem Rücken waren die beiden hochwölbigen Fenster, durch welche der Raum sein Licht empfing; und so konnte, wer sich in der Halle befand, vom Gesicht des auf dem erhöhten Ehrenplatz Sitzenden wenig mehr erkennen als die Umrisse des Kopfes. Zur Seite des Richterstuhles, noch innerhalb der Grenzen der Erhöhung, war ein kleines Tischchen aufgestellt. Die Halle war ohne Schmuck, es sei denn jener des mit Marmor verkleideten Kamins; sein Gesims wurde rechts und links der Feuerstelle von zwei gebückten Riesen getragen, deren Unterleiber in Pilaster ausliefen.

Da der Bote des Großtyrannen eine Reihe von Einladungen auszutragen gehabt hatte, so war es in der Stadt rasch bekannt geworden, daß der Großtyrann in Sachen des Mordes Gericht halten wollte und ein Urteil sprechen werde. Daher stand eine gewaltige Menge Neugieriger, unter welchen auch zwei oder drei von Mespolis Menschenfischern waren, vor dem Kastell, und sie begleiteten einen jeden der Eintretenden mit ihren Mutmaßungen und Ausrufen, bis er am Torweg verschwunden war. Auch zahlreiche Freunde des Färbers befanden sich bei diesen Wartenden; die scharten sich um Antonio, der sehr bleich war und häufigen Zuspruchs bedurfte. Weiter hatten sich viele eingefunden, die wie das Perlhühnchen und seine Leute oder Monna Mafaldas Gärtner mit seiner Verwandtschaft an den Ereignissen einen Teil gehabt hatten, ob auch nur einen bescheidenen. Unter allen diesen aber war eine größere Gelassenheit wahrzunehmen als in der Zeit, da der Wind sein Regiment gehabt hatte.

Vittoria und Diomede sahen bei ihrem Kommen den Schieler auf dem Hofe des Kastells umherlungern; er grüßte mit seinem alten Gleichmut. Da sie in die Halle traten – es war noch sehr zeitig –, gewahrten sie einen Mann am Fenster, welcher die Reinheit der Luft kosten mochte. Er stand gegen das Licht und wandte ihnen den Rücken zu, so unterschieden sie ihn anfangs nur in seinen Umrissen.

»Es ist Messer Nespoli«, sagte Diomede dann.

Nespoli kehrte sich um und verneigte sich aus der Entfernung vor den beiden. Sie erwiderten stumm seinen Gruß. Diomede traf Anstalt, Monna Vittoria zu einem der Sessel zu geleiten, deren eine Anzahl dem Richtersitz gegenüber aufgestellt war.

Vittoria blieb stehen und sagte ihm: »Ich bitte dich, Diomede, gehe für eine kleine Weile hinaus. Ich habe mit Messer Nespoli etwas zu reden.«

Diomede sah sie überrascht an. Doch sagte er nichts und entfernte sich.

Vittoria ging auf Nespoli zu. Die Wände und Wölbungen der stillen Halle warfen das Geräusch ihrer Schritte verstärkt zurück. Er zögerte, ihr entgegenzugehen. Sein Oberkörper legte sich vor, so als sei Nespoli im Begriff, auf sie zuzustürzen, und bog sich dann langsam zurück. Nespoli lehnte sich gegen die Fensterbrüstung und sah vor sich nieder.

Vittoria war nicht mehr weit von ihm, da riß er sich los und hatte sie in einigen Sprungschritten erreicht. Er ergriff ihre Hand und küßte sie, abgekehrten Gesichts. Vittoria sah, wie er zitterte.

»Wir zwei sind schuldig geworden nicht nur miteinander, sondern auch aneinander und gegeneinander«, sagte sie. »Es wäre wohl leichter für uns beide, wenn wir einander nicht mehr zu sehen brauchten. Dennoch scheint mir das nicht möglich zu sein. Und so habe ich diesen Anlaß genommen, um mit dir zu sprechen.«

Immer noch konnte er seinen Blick nicht zu ihrem verschleierten Gesicht aufheben. »Sage mir das Härteste, was du mir sagen willst, Vittoria. Du wirst kein Wort der Verteidigung von mir hören. Denn ich weiß ja, daß ich dichverratenhabe. Ich habe dich verraten in dem Elende, in das du um meinetwillen gekommen warst. Und auch das weiß ich, daß ich es gewesen bin, der dir mit halben Worten einen Weg vorzeichnete. Ich habe das vergessen und geheimhalten wollen vor mir selber. Aber auf die Länge ist das nicht angegangen.«

»Du sollst mich jetzt mit ganzen Worten fragen«, antwortete Vittoria hart, »wie Pandolfo gestorben ist und wie jener Zettel zustande kam. Du sollst mich fragen, ob ich noch zu dir gehalten habe, als Gefahr war, daß dein Herr uns zu Bettlern machte. Du sollst mich fragen, ob ich dich habe retten wollen um deinetwillen oder weil ich mir in dir ein geliebtes Besitzstück meines eigenen Lebens zu erhalten dachte.«

»Ich will das alles nicht wissen«, sagte Nespoli. »Es ist genug an dem, was ich weiß: Nämlich daß du mich gerettet hast und ich dich verraten habe.«

»Du hast vieles nicht wissen wollen, Massimo. Aber ich will dir nun meine eigenen Fragen beantworten. Es ist meine Versuchung gewesen, um deinetwillen Böses zu tun, und ich bin ihr erlegen. Es ist meine Versuchung gewesen, um meinetwillen dich preiszugeben, und ich bin ihr erlegen. Ich weiß nun nicht, ob ich Pandolfos Tod verschuldete; aber das weiß ich, daß ich handeln werde, als sei meine Schuld erwiesen.«

Nespoli stieß einen Ruf des Schreckens aus. Er nannte beschwörend ihren Namen. Vittoria achtete nicht darauf.

»Ich habe mir sagen dürfen: Massimo kann nichts mehr geschehen, und die Habe und Ehre des Hauses Confini bleiben ungeschmälert, was also begehre ich noch? Und ich habe mir geantwortet: Ich will noch eines. Ich will hinaus aus diesem Dickicht von Hinterhalt, von Verstellungen und Doppelheiten, und ich will hinein in eine ganze Einheit und Schlichtheit. Ich habe diese Einfalt betrüglich zu haben geglaubt, da ich mich entschloß, um unser beider willen alle Schuld zu begehen. Aber ich habe erfahren, daß ich mich damit nur tiefer verstrickt habe in Heimlichkeit und Zwiefalt. Und darum werde ich jetzt der ganzen Wahrheit ihren Raum geben.«

Nespoli fand nicht die Worte in sich, die seine Erschütterung ausgedrückt hätten. Er gelangte auch nicht mehr zum Sprechen, denn nun ging die Tür auf, und Monna Mafalda kam herein, gestützt auf Diomede, ja, halb von ihm geschleppt.

3

Mit dem Umschlage des Wetters war die überreizte Lebendigkeit von Monna Mafalda gewichen, und es war plötzlich ein Zusammensinken der Erschlaffung über sie gekommen. Sie erschien mit einem Schlage gealtert, und wer sie sah, mochte meinen, daß ihr Tod nicht mehr weit sei. Monna Mafalda besaß eine riesige, nach den Maßen ihres Körpers angefertigte Sänfte, die von zwei starken Männern wuchtigen und bedächtigen Schrittes zu tragen war; doch machte es Monna Mafaldas Stolz aus, daß sie sich in ihren hohen Jahren zum Trotz fast nie dieses Gerätes bediente, außer in der schlechten Jahreszeit, wenn der Schmutz allzu hoch auf den Straßen lag. Jetzt hatte sie sich in dieser Sänfte nicht nur ins Kastell, sondern auch die Treppe in den Oberstock jenes Ostbaues hinauftragen lassen. Diomede, der sich im Treppenhause aufgehalten hatte, war ihr oben beim Aussteigen behilflich. Er geleitete sie in die Halle und an einen der Sessel. Sie nickte Vittoria und Nespoli zerstreut zu, als habe sie sie kaum erkannt.

Diomede stellte sich zu ihr und wußte nicht recht, ob er in der Halle bleiben oder aus Rücksicht auf Vittoria und Nespoli wieder gehen sollte. Allein nun trat jener Beamte ein, welcher für den Großtyrannen die Zeugenverhöre vorzunehmen gehabt hatte, und Nespoli und Monna Vittoria trennten sich. Gleich nach ihm kam Don Luca. Alle begrüßten sich gemessen, und es schien ein jeder sehr mit sich selber beschäftigt.

Don Luca hatte die Botschaft aus dem Kastell vorgefunden, da er von der Frühmesse heimgekehrt war und von der Haushälterin zu seiner Morgenmahlzeit gerufen wurde. Er hatte noch die vollkommene Erquickung der erneuerten Luft in sich und einen großen Frieden. Er nahm das Schreiben vom Tisch, und er bekreuzte sich, ehe er es öffnete. Er las die trockenen Worte der Vorladung und fühlte, wie seine Knie in ein Zittern gerieten. Er konnte nicht anders glauben, als daß er beschieden werde zu seiner großen Prüfung.

Die Haushälterin kam herein, und so zwang sich Don Luca, einige Bissen zu essen. Darauf ging er in seinen Garten. Dieser erschien ihm heute in der Genesung des nächtlichen Regenfalls voll einer wunderbar gesättigten Ruhe.

Don Luca setzte sich unter seinen Feigenbaum, sah auf den Garten und wunderte sich, daß dies der Tag sein sollte, der so lange zuvor ihm angekündigt worden war. Und nun hatte dieser Tag eine natürliche Klarheit, und es war gut, in ihm zu atmen.

Don Luca legte die Hände an den Stamm seines Feigenbaumes, und der Stamm fühlte sich an, wie er sich angefühlt hatte von je. Dem alten Priester wollte scheinen, als habe alle Natürlichkeit, alle Unverrückbarkeit sich wiederhergestellt. Auch das Erschrecken seines Leibes dünkte ihn natürlich. Unverrückbar und natürlich dünkte ihn die priesterliche Pflicht, die von keiner Spitzfindigkeit wußte. Nur um Kraft hatte er zu bitten, nicht um Erleuchtung.

Nicht lange nach Don Luca erschien der Rettichkopf. Aus seiner Rocktasche sahen beschriebene Papiere hervor, denn in dem Vorladungsbrief war ihm aufgegeben worden, sein Gutachten und das Schriftstück des Herrn Confini mitzubringen. Er hatte dem einladenden Boten so lange zugesetzt, bis dieser ihm mitteilte, an wen er die weiteren Schreiben zu überbringen hatte. Jetzt kam der Rettichkopf würdig in die Halle gestelzt. Kaum aber war er drinnen, als sein Kopf behende hin und her huschte, bis er sich überzeugt hatte, ob der Bote ihm auch die rechte Auskunft gegeben hatte, wer von den Geladenen schon zur Stelle war und wer noch fehlte.

Er schien zu überlegen, zu welchem der Anwesenden er sich gesellen sollte. Da aber kam ein Diener in die Halle und legte einen umfänglichen Packen beschriebener Blätter auf das Tischchen neben dem erhöhten Sitze, und nun hatte des Rettichkopfs Neugierde ein Ziel. Er warf abwägende Blicke bald auf das Tischchen, bald auf den Beamten des Großtyrannen. Endlich, unfähig seinem Gelüst zu widerstehen, tänzelte er heran und äugte über den Tisch hinweg mit verdrehtem Kopf auf die Akten. Es genügte ihm nicht, was er in seiner Kurzsichtigkeit auf diese Weise erkennen mochte, und so wand und kehrte er sich noch eine kleine Weile, dann aber lief er um den Tisch herum, beugte sich vor und streckte die Hand aus, um die Papiere umzuschlagen und durchzublättern. Allein da trat der Haushofmeister in die Halle, und nun floh der Rettichkopf zu den Sesseln und setzte sich hin, als sei er des Ausruhens seit längerem bedürftig.

Der Haushofmeister überblickte die Versammelten, wie um sich von ihrer Vollzahl zu überzeugen, und verließ dann wieder den Raum. Wenige Augenblicke später erschien Sperone. Durch die Türöffnung sah man, daß ein Trabant, welcher nun umkehrte, ihn geleitet hatte.

Alle Blicke wandten sich ihm zu, und Diomede fühlte ein heißes Aufquellen im Herzen. Der Färber war blaß, aber auch auf seinem Gesicht lag etwas von der klaren Ausgleichung, die seit dem Umschlage des Wetters jeder in sich verspürte. Er blieb in einer Verlegenheit unweit der Türe stehen, sah sich um und grüßte darauf die Anwesenden mit einer linkischen Verbeugung, wobei er die Hände, als wisse er ihnen keinen rechten Ort, an den Gürtelstrick legte, den er nach der Weise des Dritten Ordens um seinen Kittel trug. Dann begab er sich unsicher zu einem Sessel, der ein wenig abseits der übrigen stand, setzte sich bescheiden hin und stützte das Kinn mit dem schwächlichen Bart gegen die linke Hand.

Diomede sah ihn ergriffen an, stand auf und trat zu ihm. Allein noch ehe er ihn anzureden vermochte, öffnete sich die Tür abermals, und der Großtyrann kam rasch herein.

4

Alle erhoben und verneigten sich, Monna Mafalda mit einem Ächzen. Der Großtyrann nickte und ließ sich auf dem erhöhten Sitze nieder. Zugleich winkte er den Aufgestandenen, sie möchten ihre Plätze wieder einnehmen. Diomede setzte sich neben den Färber. Sie waren der Tür am nächsten. An der entgegengesetzten Seite bildeten Nespoli und Monna Vittoria den Beschluß der Reihe.

Der Großtyrann ließ eine kleine Zeit hindurch seine Blicke über den Verein dieser Menschen hingehen. Darauf sagte er:

»Ihr alle wißt, aus welchem Anlasse ich euch hierher beschieden habe. Ihr seid versammelt, die ihr mit diesem Anlasse in einer nahen Weise zu schaffen hattet. Doch habe ich nicht alle diejenigen laden wollen, die sonst noch in unserer Angelegenheit aufgetreten sind, denn es hat sich ja die ganze Stadt Cassano auf diese oder jene Weise in den Fall, welchen ich jetzt richten werde, verfangen. Es ist mir auch gemeldet worden, daß viele sich draußen eingefunden haben, wie jenes Mädchen oder dein schielender Diener, Massimo. Was ich euch zu eröffnen habe, dies hat seine Bedeutung nicht für euch allein, sondern auch für jene unwichtigen Leute, und so werdet ihr es in einer Art, die euch angemessen erscheint, zur Kenntnis jener Übrigen bringen. Ich sitze aber hier zu Gericht nicht über die einzelne Tat eines Menschen, wie ihr vielleicht geglaubt habt. Sondern es hat sich aus einer solchen eine Abfolge von sehr vielen anderen Taten ergeben; und ihr wißt nicht, bis zu welchem Grade sie mir offenbar geworden sind. Ich habe die menschliche Art nicht für so leichtfällig gehalten. Nun aber habe ich gesehen, daß der Mensch nur in Versuchung geführt zu werden braucht, um in Schuld zu fallen. Dies werde ich euch erhärten und einem jeden das Seine geben im Verständnis seiner Antriebe und Handlungen und im Klarsetzen alles Zusammenhängens. Denn ich habe ja von dem herrscherlichen Amte jenen Begriff, daß ein Abbild des Herzenserforschers und Weltenrichters in ihm beschlossen liegt.«

Es ging ein Schauer aus seinen Worten über die acht Menschen hin. Einige von ihnen empfanden es mit einem Male sehr deutlich, wie groß der Saal war, der für viele Dutzende Raum geboten hätte und ja nur einer Unterscheidung zuliebe die kleine Halle genannt wurde; es war ihnen, als sei eine riesige Leere um sie her, obwohl doch die Sessel nicht sehr weit voneinander standen.

Der Großtyrann hatte wohl noch geredet in seiner herrscherhaften und überlegenen Art, die ein jeder an ihm kannte, obwohl er ihr nicht in sämtlichen Alltagsdingen freien Lauf ließ. Dennoch dünkte er sie ein wenig verändert. Allein das wurde ihnen nicht recht deutlich, da ja ein jeder sehr stark mit dem eigenen Anteil an den Geschehnissen beschäftigt und so sehr erfüllt von der Erwartung des Kommenden war. Nur Nespoli als dem erfahrensten Beobachter seines Herrn, Nespoli wollte scheinen, es verrate sich in den Bewegungen und Mienen des Großtyrannen eine Unruhe, wie er sie bisher nie an ihm hatte wahrnehmen können. Es fiel ihm eine Blässe des Gesichtes auf und eine ungewollte Beweglichkeit des schmallippigen Mundes, und doch vermochte er um des Fensterlichtes willen die Züge des Großtyrannen nicht übermäßig genau zu unterscheiden. Ja, auch aus der Stimme des Gewalthabers meinte er etwas Ungewöhnliches herauszuhören.

Alle sahen sie zum Großtyrannen auf. Nur Monna Mafalda tat das nicht. Ihr mächtiger weißer Zottelkopf war zur Brust gefallen. Aber selbst ihr Schnarchen noch verriet mit seinen heftigen und ungeregelten Stößen die wilde und querköpfige Kraft der Greisin. Der Beamte, welcher neben ihr saß, beugte sich herüber, um sie behutsam zu wecken. Doch der Großtyrann blickte hin und verwehrte es ihm mit einem Wink.

Gleich beim Eintritt des Goßtyrannen hatte der Rettichkopf begonnen, sich höchst auffällig zu gebärden. Er räusperte sich laut, er zog die Papiere aus der Rocktasche, wendete sie hin und her und knisterte mit ihnen, indem er sie bald auseinander-, bald wieder zusammenfaltete.

Mit einem kleinen Lächeln erwies ihm der Großtyrann endlich den Gefallen, auf ihn aufmerksam zu werden.

»Hast du das Gutachten da?« fragte er.

Der Rettichkopf schnellte in die Höhe, schwenkte sein Papierbündel und begann: »Mit der gnädigen Erlaubnis und nach Auftrag der Herrlichkeit habe ich eine genaueste Vergleichung vorgenommen zwischen der Handschrift jenes Zettels, der im Sterbebett des seligen Pandolfo Confini gefunden worden ist, und allerlei anderen Schriftstücken, die von der Hand eben dieses Seligen . . .«

Der Großtyrann unterbrach ihn: »Es bedarf keiner Einleitung.«

»So erlaube die Herrlichkeit mir, mein Gutachten zu verlesen! Ich darf vorausschicken, daß ich es in zwei Ausfertigungen hergestellt habe, nämlich einmal in der Volkssprache und zum zweiten, der Freude an wohlgebildeten Sätzen zuliebe, im Latein; ja, wie ich in Bescheidenheit und Untertänigkeit glaube sagen zu dürfen: in der edelsten Latinität. Und so beginne ich.«

»Gib es her«, befahl der Großtyrann.

»Beides?« fragte der Rettichkopf. »Das Lateinische auch?«

»Alles.«

»Und den Zettel des seligen Herrn Confini?«

»Alles.«

Der Rettichkopf trat vor und legte mit einer Verbeugung den ganzen Packen zu den Akten auf das Tischchen. Er blieb wartend stehen, das verzogene Gesicht, dessen enttäuschter Ausdruck von keinem verkannt werden konnte, dem Großtyrannen zugewandt. Dieser winkte ihm mit dem Kopfe, an seinen Platz zurückzukehren, ohne daß er nach den Papieren gegriffen, ja, auch nur einen Blick auf sie geworfen hätte.

»Ich muß jetzt zu dir sprechen, Färber«, sagte er. »Ich habe viele Leute in Versuchung fallen sehen, vornehmlich in dieser letzten Zeit. Und auch dich, Färber. Du bist versucht worden mit der Lokkung, in dir selber einen Heiligen zu erblicken. Dieser Versuchung hast du zu begegnen gewußt. Dann habe ich dich versucht mit der Lockung, du könntest dein Geständnis zurücknehmen, den Kerker verlassen und vor allem Übel sicher bleiben. Und in eine besondere Versuchung habe ich dich noch gebracht, indem ich, du wirst dich erinnern, dir jenen Satz aus dem Briefe des Apostels Petrus vorhielt. Auch diesen Versuchungen hast du widerstanden. Einer anderen aber bist du erlegen. Soll ich dir sagen, welche es war? Du hast Gott dienen müssen nach deiner Bestimmung mit deinem Wandel, und du hast eine große Sehnsucht gehabt, ihm statt dessen zu dienen mit einer Tat. Unter dem Wandel verstehe ich ein Leidendes, das unermeßliche Geduld fordert, unter der Tat ein Handelndes, das eines unermeßlichen Heldentums bedarf. Der Wandel ist ohne Ende, die Tat einmalig. Der Wandel begreift Taten ein, nicht die Tat. Und so erblickte ich in der Tat den Versuch, sich im einmaligen Aufschwung der dauernden Notwendigkeit des Wandels zu entziehen und sich ihr zu entziehen durch eine Steigerung, welche den Wandel hinter sich läßt. Es hat dich verlangt, und dies begreife ich wohl, einen einmaligen heldenhaften Aufschwung zu wählen, dem die Ruhe in Gott folgen sollte, statt eines ständigen Aufschwunges, der schwer, streng und immer gegenwärtig ist, so wie ja mancher aus dem Getreide dem stillen, alltäglichen und getreuen Brot den Kornbranntwein vorzieht, der rasch und beflügelnd in den Kopf aufsteigt. Und so hast du dich von dem Glanz der Tat verblenden lassen und hast deinem mühseligen täglichen Gottesdienst auf Erden entfliehen wollen durch die sturmhafte Erhebung einer Tat, die dich jählings gen Himmel reißen sollte. Dies also war die Versuchung, welcher du erlegen bist. Habe ich nicht recht?«

»Gewiß wirst du recht haben, Herrlichkeit«, antwortete der Färber. »Und dennoch habe ich tun müssen, was ich getan habe. Aber daß ich dieser Versuchung erlag, das ist nicht der einzige Grund dafür, daß ich freiwillig jenen Mord eingestand, dessen gerechte Bestrafung ich jetzt von dir erwarte.«

»Ich werde dich später nach deinem anderen Grund fragen«, sagte mit einer kleinen Mißbilligung der Großtyrann, als habe er sich einen genauen Ablauf dieser Unterredung wie auch der ganzen Gerichtsverhandlung vorgesetzt und als sei es ihm nicht recht, daß der Färber ihn durch irgendeine Erklärung von dem beschlossenen Wege abbringen könne.

»Einstweilen«, fuhr er fort, »habe ich euch die Eröffnung zu machen, daß dieser Mann sich freiwillig eines Verbrechens bezichtigt, das er nicht begangen hat.«

Die Hörer gerieten in Unruhe. Diomede hatte Mühe, einen Schrei zu unterdrücken. Er griff nach Sperones Hand und preßte sie ungestüm.

»Ich habe es begangen«, sagte Sperone verwirrt.

»Lieber, danach habe ich dich jetzt nicht gefragt«, versetzte der Großtyrann. »Es wird dir bewiesen werden, daß du nichts mit der Sache zu schaffen hattest. Denn ich werde in kurzem vor allen hier Versammelten den Täter nennen.– Du, Don Luca, hast dich verteidigt mit allerlei Klugheit und Tapferkeit des Herzens, doch möchte es mir wohl denkbar sein, daß auch du in deinem Innern dich hast irren und anfechten lassen. Und ob du, hätte deine Probe, die nun geendigt ist, ein wenig länger gewährt und wäre sie ein wenig härter geworden, nicht auch der Versuchung nachgegeben hättest, dies bleibe unerörtert; vielleicht hat nicht deine eigene Seelenkraft, sondern nur der Gang der äußeren Dinge dich gehindert. Der Widerstreit, welcher in dir angefacht worden ist, ging um ein Luftgespinst und um ein Nichts, denn ich weiß ja, daß jener Beichtende dir nichts gesagt haben kann von dem, wonach ich dich fragte; und doch ist dieser Widerstreit ein Abbild gewesen allen Widerstreites, der sich je und je im Gewissen eines Menschen erheben mag.«

Don Luca schlug seine Hände vor das Gesicht, während die Ellbogen sich in das Fleisch der Oberschenkel gruben. Sein großer und bäuerlicher Leib wurde von Schluchzen hin und her geworfen, und zwischen den Fingern tropften klare Tränen hervor. Mit einem Male löste er die Hände vom Gesicht und sah auf. Er erinnerte sich plötzlich jenes Feigenbaumes, und er wußte nun, daß er weder verdorren noch der Axt gegeben werde. Er erinnerte sich jenes Wortes, das Christus zu Nathanael sprach: »Da du unter dem Feigenbaume warest, sah ich dich.« Er verstand, daß dieses Wort auch zu ihm gesprochen war, und er sagte es vor sich hin, einmal über das andere, unbekümmert um die Gegenwart der übrigen. Niemand verstand, was er meinte. Er aber hatte nun die Gewißheit der Verheißung, die am gleichen Ort ausgesprochen ist, nämlich daß er noch Größeres sehen werde als dies.

5

Der Großtyrann hatte in seinem Sprechen innegehalten, bis Don Lucas äußerste Erschütterung besänftigt war. Er fuhr nun fort: »Dir, mein Massimo, habe ich zu sagen, daß ich dir jene Fristen stellte und jene Bedrohung über dich verhängte, nicht weil ich deine Geschicklichkeit, sondern weil ich die Redlichkeit deines Herzens auf die Probe zu setzen wünschte. Und ich habe auch sehen wollen, ob du ein Vertrauen zu mir hast und zu meiner Einsicht und Gerechtigkeitsliebe oder aber in knechtischer Furcht vor mir bist. Du aber hast dich von dieser Furcht antreiben lassen, und so hast du das geistesschwache Mädchen beschuldigt. Dies war deine erste größere Abweichung, und von ihr schreibt alles Weitere sich her. Darauf, Monna Mafalda, Monna Vittoria und Diomede Confini, sind jene Begebnisse vorgefallen, die mit eurem Hause ihren Zusammenhang hatten, und ihre Auszweigungen fanden in all diesem Getriebe von Zeugen, Widerzeugen und Widerwiderzeugen.«

Monna Vittoria und Diomede saßen steil aufgerichtet und ohne Regung. Monna Mafalda aber, da sie ihren Namen nennen hörte, schrak auf. Sie schaute um sich, leblos und hinfällig, so daß es ein jammernswürdiger Anblick war für alle, die in der Halle zugegen waren. Allein gleich darauf wurde sie wieder von ihrer alten Abwesenheit umfangen.

»Ich habe euch auf meine Proben gestellt«, so redete der Großtyrann weiter, »indem ich euch den Entzug eurer Besitztümer androhte, und ihr wißt, welche Entschlüsse ihr daraus zogt, und wir alle wissen ja auch, welches Maß an jeder Übeltat sich sonst noch in dieser Stadt ereignete und daß dies alles sich aus der gleichen Wurzel herleitete. Nun weiß ich freilich wohl, daß der giftige Wind, dem ja die Natur vieler Menschen untertan ist, an manchem Ursache gewesen sein muß. Und dennoch graut es mir vor allem, das ich euch habe tun sehen, euch und alle andern Einwohner meiner Stadt.«

Nach diesen Worten winkte der Großtyrann den Rettichkopf zu sich.

»Nimm all dies Papier hier vom Tische, trage es zum Kamin, schlage Feuer und lasse es in den Flammen umkommen bis auf das letzte Blatt. Hüte dich aber, daß du keinen Versuch machst, auch nur eine Zeile zu lesen oder gar etwas auf die Seite zu schaffen.«

»Alles? Herrlichkeit! Auch mein Gutachten in den zwei Ausfertigungen? Und auch das Schreiben des seligen Herrn Confini?«

»Alles.«

»Herrlichkeit!« schrie er kläglich. »Die Herrlichkeit hat ja mein Gutachten noch nicht gelesen, geschweige denn von mir verlesen lassen!«

»Tu, was ich dich geheißen habe.«

Der Rettichkopf stöhnte und seufzte erbärmlich. Mit einem Gesicht, das von vollkommener Verzweiflung entstellt wurde, begab er sich zum Kamin. Jeder seiner Schritte schien eine schwer zu leistende Selbstüberwindung.

Der Großtyrann behielt ihn im Auge, bis die Flammen zur Höhe schlugen. Nun hieß er ihn an seinen Ort zurückkehren und sagte: »Sehe ein jeder zu, wie er das Gewicht des von ihm Getanen ertrage.«

Während des Verbrennens war es durchaus still gewesen. Und nur Don Luca hatte mit seiner zitternden Stimme, in welcher doch ein Jubel und ein Lobpreis mittönten, noch einmal vor sich hingesagt: »Da du unter dem Feigenbaum warest, sah ich dich.«

Der Großtyrann fuhr jetzt in seiner Ansprache fort, indem er sehr bedeutsam sagte: »Und nun weiß ein jeder einzelne von euch, welcher Art die Anklagen sind, die hier in Rede stehen, und er weiß auch, gegen wen diese Anklagen sich richten. Gegen den verstorbenen Pandolfo Confini aber oder gegen den Färber Sperone richtet sich keine Anklage, wie denn überhaupt in Sachen des Mordes eine Anklage nicht erhoben werden kann. Die Tötung des Fra Agostino nämlich steht außerhalb der Gerichtsbarkeit. Ich selbst habe sie mit meiner eigenen Hand vollzogen, da ich mich von seiner Verräterei überzeugt hatte und doch kein Gerichtsverfahren wünschen konnte; denn es ging um sehr heimliche Staatsdinge.«

Über die Lippen des Rettichkopfes kam ein pfeifender Laut, und seine Augen schienen sich aus dem Gesicht drängen zu wollen. Sein ganzer Körper drückte ein entzücktes Schnuppern und Wittern aus. Nespolis runder Kopf sank mit einem Ruck gegen die Brust. Dies mochte eine unbewußte Schutzbewegung sein, damit er den Blicken, die sich nun von allen Seiten auf ihn richten würden, nicht zu begegnen brauchte. Alle Augen lagen auf dem Gesicht des Großtyrannen. Nespoli sagte halblaut: »Ich habe es gewußt. Es hat Augenblicke gegeben, da ich es gewußt habe, das erkenne ich jetzt. Aber ich habe es nicht zu wissen gewagt.«

»Du hättest es wissen und wagen müssen«, sagte unmitleidig der Großtyrann. »Und du bist ja auch auf diesen Gedanken verfallen, wenn auch nicht als auf einen offenbaren, so doch als auf einen heimlichen, ohne dein eigenes Vorwissen. Allein dann sind deine Furcht und deine Knechtlichkeit über dich gekommen. Nicht so sehr deine Furcht davor, mir ins Angesicht zu sagen: ›Du, Herrlichkeit, bist der Mörder, es kann niemand anders sein als du‹ – denn dieser Furcht hättest du wohl Herr werden können, da du mir im Confinischen Lusthäuschen jene todesmutigen Dinge gesagt hast. Aber es hat dich eine andere Knechtlichkeit und Furcht beherrscht: nämlich die Furcht davor, dir selber einzugestehen, daß jemand sich aus dir, aus Massimo Nespoli, ein Spiel machen könne, ein Spiel der Probe oder gar der Laune. Denn deine Eigenliebe hat dich wohl dir selber als etwas Unentbehrliches und von Cassano nicht Hinwegzudenkendes gezeigt. Aber wie sehr bist du von ihr abgefallen, als ich mit dem Zettel zu dir kam und die Versuchung, es könne alles von selber zu seiner Ordnung kommen, sich vor dich hinstellte!«

Während dieser Rede hatte die Betäubung, welche mit dem Tatbekenntnis des Großtyrannen über die Anwesenden gelegt worden war, Zeit gehabt, einer wilden Bewegtheit Raum zu machen. Diomede sprang auf und rief, flammend vor Schmerz und Zorn: »Du, Herrlichkeit, hast dir ein Spiel aus allem gemacht? Du hast aus einer kalten Lust die Ehre und den Namen meines Vaters beschmutzen lassen? Und mit welchem Übermaß an Verschlagenheit und Verstellung hast du es getan! Don Luca und der Färber werden von diesen Dingen mehr wissen als ich; aber ich erinnere mich wohl eines Wortes aus dem Evangelienbuch, daß nämlich Ärgernis sein müsse in der Welt. Allein es ist auch gesagt: Wehe jenem, von welchem das Ärgernis seinen Ausgang nimmt!«

Auch Vittoria war von ihrem Sitz aufgefahren; aufgefahren mit einem Schrei. Diomede stand da, schön und wild in seinem Grimme. Er wurde es nicht gewahr, daß Sperone ihm die Hand auf den Arm legte wie zu einer mißgeschickten Liebkosung. Diomedes Hände lagen geklammert an zwei Sesselknäufen, und sein Oberkörper war vorgeschnellt, so, als werde er sich im nächsten Augenblick zu einer Gewalttat auf den Großtyrannen werfen. Allein dann senkte er den Kopf und sagte mit einer schmerzlichen Dämpfung der Stimme. »Du hast mir noch etwas anderes angetan, Herrlichkeit. Du hast das Bild zerstört, das ich von dir gehabt habe.«

Der Großtyrann entgegnete streng: »Vergiß nicht, Diomede, daß ich es bin, der hier zu Gericht sitzt, und nicht du oder sonst einer. Ist jemand unter euch, der es etwa wagt, mir einen Vorwurf zu machen aus der Tötung des Mönchs? Er mag es straflos sagen und ohne Scheu.«

Niemand antwortete. Schließlich erklärte der Beamte in seiner ruhigen Weise, jedoch ohne den geringsten Ton einer Schmeichelei: »Hierin wird keiner die Herrlichkeit tadeln wollen. Das ist Sache des fürstlichen Gewissens, das vor Gott steht.«

Der Großtyrann sagte: »Und da ich mir dies Recht nahm, das mir niemand abstreitet, so nahm ich mir ein anderes von der gleichen Unabstreitbarkeit: nämlich dasjenige, mir einen Erweis zu verschaffen von der Gesinnung und der Gewissensstärke derer, mit denen ich zu tun habe als mit meinen Dienern und Untertanen. Und ich habe sie alle unterliegen sehen vor jeder Versuchung. Auch dich, Diomede, der du so sehr ein Anwalt aller Gerechtigkeit bist.«

»Was hat dieser mit uns getan!« raunte Nespoli erschüttert.

Vittoria aber kehrte in ihren Sessel zurück. Sie schüttelte den Kopf und antwortete: »Darin liegt es nicht, Massimo. Hatte ich denn vergessen können, daß ich ja keine Rechtfertigung mehr erwarten will aus den Handlungen anderer Menschen? Ich habe einzig zu fragen nach meinem eigenen Tun, und so werde ich auftreten und alle Begebnisse ansagen.«

Nespoli schwieg einige Augenblicke. Dann sagte er: »Und wenn du das tust, Vittoria, so sage an, daß alles aus meiner Anstiftung geschehen ist. Denn auch ich will keine Schonung mehr.«

6

So stark war Don Luca bestürmt worden vom Überfließen seines Herzens, daß er für den Großtyrannen nur wenig Gedanken hatte haben können. Es war ihm auch nicht möglich gewesen, des Großtyrannen Mitteilung von der eigenen Täterschaft in ihrer ganzen Schwerkraft aufzunehmen; dies um so weniger, als ja Don Luca nicht von den geschwinden Menschen war. Und so hatte ein Maß Zeit vergehen müssen, bevor die Verknüpfung aller Einzeldinge sich in seinem Geiste vollzogen hatte. Seine Augen rundeten, sein Mund öffnete sich. Die dichten weißen Brauen zogen sich zusammen, daß fast die Nasenwurzel unter ihnen verschwand. Über die vielen Runzeln seines Gesichts lief eine Bewegung. Er schluckte schwer, er hob seinen grobschlächtigen Leib aus dem Sessel, und er trat langsam an den Großtyrannen heran, indem er einen Fuß auf die Erhöhung stellte. Und nun begann er zu reden, ohne Rücksicht, ohne Schonung und voll einer bäuerlichen Unerschrockenheit.

»Und du selber, Herrlichkeit?« fragte er sehr laut und lauter als alle, die vor ihm in diesem Raum gesprochen hatten, so daß der Hall von den Wänden zurückprallte und über die Hörer hinwogte. »Bist du nicht der Versuchung erlegen wie alle?«

»Welcher?« fragte der Großtyrann zurück, und dem Beamten, der ja nicht so im Innerlichsten mitbetroffen wurde, wie die übrigen, und daher weniger in seiner beobachtenden Aufmerksamkeit gehindert war, fiel es auf, daß in der Stimme des Großtyrannen eine Beunruhigung sich zu erkennen gab.

»Der ärgsten von allen«, antwortete Don Luca. »Der des Gottähnlichseinwollens. Der Versuchung der Schlange im Paradiese, welche unseren Voreltern sagte: ›Ihr werdet sein wie Gott, indem ihr wissen werdet das Gute und das Böse.‹ Wir andern sind in Versuchungen und Verschuldungen gefallen nach menschlicher Weise und innerhalb der Begrenzung des menschlichen Wesens. Du aber als der einzige hast gesündigt, indem du dich über das Menschliche zu erheben trachtetest und Gott gleich sein wolltest.«

Der Großtyrann schloß die Augen. Doch blieb er unbeweglich und sagte nichts.

Der Beamte sah, daß ein Angriff von großer Kühnheit und Gewalt gegen seinen Herrn gerichtet wurde, ohne daß dieser gesonnen schien, ihn abzuwehren. Daher sagte er mit seiner gleichmäßigen und angenehm klingenden Stimme: »Ihr vergeßt eins, Don Luca. Die Herrlichkeit hat ihren Ort hoch über allen anderen Menschen. So muß es nur ziemlich erscheinen, daß sie auch da, wo sie vor dem Angesicht Gottes sündigen mag – ob sie es tat, hierin habe ich nicht zu urteilen –, über den Sehkreis des gemeinen menschlichen Sündigens sich emporhebe.«

»Sprich du jetzt nicht, mein Freund«, sagte der Großtyrann leise zu ihm. »Denn ich habe mehr Lust, die Stimmen der Anklage zu hören als die der Verteidigung.«

»Welche Nötigung hat dich genötigt, Herrlichkeit, oder welche Bedrohung dich bedroht?« fuhr Don Luca fort, ohne auf die Einrede des Beamten zu achten. »Ein jeder andere wurde so versucht, daß er aus Zwang und Not eines rettenden Ausweges bedurfte; und er war schwach genug, ihn zu begehen. Wo aber ist deine Entschuldigung? Du hast mit deinem freien Willen dies widergöttliche Spiel angehoben, nicht getrieben von einer Not, sondern einzig von deinem Gelüsten, in Gleichheit Gottes die Schicksale der Menschen zu bewegen und zu beschauen und endlich als ein Weltenrichter über sie zu befinden. Und so hast du des Menschen Fehlbarkeit und Leichtverführbarkeit bestürzender zum Erweis gebracht als diese anderen. So bist du der Urheber aller bösen Geschehnisse in deiner Stadt, und einzig du, Herrlichkeit, hast nichts, was zu deiner Rechtfertigung dienen könnte oder zu einer Milderung des Urteils, wie es doch alle diese anderen haben. Dies ist die Anklage, die hier gegen dich erhoben wird. Und nun weißt du, Herrlichkeit, daß du unter dem Gerichte stehst, ob auch nicht unter dem unseren.«

Mehrfach noch hatte der Beamte versucht, Don Luca durch ein Zeichen zu bedeuten, er möge einhalten. Er war erschrocken, und er befürchtete einen Zornesausbruch des Großtyrannen. Ja, er erwartete von Augenblick zu Augenblick einen Wink seines Herrn, aufzuspringen und Leute von der Trabantengarde kommen zu lassen, die den Priester in Verhaft zu nehmen hätten. Und selbst Nespoli, welcher in seinem Inneren tiefer aufgerissen worden war als zu all jenen Stunden an der Brücke, im Schwanenzimmer oder Lusthäuschen und noch keine Fassung hatte gewinnen können, selbst Nespoli wollte es aus der Gewohnheit seines höfischen Verhältnisses ungeheuerlich anmuten, daß Don Luca solche Dinge redete vor den Ohren eines ganzen Kreises von Menschen, unter denen ein Mann war wie der Rettichkopf.

Der Großtyrann indessen ließ kein Merkmal des Zornes erkennen. Er saß ein wenig zusammengesunken auf seinem hochstehenden Sessel und rührte sich nicht eine längere und qualenvolle Zeit hindurch.

Danach sagte er mit einer mühseligen Stimme: »Und du, Färber? Was hast du mir zu sagen? Aber du brauchst nicht mehr zu sprechen. Denn ich habe mein Urteil aus deinem Munde gestern nacht im Gartenhause vernommen, und es war ein Wort darunter, das seitdem vorzugsweise meine Gedanken nicht mehr hat verlassen können. Du redetest davon, daß in dieser Stadt mehr Dinge vorgefallen seien, als das Gewissen ihres Urhebers zu tragen vermöchte.«

Sperone antwortete ihm mit einem jener Einfälle, an deren oberen Ursprung er glaubte: »Herrlichkeit, ich habe erzählen hören, daß die Deutschen, deren ja manche mit den Kaisern in unser Land kommen, die Redewendung haben, es sehe einer den Wald vor lauter Bäumen nicht. Aber mich dünkt, wir sollten diesen Satz umkehren, und so dürfen wir ihn auf Gott anwenden, indem wir sagen, er sehe vor Wald die Bäume nicht. Hiermit aber will ich meinen, sein Blick gehe nieder aus einer solchen Höhe, daß für ihn jene Unterscheidungen, welche wir wahrzunehmen glauben, nicht statthaben; vielmehr mag vor seinem Auge ein winziger Wald stehen von ebenmäßiger Beschaffenheit, und eine häuserhohe Pappel mag ihm darin nicht anders erscheinen als ein krüppeliges und sich kaum vom Boden hebendes Stachelgewächs. Und so sind vor ihm die uns wichtig dünkenden Unterscheidungen zwischen den Menschen gering, und es bedeutet nichts, ob nun nach menschlichen Maßen die Verschuldung des einen um ein weniges schwerer wiegt als die des anderen.«

Nach diesen Worten Sperones begann der Großtyrann wieder zu sprechen, indem er sich nicht an den Färber allein, sondern an die Gesamtheit der Anwesenden wandte: »Es ist wohl so gewesen, daß ich aufs erste nur mit dir, mein Massimo, jene Probe vorhatte. Darauf aber hatte sich der Umkreis der Handlungen erweitert ohne mein Zutun. Ich habe es auch anfänglich nicht so weit treiben wollen, wie es getrieben worden ist. Allein da überkam mich die Lokkung, die Handlungen der Menschen, da ich ja den Wurzelgrund dieser Handlungen kannte, so klar vor mir zu sehen, wie sie vor dem Auge Gottes liegen. Und so habe ich nicht aufzuhören vermocht. Doch verschmähe ich es, mich auf den tückischen Wind als eine Mitursache meines Tuns zu berufen. Darum habe ich auch das Gutachten über die Handschrift geflissentlich hinausgezögert, damit es nicht ein vorzeitiges Ende bewirke. Und ebenso habe ich auch jenes Mädchen, das ihr Perlhühnchen nennt, nicht gefänglich verwahren lassen, was ja doch nahegelegen hätte, damit es einer Beeinflussung seiner Aussagen entzogen würde. Aber ich wollte ja gerade sehen, wie diese Einflüsse wirksam waren, welche Widereinflüsse sie heraufführen mußten und wie dieses Spiel sich fortspinnen würde. Und ich weiß nicht, ob ich heute zu diesem Abschluß hätte herbescheiden können, wenn ich nicht mit dir, Färber, es zu schaffen bekommen hätte. Ich weiß, daß ich ein Zwiefältiger bin, und als ein Zwiefältiger habe ich mit euch Zwiefältigen gespielt. Allein dann bin ich diesem Einfältigen begegnet; mit dem hat nicht gespielt werden dürfen. Du hast, Färber, unter dem, was du mir zu nächtlicher Zeit sagtest, noch ein Wort gesprochen, das sich in mir festsetzte, wenn ich dich auch dies nicht habe merken lassen. Nämlich du sprachst davon, daß du dich dieser Tat bezichtigt hast aus einer Liebe zu den Menschen. Und hier möchte ich dich noch etwas fragen, und ich denke mir, es wird zusammenfallen mit jenem, das du vorhin sagen wolltest, als ich dir meine Ansicht über deine Versuchung auseinandergesetzt hatte. Nämlich: An wen hast du gedacht, da du dich aus deiner großen Liebe hast opfern wollen?«

Sperone antwortete: »Ich sagte es dir, Herrlichkeit. Ich habe dem Taumel ein Ende machen wollen, um alle die Einwohner von Cassano herauszuführen, die sich in ihn verstrickt hatten. Und ich habe das tun wollen, weil ich eine Liebe zu ihnen hatte.«

»Wie ist das zu verstehen?« fragte der Großtyrann. »Du hättest also eine solche Liebe gehabt auch für den Mörder des Fra Agostino, welchen du ja nicht kanntest? Und habe ich Anlaß zu glauben, du habest auch für mich dich aufopfern wollen?«

Sperone errötete und bejahte mit einem Nicken des gesenkten Kopfes.

Vittoria näherte ihre Lippen dem Ohre Nespolis und flüsterte:

»Dieser hat lieben wollen um der anderen willen. Wahrlich, es ist nichts vielförmiger als die Liebe.«

Der Großtyrann sagte: »Es ist also einer gewesen in Cassano, der aus Liebe hat sterben wollen auch für mich.«

Er wollte noch sprechen, aber es versagte ihm die Stimme; dies hatte keiner an ihm erlebt, wie lange sie ihn auch kannten.

7

Der Großtyrann wandte sich ab und barg das gesenkte Antlitz hinter den Händen. Es war sehr still, und kaum Atemzüge wurden vernehmlich. Dies währte eine Weile, dann stand Diomede auf und ging auf den Rettichkopf zu, welcher offenen Mundes mit triefenden Lippenwinkeln den Gewaltherrn aus verzückten Augen anstarrte; seine Zunge lief rasch über beide Lippen hin und her. Diomede sagte halblaut, doch so scharf, daß jeder in der Halle seine Worte verstehen konnte: »Gehe hinaus. Du bist nicht der Mensch, der zugegen sein darf, wenn ein Mann wie die Herrlichkeit sein Herz entblößt.«

Der Rettichkopf spähte unsicher um sich, als suche er nach Beistand.

»Ich habe Ansprüche«, erwiderte er schließlich.

»Gehe. Ich stehe dir dafür, daß du zu dem deinigen kommst.«

Der Rettichkopf wollte Einwendungen machen, aber er erschrak vor Diomedes Miene. Diomede streckte die Hand nach ihm aus. Der Rettichkopf, welcher sich bereits bei Diomedes erster Anrede erhoben hatte, ohne daß dies seine Absicht gewesen wäre, huschte davon. Ohne Geräusch schloß er hinter sich die Tür.

Der Großtyrann dauerte eine geraume Zeit in seiner Haltung aus, vor der alle eine Ehrfurcht hatten.

Endlich ließ er die Hände sinken. »Vergebt mir«, sagte er in die Stille hinein. »Denn ich bin der Schuldige.«

Alle fühlten, daß es ungeziemend gewesen wäre, eine Antwort zu geben; denn in dieser Bitte des Herrschers lag ihre Gewährung durch die Untertanen beschlossen.

Nespoli durchlief es glühend wie die Ahnung vom Dasein einer anderen Welt, einer Welt außerhalb all jener Ursachen und Folgen, an welche er geglaubt hatte, und doch in jeder von ihnen gegenwärtig, eine Welt ohne Vorbehalte. Es widerfuhr ihm ein plötzliches Auffluten aller seiner Seelenkräfte, und er fühlte, daß er alle seine künftigen Jahre hindurch werde die Hand ausstrecken müssen nach etwas, das er sich nicht zu deuten noch zu nennen wußte.

Er hätte auf den Großtyrannen zugehen mögen; aber er wandte sein Gesicht zu Monna Vittoria und faßte nach ihrer Hand.

»Vittoria«, flüsterte er, »wie wird es werden? Wird es dahin kommen, daß wir einander werden ansehen können? Oder willst du, daß nichts Gemeinsames mehr sei zwischen uns?«

»Die Schuld war uns gemeinsam, Massimo«, gab Vittoria zurück, »und so bedürfen wir einer gleichen Vergebung. Welche größere Gemeinsamkeit kann zwischen zwei Menschen sein als diese?«

Nespoli wollte noch etwas sagen, da hörte er die Stimme des Großtyrannen und blieb stumm.

»Sperone, du hast mir vorgestern gesprochen von einem Unterschiede zwischen der unvollkommenen und der vollkommenen Vergebung. Ich weiß, wir Menschen können um unserer Schwäche willen einander nur unvollkommen vergeben. Aber wir wollen versuchen, hierin unser höchstes Maß zu erreichen und zugleich uns jener Vergebung zu versehen, welche vollkommen ist nicht nur nach dem Willen, sondern auch nach der Wirkung.«

Vittoria stand auf. »Herrlichkeit«, sagte sie, »ich an meinem Teil kann diese Vergebung nicht hinnehmen, ehe ich nicht alles bekannt habe.«

»Mit dem Verbrennen der Schriftstücke«, versetzte der Großtyrann, »habe ich euch bereits angezeigt, daß kein einzelnes untersucht oder weiter beredet werden soll. Es ist ja auch verziehen allen Verleumdern, Meineidigen und Gewalttätern aus dieser Zeit. Vieles ist an den Tag gekommen; das übrige bleibe bedeckt.«

Auch Diomede erfuhr mit dem Wort des Sperone von dem Walde und den Bäumen die neue Erschütterung dieser Stunde. Er fühlte, daß jene sonderbare Gemeinsamkeit, die in Liebe und in Haß zwischen ihm und dem Großtyrannen gewesen war, durch den Färber ihre Besiegelung empfangen hatte. Einen Augenblick noch wunderte er sich, daß er es nicht hatte ertragen können, diesen Mann, der doch sein Feind hätte sein müssen, in solcher Verkleinerung zu erblicken; einen Augenblick noch wunderte er sich, wie das hatte über ihn kommen können, daß er den Rettichkopf hinausweisen mußte, um dem Großtyrannen eine Beschämung zu ersparen; doch mochte er hierbei weniger vom Gedanken an den Großtyrannen geleitet worden sein als von der Empörung über die Anwesenheit des Rettichkopfes in einer solchen Stunde.

Jetzt aber sah er auch den Großtyrannen – als zwielichtigen Mann, in welchem ja nach menschlicher Weise Größe und Fehlbarkeit verschlungen waren – in jenes Gedankengebilde vom Morgen einbegriffen, und nun liebte er ihn in seiner Zerbrochenheit stärker als je zuvor, stärker und ohne Einschränkung. Wie es ihm ehedem schwer geworden war, daß der Großtyrann ihn zu einer Feindschaft gegen sich genötigt hatte, so wollte er jetzt fast darüber lächeln, daß er hatte meinen können, zu einem Hasse gegen ihn verpflichtet zu sein.

Diomede hatte bekennen wollen, und sein Bekenntnis war zurückgewiesen worden. Er hatte dem Färber ein Opfer bringen wollen, und gleich dem Sohnesopfer des Abraham war sein Opfer nicht angenommen worden. Er versagte es sich Sperone oder den Großtyrannen von seiner Bereitschaft zu diesem Sühneopfer etwas wissen zu lassen. Denn auch dies Bekennen, denn auch dies Opfer gehörte dem Alten an, das vergangen war.

8

Gleich den anderen hing auch der Großtyrann eine Zeit über schweigend seinen Gedanken nach, während sein Blick auf der Gestalt des Färbers ruhte. Er wußte wohl, und eben jetzt wußte er es, daß er nicht geschaffen war zu der vollkommenen Einfalt Sperones. Und doch begehrte er nach einem Ausgang aus all seiner Vielspältigkeit und Mehrsinnigkeit und aus seiner Liebe zum Zwieströmigen, Heimlichen und Durchsetzten; denn dies hatte er ja an dem Färber erfahren, daß Gott ein Herr und ein Freund des Einfachen ist. Er erlaubte sich keinen Selbstbetrug, und er bedachte, daß es ein langer und mühevoller Weg war, welcher vor ihm lag und begangen sein wollte in Härte und in Freudigkeit.

Er sagte: »Ich merke wohl, welch eines Gewissens ich bedarf. Du, mein Massimo, sollst fortfahren, mein Auge, mein Ohr und mein Arm zu sein. Aber von dir, Diomede, denke ich, daß du mein Gewissen zu sein vermöchtest, nämlich das Gewissen meiner Gerechtigkeit. Darum kehre nach Bologna zurück und führe deine Studien zu ihrem Ende. Ich werde dich erwarten.«

»Wie wäre das möglich, Herrlichkeit?« entgegnete Diomede. »Ich weiß nicht, ob du den Umfang meiner Verschuldungen kennst.«

»Ich glaube ihn zu kennen, mein Diomede«, versetzte der Großtyrann. »Und eben deshalb habe ich dir meinen Vorschlag gemacht. Glaubst du denn, Petrus hätte zum Fürsten der Apostel werden können und für alle Zeiten zum Hüter der Gewissen des Erdkreises, wenn er nicht dreimal den Herrn verleugnet hätte?«

Diomede schwieg. Der Großtyrann aber kehrte sich zu Sperone.

»Möchtest du dich entschließen, das geistliche Amt anzustreben, so würde ich dich als meinen Beichtiger bei mir haben wollen; denn mir scheint, es ist hier bereits ein Anfang geschehen. Ich werde dich dem Bischof empfehlen und für dich sorgen, bis du die Weihen erhalten hast.«

Sperone antwortete mit einem Lächeln: »Ich danke dir, Herrlichkeit. Aber ich habe wohl nicht den Kopf dazu. Auch hat mir mein Engel von einem solchen Vorhaben nichts ins Herz gegeben. Und wenn ich viel wüßte, so stünde ich ja in Gefahr, verwirrt zu werden.«

»Und was willst du tun? Die Leute werden dir jetzt noch mehr nachlaufen und zusetzen als bisher. Sie werden dich sehr rühmen.«

»Ich werde die Werkstatt meinem Giovanni überlassen. Ich

werde heute noch fortgehen und den Engel bitten, er wolle mir den Weg zeigen. Wie sollte ich denn nach diesem allem ohne Anfechtung in Cassano leben, als ob sich nichts ereignet hätte?«

Damit stand er auf, trat zu Don Luca und bat ihn um seinen priesterlichen Segen. Als er ihn von dem Überraschten erhalten hatte, umfaßte er mit einem Blick den Großtyrannen und die übrigen, verneigte sich und ging zur Tür.

Diomede sprang auf, er wollte ihm nacheilen und ihn halten. Allein in der Tür wandte der Färber sich um, sah ihn an und hob verwehrend die Hand. Diomede begriff schmerzlich, daß er kein Anrecht auf diesen Mann hatte.

Don Luca sagte leise: »Sein Weg wird in die Schmach des Scheiterhaufens führen oder in die Ehre der Altäre. Wir können ihn nicht halten, wir müssen es Gott anheimstellen und ihn bitten, er wolle ihm eine der vielen Wohnungen seines Hauses geben.«

Alle schwiegen sie bewegt. Endlich sprach der Großtyrann:

»Geht jetzt ruhig in eure Häuser. Es wird manches sein, das ihr noch untereinander werdet in seine Ordnung zu bringen haben. Dies mögt ihr in der Stille tun, jeder nach seinem Gewissen. Und auch ihr sollt euch ja gegenseitig vergeben. Morgen werden wir miteinander den göttlichen Leib nehmen und danach den Herrn Confini zu seiner Ruhe bestatten. Und dann werden wir trachten, unser Leben weiterhin zu ertragen, ein jeder nach seiner Weise. Denn dies wird ja von uns gefordert.«

Ricarda Huch

Michael Unger
Roman
Ullstein Buch 37001

Von den Königen und der Krone
Roman
Ullstein Buch 37002

Das Leben des Grafen Federigo Confalonieri
Roman
Ullstein Buch 37004

Erinnerungen von Ludolf Ursleu dem Jüngeren
Roman
Ullstein Buch 37003

Der Fall Deruga
Roman
Ullstein Buch 37005

WERKE VON WERNER BERGENGRUEN

Romane	Herzog Karl der Kühne Der Großtyrann und das Gericht Der Starost Am Himmel wie auf Erden Caliban / Pelageja Das Feuerzeichen Der letzte Rittmeister Die Rittmeisterin Der dritte Kranz Der goldene Griffel
Novellensammlungen	Das Buch Rodenstein Der Tod von Reval Sternenstand Die Flamme im Säulenholz Badekur des Herzens Und dein Name ausgelöscht Räuberwunder Zorn, Zeit und Ewigkeit Die schönsten Novellen Spuknovellen Kindheit am Wasser Männer und Frauen
Einzelne Novellen	Die drei Falken Jungfräulichkeit Die Hände am Mast Der Teufel im Winterpalais Das Tempelchen Erlebnis auf einer Insel Die Sterntaler Der Pfauenstrauch Das Netz Die Kunst, sich zu vereinigen Die Heiraten von Parma Bärengeschichten Suati
Lyrik	Die Rose von Jericho Die verborgene Frucht Dies irae Lombardische Elegie Zauber- und Segenssprüche Mit tausend Ranken Glückwunschgabe Zur Heiligen Nacht Die heile Welt Figur und Schatten Herbstlicher Aufbruch

IM VERLAG DER ARCHE ZÜRICH

MEANWHILE BACK AT THE RANCH

Fintan O'Toole was born in 1958. He was editor of *Magill Magazine* and is currently a columnist with the *Irish Times*. He is also a regular presenter of the BBC's *Late Show*. His books include *The Politics of Magic: The Theatre of Tom Murphy*; *No More Heroes*; *A Mass for Jesse James* and *Black Hole, Green Card*. He was Irish Journalist of the Year in 1993 for his coverage of the enquiry into the relations between the Irish Government and the Irish beef industry.

BY FINTAN O'TOOLE

No More Heroes

A Mass For Jesse James

Black Hole, Green Card

The Politics of Magic:
The Theatre of Tom Murphy

Meanwhile Back at the Ranch:
The Politics of Irish Beef

Fintan O'Toole

MEANWHILE BACK AT THE RANCH

The Politics of Irish Beef

VINTAGE

Published by Vintage 1995

2 4 6 8 10 9 7 5 3 1

Vintage
Random House, 20 Vauxhall Bridge Road
London SW1V 2SA

Random House Australia (Pty) Limited
20 Alfred Street, Milsons Point, Sydney
New South Wales 2061, Australia

Random House New Zealand Limited
18 Poland Road, Glenfield,
Auckland 10, New Zealand

Random House South Africa (Pty) Limited
PO Box 337, Bergvlei, South Africa

Random House UK Limited Reg. No. 954009

A CIP catalogue record for this book
is available from the British Library

ISBN 0 099 51451 6

Printed and bound in Great Britain by
The Guernsey Press Co. Ltd., Guernsey, Channel Islands

A VINTAGE ORIGINAL

FOR DICK WALSH

Contents

PREFACE

BESIDE THE GATEWAY that leads in to Dublin Castle, there is a large framed memorial erected in 1966, the fiftieth anniversary of the Easter Rising which began on this spot when a policeman was shot dead. Amongst the items in the frame is a reproduction of a painting called *The Birth of the Republic*. It shows a scene from the Rising, the week of chaotic violence from which the Republic of Ireland dates its origins.

Through the early years of the 1990s, beginning in 1991, the seventy-fifth anniversary of the Rising, lawyers, politicians, civil servants, journalists, and the odd innocent bystander, trooped in and out past that picture on most working days. Where they noticed *The Birth of the Republic* at all, they may have wondered if the question they were seeking to answer by their presence was whether the Republic still lived.

Inside the castle, the longest, most expensive and most controversial tribunal of inquiry in the history of the state was in progress. Its subject was the often arcane functioning of the beef industry, Ireland's most important indigenous enterprise, and its relationship to politics in the late 1980s. But through all the numbing minutiae of hot weights and cold weights, of 68 per cent yields and export refunds, of cabinet meetings and civil service memorandums, rumbled a much less explicit but much more explosive question. Had the Republic born on this spot in fact died out in the late 1980s? Had the principle of government of the people, by the people, for the people, been effectively subverted by a government for and in the interests of a single private company?

If these proceedings had a governing myth, it was not that of the pure national sovereignty claimed in 1916, but that of an old English legend. In the legend, the baron asks the king for 'only so much land as can be encompassed by the hide of an ox'. The king grants the request. The baron then slays the largest ox he can find, and cuts its hide into a long leather lace within whose circumference he constructs an impregnable castle. From the castle, the baron asserts his authority over the surrounding country and comes to challenge the power of the king himself. The fundamental question to be answered by the tribunal of inquiry was whether a version of this legend had been played out in the Republic in the late 1980s, with the man who slaughtered the ox coming to rival the power of the state itself.

The tribunal of inquiry into the beef processing industry was established by resolutions of the two houses of the Irish parliament, the Dáil and the Seanad, passed on 24 May 1991 and 29 May 1991. These, in turn, had resulted from a major Dáil debate on an ITV *World in Action* programme broadcast on the evening of 13 May. The programme, which was researched by journalist Susan O'Keeffe, centred on interviews with Patrick McGuinness, formerly an accountant at the Goodman plant at Waterford.

Such a tribunal had, however, been demanded at various times since April 1989, most notably by the Progressive Democrats leader Des O'Malley. Accusations about an allegedly close relationship between Charles Haughey's minority Fianna Fáil government of 1987–9 and the Goodman group of companies, and of malpractice within the group, were made repeatedly between then and the establishment of the tribunal. The issues were pursued by leading figures from the Progressive Democrats, Labour and the Workers' Party – a range of political perspectives from right to left which Larry Goodman came to see as a 'lethal cocktail'. These demands for an inquiry became more urgent with the near-collapse of the Goodman Group in August 1990, when the Iraqi invasion of Kuwait, and the consequent economic sanctions and default by Iraq on its foreign debts left the group with uncollectable credits of £180 million. It was saved from collapse only by a special recall of the Dáil from summer holidays, in order to pass emergency legislation allowing the courts to appoint an examiner rather than a liquidator. The very fact that the possible collapse of a private company was treated as a national emergency was, in itself, proof of just how closely entwined the fortunes of Ireland and of Goodman International had become.

When the *World in Action* programme was broadcast in May 1991, it acted as the final straw that broke the back of Haughey's determined resistance to an inquiry. At this stage, Des O'Malley, one of the prime movers in making the accusations of political favouritism in 1989, was himself Minister for Industry and Commerce. Facing the choice between the collapse of the coalition government and acceding to demands for an inquiry, Haughey took the latter course. On 31 May, the Minister for Agriculture and Food, Michael O'Kennedy, issued an order establishing the tribunal of inquiry and appointing Mr Justice Liam Hamilton, the President of the High Court, as its sole member.

The tribunal was expected to last until Christmas 1991, but in fact continued to sit until June 1993, and finally reported in August 1994. On its margins, it generated a historic general election, three important Supreme Court cases, disciplinary hearings by the Bar Council, and an investigation by the Public Accounts Committee of the Oireachtas. Its political importance was such that the new Fianna Fáil-Labour coalition government which came into office in 1993 committed itself in advance to implementing its recommendations, nearly eighteen months before those recommendations were issued. It offered the first, and perhaps the only, detailed insight into the workings of government and the relationship between politics and business in Ireland since the foundation of the state. As such, it became the most valuable resource available to anyone trying to get a fix on the workings of power in Ireland.

Most of what follows is a reconstruction of the events at the heart of the tribunal's investigations. The narrative is therefore based on the sworn evidence of the participants, and I have cited in the footnotes the specific pieces of evidence which underlie statements quoted in this book. These citations refer to the transcripts of the proceedings, with the number of the transcript followed by the number of the relevant page; for example, '78A, 34' refers to page 34 of the transcript for the morning of the seventy-eighth day of evidence.

I covered the tribunal for the *Irish Times*, and I am grateful to the editor, Conor Brady, and all the colleagues who worked with me, for their help and encouragement. I am also indebted to other journalists on the same assignment, particularly Mike Milotte, Jerry O'Callaghan, Frances Shanahan and Cathal MacCoille, for companionship and sustenance.

Introduction: Sacred Cows

... For this keeping of cows is of itself a very idle life and fit nursery for a thief... And to say truth, though Ireland be by nature counted a great soil of pasture, yet would I rather have fewer cows kept and men better mannered than to have such huge increase of cattle and no increase of good conditions... for look into all countries that live in such sort by keeping of cattle and you shall find that they are both very barbarous and uncivil and also greatly given to war, the Tartarians, the Muscovites, the Norways, the Goths, the Armenians and many other do witness the same. And therefore, since now we purpose to draw the Irish from desire of wars and tumults to the love of peace and civility, it is expedient to abridge their custom of herding and augment their more trade of tilling and husbandry.

Edmund Spenser, *A View of the Present State of Ireland* (1596)

IT WAS THE Celts, and not the Vikings, who wore horned helmets. Sometimes the horns were of metal, but sometimes they were of real oxhorn. Cattle, even then, provided the Irish with their symbol of might. The great Greek epic, *The Iliad*, tells of the siege of a city. The great Irish epic, *Tain-Bo-Cuailnge*, is the story of a giant cattle raid, of a bloody war fought for possession of a prize bull. For the Irish, the bull was the supreme embodiment of power. In the *Tain*, it is an awe-inspiring object of desire:

This was the Brown Bull of Cuailnge –
dark brown dire haughty with young health
horrific overwhelming ferocious
full of craft
furious fiery flanks narrow
brave brutal thick-breasted . . .
with a true bull's brow
and a wave's charge
and a royal wrath.[1]

Royal wrath, indeed, and royal power were strongly connected with cattle in ancient and medieval Irish society. The connection between cattle and politics which is the subject of this book goes back as far as Irish history does. *The Annals of Ulster*, a record of the deeds of chieftains and kings between 431 and 1540 lists 274 cattle raids, including 24 raids against a relative by one man in one year – 1496 – alone. There is considerable evidence to suggest that the carrying out of a cattle raid was a solemn ceremonial obligation on a newly elected king or chief. In *The Annals of Clonmacnoise*, under the year 1265, we read that 'Hugh O'Connor (a valorous and sturdy man) tooke upon himself the name of King of Connacht and immediately made his first and Regall prey upon of Contry of Affalie . . .' Bringing home the beef was the first duty of a successful politician.

Edmund Spenser's admittedly propagandist view that 'wars and tumults' were inseparable from the Irish cattle business probably had some basis in fact. A record of a cattle raid into County Clare in 1281 in the *Caithreim Thoirdhealbhaigh* annals gives a flavour of the *modus operandi* of a traditional Irish beef baron:

> From the westernmost side of the country, they drove its cattle to meet that of the eastern; on the flanks of the massed droves they formed a prickly palisade of spears, and to cover them in the rear had a clump of red ensigns with a troop of horsemen; their common gerne and camp followers they assigned to drive them as hard as might be, seeing that this was no

> excursion of mere spite but a stroke of solid business . . . and into Echtge they brought the multitudinous droves in safety.[2]

Wars and tumults, political chieftains securing the wealth of cattle, and solid strokes of business are the stuff of this annal of contemporary Ireland. The wars are distant (fought between Iran and Iraq), the chieftains wear dark suits, the cattle are processed into slabs of frozen beef. The tone of the epic is decidedly mock-heroic. Only the stroke of solid business remains the same.

Yet, for all that, this is, in its own way, still an Irish epic. Cattle are central to the development of Irish society over the centuries, even to the emergence of an Irish State. The political crisis that unfolded in the Republic in the early 1990s over the politics of beef brings to a head tensions which have been unresolved for a very long time. To understand that crisis, therefore, it is necessary to get a sense of the scale of those tensions and of the extent to which they shaped the political system itself.

A good place to start is with two images of the two central political figures in this story – Charles Haughey, then Taoiseach, and his successor in that office, Albert Reynolds. The first image is a cover of the satirical magazine *Dublin Opinion* in 1966. The European Economic Community had virtually closed its doors to Irish cattle exports, and Charles Haughey, as Minister for Agriculture, embarked on a frantic journey around Western Europe trying to find a market for Irish cattle. The cover of *Dublin Opinion* shows him as a cowboy, driving cattle before him to the ends of the earth. At a crucial moment in his political career, just before a Fianna Fáil leadership election in which he hoped to succeed his father-in-law, Sean Lemass, the suave young princeling of Irish nationalism was, however satirically, transformed into a rugged cattleman. His previous image had been that of one of the party's Young Turks, whom his colleague Kevin Boland nicknamed 'Mohawks'. But even the Indian could, in some circumstances, be transformed into a cowboy.

Over a decade later, at a similar stage in his political career – near the start of a rapid rise to the top – Albert Reynolds more deliberately adopted the image of the cowboy. In 1980, as Minister for Posts and Telegraphs in the first Haughey administration, he appeared on an RTE television show, *The Live Mike*, dressed as a cowboy and singing 'Put Your Sweet Lips a Little Closer to the Phone'. For him, the image came more easily than for Haughey, since he was TD (*Teachta Dála* – Member of the Dáil – the equivalent of British MP) for a largely rural constituency and used to own a chain of Country-and-Western ballrooms; he also had large commercial interests in the meat industry.

These are odd images of politicians in a modern Western European society, yet there is a logic to them. They arise from the profound connection between the politics of Irish nationality on the one hand, and the cattle trade on the other. That connection goes back to the reactions of 'civilised' invaders who defined the Irish by their pastoralism, their cattle-rearing culture that was the antithesis of agricultural civility. But it became a potent point of conflict in the formative years of the Irish State, a fault-line in the Irish polity which began to fracture in the events which are the subject of this book.

Geraldus Cambrensis, the Norman churchman in the entourage of Henry II in his Irish campaigns of the 1180s, is blunt about this connection. 'They live on beasts only', he wrote of the Irish in his *History and Topography of Ireland* (1185), 'and live like beasts. They have not progressed at all from the primitive habits of pastoral living.' Geraldus dramatises this division between Norman civilisation and Irish pastoral primitivism in his story of the ox man and the Norman castle:

> In the neighbourhood of Wicklow at the time when Maurice FitzGerald got possession of that country and the castle, an extraordinary man was seen – if indeed it be right to call him a man. He had all the parts of the human body except the

> extremities which were those of an ox. He had no hair on his head but was disfigured with baldness both in front and behind. Here and there he had a little down instead of hair. His eyes were huge and were like those of an ox, both in colour and in being round. His face was flat as far as his mouth. Instead of a nose, he had two holes as far as his nostrils, but no protuberance. He could not speak at all; he could only low. He attended the court of Maurice for a long time. He came to dinner every day, and, using his cleft hooves as hands, placed in his mouth whatever was given to him to eat. The Irish natives of the place, because the youths of the castle often taunted them with begetting such beings on cows, secretly killed him in the end in envy and malice – a fate which he did not deserve.

That the Irish intercourse with cattle should beget such monsters in the psyche of the 'civil' invader was a sign of a struggle between attempts to create an 'orderly' community in Ireland on the one hand, and the persistence of a pastoral economy on the other. The modernising forces of Norman and later English conquest could not recognise a pastoral, herding civilisation as a political society. It was, of its nature, barbarous, existing outside the domain of political and social order. An ordered people and a cattle-based economy could not co-exist. Therefore either the people or the cattle would have to go. Edmund Spenser suggested the latter course. William Petty, a pioneer of political economy and social engineering, thought the former more realistic.

In 1687, Petty recommended in his *Treatise of Ireland* that the best way both to secure Ireland for English rule and to maximise its profitability for its new owners was to remove most of the population to England and convert the island into a giant ranch. Six million cattle would graze the country, herded by a remaining population of 200,000 people. The produce of the cattle, of course, would be exported to England. Like most radical schemes, Petty's was ahead of its time. It was not until the aftermath of the Great Famine in the 1840s that conditions became right for a modified version of it to be made a reality. Neither Petty's view nor Spenser's were fundamentally at variance. If there was to be a civil society, the cattle economy would have to be contained and subordinated to more intensive farming. If there could not be a civil society in Ireland, though, then the cattle could stay but all pretence of having a people, a society or a nation would have to be abandoned. After the Famine, and in the years that defined the nature of independent Irish politics, this tension would become acute and tangible.

From the time that Petty wrote his treatise until the 1820s, Irish cattle exports remained more or less static. Between 1820 and 1870, however, they increased sixfold. The coming of the railways and rising urban standards of living in Britain totally transformed the place of cattle exports in the economy. In the early 1820s, cattle exports amounted, on average, to 47,000 beasts a year. By the late 1840s, after the Famine, they were at a level of 202,000. By the outbreak of the First World War in 1914, 835,000 cattle were being herded on to boats. The Famine turned a substantial increase into an explosion.

The Famine began a process of population clearance in the Irish countryside that has not yet stopped. Initially through death and disease, then through emigration, the people began to leave the land. At the same time, the financial ruin of many of the old landlord class opened the way to the emergence of what F. S. L. Lyons called a 'fresh breed of hard-fisted graziers, the bulk of them Irish and not a few from Catholic and Gaelic families'. The new graziers, often shopkeepers and merchants from the towns, were 'motivated by a sense of capitalist enterprise'. Under them the land became the basis of an export industry, not a support for the survival of a population.

They deliberately engineered a dramatic shift away from tillage and from the small farms that it allowed to survive. Between 1851 and 1901, they added nearly 2 million acres of grassland to the Irish countryside. By the 1980s, 90 per cent of Irish agricultural land was pasture. That grass and its cattle literally replaced people. Between 1841 and 1981, the population of the twenty-six counties of the Republic of Ireland declined from 6.5 million to 3.4 million. Over the same period, the number of cattle increased from 1.8 million to 6.9 million.

This huge change in the landscape and demography of the country presented a paradox. On the one hand, it represented the emergence of native power. The economic, and gradually the political, power of the old landlords was broken. That there were now Catholics with considerable wealth and the ability to generate large amounts of capital relatively quickly was undoubtedly a real factor in the emergence of Irish political nationalism in the 1880s and 1890s. On the other hand, the premiss of that political claim – an appeal to the sovereignty of the people – was being undermined as part of the same process by the disappearance of the people itself. The effect of this paradox is an important one for the story told in this book: the emerging democracy of the Irish State was in a fundamental way incompatible with the power of the beef industry. The old tension between a pastoral economy and a political society that Geraldus Cambrensis, Spenser and Petty had identified was re-emerging most powerfully, not as an aspect of conquest but as an aspect of Irish independence.

Though it was less dramatic, less violent and on a smaller scale, the process taking place in Ireland was more typically Latin-American than European. What happened in Ireland was closely comparable to what was happening at the same time in Argentina and Uruguay. The arrival of railways and the enormous international demand for cheap meat allowed large profits in the cattle trade. Grassland was depopulated and speculative investors moved in. In Ireland, the land was cleared by emigration rather than by the slaughter of the Indians. But, as the Norwegian economist Lars Mjoset pointed out in 1992, descriptions of Uruguay's development – extensive cattle farming inhibiting diversification in agriculture and preventing the emergence of successful agricultural-industrial links on the Danish model – 'could just as well be applied to Ireland'.[3] So, less directly and less bloodily, could the difficulties of forming coherent political systems which have blighted many Latin-American countries.

Modern Ireland as it emerged in the twentieth century could not but be aware of the extent to which it had, in a short space of time, become a home on the range. Even the streets of Dublin were enlivened or befouled, according to taste, with the shouting of drovers, the barking of their dogs, and the lowing of cattle being driven to the markets or the docks.

Nor could its writers avoid the imagery of the cattle drover and his beasts. Even James Joyce, that most urban of writers, makes, in *Ulysses*, Mr Deasy's letter to the press concerning the danger to cattle of foot-and-mouth disease a central impulse of Stephen Dedalus's early wanderings, causing Stephen to reflect that 'Mulligan will dub me a new name: the bullockbefriending bard.' Joyce had, in fact, written an editorial on the subject of foot-and-mouth disease in 1912 for the *Freeman's Journal*.

Also a bullockbefriending bard was the national poet, William Butler Yeats, whose greatest dramatic image, at the end of *The Countess Cathleen*, is of a cosmic cattle-drive:

> The years like great black oxen tread the world,
> And God the herdsman goads them on behind,
> And I am broken by their passing feet.

The return of the ox to a place in the lexicon of Irish literary imagery it had not enjoyed since the *Tain-Bo-Cuailnge* reached its climax in Flann O'Brien's 1939 novel *At Swim-Two-Birds*, where the legendary Celtic cattle raids are bathetically transformed into an episode of Wild West cattle rustling on the streets of Dublin:

> Be damned to the lot of us, I roared, flaying the nags and bashing the buckboard across the prairie, passing out lorries and trams and sending poor so-and-sos on bicycles scuttling down side lanes . . . I smell cattle, says Slug, and sure enough

there was Red Kiersay the length of a turkey trot ahead of us
sitting on the moonlit prairie as peaceful as you please.

What was not obvious in this readmittance of the bullock into the national store of imagery was the price that was being paid for the great return to pasturage. The subject was raw, confusing, and bitterly contested within the nationalist movement itself. Yet Joyce, in an enigmatic and inexplicit poem 'Tilly', written in 1904, powerfully expresses a sense of the wrenching effect of the cattle boom on the population as a whole, of the loss and grief that lay behind these images of the fat of the land. He sets out a simple, traditional, apparently comfortable image of a drover herding his cattle along the road, 'calling to them, a voice they know'. And then, without warning, he turns this pastoral scene into a bitter and violent image of uprooting:

The voice tells them home is warm.
They moo and make brute music with their hoofs.
He drives them with a flowering branch before him,
Smoke pluming their foreheads.

Boor, bond of the herd,
Tonight stretch full by the fire!
I bleed by the black stream
For my torn bough!

The branch with which the drover drives the cattle becomes a torn limb. We move from an innocent and homely image of cattle to a reminder of the Jews in exile, weeping by the waters of Babylon for their lost homeland. Inside the image of a man driving his beasts along a road is an image of violent dismemberment. The warmth of home becomes in the blinking of an eye the bitterness of exile. In this short, apparently slight poem, Joyce captures the unpleasant paradox of the emerging Ireland – just as it is becoming a political 'home' for the Irish, it is forcing them into exile. And he locates the sore point in this paradox – the cattle trade. He uncovers a scar on the national body politic, one that was still unhealed in the 1980s and whose pain is felt behind the events of this story.

In understanding the crisis in the relationship between the cattle industry and the political system which erupted so bizarrely in the late 1980s, it is well to keep in mind two aspects of the new dominance of the ranchers. One is that, almost from the beginning, the new cattle capitalists were understood to be somewhat outside the social world, to stand apart from the values and desires of the community as a whole. And the other is that Fianna Fáil, the political party at the heart of that crisis, had a more fraught relationship with the cattle trade than any other element in Irish democracy. The tensions of the new cattle economy were etched into the face of Fianna Fáil. If, eventually, it became bullock-befriending, it did so with great difficulty and at a severe psychological cost. That very difficulty helps to explain the party's inability to cope with the crisis when it did come.

The emergent beef barons of a century ago were, for rural Irish politics, dangerously ambivalent figures. On the one hand, in the first phase of land agitation they were part of the general Land League movement against the dominance of the landlords. This unity of purpose evaporated, however, particularly after the Wyndham Land Act of 1903. The cattle were replacing the people, and the cattlemen were seen as essentially anti-social. 'Unlike the normal tenant farmer,' writes David S. Jones,

> the rancher generally lacked any sense of ancestral or customary ties to the land, and his economic behaviour was less constrained by the traditions of rural society . . . Objections to the ranching system also arose from its disruptive effect on the traditional status order of rural Ireland.[4]

The ranchers or graziers came to be seen in the emerging nationalist culture as an élite, as a class closer to the old landlords than to the bulk of the farming population. The kind of description that appeared in the *Roscommon Journal* in 1912 – of ranchers as 'the degenerate offspring of an effete landlordism' – ensured that anti-landlord sentiment would be transferred on to the graziers as the old landlord ascendancy was broken. The would-be beef magnate was outside the network of social bonds essential to rural society, giving neither help in times of distress nor leadership in times of agitation. This social isolation is, for the purposes of this story, almost as important as the political implications of the ranchers' position. The cattle capitalists became a free-floating entity, at an angle to society and to its rules. As the beef industry became more and more important to the economy, this odd angularity remained unchanged – a nebulous but persistent force in shaping the events of the late 1980s and early 1990s.

Inevitably, the uncomfortable social position of the beef trade made it an irritant in the body politic. The tension within Irish nationalism had a great deal to do with the presence of this unruly force half-way between the old system and the new order, Irish but not 'of the people', emerging out of landlordism but also utterly tied to England, virtually its sole export market. This tension erupted in the 'Ranch War' of 1906–8 when landless peasants tried to seize ranches, with the ambivalent support of the Irish Party at Westminster; in 1918 when Sinn Féin clubs, particularly in the west of Ireland, marched on ranch-holdings wielding spades 'in the name of the Irish Republic' and drove off cattle; and in 1920 when similar attacks were carried out under cover of the IRA's campaign against the British.

Fianna Fáil emerged out of these events, and in particular out of this highly ambivalent relationship between the cattle trade on the one side and Irish political nationalism on the other. Like the Irish Party before it, Fianna Fáil was theoretically committed to the break-up of the cattle ranches and the redistribution of the land to the land-hungry labourers. Like the Irish Party, too, its rhetoric hid a much deeper ambivalence. The people needed the land, but the economy needed the cattle and the beef barons. As Paul Bew puts it, 'despite much verbal hostility to the allegedly evil grazing system, the

Irish nationalist leadership was forced to recognise at all key points that the cattle trade was crucial to the livelihood of the great majority of Irish farmers.'[5] This ambivalence, in which political principle could not be squared with economic pragmatism, was still at work in the late 1980s. For Charles Haughey and for Albert Reynolds, as leaders of Fianna Fáil, the beef trade was still something which could not be fully integrated with politics. One or the other had to give, and, as it happened, politics was the weaker force.

Fianna Fáil's emergence in the 1930s as the natural party of government in independent Ireland had much to do with its ability to walk the tightrope that stretched between attacking the beef trade and leaving it in place as a mainstay of the economy. Much of the party's popular support in rural Ireland came from its willingness to espouse anti-cattle sentiments. The *Mayo News*, which was produced by Fianna Fáil, was confident that republican democracy would defeat the cattle trade and that Éamon de Valera would spearhead the victory. In 1933, it expressed the view of the party that

> There are a small number of men occupying land of valuation of £5,500,000 whose sole occupation is, as the late Michael Davitt put it, watching cows' tails growing. They confine the land to growing blades of grass. They are practically worthless as an originating source of wealth to the community.

But this situation would be transformed by democracy and by de Valera:

> The spoken and written statements of Éamon de Valera, our great chief, openly and candidly convey to the ranchers that this state of things which keeps our people in poverty must end, as a consequence they are putting forth every effort to defeat him. Those men who lock up God's storehouse have the acres, but they have not the votes.

De Valera and his party encouraged this expectation. In April 1934, for instance, de Valera, addressing a meeting in Clonmel, invoked the name of the Fenian novelist Charles

Kickham, and told his audience that 'Kickham would tell them that it was the big grazing farmers who were the ruin of that town'. He said that it was 'the Government policy to cut up the big grass farms' and that 'there was no county in which there was a greater number of ranches to cut up than Tipperary'.

Frank Aiken, Minister for Defence at the time, told a meeting in Dundalk that 'Drastic action will have to be taken against those who are cornering the land, using it to produce cattle that they cannot sell, and who won't use it to produce the wheat that the Irish people require. If the bullock has to be put away to make room for men, we will put the bullock away.'

Senator Joe Connolly, Minister for Lands, actually welcomed a drop in cattle exports to Britain:

> If the continuation of the cattle trade with Britain meant that we were to continue to export people as well as cattle, and that we were to continue to have the best lands of the country in the hands of a grazier who employed a herd and a dog, then I would thank God that such a market was gone.

In the 1930s, in a dramatic act of symbolism, Fianna Fáil actually offered a bounty of half a crown for every calf skin, to encourage the slaughter of cattle and the decline in cattle numbers. Fianna Fáil was the party of wheat, its rival, Fine Gael, the party of beef (Eoin O'Duffy, the Blue Shirt and Fine Gael leader, defended the graziers on the grounds that 'such men helped to keep our export and trade balance solvent'). So how did it come about that, by the 1960s and 1970s, Charles Haughey and Albert Reynolds could take on the role of cowboys and wish to be associated with the cattle trade? How did a party which had used 'rancher' as a term of abuse come to see a beef magnate as a hero? How did a party which had welcomed the fall in the number of cattle going to England come to see beef exports as worth risking both public money and its own political legitimacy for? How did a party which had, as one of its founding aims, the antirancher slogan 'the distribution of the land of Ireland so as to get the greatest number possible of Irish families rooted in the soil of Ireland', and which wrote this aim into the very Constitution of the State, end up using that Constitution to keep secret its discussions on dealings with beef companies in the 1980s?

The simple explanation is that, as Professor Joe Lee puts it, 'cattle refused to bow the knee'. Even in 1939, cattle exports accounted for a higher proportion of Irish exports than they had in 1932 when Fianna Fáil came to power. The 'economic war' which de Valera launched against Britain in the belief that the dependence on the cattle trade could be broken was lost decisively by 1937. In the Anglo-Irish Agreement of 1938, 'he abandoned his vendetta against cattle as British fifth columnists, allowing them to be rehabilitated as worthy citizens of the Irish agricultural world.' The unwritten term of that pact was the continued export of humans along with the bullocks. The cattle boat became a perfect image of the ambivalence of Irish freedom: a profitable export in the hold, a bitter exodus of people on deck.

In spite of all the attempts to impose some political and social limitations on the cattle industry, the industry proved more powerful than the state. In the battle between the cattle trade and nationalist democracy in the 1930s, the cattle trade won. Between the end of the economic war and the great shift in Irish political and economic policy in the early 1960s, cattle exports became a steadily more dominant fact of economic life. In 1937–8 cattle and beef exports accounted for just over half of all Irish agricultural exports. By 1960–1, they accounted for over 70 per cent. In the meantime, emigration, mostly to Britain, reached levels of 50,000 a year. William Petty's colonial vision of Ireland as a giant cattle ranch with the bulk of its population resettled in England was being realised.

What this meant for Fianna Fáil was that the beef industry became a particularly clear prism for the separation of rhetoric and reality in its makeup. Its political survival came to depend on a confusion between the two elements. As the party became more and more a pragmatic mechanism for the holding of office, it became more and more distant from the potential radicalism of its own ideas. The dominance of the cattle trade in a Fianna Fáil Ireland was a contradiction in terms. Fianna Fáil was supposed to be about breaking the link with Britain. The export of cattle to Britain was the living proof of continued economic dependence. Fianna Fáil was about sovereignty. The cattle trade involved the emigration of huge numbers of the people from whom sovereignty derived. Fianna Fáil was about keeping people on the land. The cattle trade precluded the survival of a large agricultural population.

Far from being uncomfortable for the cattle trade, this disjunction was, if anything, useful. After the struggles of the 1930s, the cattle and beef business was free to go its own way. It could not be encompassed within the dominant political rhetoric. It existed in a sphere outside the social roots, the political goals, the self-identification of the party that ran the country. It ought not to exist, at least in its dominant position, and that which ought not to exist cannot be controlled, cannot be integrated into the society and the democracy. While it continued to become more powerful, it also continued to be somehow marginal, beyond the ken of the ruling political imagination. It did not have to enter into a world of regulation and social contracts, of accommodation to a functioning state. The Fianna Fáil bounty hunters had given up the chase.

The consequences of this angular relationship to society, to law, above all to political democracy, only became clear in the crisis that engulfed both politics and the beef industry in the late 1980s.

That crisis was not the inevitable result of history, but it did have this important historical dimension. Deep within Fianna Fáil's culture was a history of duplicity about the cattle and beef industry. When, in the late 1980s and early 1990s, Fianna Fáil leaders found it impossible to say clearly, even in parliament, what they were up to in relation to the country's most important indigenous industry, they had the sanction of many decades of slips between brain and lip. They stood on a fault-line in the party's consciousness, on a ground that was shifting and unstable, where words had to gloss over realities rather than illuminate them.

But this was more than a symptom of the pathology of a particular party, however dominant that party has been in Irish political culture. Not merely was the cattle industry at an angle to the polity of modern Ireland, but that polity itself, in its very incompleteness and incoherence, was crucially affected by the dominance of the beef trade within it. The old question posed by Spenser and Petty – whether it was possible to have a coherent political society in a country shaped by cattlemen – returned to modern Ireland in quite unexpected ways.

A brief comparison of Ireland and Denmark makes the point. Ireland and Denmark, two small Northern European agriculture-based economies, both exporting primarily to the same market, Britain, took radically different paths into the twentieth century. The crucial difference was the role of the beef industry in each country.

Denmark retained over 40 per cent of its agricultural land in tillage, and bred cattle primarily for their milk. Although it developed a successful beef industry, it did so as 'a side activity related to dairy production'. Ireland developed in precisely the opposite way: a radical shift away from tillage, the breeding of cattle for their beef and the maintenance of a dairy industry as a sideline. The Danes developed a highly co-operative society, an egalitarian democracy, relatively low emigration, commercialised farming, and strong links between agriculture and industry with a food-processing industry exporting value-added and labour-intensive products. In other words, they not only kept people on the land, they developed a new class of industrial workers at the same time.

The Irish choice didn't need co-operation, opened a wide

gulf between rich and poor farmers, and kept a dissatisfied residue of subsistence farmers on their miserable holdings. It also involved mass emigration, weak links between agriculture and industry and a heavy dependence on primary, non-value-added food products. In short, up to the 1960s, Ireland exported vast herds of live, bellowing cattle to Britain, and they left very little behind them in terms of economic spin-offs within Ireland. With Ireland's entry into the EC in 1973, this changed, but only in the sense that the cattle were slaughtered first and there was heavy dependence on intervention support systems (the infamous EC 'beef mountain') which substantially reduced the value of the meat.

Whereas in Denmark the meat and livestock trade was organised co-operatively from the late nineteenth century, in Ireland no successful co-operative ventures related to cattle were attempted until the 1950s. Even then, these moves were limited to the establishment of marts for selling the animals. Nothing like the sophisticated networks of co-operative enterprise developed in Denmark has ever been seen in the Irish beef trade.

The point is not merely that the dominance of beef weakens Ireland's economy. It is that a central part of that weakness is, in the broad sense, political. The nature of the beef industry has been such as to fragment and weaken national politics. Economic links between different parts of Irish society have been weakened, active co-operation has been inhibited, the population itself has been scattered. The strength of the beef industry has been such as to limit the development of the kind of coherent, confident civil and political society which could control that industry and integrate it into a working notion of the common good. It is no accident, therefore, that the events described in this book are as much about political failure in contemporary Ireland as they are about the behaviour of the beef industry. They are two sides of the same debased coinage.

I

Rough Trade

A slaughterhouse is a nocturnal and subterranean consciousness of the city . . . However, this work is simply work of men with knives. The point of public history is, basically, to confine the notion of the man with the knife within the most narrow technological boundaries, perhaps in the area of private myth, and not to allow it to get the upper hand. Never. Nowhere.
Miroslav Holub.

We are the people who put the beef on the dinner tables of Europe.
Counsel for Goodman International at the beef tribunal.

EVEN IN 1978, a leading Irish journal, *Hibernia*, was still describing Larry Goodman as 'Ireland's least-known beef baron'. Even then, with his privately owned meat business turning over £60 million annually, he seemed a remote figure. He did not give interviews or seek publicity. Where other leading figures in the trade tended to be ebullient and colourful, he was quiet, soft-spoken and apparently shy. He had risen virtually without trace, through a slow and steady series of acquisitions. By the time he began to be noticed, he was already a real power in the land.

Like many of the beef barons, he came from the borderlands between the Republic and Northern Ireland. He was born in 1940 into the meat trade in County Louth, and left school without qualifications at the age of sixteen. His family had been cattle dealers for five generations, and his father Laurence, as well as selling live cattle to the British market, also had a small abattoir in Dundalk. When Larry left school, he took to buying up sheep intestines, cleaning them and selling them to butchers as sausage casings. Soon, he had his own farm in Castlebellingham and was slaughtering sheep and cattle. By 1961, he was exporting meat to England from the Dundalk Bacon Company and from the Dublin Municipal Abattoir. At the age of twenty-six, he bought, for just £31,000, a heavily mortgaged plant, the Anglo-Irish Meat Company in Ravensdale, close to the border with Northern Ireland.

The borderlands were not an easy place for a young man trying to build a business. The border itself was a lawless zone of smuggling and small-scale banditry, often linked to the dormant but still potent paramilitarism of the IRA and its allies. The smuggling of cattle and pigs to avoid import levies, or to take advantage of government grants, gave the meat business a shifting, shadowy side. For a serious and ambitious young businessman like Larry Goodman, it was a tough world in which to survive.

The beef business in Ireland in the early 1960s was still heavily dependent on shipping live cattle to Britain, a classically colonial form of trade. However, Ireland was also undergoing a period of profound economic change, in which the rapid inflow of multinational investment was accompanied by an attempt to found a new native entrepreneurial class which was expected to take advantage of the Irish economy's opening to the world.

Larry Goodman, in many respects, was himself the great symbol of this change. He was, as his counsel told the beef tribunal, 'dragged up from nowhere over the last thirty years, from a primitive killing line in one part of the country to an international operation that competes with Brazil from this small island.'[1] He rose steadily from obscurity to the leadership of a global operation, all the while maintaining tight personal control over his companies. (Until it went into examinership in 1991, Anglo-Irish Beef Processors was 98 per cent owned by Larry Goodman, with 2 per cent of the shares owned by his brother Peter.) While a few other Irish businessmen – Michael Smurfit and Tony O'Reilly being the outstanding examples – made this leap in the same period, none seemed so nakedly self-made. Michael Smurfit inherited a substantial existing business. Tony O'Reilly worked his way up the corporate ladder in an American multinational, Heinz. Larry Goodman, ascending slowly and quietly through the ranks of a dirty trade, came to seem, in the words of one Irish newspaper, 'smarter than a Smurfit and richer than an O'Reilly'.

His rise always had an innately political element. A large part of the programme of change in Ireland in the 1960s depended on a successful transition from primary agricultural production to food processing, or, to put it simply, from bulk milk to Kerrygold butter and from cattle on the hoof to a Sunday roast on a British supermarket shelf. This was economically, but also politically, critical. Unless a link between farmers and industrial workers could be forged through the creation of food industries in which the two were interdependent, the 'classless' appeal of Fianna Fáil's nationalism could be threatened by serious conflicts of interest. With Ireland moving towards membership of the EEC, the high consumer prices for food which would bring large benefits to farmers at the expense of urban workers would be a real source of conflict unless agricultural production were itself seen to create industrial jobs.

In a key speech to the Dublin Institute of Catholic Sociology in November 1964, the then Minister for Agriculture, Charles Haughey, made this programme explicit. He started by criticising the tendency to see Irish society as 'being divided into two groups with opposing interests – employers and workers'. He then added that there was another 'equally erroneous' idea about: 'that there is a conflict of interest between agriculture and industry and that the farmer and the townsman can only improve their position at the expense of each other.'[2] He went on to note that 'more money can be earned by processing and selling primary goods than by producing them'. A politics of 'the nation' overrides the petty divisions of class; and a shift from herding cattle onto boats to selling Sunday roasts is essential to ensure that the farmer and the worker will be friends. This is what made Larry Goodman a necessary man. It is what made it possible, by the late 1980s, for his private interests to be identified more and more explicitly with 'the national interest'.

The paradox of Larry Goodman's emergence is that while, on the political level, his success was understood as vital to social and political stability, the business he came out of was one with an outlaw image, closer to the Wild West than to the brave new Europe. 'Anyone', as Larry Goodman's counsel told the beef tribunal, 'who thinks that the meat industry is conducted according to the same principle as the activities of Mother Teresa of Calcutta would be mistaken.'[3]

It is a rough, frantic and sometimes brutal business, a world of blood and bone and knives and stench. In the words of one contractor who worked extensively for Goodman: 'You need to be a half-savage to do it. It's not women's knickers we're making or ladies' perfume.' It is not unlike a war, or, in its more refined moments, a contact sport: long periods of boredom punctuated by periods of ferocious activity when a big contract is on, men working long hours at a ferocious pace, earning big money, taking big physical risks.

The men who bone the carcasses are regarded in the trade the way footballers or athletes are in their own professions: at their best between the ages of nineteen and thirty-two, then gradually becoming clapped out. Like a medieval warrior, the boner goes to work with a gauntlet on his knife-hand and a chain-mail apron covering his crotch. Teams of boners move from factory to factory, and between Northern Ireland and the Republic, peripatetic mercenaries selling their skills to the highest bidder, paying no tax, working for cash. If they get wounded, they don't complain or sue. There is an informal convention on compensation: £250 a stitch.

Off the shambolic shop floor, the industry in which Goodman was making his way was often shrouded in an aura of illegality, a fog of anarchy. The beef tribunal, for instance, received an affidavit from a former member of a Republican paramilitary group who claimed to have been hired by one of Goodman's early rivals in 1977 to bomb his own factory, in a botched attempt to make a large insurance claim. The man, who was sentenced to two years in jail for his part in the bombing, claimed that his group had been hired to do the job for £30,000, but that only £10,000 was paid because the bomb failed to do sufficient damage. It was, he said, a 'commercial job', but the intention was to make a call from across the border claiming responsibility on behalf of a Loyalist terror group. This plan also failed when the man responsible for the phonecall 'slept in the next morning'.

Such shadowy figures also emerged in 1976, when a planning application for Goodman's Ravensdale plant was being processed. A small local group objected that the plant was polluting the River Flurry. One of them, Alan Swan, was attacked by three armed men who gave him a list of names and warned that if the people listed had not withdrawn their objections to the planning application by the next morning they or their families would 'get it'. No one was ever caught for the attack, but the local belief was that the attackers were members of the IRA. There was of course no suggestion that anyone from the company's management had any involvement in the incident, but it was a reminder of the rough world in which Goodman had to operate.

While Goodman was building his empire slowly, quietly and steadily, some of his rivals made helter-skelter careers with quick bucks and spectacular collapses. Liam Marks, another meat trader from County Louth, and one of the principals of Daltina Limited (which was involved in serious irregularities while working for Goodman in the mid-1980s), left debts of £1.7 million, mostly to cattle dealers and farmers, when his Northern Ireland firm, Benburb Meats, collapsed in 1985. Some of his victims took to following Marks around race-courses – he was a substantial owner of horses – leading to a High Court case in which the judge remarked 'this is like something out of Hollywood. I expect the Godfather is going to turn up soon.' Disgruntled creditors kidnapped Homer Scott, the trainer of Marks's horses, and held him for ransom. They released him after a ransom of £80,000 was paid, but returned the money when they discovered that it had not come from Marks.

In the midst of this mayhem, Larry Goodman stood out for his sobriety, steadiness and efficiency. The companies he took over – seventy-four of them by 1986 – were stabilised, often after histories of bankruptcy and uncertainty. He himself was the antithesis of the colourful Marks: taciturn, soft-spoken, utterly dedicated to his work, deeply distrustful of publicity. He neither drinks nor smokes, and cultivated an almost spartan image, once telling a trade-union negotiator who asked him 'How would you like to live on £96 a week?', 'But I do live on £96 a week'.

This was hardly the case, since the trappings of his wealth included a mansion in Castlebellingham, a private jet and a helicopter. But the claim was in keeping with his single-minded, almost monkish devotion to the work of building his empire. Where other Irish self-made men tended to see wealth as a means to luxury and self-indulgence, he clearly saw it as an end in itself. He was willing to travel anywhere, to suffer any privation, even to forgo his Christmas dinner, in order to make more money.

To the relentless energy of the coming man, he added the inherited intuitions of an old hand. He came from a long line of cattle buyers, the men whose aloof astuteness made them almost mythic figures in the Irish countryside. They travelled when most people stayed put. They stood back, watching and weighing, when most people plunged in. Even their sociability was calculated. The poet Seamus Heaney remembered the '. . . crowd of cattlemen/ Who handled rumps, groped teats, stood, paused and then/ Bought a round of drinks to clinch the bargain.'[4] Above all, they knew the sacred mysteries of money, knew how to weigh things by their value, not their values. In John McGahern's novel, *Amongst Women*, a cattle buyer, McQuaid, is asked whether a particular fair was good or bad: 'It was neither good nor bad. It was money. All the farmers think their cattle are special, but all I ever see is money. If a beast is around or below a certain sum of money I buy. If it goes over that, I'm out.'[5]

Larry Goodman deployed the detailed local knowledge and the instinctive nose for the feelings of Irish farmers inherited from his family's five generations as cattle buyers. But he also transformed that inheritance. He retained the mystique of the cattle buyer, but translated it into another language, another world. His most articulate spokesman, the senior counsel Dermot Gleeson, put it perfectly when he told the beef tribunal that the world Larry Goodman came into was one characterised by Seamus Heaney's phrase about 'the mysteries of dealing men with sticks', while the world he created was one in which 'that mystery has become now the dealing men in the Cairo Hilton or the Baghdad Hilton.'[6] The same cold eye, the same nerveless pauses, the same quizzical distance, the same swoop to conclude the deal at the right moment, served him all the way from Dundalk to Baghdad.

Larry Goodman's first real stroke of genius, though, was to see how the farmer's mistrust of his kind, of the cattle buyers from whom he came, could be turned to his own advantage. He understood how much cattle farmers hated the colourful, often romanticised world of fairs and marts, how strongly the uncertainty of market forces and the sense of being in the power of the buyers went against the grain of farmers who longed above all for predictability and continuity. From the early 1960s, he sent his agents out to farms equipped with two-way radios to keep them in touch with fluctuations in prices and market conditions, and had them deal directly with farmers on their own ground. Cattle were bought, transport was arranged, farmers were brought to the plant to see their cattle being weighed and slaughtered, and were paid on the spot. The innovations suited both buyer and seller. Goodman got cattle in better condition and got continuity of supply. The farmers got the reassurance of being on their own ground and an assurance that they were being treated fairly.

The second leg of his strategy was the rigorous control of his workforce in the factories he was acquiring. He broke the long-established demarcation lines on the factory floor, and succeeded in implementing a system whereby every worker was obliged to do any job. He did the same thing at management level, paying managers by results, virtually obliterating the distinction between cattle buyers and beef salesmen, operating with a small, tight team at the top, keeping management overheads very low.

Finally, he bypassed the established meat markets in London, Liverpool and Birmingham, establishing from an early stage his own depots in the smaller British cities and supplying the supermarket trade directly, cutting out middlemen and the payment of commission. By 1969, he had succeeded in breaking into the supermarket trade to a small extent. By the mid-1980s, he had made himself by far the largest supplier of beef to UK supermarkets.

In 1973, Ireland joined what was then called the European Economic Community, leading to an immediate boom in the meat industry. Whereas before 1973, Irish prices were essentially those of the open, competitive British market, they were now determined by a whole range of protective interventions under the EEC's Common Agricultural Policy: import levies, intervention buying and export subsidies. There was a boom in world cattle prices associated with a trough in cattle supplies. Larry Goodman now started to make serious money.

The entry of Ireland into the EEC brought fundamental changes to the beef industry. In a sense, the basic product of men like Larry Goodman was no longer beef itself. It was documents. For while the EEC did bring greater access to markets for beef on Continental Europe, and while Goodman successfully exploited those markets, the EEC's Common Agricultural Policy was also a strange world where market forces were bent out of shape by political imperatives.

Ireland joined the EEC essentially because it was seen as a happy hunting ground for farmers and the food industry. The benefits of EEC membership were heavily skewed towards agriculture and away from urban and industrial Ireland, with transfers to Ireland from Community agriculture funds dwarfing those under the social and regional funds, which tended to favour towns and cities. In 1977, for instance, agricultural transfers were over ten times greater than the sums received under the regional and social funds, and by 1987 they were still over twice as large.

Beef farmers and processors were among the big winners. The EEC had two particular mechanisms for keeping beef prices artificially high within the Community, and these mechanisms are crucial to the rise of Larry Goodman and to the events dealt with in this book.

The first is intervention. Intervention, put simply, is a guarantee that the Community will keep the price of beef up by setting a basic price, which is itself way above the general world price for beef. If market prices within the Community start to fall below this basic price, the Community itself will buy large quantities of beef, pay factories like Goodman's to de-bone it, carve it into eleven different cuts, pack it, freeze it, and store it in vast refrigerated warehouses. This beef is generally of very high quality, but it may sit on shelves in these cold stores for years before it is eventually sold off, often at a knock-down price.

Intervention was meant to be an emergency measure, a way of responding to occasional problems in the marketplace. But with Ireland entering the Community, there was a vast oversupply of beef, and intervention became a huge business in itself. Irish beef cattle are raised on grass, which means that there is a glut of cattle slaughtered in the autumn, to avoid the need to feed them indoors during the winter months. Because so much fresh beef becomes available at the same time, it is virtually impossible to sell it all. With intervention, there was no need to change this system, since Brussels would obligingly buy huge amounts of this beef and stick it in the freezer.

It was bonanza time. Brussels made the Irish Department of Agriculture its agent for intervention in Ireland, and the industry quickly realised that there was now a guaranteed, protected and entirely fictitious market for its product. In the first year, the Department bought just 2,383 tonnes of beef into intervention. But by the second year, 1974, it bought 121,000 tonnes. Soon intervention itself was a very big business, buying up to 262,000 tonnes of Irish beef in 1992. These were the slopes of the Community's infamous beef mountain.

Between 1973 and 1992, the Community paid out over £4 billion to buy over 2 million tonnes of Irish beef into intervention. Over 6 million Irish cattle were slaughtered, carved up, boxed and then left to sit on cold-store shelves. Much less than half of the value of this beef was ever recovered by selling it.

As well as this £4 billion subsidy from the intervention system, the beef industry in Ireland also got another £2.5 billion under the other major Community scheme – export refunds. The EC produced more beef than it could consume and was desperate to keep down the size of the mountain of surplus beef. One of the ways it did this was to encourage exports outside the EC itself by effectively guaranteeing companies the minimum EC price for any beef sold outside the Community. Exporters like Goodman could sell the beef at low world prices, in the knowledge that the EC, through what were known as 'export refunds', would make up the difference. The exporter got high prices, the importer got cheap beef, and only the local producers in developing countries suffered.

Because of these Community mechanisms, an industry

which had always been implicitly political now became explicitly so. The Irish state, as the Community's agent, became itself a major market for beef. It was now the state that was the biggest single customer for slaughtered cattle. It was now the state that was paying out vast sums to the meat factories. For much of the beef business, the traded commodity now was documentation – the forms, certifications, and authorisations that triggered payments from Brussels.

Larry Goodman took full advantage of these systems. Because he continued to cultivate his markets in Britain and the rest of Europe, he was less dependent on intervention than many other Irish beef companies. But he gained from it both directly and indirectly. Directly, he sold large amounts of beef into intervention – 11 per cent of his Irish turnover in 1987 to 1989, the years that are the most important ones for this story. He also bought huge amounts of beef out of intervention to fulfil some of his international contracts. And, of course, the whole system artificially inflated the prices he was getting for the beef he sold to supermarkets in Europe. Likewise, as the biggest exporter of Irish beef to markets outside the Community, he also took the lion's share of the £2.5 billion in export refunds which the Community paid out to Irish companies.

His rise, therefore, was the product of an opportune combination of political circumstances and his own energy and intelligence. For all his status as a hero of rugged private enterprise, Larry Goodman devoured public money in the form of EC subsidies, and gained enormously from them. For all his self-image as a man who had worked his way up from the bottom of a dirty trade, the managers he typically hired were not men like himself but young, very bright chartered accountants who could work their way through the complexities of intervention and export refunds.

It was entry to the EEC that fuelled his thrust into the financial stratosphere. Soon after Ireland joined, he bought Cahir Meat Packers in Tipperary. Three years later, he bought Nenagh Chilled Meats in the same county. His own farm in Castlebellingham was now feeding more cattle than any other in the country. By 1977, Anglo-Irish had grown to the point where Larry Goodman was described as 'the man who has the largest private stake in the Irish economy'.

In 1980, he bought a plant in Bagenalstown, County Carlow. Throughout the 1980s, the acquisitions continued, following his by-now standard practice of taking over troubled plants, many of them built with large public subsidies, and applying his own combination of cost efficiency and effective marketing to turning them around: Silvercrest Meats in Dublin in 1983; Ballymun and Newry in 1984; Waterford and four English plants in 1985; Euroscot in Scotland in 1986. By the mid-1980s, as his empire continued to expand into every corner of Ireland, he was Europe's largest beef exporter and was personally controlling around 5 per cent of the Irish gross national product. But the acquisitions went on: Rathkeale, Longford and Dromod in 1987; Monaghan and two more English plants in 1988; Carrigans in Donegal and Shrewsbury in England in 1989; Ballybay and another English plant in 1990; Bandon in 1991. He ended up with 6,000 employees, including part-timers and contractors, over 1,600 of them in Britain.

Though he never allowed himself the dangerous luxury of a public persona, what did emerge from his rare appearances before an audience was a personality compounded of the two sides of his job. There was the quietly persuasive charm of the good salesman, all shy smiles and easy confidence, redolent of the absolute self-assurance of a man with nothing to prove. And there was, beneath this urbane exterior, the driven obsessiveness of the good manager who demands of others the same unrelenting and unquestioning subservience to his goals that he himself displays.

Faced with obstruction or criticism, this second side of his personality would break through the veneer of the first. Diplomats fussing about niceties, politicians refusing to make decisions, journalists asking awkward questions, would provoke in him an uncomprehending rage. Since he could see no good reason for any criticism of his companies, he came to see it, when it finally emerged, as resulting from either conspiracy or perversity. To him, television programmes raising questions about his companies resulted from left-wing infiltration of the media. He came to believe that there were moles in his factories and on the docks, watching his operations for any sign of weakness.[7]

In his mind, a reporter from RTE (Radio Telefis Éireann – Irish Radio and Television) who wore working clothes to make himself look like a truck driver or a farmer became a bizarre transvestite penetrating his domain: 'the man [who] dressed up in a wig and went into the factory dressed as a lady or something, the RTE man in the wig and skirt.'[8] In such a mind, the normal workings of a democracy – political balancing acts, public scrutiny, social obligations – took on a sinister and unbearable aspect.

He continued, however, to see himself as an outsider. He was now one of the most powerful men in Ireland, but he seemed to have no appreciation of the responsibility that comes with power. In a revealing exchange with one of the lawyers who questioned him at the beef tribunal, he showed just how reluctant he was to acknowledge the pivotal position that he held in the life of the nation.

> Q: You were the dominant company in the beef industry in Ireland, in Europe?
> A: No.
> Q: You weren't the dominant beef company?
> A: I don't like the word 'dominant'. I wouldn't agree with that.
> Q: Leading company?
> A: Definitely.
> Q: With power comes responsibility, Mr Goodman.
> A: We don't like the word 'power'. That is a sort of Leninist idea.[9]

Another phrase that caught the ear in Larry Goodman's evidence to the beef tribunal was uttered when he was explaining that whenever he wanted something done he would go straight to the top, to the responsible minister or the Taoiseach. His habit of doing so, he said, was something that 'doesn't endear one to the Establishment'.

A world-view opened itself up in those words, allowing a brief and rare glimpse into the way power in Ireland sees itself. One pound in every twenty generated in the country had passed through this man's hands. He was selling 1.3 million head of cattle a year, more than the annual total slaughtered in Ireland. His main business had a turnover approaching the billion pound mark. And all of this was done through a private company, not even answerable to shareholders.

Yet he was not, in his own eyes, a part of 'the Establishment'. He may have controlled Ireland's most important export industry. He may have been able to leave instructions for the Minister for Industry and Commerce to ring him at home over the weekend and be confident that they would be carried out. He may have had regular and personal access to the machinery of government from the Taoiseach down. He may have had an Irish embassy and the Department of Foreign Affairs writing notes on the importance of not making him angry. But none of this made him a part of the establishment.

In Ireland, for people with power, the Establishment is always someone else. It is nebulous, invisible, a faceless but malevolent force that is always out to stop 'us' from doing all the wonderful things we would surely do if only we were left to our own devices. The attitude is not unlike that amongst the *nomenklatura* of the old Communist bloc. Because those with power had acquired it out of the dispossession of an old Establishment, they were able to see power and privilege as something that, by definition, belonged to the old enemy, and to remain blind to their own position as the new Establishment. In Ireland, the revolutionary movement slowly worked its way into the nooks and crannies of power and privilege, but retained the sense of itself as being the representative of the victimised and oppressed, and therefore as being itself still victimised by 'the Establishment'.

Larry Goodman, through single-mindedness, brilliance and an eye for the main chance, made himself one of the most powerful men in the country. Yet he continued to see himself as an outsider, a loner, a marginal man beset by foes and conspirators waiting to drag him down. Throughout all of the criticism and controversy that gathered about him from 1989 onwards, he continued to see himself as a victim, as what he called 'the aggrieved party'. Out of nowhere, at the height of his success and just as he was poised to become a dominant force in the European food industry, a 'nasty cocktail' of politicians, 'would-be competitors' and journalists set out to do him down. Through it all, he could never understand 'why have we been identified, pulled aside and torn to pieces?'

2
NOBBY QUINN

IN 1983, PATRICK LEAHY, a Customs officer in Cork, was doing a routine rummage through parcels which had come from abroad in the post. He picked out, at random, ten unmarked parcels and put them aside. He was not allowed to open them without the permission of the owners, so he noted the names and addresses on the parcels and sent each addressee a standard form. After a while, the forms came back to him, duly signed. He opened the parcel addressed to Colemans Printers of Cork. Inside were two rubber stamps. He got an ink pad, pressed the stamps down on it, and made two impressions on a piece of paper.

The images thus formed were puzzling. One stamp was for the South African customs authorities, the other for the harbour master in the South African port of East London. What were these impressions of bureaucratic authority from the other side of the world, from the warm waters of the Indian Ocean, doing in the damp climes of Cork? Patrick Leahy wondered whether there might not be something fishy going on. He contacted his superiors, told them what he had found, and was told to note the contents of the parcel, close it up again, send it on to Colemans Printers and see what might happen.

Before sending the parcel on, however, Patrick Leahy contacted Colemans and asked them who the stamps were for. He was told that they had been ordered by Cahir Meat Packers Limited, in County Tipperary, a part of the Goodman

Group of companies. The puzzling pieces of rubber he had chanced upon were therefore linked in some way to a company that was a central part of the economy, and increasingly of the politics, of the Republic of Ireland.

As a Customs officer, Patrick Leahy understood immediately that bogus stamps like these might have a serious purpose in the Irish beef industry. He knew that sales of beef to a country like South Africa would entitle an exporter to claim substantial subsidies under the EC's export refunds scheme.

To get this money from the EC, however, Goodman had to supply a number of documents. The exporter had to prove that the meat was certified to be what it was claimed to be, that it had left the EC, and that it ended up in the place it was supposed to be going.

This was big business, involving both massive gains and massive risks. Export refunds for beef alone are worth on average about £150 million a year to the Irish economy. But if there was fraud in claims for export refunds, and if that fraud was felt to be a result of negligence on the part of the Irish authorities, then the EC would be entitled to claim the money back. Since, in Ireland, the relevant authority is the Department of Agriculture and Food, the state itself could be liable for misbehaviour on the part of meat companies claiming export refunds. As Michel Jacquot, director of the FEOGA, the EC's agriculture fund, put it 'the director of FEOGA might feel inclined to cut off all reimbursement for export refunds altogether. He would certainly be in a position to do that.' He invited the Irish public to 'imagine the expression on the face of the Minister for Finance when the cheque turned up with all this money deducted from it.'

So export refund fraud was no ordinary crime, and, when they learned of Patrick Leahy's suspicions, the Customs authorities were determined to take them seriously. They discovered that the beef at issue was in eight containers that had been placed in customs bond by Goodman, and then exported from Southampton in May, June and July of 1983. In theory, there was no problem with this beef. It was what it was claimed to be, it did leave the EC from Southampton, and all the relevant documents were in order. There was nothing fraudulent about any of this.

The problem, though, awaited the containers on their arrival in South Africa. There had been a drought in South Africa, and huge amounts of livestock had to be slaughtered. With its storage facilities full, and huge stocks building up, the South African government decided on a temporary ban on beef imports. Goodman was selling the beef to Supa Foods in Ciskei, but it was illegal to bring it into South Africa. To get around this problem, the content of the containers was described, on entry, as fat. This deception worked fine as a way of getting the beef into South Africa. But the EC wasn't interested in paying export refunds for fat. To get the money – over £160,000 – from the EC, South African documents certifying the import of eight containers of beef had to be forged.

The company which shipped the beef sent new bills of lading to Cahir Meat Packers. These were filled out to match the other, genuine documents proving that the beef had left the EC, and stamped with the bogus stamps to make them look as though they had been certified by the port authorities at East London and by South African Customs. In October 1983, these bogus documents were handed in to the Department of Agriculture by the Goodman company, and the export refunds were claimed. But for the fact that the Customs had by chance discovered the stamps in Cork, the money would have been paid out as a matter of routine.

Instead, in May 1984, the Department of Agriculture called in the Fraud Squad of the Garda Síochána (police) and an investigation in Ireland, England, Germany and South Africa was set in motion. Eventually, over three years later, one of the most senior figures in the Goodman Group, Nobby Quinn, was brought to court on a charge of uttering forged documents knowing them to be forged and with intent to defraud. He pleaded guilty to that charge and other, more serious, charges were dropped.

Nobby Quinn was a key member of the small group of men around the founder and owner of the Goodman Group, Larry Goodman. He was head of the group's International Division, responsible for all trading outside the EC, and as Deputy Chief Executive of the Group reported directly to Larry Goodman. At the time of his trial he was forty-one, but he had already been in the meat business for twenty-six years. In 1966, at the age of twenty, he had joined with Larry Goodman in what was then a small-scale meat business operating out of County Louth, just south of the border. By the time of his trial, that business had become an important part of the world food market and was still growing at a phenomenal rate.

Nobby Quinn had played a big part in that growth. He was Goodman's troubleshooter, the man who went in to newly acquired plants, knocked them into shape, and then moved on to the next job. He described his function within the organisation to the judge as being 'to take over the management of new plants as they were purchased by the company and set them on a profitable footing and leave after that period was over.' In 1981, he had taken over the Cahir plant and, shortly after the incident with the bogus stamps, had then moved on to another Goodman plant in Newry, in Northern Ireland. His skills in running meat plants were matched by his knowledge of the byzantine complexities of EC regulations and refunds. This combination of factory-floor grit and regulatory subtlety made him a pivotal figure within an organisation that had to combine a rough trade with a smooth operation. For his pains, he was, as he put it, 'substantially remunerated', making him 'relatively well off'.

At Newry, he was centrally involved in some illegal activities. In September 1984 he instructed Patrick McGuinness, then a plant accountant, to prepare false invoices as a cover for under-the-counter tax payments to workers at the plant. He also told McGuinness of the way in which the company added to its own profits by taking meat which it was de-boning for the EC beef mountain and selling it to its private customers.

He told the court during his trial that he knew the documents he submitted to the Department of Agriculture were not genuine, but that 'it didn't strike my mind the seriousness of what I was doing. I was pursuing what was a claim we were lawfully entitled to as far as I was concerned.' He 'genuinely believed at the time that it was the correct and proper thing to do.' This belief, patently sincere, was a stark indication of the way the beef industry tended to see the matter of regulation. The documents were a technicality. The company was entitled to its money. There was no real need to think beyond these two basic facts.

In sentencing Nobby Quinn, Judge Michael Moriarty was anxious to point up the seriousness of the case. 'There is', he said

> very widespread public concern over any illegalities that are effected in the meat export trade in this country. It is clear that considerable rewards can be derived by persons of management status within this industry who stay within the law and that potentially vast fortunes can be amassed if the legal requirements applicable are flouted.

He laid down a warning that if such executives set out to 'wrongfully and falsely attract the considerable sums of export refunds involved', a judge in his position would have 'no option open to the Court other than to impose a custodial sentence of some substance', since 'these matters must be viewed at least as gravely as forms of crime entered into by criminal personnel more regularly before these Courts.'

Since, however, the prosecution had dropped the most serious charges against Nobby Quinn, Judge Moriarty felt that this case should be judged as one where the 'forgery was with a view to misleading the authorities on a question of form rather than actually the substance of the meat.' Nobby Quinn was therefore given a suspended sentence of two years' imprisonment, fined £8,000, and bound over to keep the peace for two years.

A public warning had been issued to Ireland's most important indigenous industry. Those who might believe that bending the EC's rules, and working the system to benefit themselves, was a minor misdemeanour, were put straight: they were common criminals and they would go to jail for a long time if they were caught. It should have been a defining moment for the Irish beef industry, the moment at which any lingering tolerance of malpractice was finally dispelled. From now on, surely, there could be no doubt about the standards of morality and legality that the trade was expected to live by.

Nine days before the trial, however, the Fianna Fáil government led by Charles Haughey had sent the same industry a very different kind of message. On 8 September 1987 the Cabinet had approved a proposal to make £150 million available for export credit insurance for Iraq, then at the climax of its brutal conflict with Iran. It was a move initiated by Nobby Quinn's employers, Goodman International, and it was the most striking statement to date of the government's belief that the company was not merely trustworthy, but essential to the national interest. This time that trust was being backed, not with EC money, but with the much more limited resources of the Irish Exchequer itself. Instead of reflecting on the risks to government finances which the Nobby Quinn case had raised, the government was raising the stakes. Three weeks after Judge Moriarty uttered his public warning, Goodman International was told that the government would be backing the biggest beef contract ever entered into by an Irish company, the export of beef worth $134.5 million to a country that had been at war since 1980.

In the course of his trial, Nobby Quinn told the judge that he was leaving the Goodman Group. 'I think', he said, 'it would be improper of me to stay within the company, and I will seek further pastures.' A year later, the third largest Irish beef processor, Master Meats, which had a turnover of £150 million a year, was sold to an unnamed person or company. Nobby Quinn was appointed as its chief executive. He consistently denied knowledge of any connection between Master Meats (renamed Classic Meats) and the Goodman Group. In March 1989, for instance, he told the *Sunday Tribune* that 'to my knowledge' Classic Master Meats was not associated with Larry Goodman. He himself, he said, had 'no direct links with the Goodman organisation'; he had 'severed my connections with them in September, 1987'. Asked whether the company had any such connection, he said that 'as far as I'm concerned, it hasn't'. He did not know who the beneficial owner of the company was.

In fact, the beneficial owner was Larry Goodman. In December 1989, the Department of Industry and Commerce said that Goodman 'effectively controlled' the company. When, in 1991, the Goodman Group went into examinership, the examiner listed Classic Meats amongst the Group's assets. Behind the new names, there were the same old faces. The Nobby Quinn case had changed nothing, except that a private deception involving stamps and documents had become a public deception involving money and power. After a warning shot across the bows of the industry and the government, the ship sailed blithely onwards.

3
DISTANT DRUMS

'I heard on the wireless,' Mark informed her, 'that cattle prices are slightly up in the Dublin cattle market.'

'And up they'll go because there will be a war as sure as hell!' Haybags Mullaney was emphatic.

'Anything else?' Sheila Mullaney asked in an effort to turn the conversation away from cattle.

'The Pope has made an appeal for peace,' Mark told her, 'and he has asked everyone, everywhere to pray for peace.'

'Well God blast him, the oul' meddler,' Haybags exploded, 'why don't he keep his oul' bald head out of it and let them at it so's we might get decent prices for our cattle.'

John B. Keane, *Durango*

An army marches on its stomach.

Napoleon Bonaparte

'JESUS, GERRY,' ASKED Larry Goodman, 'have you got a cheque for me?' The first words that Gerry Maynes heard from his boss on 10 September 1990, as he arrived at Dublin Airport from Baghdad, said much for the tension and foreboding that gripped Europe's largest beef processor. Maynes, a senior sales manager with Larry Goodman's Anglo-Irish Beef Processors, had been trapped in Iraq since that country's invasion of Kuwait on 2 August. He had been due to leave Baghdad the following day, but became instead one of the Western hostages held by the Ba'athist regime in the uneasy period between the invasion and the launch of Operation Desert Storm. Now he was one of the first to be released, through the good offices of the firm's Iraqi contacts, and he had flown in via Amman and London to be met by a relieved nation and a worried employer.

To the waiting press he talked, not of hearth and home, but of the connection between war and business. If there was no war, he said, then he was confident that the Iraqis would pay his company the £180 million or so it was owed. But a war could jeopardise all of this, and, it was clear, it could also jeopardise the company. What would in other circumstances have been a simple human-interest story of an Irishman freed from the clutches of a foreign dictator and into the arms of his wife and four grown-up children, kept spilling over into war, politics and money. His release, he said, had been accomplished with 'no deals, no conditions. And Charlie Haughey did nothing for me. Larry Goodman didn't ask anyone here to render me any assistance.' Besides, he had not been too worried. Having been in Baghdad on the first day of the Iran-Iraq War in 1980, and many times since, he was, he said, 'used to the sound of gunfire'.

The themes rehearsed on that dramatic occasion at Dublin Airport – cheques, Iraq, war, Larry Goodman, Charles Haughey – were a reflection of a knotty set of relationships which had developed over the 1980s between Irish politics and those of the Middle East. Beef was the link. To Iraq, Ireland had little political importance and no role as a supplier of its most desired commodities – arms and nuclear components. But in the midst of war, Saddam Hussein also had an army and a population to feed, and Ireland became interesting to him. To Ireland, in particular to Larry Goodman, Iraq was a lucrative market, a good place to do business. Between the Iraqi regime and the Irish company stood the Irish government led by Charles Haughey, drawn, after 1987, into the position of being the guarantor and underwriter of their relationship.

Gerry Maynes was in Baghdad in 1980 as Middle East

manager of Bord Báinne, the Irish state milk marketing board. After the initial shock of the Iraqi invasion of Iran, he continued to visit Baghdad throughout 1981, during the darkest days of uncertainty and shortages, before the conflict settled down into an appalling war of attrition that would last until August 1988. During that first year of the war, while every second door in Baghdad was draped in black and every television bulletin carried reports of carnage, he noticed a steady trickle of Irish businessmen flowing back into Baghdad.

In the bleak atmosphere of a city at war, they gathered together for comfort. None of them was important enough to get into the luxurious Melia Al-Mansour Hotel, so they huddled together in cheap lodgings. Arriving on the blacked-out night flight from Amman, or after a twenty-one-hour car journey across the desert from Jordan, these salesmen, drawn to danger by the prospect of rich pickings, shared each other's bedroom floors or slept on chairs in hotel lounges, discussing rumours that, for instance, a consignment of sardines had arrived and could be had for the next day's breakfast. One of those Maynes met, 'one of the people who we would come across at night-time', was Larry Goodman.

By 1985, Gerry Maynes was working for Larry Goodman and they were no longer sleeping on the floors of cheap hotels. Larry Goodman started going to Iraq in 1981. He was by then a large-scale beef operator in Europe, but he had little or no trade in the Middle East until the late 1970s, when he began to try to persuade Libya, Morocco and Algeria, which had traditionally bought live cattle from Ireland, to buy beef instead. Because 'there were too many competitors there', he turned, at the start of the 1980s, to Egypt, Iran and Iraq. Within a short time, he had established high-level political contacts in Baghdad, and in January 1982 he signed his first Iraqi contract, for 6,000 tonnes of beef worth about $15 million.

In those early days, he established a 'good basic working understanding' with Mohammad Hamza al-Zubaidi, Iraqi

Minister for Transport and Communications, who had responsibility for Irish-Iraqi trade, and 'developed a good rapport' with Mohammad al-Mellysalla, the Minister for Trade. Though Larry Goodman is a personable and persuasive man, these relationships cannot have been the result of mere social charm or individual friendship. Iraqi government ministers were part of a power structure held together by fear and the naked assertion of brutal authority at all levels of society. The ruling Ba'ath Socialist Party was, by 1981, indistinguishable from the army and the state, and both were indistinguishable from the person of President Saddam Hussein.

In July 1979, Saddam had launched a ferocious purge of the Ba'ath leadership, holding hostage the families of a third of the members of the Revolutionary Command Council, the highest state authority, and executing a reported 500 officials. As the Iraqi writer Kanan Makiya (Samir al-Khalil) has explained

> the 1979 purges were designed to transfer already existing bonds of complicity away from the party and into the person of Saddam. This had become a powerful imperative of the system itself, once all political opposition had been eliminated and truly absolute power had emerged.[1]

The purges were a reaction to the overthrow of the Shah of Iran and the installation of a militant Shiite regime in Tehran and, as such, a prelude to the start of the Iran-Iraq War in 1980. Saddam deposed the Iraqi President, Ahmad Hassan Bakr, and took the title for himself. Through purges, he consolidated military, political and economic power in his own office, 'shouldering', as the Ba'ath Party Congress declared, 'the duties of the indispensable leader'. But he also took steps to ensure that political officials of the kind that Larry Goodman would find so congenial were themselves implicated in the purges in the most dramatic way imaginable. 'Confessions' were played to a gathering of top officials, who were then harangued by a tearful Saddam. Saddam, says Kanan Makiya,

> called upon the country's top ministers and party leaders to themselves form the actual firing squads . . . With this act, the party leadership was being forced to invest its future in Saddam, just as previously it had herded the whole populace into investing their future in the party.

This was not a climate in which Larry Goodman, or anyone else, could win influential friends by charm or persuasiveness. If he established good relationships with ministers, it was because he and his company could be useful in helping to further the aims of Saddam Hussein. And, in the early 1980s, those aims were entirely bound up with the war. The army and those who maintained the state structure had to be fed, and the morale of the population had to be kept up by ensuring that basic foodstuffs were in plentiful supply. Most of Iraq's beef came from South America and France, but it made sense to develop another source of supply, if only as a lever against the companies which were already in the market.

That the decision to give Larry Goodman a foothold on the Iraqi market was ultimately made in Saddam Hussein's office was acknowledged by Gerry Maynes at the tribunal of inquiry, when he said that 'power descended through the various organisations, and there was a multiplicity of controls right down from the President's [i.e. Saddam Hussein's] office to the Prime Minister's Office, the Ministers, the State organisations and trading companies.' While, as the 1980s went on, elements of private enterprise were allowed into the Iraqi economy, essentially all negotiations were with the state. In these negotiations, said Gerry Maynes, it was understood that the parameters had been set by 'the higher authority'; 'I never knew who this higher authority was.' In fact, the higher authority was a committee based at Saddam's presidential palace. The main company dealing in beef, the State Company for Foodstuff Trading (SCFST), was 100 per cent state owned and under the control of the Trade Minister, Hamza al-Zubaidie. The two other companies in the field were 51 per cent state owned and, according to Aidan Connor, the Goodman executive responsible for the Iraqi contracts, 'the government dictated what happened.'

That the beef which Larry Goodman was supplying was destined to be a part of the Iraqi war machine is in little doubt. Dermot Gleeson SC, Goodman counsel at the tribunal, spoke of 'a government agency in the Middle East, who would buy for the population generally or for the army'.[2] In 1989, *Sunday Tribune* journalist Rory Godson hired a reporter in Iraq, Salah Nasrawi, to investigate problems with Irish beef there. Nasrawi told him that 'most of the Irish beef went to civil servants and soldiers'. Oliver Murphy of Hibernia Meats, the other Irish company which sold beef to Iraq during the 1980s, confirmed that the market was essentially a military one. The Iraqis, he said, 'were feeding an army and they had to have supplies from suppliers who they were confident could supply them.'[3] SCFST, with whom Goodman did most of its business, was responsible for feeding state dependants, including the army. Though less spectacular than fighter jets, superguns and nuclear components, Irish beef was just as essential to the war effort.

The Irish beef industry was already bound up with politics, and success in Iraq for Larry Goodman was a fundamentally political process, driven and shaped by the needs of the Saddam regime, the conduct of the war, and, increasingly, by Iraq's place in the geopolitics of the 1980s. That that political process would react back on Irish politics was a necessity determined, not by Larry Goodman and his companies, but by the Iraqi regime itself. From the way Goodman International's trade with Iraq developed in the 1980s, it is clear that it was the Iraqis who forced that trade out of a normal business relationship and into the shape of a political deal underwritten by the Irish government.

The way to do this was to get the Irish state to issue export credit insurance for the beef. Export credit insurance of this kind is a guarantee to private companies trading in risky markets that, in the event of the purchaser defaulting on payment, the government itself will pay the debts owed to the company. There is little doubt from the evidence that it was the Iraqi government, rather than Goodman International, which insisted that the Irish government should become such a guarantor. As the civil servant in charge of Irish export credit facilities at the time, Michael Fahy, subsequently put it:

> Export credit insurance . . . became the key to exporting to Iraq, and the people who had the export credit insurance were the people who exported and those without it didn't . . . If you didn't have the export credit insurance you weren't going to go anywhere, and if your product was okay and you did have the export credit insurance, then you were going to do business in Iraq.[4]

Like any businessman, Larry Goodman wanted whatever guarantees he could get, and export credit insurance, as well as being a safety net, also gave companies access to cheap loans. But the high prices paid for beef in wartime Iraq meant that he was prepared to supply the market, if he had to, without export credit guarantees. He did in fact do so both before and after the Irish government provided cover for his sales to Iraq. What made those guarantees increasingly essential, however, were the necessities and the strategies of the Iraqi regime. The Iraqis needed credit for economic reasons, but they wanted it for geopolitical reasons. Such guarantees tied Western governments into complicity with the Ba'athist regime. They also, as the evidence of the Iraqgate scandal in the United States shows, had more direct military uses. As Larry Goodman put it, 'the increasing requirement for export credit' was 'a result of the attitude of the Iraqis and their financial position.'

The financial position of Iraq was straightforward enough. It was conducting its war with Iran at a staggering economic, as well as human, cost. The eight years of the conflict cost

Iraq an estimated $561 billion in direct military costs, damage and lost exports. It was spending $42 billion on military imports alone,[5] while its oil revenues were severely restricted by OPEC quotas and by low market prices. It was therefore in dire need of credit throughout the 1980s.

But the use it made of this credit was far less straightforward. There is strong evidence from the investigations of the Iraqgate scandal in the United States that Iraq was both willing and able to convert government export credit guarantees into military hardware. There were a number of ways in which this could be done. One was through using Iraqi control of the Jordanian port of Aqaba to effect straightforward swaps, whereby agricultural imports supposedly destined for Iraq were simply bartered for arms. A second was through a complex system of billing in which foodstuffs were ostensibly sold for prices way above market rates. Credit guarantees were secured for these inflated sums, but the suppliers were paid only the going rate for their produce. This left a gap of millions of dollars guaranteed by foreign governments which the Iraqis could convert into cash and use for arms purchases and weapons research. A third method was more direct and old-fashioned – bribes and kickbacks. In October 1989, Iraqi officials admitted to American officials that monies had been received for what was euphemistically called 'after-sales service' in dealings for foodstuffs backed by American government guarantees.

All of these methods were used in different combinations. A 'senior Israeli intelligence official' quoted by *US News and World Report* in May 1992 said that 'There is no doubt that they used the guarantees to mobilise more money. They did it a lot of ways. You have to see this as a sort of symphony, not as a single instrument.'[6] The same report estimated that the Iraqis got access to hundreds of millions of dollars by 'securing loans for purchases of commodities at inflated prices.' Since Iraq was importing 187,000 tonnes of foodstuffs every month, the potential for raising very large amounts of money was certainly present. The volume, as well as the price, of some imports was also wildly overstated. For instance, Gale McKenzie, the prosecutor in the case of the Iraq-related fraud in the BNL bank in Atlanta, Georgia, reported to the Federal Reserve in 1989 that 'the volume of US farm products supposedly being shipped to Iraq was so inflated that in some cases there were contracts for seeds that exceeded the needs of the entire country.'[7]

There is no evidence that anyone involved with the Goodman organisation knew of or condoned these Iraqi practices. What there is ample evidence of, however, is that Goodman's official contracts with the Iraqis could not be taken at face value. John Swift, head of the Foreign Earnings Division of the Irish Department of Foreign Affairs, who dealt with Iraqi trade in these years, told the tribunal that 'the value involved in many of these meat contracts is not always evident on the face of the contract, and consequently one had to be very careful about the way in which values were computed and stated.'[8]

Goodman's contracts with the Iraqis were for the supply of beef that had been slaughtered no more than 100 days before the expected date of arrival in Iraq by the halal method (the Muslim equivalent of Jewish kosher, in which the animal has its throat cut while facing Mecca and while the name of Allah is invoked by the slaughterer). The Iraqis signed contracts for high prices appropriate to these conditions. Yet most of the beef actually supplied was taken from EC intervention stocks, which meant that it was almost certainly slaughtered very much more than 100 days before arrival – much of it would have been in cold storage for years rather than days – and could not be certified as having been slaughtered by the halal method.

However, Goodman evidence to the tribunal of inquiry was that the Iraqis knowingly waived the stated conditions of the contracts. Aidan Connor, a Deputy Chief Executive of the Goodman Group, said that the 100-day slaughter condition 'was one which had no importance in my estimation'. He explained that while there were a number of binding conditions in the contract, 'In the event, as we became – both sides, if you like, became more familiar with one another's style, quite a lot of the conditions on either side were simply, I won't say ignored, but they weren't enforced, let's say, on either side.' He described the fact that most of the beef was intervention beef as 'an open secret'. But he also hinted that there were aspects of the arrangement which it would be dangerous to explore. 'There were various other issues at stake, and I think, from my point of view, there are human people involved as well in the chain and I wouldn't like to discuss the matter further.' There was, he said, 'confidentiality between [Goodman] and their clients in Iraq' which he could not break.[9]

Goodman counsel Dermot Gleeson also insisted that the Iraqis were happy with the arrangements involving effective waiver of the terms of the contracts, and that they were 'quite happy to take the goods', even though they were not what they were ostensibly paying for. He described the whole matter as 'so delicate that I am almost cautious in speaking to you at all about it'. 'The complexity of these arrangements and their delicacy,' he said, was 'really quite daunting.'[10]

The Hamilton report accepted the Goodman evidence that the terms of the contracts were effectively waived by the Iraqis. The mysterious aspect of these private arrangements between Goodman and the Iraqis, however, is that the Iraqi government went to considerable trouble at the same time to obtain certification of the stated conditions of the contracts: the 100-day and halal slaughter provisos. It employed a French certification agency, le Contrôle Technique, to oversee the contracts. They, in turn, employed an Irish meat expert, Victor Broderick, to inspect the meat at various stages of its production and loading in Ireland. According to Mr Broderick, his instructions were that the meat had to be fresh and halal slaughtered. He told the tribunal that 'under no circumstances' would he have certified intervention beef. He insisted that all of the meat he certified was in accordance with the stated terms of the contracts. He agreed with Mr Justice

Hamilton that this 'inevitably means' that most of the beef he certified 'did not go to Iraq'. In effect, the Iraqi government was generating certificates for beef it was not importing. In some cases, more than one certificate was generated for the same consignment of beef. For whatever reason, the Iraqis were accumulating 'proof' that they had imported beef which they never in fact received.[11]

Victor Broderick's employer in Paris, Christian Peyron, also confirmed to the tribunal that there were times when the amount of beef certified as having left Ireland for Iraq would be smaller than the amount certified as arriving there. These discrepancies are unexplained, but they add to the impression that the Iraqis had an interest in accumulating evidence of beef which they never actually imported.[12]

Whatever the private arrangements were and however the Iraqis made use of them to further the war effort, it was the public, stated contracts that the Irish government guaranteed. Slowly and haltingly at first, then suddenly and massively, it became a party to these private, mysterious deals. Matters too delicate to be whispered even before a public inquiry became the responsibility of the Irish taxpayer. Without knowing it, the Irish public was being drawn in to the secret and cynical world of Iraq's dealings with the West. As William Ryan, Chairman of the USA's export credit agency, Eximbank, put it in 1989, 'Iraq's attitude toward its foreign debt is special. Once the Iraqis suck you in, they only service the debt if you give them ever-increasing amounts of credit.'[13]

4
EAMON MACKLE

CHRISTMAS WAS COMING, so the boners went home from their exile in Waterford, back to the borderlands. Eamon Mackle, the man in charge of the team that Goodman had sent in to operate its plant in Waterford, drove back through the cold countryside to his home and family in Dundalk. A big bear of a man, he is a veteran of the beef business with the air of a grizzled mercenary general who has led his band through countless campaigns. He had been in the trade since he was sixteen, and he was now forty-four.

Even before he started working for Goodman International, he had been involved in some of the less savoury aspects of the trade. When he was twenty-three, he went to work near the border in County Monaghan for Hugh Tunney, owner of Clones Meat Packers (subsequently Tunney Meats), and then the most prominent figure in the beef industry. Eventually, Eamon Mackle became factory manager and managing director. On his own account, given in a sworn affidavit to the Supreme Court in 1991, he took part in a number of irregular practices there. (Hugh Tunney himself denied any involvement in any irregular practices to the tribunal, which he said were, in his view, 'totally out altogether'.)

According to Eamon Mackle's affidavit to the Supreme Court, he was directly involved in processing cattle which should not have been used in factories because they had reacted positively to TB tests; in the deliberate underweighing of cattle being purchased from farmers; in the switching of cattle identification tags; in cross-border smuggling of cattle to take advantage of the availability of EC intervention subsidies in the Republic; in the bribery of two Department of Agriculture officials working at the plant; and in complex frauds against the EC's Monetary Compensation Amounts scheme, under which cattle were imported across the border, covertly smuggled back again and then re-imported to get further subsidies. These latter schemes were, he said, carried out with the assistance of information from a member of the Garda Síochána, who would phone in warnings when containers were under surveillance by the Royal Ulster Constabulary.

After he left Tunney, Mackle set up on his own with Liam Marks, with whom he ran an outfit called Daltina. Goodman International employed Daltina as a subcontractor to run its factory in Cloghran, just outside the Dublin suburb of Ballymun. In September 1986, Peter Goodman, Gerry Thornton and Colm O'Loughlin, key members of the Goodman inner circle, called Mackle to Ravensdale and told him that he was to go to Waterford, where Goodman had taken over an old plant, and run the boning hall there as well. According to Mackle, he wanted to stay in Ballymun, but Peter Goodman left him with no choice. He was told to go to Waterford or else 'get out of Dublin' as well. 'I wasn't able to argue with him.'[1]

The months between then and Christmas had been fraught. The Waterford plant itself was in poor shape, and the pressure from the company to keep up production and profits had been severe. He regarded the day-to-day running of the plant as 'a disaster'. But at least now he would have a few days' rest. He got home the day before Christmas Eve. That night, at about eleven, the phone rang.

It was Gerry Thornton, Chief Executive of the Meat Division of Anglo-Irish Beef Processors. He was very agitated. He wanted to know 'what the hell was going on down in Waterford'. Mackle admitted that there was a problem in Waterford, but told him that it was just a matter of a checker who had been inflating the figures on production sheets. But Thornton remained angry. He told Mackle to present himself in Ravensdale for a meeting the next morning. Mackle understood that this was not an invitation but an order.

He drove out there the next morning, and arrived shortly after nine. When he got there Nobby Quinn was waiting for him. So was Gerry Thornton, along with two other senior executives of the company. With them was Patrick McGuinness, the accountant at the Waterford plant.

Patrick McGuinness was, according to Eamon Mackle, 'the first accountant I had seen with wellingtons, a white coat and a white cap'.[2] He was in many ways an archetypal Goodman manager – young, ambitious, willing to combine his rarefied skills as a chartered accountant with the messy life of the slaughterhouse and the boning hall. He was a natural recruit for the company, coming as he did from County Louth, just ten miles from Larry Goodman's home, with strong family connections to the firm. His father-in-law was employed by the group as a courier. His cousin Hughie McGuinness and his wife worked directly for Larry Goodman in his house.[3]

Around the time that he joined the firm, Larry Goodman and McGuinness's father were in dispute about the erection of buildings on a farm which Goodman owned beside the McGuinness's land, a dispute which ended amicably when Goodman sold some of the land to McGuinness. Shortly afterwards, Patrick McGuinness's mother rang Larry Goodman and asked him to look favourably on her son's application for a job. Patrick McGuinness was almost destined to be a company man.

He went to work in the AIBP plant in Newry, over the border in Northern Ireland, where Nobby Quinn showed him the ropes, and was then sent to the Waterford plant, shortly after it was taken over by the Goodman Group. It was an old plant, but it had no operatives on the floor, and thus Eamon Mackle's Daltina outfit was ordered to supply the boners, trimmers and other shop-floor workers. Theoretically, Daltina was a subcontractor but, as McGuinness put it, 'in effect, we operated as one unit. It was one operation. Daltina took the order from the local management as to what to de-bone, when to de-bone it'.[4]

Much of the work being done in the Waterford plant in the months leading up to Christmas was organised under an EC scheme called Aids to Private Storage (APS), yet another subsidy to meat processors. APS allowed plants to kill cattle in the busy autumn season, when there was a glut of supplies, and store the beef in cold stores for six months. The EC paid for the storage and also gave the company advance payments of export refunds (£2.3 million in the case of the Waterford plant alone), so long as the beef was placed under Customs control.

It became clear to Patrick McGuinness that the Waterford plant was abusing this scheme. The official forms were being altered to claim payment for more beef than had actually been de-boned. His initial concern was not so much that this was going on, as that the alterations were being done in the plant office. 'I was well aware that there was add-ons going on in the boning hall. My main concern was that I did not want it going on in the office because of the risk of detection.'[5] The reason for this concern was that the office staff were direct Goodman employees, whereas most of those in the boning hall were Daltina staff.

The fraud was not a secret. 'Everybody in management,' according to Patrick McGuinness, 'knew this was going on . . . and obviously the people in my office who were doing this particular job knew what was going on.' What was going on was not just the alteration of official documents, but the inclusion of large amounts of trimmings from the carcasses in the boxes of beef, even though they were, under the APS scheme, ineligible. Over 30 tonnes of non-existent beef was claimed for, and 6,800 cartons of beef contained trimmings which were not eligible for the EC subsidy being claimed.

In late November, though, Customs officials had started to check some of the beef which the Waterford plant was placing under Customs control. In the middle of December, they reported suspicions that there were serious discrepancies between the actual weights of the cartons and the weights being declared. Word of these findings filtered through to Goodman headquarters, and Eamon Mackle got his Christmas Eve summons from Gerry Thornton.

Now, he faced his bosses. Patrick McGuinness remained silent, but the others took turns shouting at Mackle, accusing him of 'fraudulently adding weights on to production sheets for beef in Waterford'. Eamon Mackle was scared. He thought 'that I was at a kangaroo court and that at any minute someone would lead me outside and dispense with me.'[6] They would not, according to him, let him speak. (Gerry Thornton, however, said Mackle did speak and explained that the weights had been inflated to keep up the yields of meat.) After five minutes, he was ordered to leave the room.

After a while, Gerry Thornton came out and told him they were going to Waterford for a meeting with the Customs authorities. Mackle muttered that it was Christmas Eve, that it would take hours to get down there. But Thornton told him that they were taking the helicopter. An hour later, Mackle, Thornton and Patrick McGuinness landed at the Waterford plant. Mackle and McGuinness sat quietly in the office while Thornton left to meet the Customs officials. Although the Customs officers, according to themselves, told Thornton that they wanted to talk to Eamon Mackle, he was left in the office and did not speak to them. After about an hour, Thornton returned and said 'Okay, we're going home'. They got back into the helicopter, and flew back to Ravensdale in miserable silence. When they landed, Thornton told Mackle, 'I think you have a serious problem. I don't know what you are going to do about it.'

After Christmas, Mackle, on his way back to Waterford, stopped off in the Ballymun plant. While he was there, the office phone rang, and Gerry Thornton told him that he was relieved of his contract with the company and that he was to get off the premises immediately. He went home, 'phoned around and told the guys there was no further work.'

From then on, Goodman International went out of its way to distance itself from Mackle, even though he had gone to Waterford at the company's insistence. This determination to disavow Eamon Mackle was perhaps best exemplified in an interview which Peter Goodman later gave in Ravensdale to Detective Sergeant William Meagher of the Garda Fraud Squad on 17 July 1990.

Q: Did you employ Daltina Traders Ltd?
A: I did not.
Q: Who in the organisation employed Daltina?
A: That is your job to find out.
Q: Well, somebody in Goodman International employed Daltina.
A: I don't know, you will have to find out.
Q: Well, does that mean I will have to ask every executive in the company, including the top man?
A: My company has been suffering a lot over the past number of years from politicians like O'Malley and Barry Desmond and also the media, who try to bring us down. We are an Irish company and I don't see why other companies in the trade with foreign interests are not investigated when similar allegations by the Department of Agriculture and Customs are made against them. I don't give a damn about Daltina. They were used and our legal people will look after it in due course.
Q: Can you confirm that Goodman International employed Daltina Limited?
A: I won't confirm anything to you.

He later apologised for not being any assistance to us, but he felt very strongly about all the people who made accusations about his firm.

Peter Goodman's claim that he did not employ Daltina

was in fact untrue. He had instructed Mackle to go to Waterford on pain of losing his employment in Ballymun. In March 1987, James Fairbairn, a senior executive in the International Division of Goodman, told the Customs that the arrangement between Daltina and AIBP was 'a verbal agreement between Mr Eamon Mackle and Mr Peter Goodman.'[7] Yet, in Goodman International's desperate anxiety to distance itself from Mackle, even this basic fact was denied to the police.

According to Patrick McGuinness, in the second week of December, when the Customs authorities had started to question the way in which the factory was making claims for beef under the Aids to Private Storage scheme, he asked Eamon Mackle about the matter. He said that Mackle told him that they had been adding a kilo on to the declared weight of each box and that Nobby Quinn had told him to do so. Eamon Mackle, however, denied having said this, and said that 'I never had a conversation like that with Nobby Quinn or anyone else.' At no time, he said, had anyone in the Goodman organisation told him to engage in such fraudulent practices.

Documentation on all the meat being processed in Waterford was, however, telexed to Goodman headquarters in Ravensdale every morning. The explanation supposedly given to Goodman executives by Mackle for the systematic over-declaration of weights – that he was under pressure to get the 67 per cent yield of red meat from each carcass required by the regulations – would have made little sense since, as James Fairbairn agreed, this practice would make the yield more, not less, difficult to achieve.[8] And the only possible benefit from the fraud was to the company itself, not to Mackle or any of his employees.

Furthermore, when the Customs investigator, David Murphy, met James Fairbairn in March 1987 to discuss the fraud, he was told that the arrangement made between Peter Goodman and Eamon Mackle when the latter was hired was that 'Daltina Traders were required to produce a minimum yield of 74 per cent from the boning operation.'[9] This was considerably in excess of the 67 per cent yield required under the regulations. When Murphy interviewed Joe Devlin, the checker who had prepared the inflated production sheets, the latter said that 'he had been instructed by Eamon Mackle that they were required to return a 74 per cent yield on the boning operations and in order to achieve that he was instructed to add two kilos to the weight of each carton when he recorded it on the production sheet.'[10] Nobby Quinn himself confirmed, in a letter to Labour Party leader Dick Spring in May 1991, that in relation to Waterford and Ballymun, he 'laid down that I expected a meat yield of 74 per cent from the de-boning operation.'

At all events, although Goodman International was blaming Mackle for the fraud, the company did its best to cover it up. The Customs continued the huge job of checking cartons in early January. Because of the scale of the investigation, and the sheer number of cartons of beef involved, the Customs asked AIBP to supply some workers to assist in listing the weights recorded on the cartons. Members of what was called 'the A-team' of key operatives were brought down from Dundalk to 'assist' the Customs operation. McGuinness described them as being of an 'almost commando type who would go in and do whatever had to be done in various locations.'[11] Goodman executive James Fairbairn, by contrast, described the A-team as 'a few of my office-bound colleagues . . . and in addition . . . a few field engineers who wouldn't have been particularly busy at that time of the year.'[12]

While these operatives were working with the Customs team, one of the Customs men noticed that they were, in fact, altering the weights stated on the boxes so as to make them conform with the inflated weights stated on the corresponding documents, changing, for instance, a '21' to '27'. The Customs officers, according to Fairbairn, 'let's say requested that we withdrew our team'.[13] He himself denied ever having instructed any member of the A-team 'to get involved in that sort of activity'. One member of the team,

Eoin Lambe, subsequently told Customs that he had a marker with him at the time, but said that he was numbering the pallets, not altering weights. The Hamilton tribunal, however, did not believe these denials, and found the conclusion that they had been trying to conceal the fraud was 'reasonable and indeed inevitable'.

A few weeks after these attempts by the A-team to change the weights on the cartons, Patrick McGuinness discussed the Customs operation with Gerry Thornton, a Group Deputy Chief Executive, and with Fairbairn, and a plan was then drawn up to frustrate the investigation.

Boxes of good meat would be brought in to the cold store from the company plant in Cahir, County Tipperary, and placed at strategic points. These boxes would be offered, apparently at random, to the Customs officers who were thawing out samples of the meat to check whether it conformed to regulations. McGuinness drew up a crude map of the cold store and the location of the new boxes, and, he said, photocopied it and gave copies to Thornton and Fairbairn.

Both of these men denied under oath that they ever received this map from McGuinness or even knew about it. Gerry Thornton said that he did not and would not condone the upping of weights, and neither knew of nor discussed the matter with anyone until it became public on ITV's *World in Action* programme in 1991.[14] James Fairbairn maintained that he could not have been part of any such plan, since he did not even know that there was a problem in relation to the content of the boxes in the store.[15] They were not, however, telling the truth. The tribunal found in favour of 'the certainty that Mr McGuinness's account of the substitution of meat in the cold store at Waterford is true and accurate.'

Two loads of meat were brought down from Cahir, and Gerry Thornton instructed McGuinness to go to the cold store with the meat and to write up the necessary documentation. Thornton then told McGuinness that he was going back to Dundalk 'as it wouldn't be appropriate for him to be there.' The new meat was placed in old cartons in the cold store.

The plan, though, failed. The Customs investigation established that there had been a systematic over-declaration of weights of beef to Customs; that these false declarations increased the amounts of EC export refunds payable to AIBP; that a very high proportion of cartons of plate and flank meat (cheap cuts from the side of the bullock) which they examined had ineligible trimmings in them; and that AIBP personnel had attempted to 'disguise the extent of the fraud by altering carton weights at the cold store'. The investigation did not, however, 'establish conclusively that the AIBP companies were knowingly involved in the fraud.'[16]

These practices, however, were going on not merely in Waterford but also in Ballymun, where the same system of altering declared weights to the advantage of AIBP was in place. In Ballymun, there were no ineligible trimmings placed in the boxes, but 37 tonnes of non-existent meat was claimed for by upping the weights on the documents. In all, 107 tonnes of meat was 'placed' under Customs control, and claimed for under EC export refund and APS schemes.

One of the remarkable aspects of the relationship between AIBP and Daltina is that the only people kept on by AIBP at Ballymun when Daltina was sacked were those who had actually altered the production documents to overstate the weights. David Murphy, the Customs investigator, found it 'a coincidence that the only two people [still] employed by Daltina were those who were checking and recording the production figures . . . I was informed that they were the only people re-employed.'[17]

Although Goodman International accepted legal responsibility for the fraud, it denied any moral responsibility, and Larry Goodman consistently implied that his company had done nothing wrong. The fraud, he said, 'has been blown out of all proportion' and represented 'an infinitesimal amount of the company's turnover'. It 'involved a subcontractor and not our company'. Asked whether his company had 'any responsibility for either Waterford or Ballymun', he replied, 'Absolutely not'.[18]

Nevertheless, by February 1987, all of the most senior executives in the Group, with the exception of Larry Goodman himself, knew that the company was fraudulently upping the weights on official documents. At the annual review of the performance of the Waterford plant, held in company headquarters in Ardee, Patrick McGuinness mentioned that weights were being added on in the boning hall. Larry Goodman's brother Peter, a Group director and Deputy Chairman, told McGuinness, 'Don't get caught – perhaps you should take out more meat.' Also present at the meeting were Gerry Thornton and Aidan Connor, the two Deputy Chief Executives reporting directly to Larry Goodman. Both denied under oath that McGuinness had informed them that weights were being added on and that Peter Goodman had said this, but the tribunal report rejected their evidence in this regard, and found that Peter Goodman's remarks were 'not unexpected' since they reflected company policy.

This was the company which was about to become a major influence not merely on the domestic, but also on the international, actions of the Irish government. For while Goodman International was trying to fend off the attentions of one branch of the state – the Customs investigators – it was also trying to press its own attentions on another branch of the state, this time the government itself. And while it did not manage to fool diligent but obscure officials in a provincial town, it was about to succeed in a spectacular deception of the well-known men who had been elected to run the country.

5
Tightening Our Belts

AT THE START of 1987, about the only good economic prospect in Ireland was a bet on Fianna Fáil returning to office in the inevitable general election. At the European Community Council meeting in London in late 1986, the Taoiseach, Garret Fitzgerald, leader of an increasingly unsteady coalition of Fine Gael and Labour, had privately bid farewell to Queen Elizabeth and informed Margaret Thatcher that she would soon be dealing with Charles Haughey as Taoiseach. The first news of the New Year was that the previous year's current budget deficit, at £1.39 billion, was the highest ever recorded. A week later came the highest figure for registered unemployment in the Republic ever recorded: 250,178. It was also clear by the end of January that despite official predictions of moderate economic growth in 1986, there had been no growth whatsoever. Tourism had been depressed in the aftermath of the American bombing of Libya, agricultural output had been adversely affected by bad weather, and industrial exports had slumped. It was the worst of times.

Unable to agree on further cutbacks in government spending on health and social welfare, Labour and Fine Gael had agreed to dissolve their coalition on 20 January. The election was somewhat bizarre, with Fine Gael and Fianna Fáil competing as the parties most likely to impose rigorous control of public spending. Even before the government was dissolved, Charles Haughey went on radio to promise 'prudent financial management' and 'fairly firm control of government expenditure and borrowing'. The dour nature of the contest meant that no party invoked sufficient enthusiasm to secure an overall majority, and when Haughey was elected Taoiseach, it was on the casting vote of the Ceann Comhairle (Chairman of the Dáil) after an 82/82 tie.

But there was a consensus between the two main parties on fiscal policy. Fianna Fáil had said it would adopt '90 per cent' of the aborted Fine Gael budget, while Fine Gael, for its part, undertook to support the Fianna Fáil budget so long as it stuck to the same broad principles of cutbacks in public spending and a tight grip on government finances. The overriding political aim could not have been clearer – merciless control of public spending. Within days, the new government had announced that money was even tighter than expected, that a pay rise for senior public servants would have to be abandoned, and that there would have to be job losses in public employment.

It was not, on the face of it, a favourable atmosphere for a private company seeking to involve the government in major risks in a distant, unstable economy in the middle of a major war. That, however, was precisely what beef companies exporting to Iraq were doing.

As early as December 1982, the Fine Gael-Labour government had agreed to provide $20 million worth of cover to the Goodman company Anglo-Irish Beef Processors for exports to Iraq. At the time, however, the allocation was not taken up, because Goodman did not get the contract, and by April 1983 there were second thoughts in the Department of Industry and Commerce, which recommended that all Iraqi cover be suspended. The Department informed the Insurance Corporation of Ireland (ICI), which administered the scheme, that 'the longer the conflict, the greater are the chances of an Iranian victory', and that no further guarantees would be given. In June of that year, however, the government decided that cover could be put in place, but only up to a ceiling of £15 million. Over three years this amount inched upwards to an effective ceiling of £55 million. The actual allocations proposed under this ceiling by the Department of Industry and Commerce were just £10 million for AIBP and £5 million for Hibernia Meats, an Irish-based operation which was supplying contracts secured by its French parent company, CED Viandes.

Even these relatively small allocations were not made, however, since Iraq was taken off-cover altogether by the then Minister for Industry and Commerce, Michael Noonan, after he had received advice that 'all our colleagues in Europe were going off-cover and that Iraq was too high a risk'. That ministerial decision, taken in May 1986, was confirmed by the government in July, at which stage the state's exposure to Iraq stood at £25 million, an amount that would come in retrospect to seem, even to a Fianna Fáil Industry Minister (Ray Burke), like 'small sums'. It followed a decision by the US government in March to suspend credits to the Iraqis because of failure to keep up repayments, and the cancellation by Sace, the Italian export credit bank, of its guarantees to Iraq. Since the USA and Italy were, for reasons of foreign policy, the Western countries most anxious to support Iraq in the war, it was clear that even those who had reasons other than economic ones for wanting to extend credit to Iraq couldn't justify doing so.

Oil prices, oil being Iraq's only major source of revenue, had fallen in April to a low point of less then $10 a barrel, and the Iraqis were running a budget deficit of about $12 billion for 1986 alone. Iran was on the offensive. The view in the Department of Industry and Commerce was that 'the Iraqis were so desperate that they would take anything from anybody who is prepared to supply it and if the supplier was not worried about getting paid'.[1] On 5 March 1987, shortly before leaving office, Michael Noonan submitted an *aide-mémoire* to the Cabinet confirming that no cover was being granted for Iraq and that the situation would be kept 'under review' until there was an identifiable improvement in Iraq's repayment record.

The outgoing government had also acted to formalise and regularise the system under which the state could agree to underwrite risky exports for private companies. The Export Credit Insurance Scheme (ECIS) was operated on behalf of the state by the Insurance Corporation of Ireland. From 1983 onwards, two distinct types of cover were provided to exporting companies. The main type was normal commercial underwriting, given for relatively safe exports to developed OECD countries. This was operated on a commercial basis, and was essentially a non-political matter handled directly by ICI. In addition, however, there was a 'Number 2' or 'national interest' account, covering business that was not insurable under normal commercial criteria but that the government nonetheless felt should be supported.

Up to 1986, this kind of business, which required the direct sanction of the Minister for Industry and Commerce in consultation with the Minister for Finance, was handled on an *ad hoc* basis. In April 1986, however, following on from a government decision of the previous February, a formal Number 2 account was established. Two essential criteria were to be applied: that there be 'an assumable risk', and that 'overdependence by any company on a single market' be avoided. This account was a direct political responsibility of the Minister for Industry and Commerce, who was required to weigh up the advantages to the country of any risk he decided to undertake. For Goodman and other beef companies with an interest in the Iraqi market, however, the prospects of this new facility being extended to them were apparently dim.

The beef companies had weighed in financially behind Fianna Fáil in the election campaign, though as usual they hedged their bets by also making contributions to other conservative parties. In two weeks between 31 January and 12 February 1987, the party's election fund had received £50,000 from Goodman International, £30,000 from Paschal Phelan's Master Meats and £25,000 from Hibernia. The sums, though not very large in themselves, still amounted in total to over 10 per cent of the £1 million that party headquarters had spent on the national election campaign.

In spite of such support, there were few good reasons for believing that the extreme caution which the previous government had shown in its dealings with Iraq would be abandoned. As well as the general mood of fiscal rectitude, there was also no evidence that Iraq's position as a potential creditor had improved. Goodman International had been making very little progress in its efforts to get the Irish government to underwrite its trade with Iraq. In 1985, it had been given just $4 million of cover on a contract worth $18 million, while Hibernia had been given $11 million worth of cover. That was to be the full extent of the cover which Goodman received from the state for £102 million worth of exports to Iraq between 1982 and 1985. In 1986, in spite of Larry Goodman 'continually lobbying' ministers and civil servants, he had obtained no cover at all and had signed a $29 million contract without cover in order to 'maintain a credibility with the Iraqis'.

The reasons for the refusal of this cover in 1986 were made clear to Brian Britton of Goodman International by Michael Fahy, Principal Officer of the Export Credit Section of the Department of Industry and Commerce. The Iraqis were reneging on their debts; the Paris Group of export credit insurers had decided that no further credit should be given; the Iraqis had been 'particularly bolshie' to small Irish companies, unilaterally extending credit periods and closing off contracts in mid-term; and 'decisions on Iraqi payments are now being taken by special and secret committees, not trade committees as heretofore'. In other words, Iraq was using debt repayment even more nakedly as a political weapon.

Michael Fahy's views were shared in almost every exporting nation, even in countries with far less reason than Ireland to be cautious about risking money. In May 1986, the American Ambassador to Baghdad, David Newton, had met with John Bohn, then Chairman of Eximbank, and was, according to an official minute of the meeting, 'quite downtrodden considering both the status of the war as well as the economy'. Eximbank's enthusiasm for doing more business with Iraq was rated by Bohn as 'from zero to not much'.

In Ireland, nonetheless, Larry Goodman kept up the pressure. He tried to convince Michael Noonan that 'the light at the end of the tunnel was now visible and that Iraq was a market which Ireland should stick with'. Even when he met Noonan at a state reception for a visiting dignitary and introduced him to his wife, he took the opportunity to tell the Minister that he was 'wrong in not covering Iraq'. In spite of everything, he felt that 'the decision to reopen cover was tantalisingly close' and that, if it came, his company was 'first in the queue'.[2] At the end of February 1987, he applied for cover on a $28 million contract.

None of this pressure had much effect, however. Noonan did review the situation, and as late as 12 February, less than a month before Fianna Fáil came to power, he discussed the matter on the phone with Liam Kilroy, one of his officials, who reiterated the department view that 'no further cover should be provided for Iraq' because of 'the general deteriorating financial and military situation'. Noonan took this advice and almost immediately informed the Minister for Finance, Alan Dukes, that the previous decision should stand.

On 3 March, Goodman's Financial Controller, Brian Britton, met with Industry and Commerce officials and was again told that there was no cover for Iraq. But Larry Goodman was still confident, sending Britton a succinct message: 'Keep in touch. Keep GI [Goodman International] ahead. Find a way to achieve this.' That at least some of this confidence had to do with the change of government that was now only days away is confirmed in Britton's reply to his boss: 'I am going to wait until new Minister appointed before taking further action.'[3] It seems clear that the Goodman view was that a new government would bring an entirely new situation.

The new Minister for Industry and Commerce was Albert Reynolds. He had a reputation for no-nonsense efficiency, based partly on his success as Minister for Telecommunications in reorganising the phone system in the early 1980s. He had become a minister within two years of entering the Dáil, appointed by Charles Haughey in return for his support in the ousting of Jack Lynch and the defeat of the heir-apparent, George Colley, in the bitterly divisive leadership election that followed.

An affable, down-to-earth man, Reynolds was also the kind of man with whom Goodman would feel comfortable. Like Goodman, he started out in a small way in a small town. Like Goodman, he never went to university. Like Goodman, he cultivated the spartan image of the shrewd hard-working man, the man who neither drinks nor smokes and who is always on the look-out for a good deal. Like Goodman, he had the self-made man's disregard for anything that reeked of bureaucratic caution.

His first business, running his own chain of Country-and-Western dancehalls, was, like the early cattle trade, a business for cash in the hand, for men who thought nothing of driving through the night with bags of money in the boot, men who always had a wad of notes stuffed in the pocket of a sober suit. The very names of his dancehalls combined the airy allure of dreams with the most down-to-earth of suffixes, land: Cloudland, Roseland, Dreamland, Lakeland, and so on.

Reynolds not only epitomised the culture of risk-taking, of playing for high stakes, but he also popularised it. He was the man who, in 1963, introduced the first £1,000 bingo prize in Ireland. On a momentous night in his Roseland ballroom in the Westmeath town of Moate, he took £2,200 at the door, called the numbers, and went away with a profit of £1,100, then a staggering sum in a poor and cautious country. He repeated the feat many times, unleashing in Ireland the first stirrings of a new bonanza culture. Even after the authorities stepped in to ban Reynolds's gambling craze, he himself retained a fondness for taking risks.

Reynolds thus had a great deal in common with Larry Goodman. In fact, his second business career, after he got out of show business, was in the meat industry, a career 'very allied', as he put it himself, to Goodman's.

He came to Fianna Fáil initially through the Hanly family in his native Roscommon; they were Goodman's most important predecessors as kingpins in the Irish meat industry. He owned a pork and bacon factory in Longford with Mattie Lyons, a meat industry stalwart. He then started C&D Foods, a large petfood manufacturer in his Longford constituency, supplying, amongst others, the Sainsbury supermarket chain in Britain with 'own brand' products. By 1985, C&D was marketing its own 'Max' brand of dogfood, named after Charles Haughey's driver. Reynolds was a man, therefore, who understood the culture of the meat trade and of the EC's Common Agricultural Policy, having himself benefited from an EC grant of £1.3 million for his factory in the early 1980s, when he was not in office.

Reynolds's self-image was very much that of a businessman in politics. He believed that 'the experience of business is invaluable in running a government department, in getting things done'.[4] His ideology was the standard pro-business rhetoric of the 1980s rather than the older Fianna Fáil nationalist populism. He had no inclination towards his party leader's mysticism, little interest in the Irish language or the mists of antiquity. He represented a Fianna Fáil that had awoken from the nightmare of history, jumped out of bed and landed on its feet in a Europeanised country where there was money to be made. His political appeal lay in shrewdness rather than in intelligence, in the practical competence of 'getting things done' rather than in high-flown speech, in being a man you could do business with rather than a man you could look up to. His favourite word was 'pragmatic'.

His attitude to political decision-making was made clear in his own evidence to the beef tribunal in October 1992:

> I don't make any bones about it that I operate a department on the basis of no long files, no long reports. Put it on a single

> sheet and if I need more information I know where to get it . . . I have been around a long time in business and I would suggest . . . that the one-sheet approach has got me through life very successfully in business and politics.[5]

That he volunteered this information and enunciated it with pride is a mark of how deeply he held the image of himself as a doer rather than a thinker. In contrast to his predecessor's careful checking and seeking of advice, his dealings on Iraq would be characterised by sudden announcements that often took his own officials completely by surprise.

Albert Reynolds and Larry Goodman had known each other since the late 1960s, when Reynolds was involved in the pork and bacon business in Longford with Mattie Lyons, and Goodman was building the modest beginnings of his beef empire. (Goodman subsequently bought Lyons's factory in Longford.) They would, according to Reynolds, 'meet at conferences'. There was no strong relationship between them, and they never did business together (Reynolds said of C&D that 'we never sold offal to him or bought offal off him') but they were friendly enough for Reynolds to invite Goodman to his daughter's wedding in October 1990.

One connection that was present in the mind of the Goodman side during their quest for the reopening of insurance cover for Iraq, was that for much of 1987, C&D was seeking funding from a venture capital fund, Food Venture Fund (FVF), in which Goodman International was involved. The fund had been established in 1984 by Goodman, the Smurfit Corporation, the Industrial Credit Corporation, and the Norrish cold-store group. Brian Britton, who did much of the Goodman negotiation with government departments, was his company's representative on its board. In January 1987 Paul Dempsey, Chief Executive of C&D, in which Albert Reynolds had and has a 'controlling beneficial interest', approached Fergal Fahy, Chief Executive of FVF, and asked it to invest in a project to develop new aluminium and plastic trays for petfood. Fahy in turn approached Brian Britton 'to seek some assistance in assessing the technical aspects of this'.[6]

Albert Reynolds stressed that 'I wasn't part of the negotiation' that followed, and that 'nothing came of it'. Brian Britton, for his part, made it clear that 'I didn't have any discussions, nor any of my fellow directors in Food Venture Fund, with Mr Reynolds about that proposal, or indeed with any member of his family.' Contacts between C&D and FVF continued, however, during the critical period in which Iraq was put back on-cover for export credit and the involvement of the Irish Exchequer in the consequent risks deepened. In May 1987 two FVF directors visited the C&D plant and 'were quite keen on the project'. On 21 July, the other three FVF directors, this time including Brian Britton, visited C&D. At the end of July, FVF turned down the C&D request, but discussions about a large-scale FVF involvement in C&D continued in September and November, and were not terminated until the end of the year.

Although Albert Reynolds had no involvement in any of these discussions, and although nothing ever came of them, the Goodman team did consider that the matter might possibly arise in dealings with Reynolds over export credit. A memo from Brian Britton to Larry Goodman on 8 May 1987, dealing with arrangements for a meeting between Goodman and Reynolds to discuss export credit allocations, has a note at the bottom saying 'position on C&D and FVF is on attached memo'. (The attached document has not been discovered.) Brian Britton explained at the tribunal that:

> I would have thought that it was absurd to let Mr Larry Goodman go into a meeting without knowing the current state of something I was dealing with independently, in case the topic was raised at that meeting... I think it is normal to brief the chief executive of a company on something that may be raised at a meeting, anything.

He added that 'I have had occasion to talk to Mr Goodman

and he has indicated to me that he did not discuss this matter with Mr Reynolds.'

By then, in any case, Goodman had won its argument, in principle if not yet in substance. That victory may have had something to do with the fact that, as well as Goodman wanting something from the new government, the government wanted something from Goodman. While Fianna Fáil was in effect committed to harsh fiscal retrenchment, with deep cuts in public spending, services and employment, this hair shirt sat uneasily on the back of a party that saw itself, in the words of the Minister for Finance, Ray McSharry, as the party of 'boom and bloom rather than gloom and doom'. With an unemployment rate of 18.5 per cent, kept at this catastrophic level only by emigration of 30,000 a year, some evidence of economic growth to counterbalance the austerity was essential. In the previous five years, Ireland had recorded no growth in the overall volume of investment in equipment, compared with an average increase in the EC of 20 per cent. In the jargon favoured in government circles at the time, it was time to 'kick-start the economy'.

Most of what Fianna Fáil had in the way of an economic plan was contained in the National Economic and Social Council's (NESC) report *A Strategy for Development 1986–1990*, published in November 1986. Its proposals were incorporated into the Fianna Fáil election manifesto, into the new government's first budget in March and in its agreement with the social partners, the Programme for National Recovery (PNR), published in October 1987. NESC was chaired by Padraig Ó hUiginn, Secretary of the Department of the Taoiseach, who was to become an important figure in the relationship between Goodman and the government over the next three years. Critical to its strategy was expansion of the food industry, which was to be given 'major priority' as, in Albert Reynolds's words, 'arguably the most important economic sector of all', which 'offered the incoming government excellent opportunities for growth and development'. An 'aggressive international marketing strategy' was to be developed, 'designed to maximise exports of food products'. A large contribution was to come from the beef industry, which was to provide, according to the PNR, 1,000 new jobs over five years.

As it happened, Goodman International had been mooting its own development plan with the government and the state development agency, the Industrial Development Authority (IDA), for much of 1986. This was seized on by the incoming Taoiseach, Charles Haughey, as a flagship project that could give substance to his rhetoric about development. The government was, in the inimitable words of Albert Reynolds, 'interested in getting the fire brigades out in relation to getting the development going'. In the new government's early months of office, a private company's proposals for its own development became, in effect, a national plan for a key indigenous industry. As will become clear, there was no natural connection between this development plan and a state decision to bear extraordinary risks in Iraq – indeed, the two were logically contradictory. But from the start of the relationship between the Fianna Fáil government and Goodman International, the two became inextricably intertwined.

The initial intertwining was done on 9 April 1987, when Larry Goodman arrived at government buildings in Merrion Street for a meeting called by the Taoiseach. He was unsure who would be present, but found himself in Haughey's office immediately after a three-o'clock Cabinet meeting, and faced with a phalanx of ministers: Charles Haughey himself, Albert Reynolds, Ray McSharry, Michael O'Kennedy, the Minister for Agriculture and Food, and Joe Walsh the Minister of State for Food. Details of the plan were discussed, and Goodman made demands that 75 per cent of the entire £260 million cost of the development be met by EC and Irish government grants. Joe Walsh was then appointed to co-ordinate, for the government, all matters relating to the plan.

At this point, at least some of those present on the government side knew that a major fraud investigation was under way into irregularities discovered by Customs and Excise officers at Goodman's plant in Waterford.

Five days before Charles Haughey was elected Taoiseach, the results of the Customs investigations at Waterford and Ballymun had begun to percolate upwards towards the political level of government. On 5 March 1987, Larry Goodman had gone to the Department of Agriculture headquarters for a meeting with the Secretary, James O'Mahony, who afterwards became a non-executive director of a Goodman-controlled public company, Food Industries. Mr O'Mahony had heard about the investigation and had ordered that all other Goodman plants be checked because 'the Commission in Brussels would have been after us if we hadn't done so'.[7] About £20 million due to Goodman from EC funds was frozen. Larry Goodman had then asked for a meeting.

At the meeting, Goodman explained that the problems were connected to the presence of a 'subcontractor' in the Waterford and Ballymun plants. He indicated that the problems at Waterford might well be duplicated at Ballymun, which was then still in the early stages of investigation. He also said that 'if any monies were found to be due to the Department, that it would be made good.' His main concern, however, seemed to be the potential for adverse publicity, and he asked O'Mahony whether 'his firm could see officials at some stage to see whether the damage to the firm abroad could be limited.' O'Mahony did not refuse this request, but gave a 'somewhat evasive and non-committal answer'. In fact, over the next two years, the state would go to extraordinary lengths to comply with Larry Goodman's request.

Just a few days after the incoming government took up office, the new Minister for Agriculture, Michael O'Kennedy, asked for a note on the Goodman situation, and a short factual briefing was delivered to him on 18 March.[8] A fuller five-page account of the situation was added a few days later. Even at this early stage the matter was clearly understood to be a serious one, since, as James O'Mahony put it, 'only serious cases would be brought to the Minister's attention'.

Before the meeting on 9 April, therefore, O'Kennedy knew that there was an investigation into two Goodman factories, and that the issues involved were very serious. He did not, however, mention it. Even if it had been mentioned, according to Haughey, it would have made no difference, because he regarded the matter as 'not all that significant'. Here was the government about to commit itself to a plan for the most important indigenous industry, based entirely on one company, yet it did not consider serious official suspicions about that company to be 'significant'.

As the meeting was breaking up, Larry Goodman took Albert Reynolds aside. 'I would,' he said, 'not have let the opportunity pass.' He spoke to Reynolds about export credit insurance for Iraq.

It was, as it happened, quite an opportunity. Having 'put my case forcibly to Mr Reynolds,' he found that the Minister for Industry and Commerce, 'seemed enthusiastic and I was encouraged by his attitude and response.' But Goodman was not content merely to get these indications that, in spite of everything, the new administration was prepared to commit public money again to Iraq. It was not enough that there should be export credit insurance for Iraq – all of that insurance must be committed to Goodman International. As he put it himself 'we should have all that was going', and, 'if it was to be awarded, that it should be, I thought, in all fairness, confined to those who had been in the market.' At a pinch, this might include Hibernia Meats, which was 'in the market', but 'I wasn't concerned about that'.

Larry Goodman had good reason to feel encouraged. Within five days, Albert Reynolds had decided to reintroduce ECI cover for Iraq, up to a ceiling of £35 million. It was by any standards a major decision, yet it was not even recorded with any precision on departmental files. On 13 April, the officials in the Export Credit Division of the Department of Industry and Commerce met their Minister to discuss a note prepared by the Principal Officer, Liam Kilroy, recommending in clear terms that 'no further cover' for Iraq be given.

Goodman International had told the Department that it had received £6.8 million from Iraq. The payments were thought to be too small to make any real difference to the risk, however, and the view of the officials was that, while the door could not be closed permanently, neither was there any good reason to open it. They regarded this position as 'fixed in the sense of any company which was anxious to receive cover wasn't going to receive it.'[9]

The officials were in for a surprise. At the meeting, Reynolds informed them that he had decided to reintroduce cover for Iraq. A supposed £20 or £30 million contract for the Goodman company AIBP was to be covered one-third (£6 or £10 million) by the state, one-third by the company, and one-third by the banks. The approach, announced the Minister, was going to be 'pragmatic'. Liam Kilroy said later that there was no 'detailed discussion with the Minister where I was called upon to back up or justify, or express further views in favour of the stand recorded in the note for the Minister's information.' His recollection of the meeting was that 'we certainly didn't enter into any major debate on the pros and cons of extending cover into Iraq . . . I can't recall the extent to which we had a major soul-searching debate in relation to the question, and I doubt if we had. I think I would remember the occasion clearly if we had done that.' Reynolds accepted Kilroy's recollections as essentially accurate.

The decision was taken, therefore, without any serious discussion with the relevant officials. Reynolds does not seem to have read the detailed memoranda on the issue drawn up by the Department the previous December and January. There was no repetition of the range of discussions with officials, Cabinet colleagues, the Insurance Corporation of Ireland, and foreign contacts engaged in by Michael Noonan when he was considering the issue. No special studies were commissioned. Even though the decision to take Iraq off-cover had been made by the government, Reynolds did not discuss the matter with Charles Haughey or the Ministers for Finance or Agriculture. Critically, no attempt was made to find out what kind of beef was to be exported, or where it would come from.

So on what basis, other than a quiet word with Larry Goodman, had Albert Reynolds made the decision? His answer was that 'I input into the decision-making process my experience and my knowledge of international markets.' In other words, he used his experience of selling dogfood to supermarkets in Europe to measure the risks of losing public money in Iraq:

> In 1987, when I came back into the Government, I was after spending four years in the outside world running my business. I keep in touch through all international magazines, and indeed through the *Financial Times*, through the *New York Times*, through all the various magazines. And indeed, Iraq had been in the news for quite a long time . . . I had a very general knowledge of the whole international scene. I knew there was a window of opportunity appearing. It was well known . . . That was my decision taking into account the advice I got, my own business and my own business experience, that I made what I regarded as a right decision for the Irish people, for the Irish farmers and for the Irish beef industry.
>
> My knowledge in those areas comes from a complete up-to-date of all the international business magazines, the *Financial Times*, the *New York Times*. If you were in my office this morning, you would see that height of magazines and papers, and unfortunately I can't spend my day reading them, but I get somebody to read them and mark the important parts, and that is how I do it. And my background has always been in business and I have always kept in touch with what happens around the world. To answer your question, yes, I would be, not in detail, but I would be aware of what would be happening in international markets.[10]

This undetailed knowledge of international markets drawn from newspapers and magazines, his own experience of selling petfood and a broad sense of what constituted 'the national interest', was enough to set against the available professional and official advice. It was not a range of knowledge immediately impressive to those officials. Ted O'Reilly, Assistant Secretary of Reynolds's Department and in charge of the Export Credit section, told the tribunal, before Reynolds had revealed his depth of information, that the Minister had no personal knowledge of the matters in question and that 'in fairness, he couldn't be expected to, because he has come from some other functions or come from outside.'[11] Nevertheless, a critical first step into the Iraqi entanglement had been taken.

All of this might have made some sense had it been at least a part of a broader government strategy for the industry. Yet in critical ways the policy of encouraging Goodman to rely on the Iraqi market ran directly counter to the thrust of development policy as outlined in the NESC report, the Goodman development plan, and government speeches. All explicit official thinking on the development of the beef industry was based on two fundamental perceptions – that the EC intervention system would not last, and that the future lay in providing high quality value-added meat to European supermarkets. The NESC report stated that

> the dominant influence on Irish agriculture over the period to 1990 will be the evolution of the Common Agricultural Policy. A number of major problems are now associated with the CAP, in particular, the huge surpluses and the high cost of subsidising their disposal on world markets and of storing intervention products.

Therefore, if the beef industry was to have a future, it would have to be weaned off its reliance on intervention and on to meat that European consumers actually wanted to buy. This basic view was entirely uncontroversial, and was accepted by everyone with the vaguest interest in the industry.

Moreover, it was a view that was fully incorporated into stated government thinking. The whole point of the government's support for the Goodman five-year development plan, as Food Minister Joe Walsh told the Dáil on the day of its announcement in June, was that it had 'all the characteristics of the type of development set out in the Programme for National Recovery, notably a market-driven approach to food production creating new opportunities for adding value within the country.' He added, in what might be a textbook definition of what was wrong with the government supporting the massive export of intervention beef to Iraq, that

> With the progressive dismantling of the CAP price-support mechanisms, the future of the beef industry in Ireland must increasingly be based on this type of development. The cosy arrangement of dependence on intervention and third country markets is coming under increasing pressure. We in government are delighted to be able to assist projects of this nature which will reduce the dependence of the industry on intervention and on third country opportunistic markets.[12]

Iraq, of course, was the classic third-country (i.e. non-EC) opportunistic market. And, in the event, 84 per cent of the beef exported there under export credit protection by Goodman International was taken from intervention stores and sold at NESC's 'high cost of subsidising [surplus beef's] disposal on world markets'. The government was getting into something it was pledged to get away from.

Even more extraordinarily, the decision to bring Iraq back on-cover would seem not to have been conveyed by Reynolds to the head of that government, Charles Haughey. Haughey told the tribunal that 'so far as I can recollect', the decision was not 'conveyed or made known' to him; it was, he said, made 'without my knowledge' and 'without the approval of the Government'. His belief, he said, was that Goodman 'were going to sell to sophisticated markets where there was no danger of political upheavals or anything of that kind.' He was 'aware that the Goodman organisation was looking for Third World markets at this time', but the purpose of the state-backed development plan for the company was 'to get away from that sort of situation, to direct the Goodman organisation into a new type of product, which would be sold to these sophisticated European markets.' The idea 'was to get away from the necessity for export credit insurance for Irish beef and that's why the new project was being brought forward.' The idea was also to 'get away from' intervention, because 'time was running out' on that mechanism and 'it was essential that we get away from that'.

Far from wanting to establish and maintain long-term markets for Irish beef in Iraq, as would later be argued as a justification for Reynolds's decision, the then Taoiseach understood, apparently from Larry Goodman, that the Iraqi market would be wiped out by 1990 at the latest:

> Q: So what you thought and presumably were told by Mr Goodman was that they were going to run down the Third World markets in favour of the European markets?
> A: Wipe them out.
> Q: Wipe them out?
> A: Yes, in time, not immediately.
> Q: Over what sort of period?
> A: As soon as the new plans could come on stream, two or three years.[13]

Over the coming months, however, his government committed itself more and more deeply to what it regarded as a disappearing market. So impromptu was the decision to put Iraq back on-cover, however, that some of the principal figures involved in the relationship between the government and Goodman International seemed to believe that it had, in fact, been a decision of the entire government. Haughey, in a written statement to the tribunal, said that 'the question of guiding the Government on whether or not to reintroduce export credit insurance was the primary responsibility of the Minister for Industry and Commerce who took into account the relevant factors . . .'[14] Equally, Larry Goodman believed, according to his evidence, that the government had made the decision. 'They were notified by the Government that the Government had decided to reopen cover and grant some cover to AIBP.'[15] What is clear is that not only was the decision made against official advice, in the absence of detailed studies of the Iraqi situation, and against the grain of stated government policy, but that some of those most intimately involved were confused even about who had made it.

A fortnight after this critical decision, the government made its first formal move to ally itself to Goodman International. On 26 April, the Cabinet decided to instruct Albert Reynolds, Ray McSharry and Michael O'Kennedy to 'make every effort to bring' the Goodman development plan 'to a successful conclusion'. This decision was almost certainly unlawful. The Industrial Development Authority Act, passed just a year before when all of those at the Cabinet table had been members of the Dáil, made it clear that it was up to the IDA, as the state development agency, to put proposals for individual projects to the government, and not the other way around.

In the report of the tribunal, Mr Justice Hamilton stated that this government decision, the very first formal move by the Cabinet in relation to Goodman,

> would appear to be contrary to the provisions of the Industrial Authority Act 1986, because at that time the plan submitted by Goodman International had not been formally considered by either the IDA Board or the Authority . . . [this] could be interpreted as a pre-emption by the Government of the role of the Authority.

Already, within six weeks of coming to power, the government was, in its relationship with Goodman, stepping outside the framework of an Act passed only the previous year to protect the independence of a key state agency. A process that would, over time, lead to a crisis in Irish democracy, was now under way.

6

GHOSTS

TWO DAYS BEFORE the meeting at which Larry Goodman laid his strategy for development before the government, and then buttonholed Albert Reynolds about bringing back export credit insurance for Iraq, there was another meeting. In attendance were Larry Goodman, his brother, Peter and senior Goodman Group executives Gerry Thornton, Aidan Connor and Brian Britton. The meeting had been called to discuss the rather unusual findings made during the course of a routine audit at the company's plant in Cahir, County Tipperary, the same plant that had ordered Nobby Quinn's bogus Customs stamps four years earlier.

John King, a young accountant with Stokes Kennedy Crowley, still a year away from qualification, was, in March 1987, working on the plant's audit for 1986. In going through invoices, he found one that seemed to him 'unusual'. It was from a haulier in Northern Ireland, but it had a vague address. It was typed on plain paper, with no telephone number and no VAT number. What was more, all of the figures on the invoice were in suspiciously round numbers. Moving through the records, he found seven more invoices that were similar. Together, these eight invoices from Northern Ireland hauliers totalled IR£840,000.

King went through the Northern Ireland phone book to see if he could trace the addresses that were given on the invoices. He failed to find any of them. He went to the factory's haulage records, but there was no sign in them of the hauliers who had sent in these invoices. He checked the factory's end-of-year list of creditors, but again could find no trace. He kept an eye out for any lorries bearing the names of any of the eight hauliers, but saw none. Forty per cent of the plant's haulage expenses, it appeared, had been paid to men who seemed to be ghosts.

He then noted the numbers of the cheques that had been made out to these phantoms, and asked the bank to return the cashed cheques. When he got them, he noted that all the cheques had been cashed at the local Cahir branch of Allied Irish Bank (even though they were marked '& Co.' and 'not negotiable'), and not in Northern Ireland as might be expected from the addresses of the hauliers.

John King then went to James Geoghegan, the plant accountant, and tried to talk to him about what he had found. Geoghegan, though, was reluctant to talk to him and told him to talk to the plant manager, Mr Barrett. The plant manager was also reluctant to talk to him, and referred him back to Geoghegan. He told King that there was indeed no documentation to support the invoices.

'He sort of explained that the hauliers I had mentioned were not normal hauliers. That they gave better rates and used to bring goods to the north of Ireland where they transferred to another location . . . that the hauliers came at weekends and that's why we hadn't seen them.'[1] King asked Geoghegan if Goodman International head office was aware of the payments, and Geoghegan said they were.

Even with the natural caution of an accountant, King now believed that the IR£840,000 listed on the suspect invoices was not for hauliers at all, but of 'some other nature'. He noticed that the same 'hauliers' appeared in the 1985 files, so that whatever was going on didn't start in 1986. He reported to his superiors in SKC, Michael Buttenshaw and Niall O'Carroll, and, being wary of discussing the matter over the phone, arranged to see them back in Dublin at the weekend. They were 'shocked', and told King that they would discuss the matter with the clients. O'Carroll, according to himself, feared that they were now dealing with 'a substantial fraud or embezzlement'.[2] King went back to Cahir on Monday and worked through the week on the audit. He and his colleagues worked late on the Friday evening. As they made their way to the car-park, they passed the wages office, where workers were queuing to be paid. King noticed that the wages clerks were handing out cash. This struck him as being 'strange' because he had been given to understand that all wages were paid by cheque, and the books he had examined seemed to confirm this.

Again, he arranged to meet his superiors, who drew the obvious conclusion that the cheques made to fictitious hauliers were in fact cashed at the local bank by company management and used to make under-the-counter payments to staff without deducting tax or PRSI.

Stokes Kennedy Crowley, a part of the international Peat Marwick group, had had a long relationship with Goodman. Niall O'Carroll, the audit partner to whom John King reported his suspicions, had managed Goodman audits since 1974 and was familiar with all of the company's systems. Those systems themselves had been set up by Goodman accountants, many of whom were recruited directly or indirectly from SKC. One of them was Brian Britton, the Deputy Chief Executive for Finance, who had served his articles with SKC, worked in Africa for Peat Marwick, and then become an audit manager for SKC. Although it was obvious from the checks on the 1985 files done by John King that the practice of cooking the books to hide tax evasion had started before 1986, similar checks in previous years had failed to unearth it.

When King told O'Carroll about what he had found, O'Carroll contacted Brian Britton. Britton, when questioned about the under-the-counter payments, answered that 'I don't wish to answer this question at this point in time on the grounds that it might tend to incriminate.'[3] According to O'Carroll, however, Britton at this stage said that he was concerned and that 'he would immediately put people to work on it and come back to me'.[4] After King's disclosure a week later that he had seen cash payments, O'Carroll informed Britton, who had not been in touch in the meantime, that it now appeared that the problem was one of tax evasion rather than embezzlement. Britton made no comment except that he would 'extend his investigations'. O'Carroll also gave Britton a copy of Section 94 of the Finance Act of 1983, setting out the penalties for those who knowingly aid and abet tax evasion. He did so because he was 'concerned that it would extend to any or all of us'.

O'Carroll and his colleagues also called to mind Clause 24 of the legal and ethical guidelines of the Institute of Chartered Accountants, which states that an auditor who suspects an unlawful act 'must not bury his head but must interrogate his clients and make such appropriate inquiries and investigations as will either exonerate his clients or confirm his suspicion. From the moment the member becomes suspicious until the time the matter is concluded, the member should keep a careful record of all conversations etc., so that he can exonerate himself at a later date should this prove necessary.' This clause, as he delicately phrased it, 'had an application' in the circumstances in which he now found himself. He did not, however, try to interview plant managers or accountants.

Over the next month, he talked with either Larry Goodman, Brian Britton or Aidan Connor, the Group Financial Controller, at least once a day, because his firm was finalising the Group's audit for 1986. He did not keep the detailed record of these conversations which his professional bible recommended, because 'my suspicions, even at that stage, were not fully aroused'.

In the first week of April, he discussed the matter with Aidan Connor and Brian Britton, who told him that they had investigated it and that IR£1.927 million in such untaxed cash payments had been made during 1986 in Cahir and three other plants: Bagenalstown, Dublin and Dundalk. These, he was told, were made 'without authorisation by certain local plant managers jumping the gun, as they put it, by making payments to employees in anticipation of a new employee bonus scheme which had been under review and discussion throughout 1985 and 1986.' Connor and Britton told him that they had instructed that all such payments should stop until a 'proper scheme' was implemented. O'Carroll sought and received assurances that all of the money paid out in this way would be repaid, in effect that the under-the-counter payments would be treated as loans.

There were, however, serious problems with this explanation. Why had managers in four different plants decide to 'jump the gun' at the same time and in the same way? Why go to all the trouble of constructing fraudulent invoices from bogus hauliers, or in some cases farmers, if all that was being done was giving legitimate advance bonus payments or loans to workers? Why did the accountant or the manager in Cahir not tell John King that these were loans when he asked about the payments? Why did the accountant tell him that the payments were known to head office, if they were 'unauthorised'? And why did King find nothing in the books in Cahir recording these enigmatic loans?

As proof of the company's good faith, O'Carroll was given a copy of a hand-written memorandum of the meeting in Goodman headquarters on 7 April, though the memorandum seems to have been written on 29 April by Aidan Connor. It is written on an SKC notepad, even though no one from SKC was actually present at the meeting. Sean Mooney, the tax partner at SKC, could only speculate that 'the auditors would have been up in Ravensdale and maybe they left their pads around the place, their working pads, and they were just used.'[5] It records Larry Goodman's instructions that the relevant plant managers were to be 'forcefully reprimanded'. He also instructed that SKC were to be asked 'immediately' to finalise the proposed incentive scheme.

Larry Goodman himself, however, was directly involved in the fiction that the under-the-counter payments were 'loans' which were meant to be repaid by the recipients. On 8 April, he wrote to the individual companies in his group formally guaranteeing payment of 'loans made by you to employees'. This was, in effect a ruse on the company's part to deflect SKC's concerns and allow the auditors to sign the audited accounts for 1986. As the tribunal report put it, 'there is no reality' to such claims 'that these payments made to employees without deduction of PAYE or PRSI contributions were either unauthorised or represented loans to those employees . . . or that they would ever have to be repaid to the companies by their employees.'

Though the Revenue Commissioners did not become aware of this system of under-the-counter payments until 1991, when they were alerted to them through the tribunal and through bogus invoices produced by Democratic Left TD Pat Rabbitte, their subsequent investigations contradicted the explanations given to SKC in 1987. For one thing, the figure for under-the-counter payments prior to John King's discoveries was not £1.9 million, as Connor and Britton claimed, but at least £4.8 million.[6] For another, these payments went back at least to the early 1980s, and were thus not a question of local managers 'jumping the gun' on a bonus scheme that was under discussion in 1985 or 1986. Nor was it true that this was just a spontaneous local phenomenon. What the Revenue investigation found was a 'well plotted and sophisticated system of concealment'.

Between 1985 and 1990, Revenue investigators made about ninety inspections at Goodman plants and failed to uncover the under-the-counter payments. According to one of the investigators, Patrick Donnelly, the professionalism of the fraudulent recording was impressive.

> It had been organised by a large organisation and it had been organised by professionals. You had chartered accountants involved in the organisation of this, and they had put a lot of thought into it. This wasn't the corner shop deciding on a small-scale scheme which they hoped would defeat the Revenue. This was a different kind of thing altogether. When our people went out, they simply didn't find it, not for want of

looking. They spent some time out on these visits, and did not come upon the major items.

Patrick McGuinness, the plant accountant in the Goodman factory in Waterford, gave evidence that, when he was first employed by the company in 1984, he negotiated with Brian Britton a salary which was split between 'official earnings and unofficial earnings', which he was told was the 'normal way' in the company.[7] In fact, as SKC later admitted, nearly £4 million in untaxed payments was made to the Group's senior executives between 1986 and 1990.[8]

McGuinness estimated under-the-counter payments in the group at £3 million a year, a figure that was subsequently broadly confirmed by the Revenue.[9] He described the fraud as 'company wide'. He himself helped to organise the system in the Waterford plant, which was not mentioned at all by Brian Britton and Aidan Connor to SKC. Here, the same basic system as in Cahir was in operation, except that bogus livestock purchases instead of bogus hauliers were used as the foil for the cheques. And, while Larry Goodman was instructing that reprimands be issued to the managers involved in the payments, he received no such reprimand. All he was told was that a new 'method to legitimise the unrecorded payroll payments within the system' had been devised.[10]

Critically, even though SKC did devise a new incentive scheme, the under-the-counter system itself did not stop. For instance, a Revenue examination in August 1991 in the plant attached to the Ravensdale headquarters itself, discovered that the same system of invoices from bogus 'hauliers' was still in operation there in 1989, and that over £180,000 of tax-free cash payments to employees was generated through it in that one year alone. In all, SKC subsequently admitted to the Revenue that £5.5 million was paid in under-the-counter payments between the start of 1987 and the end of 1990. Most of this was disbursed after Larry Goodman's April 1987 'instructions' that the practice was to stop.[11]

While the under-the-counter payments didn't stop, SKC did set about constructing a system to turn this tax evasion into what it felt would be legitimate tax avoidance. Ironically, in view of the pressure which Goodman was now exerting on the government for substantial state industrial aids to be channelled into the Group, the new scheme was based on the exploitation of another state industrial aid, export sales tax relief (ESR). Introduced in 1956, ESR was a provision under which profits derived from export earnings could be free of tax. Its intention, as a Revenue official put it, was 'to give an incentive for investment in manufacturing in this country', but after its introduction companies saw in it 'possibilities for perhaps going beyond what was the original intention'. Thus, for instance, the export of ripened bananas which had been imported from Central America became an Irish manufacturing industry which could claim this lucrative tax relief.[12]

Goodman International's anxiety to avoid paying tax can be judged from the fact that in the years 1986–89 inclusive it paid just £80,000 in corporation tax, while at the same time drawing down massive benefits from the Exchequer. Faced with the discovery of the under-the-counter system, and with SKC's need to avoid colluding with tax evasion, top management gave the go-ahead for SKC to put in place a whole series of new companies within the Group structure. These companies were established purely and solely as a way of legitimising untaxed payments to workers. Each company would have a part of the Group's massive ESR reserves assigned to it, over £60 million in all. Every worker would become an employee of one of these companies. The cash payments would go on, but now they would be treated as 'dividends' paid to the workers as 'shareholders'. While, officially, these companies were now contractors providing services to the Group, their 'only purpose', as the examiner appointed to the group in 1990 put it, was to provide 'tax-effective remuneration'. At least £2.9 million was paid out in this way between 1987 and 1991.

Even if classed as legitimate tax avoidance, this was a singularly cynical use of state aids to industry, and one which raises all sorts of questions about the Group's application for direct state aid for its development plan. But there are serious doubts about the legitimacy of a number of the schemes that were implemented. Many of them were hidden from the Revenue when the Group's tax affairs were discussed during the examinership in 1990. When the Revenue looked at the books in all AIBP plants in 1992, these undeclared schemes were judged by them to be illegitimate, and they concluded that 'the payments made should be regarded as under-the-counter payments of untaxed remuneration'. This is disputed by the Group.[13]

Certainly, to the workers involved, it did not feel as though they were now shareholders and contractors instead of the same old shop-floor foot soldiers. Brendan Solan, who went to work as a general operative at AIBP in Cahir in May 1988, was told on his second day to go to the office and 'sign two forms, one stating that I applied for shares in a company called Cottismore Limited, and the other saying that I resigned from the company called Cottismore Limited. But there was a problem with the second form that I signed, because I had put a date on it, so I was called back and asked to sign another one without a date on it.'

He had 'no idea' what all of this was about. When he went back to the cold store where he was working, he asked his mates about it, 'because, well, if you find you have just bought a hundred shares in something, you want to know what it is.' He was told that the workers in the cold store had been pushing for overtime payments, but that the company had offered instead to 'take a third of the gross wages of each individual staff member in the cold store every week and put it into this company where it could be paid back once a month without tax or PRSI deductions.'[14]

In all, about £2.9 million was paid out under these dubiously legitimate schemes. Only £1.7 million of this was disclosed to the Revenue by SKC in 1990 when the Group went into examinership. In addition, the under-the-counter payments were not disclosed. When the Revenue approached SKC a year later as a result of information uncovered by the tribunal, the firm's explanation was that 'different pressures seem to have intervened to prevent this information being given' at the time.[15]

This determination to avoid, by foul means or fair, paying tax runs beneath the events of the two years after John King's discoveries in Cahir. While the Goodman Group was demanding and receiving more and more financial support from the Exchequer, it was at the same time going to great lengths to ensure that it contributed to that Exchequer only what could not, fraudulently or otherwise, be avoided. It was not going to give back with one hand what it was taking with the other. Both hands, rather, would be left free for the demanding task of filling Larry Goodman's pockets.

7

The Sweet Smiles of the Irish

JUST AS THE Irish Government's decision, in 1986, to treat Iraq as an unacceptable place in which to do business followed closely on an American decision to do likewise, so too Albert Reynolds's decision once again to provide credit for Iraq followed an American volte-face. The month before the Reynolds decision, the then American Vice-President, George Bush, had persuaded Eximbank, over the objections of its staff, to approve $200 million of new credits for Iraq. This decision was a geopolitical, not an economic one. Bush had emphasised to Eximbank's Chairman, John Bohn, 'the advantage for US regional policy of resuming short-term credit insurance for Iraq'.[1] The US administration had decided on a covert policy of supporting Iraq in the Iran-Iraq War, contrary to the thrust of the United Nations resolutions, a policy that continued right up to the invasion of Kuwait in 1990. Goodman International, at least, was well aware of this shift in US policy by mid-1987. On 9 July, for instance, Larry Goodman, having negotiated a huge new contract with the Iraqis, instructed Brian Britton to explore export credit possibilities in Ireland and France, but also instructed that 'we should look at the US government scheme which was applicable at that particular point in time – they were supporting exports to the Middle East.'[2]

It may, of course, be merely coincidental that changes in Irish policy on Iraq followed changes in US policy so closely. But there are strong indications that something more than coincidence was at work. In March 1987, for instance, just before the change of government in Ireland, Brian Britton of Goodman International was informed by Department of Industry and Commerce officials of the reasons why Iraq was still off-cover. One of the reasons given was that 'they were off-cover because of US aid to Iran'. This was presumably a reference to the Iran-Contra affair, in which security officials in the Reagan administration traded arms for hostages held by pro-Iranian groups in the Lebanon, and then used the Iranian payments for the arms as a source of illegal funding for the Contra forces working to undermine the Nicaraguan government. (Strangely, the US National Security Advisor Robert McFarlane and his advisers travelled for their secret meeting in Tehran with Irish passports, which they presented to Khomeini's 'security guards'.) In any case, this was a blunt admission that US policy had a direct bearing on Irish government actions.

Certainly, the American 'tilt' towards Iraq in 1986 and 1987 was matched by the determination of the Fianna Fáil government to support Saddam Hussein's regime in the war with Iran. Ireland was theoretically neutral in the conflict. Not only that, but as a member of the United Nations, Ireland was also bound, after 20 July 1987, by Resolution 598 of the UN Security Council, to support a peaceful resolution to the conflict and to 'exercise the utmost restraint and to refrain from any act which may lead to further escalation and widening of the conflict and thus to facilitate the implementation of the present resolution.'

In effect, however, Irish policy was to encourage an Iraqi victory. Charles Haughey told the tribunal that 'the concern was to be as helpful as possible to Iraq during the course of the war, so that when the war was over, we would be well placed to develop that market.'[3] Albert Reynolds, for his part, said that one of his considerations in reopening credit for Iraq was that 'there was no way that the Western states or indeed many of the Arab states were going to allow Iraq to lose the war.'[4] This undeclared breach of Irish neutrality must be seen as an important factor in the events that followed. There is not the slightest doubt that government aid, in the form of export credit guarantees, was distributed very unequally between the warring states. In 1987 and 1988, Irish beef companies, including Goodman International, were selling as much meat to Iran as they were to Iraq. In strict business terms, Iran was to prove a much more reliable and long-term customer. Yet the government's credit limit for Iran, set at £15 million in September 1987, was one-tenth of that set for Iraq. Effectively, and in spite of its UN commitments, the Irish government chose to imitate the US 'tilt' to Iraq.

What is certain is that, in the absence of some knowledge that the West in general and the United States in particular were going to ensure that Iraq did not lose the war, there was no obvious reason for optimism about the future of the Iraqi regime in March and April 1987. Not even Saddam Hussein was sanguine about his survival. Throughout March, Iran was seizing new areas of Iraqi Kurdistan. On 15 March, just after the Fianna Fáil government came to power in Ireland, Saddam warned a high-level meeting of military and political leaders in Baghdad of the possibility of a slow defeat through attrition. On 21 March, Saddam staged massive demonstrations in Baghdad merely to mark the fact that Iraq had not been defeated in time for the Iranian New Year, showing that 'his government regarded not being defeated as victory'. And on 15 April, just at the time when Albert Reynolds was reopening credit for Iraq, the Iraqi regime used chemical weapons against twenty Kurdish villages in flagrant defiance of international law.[5]

Ironically, support for UN Resolution 598 was pronounced in a letter from Charles Haughey to Saddam Hussein in September 1989, in which he expressed the hope that its implementation might lead to Iraq being able to 'continue without interruption its work of economic and social development for the benefit of its people.' Charles Haughey himself would seem to have been favourably disposed towards the Baghdad regime. He had visited Baghdad in his capacity as Minister for Health in the late 1970s, at a time when an Aer Lingus subsidiary, PARC, was taking over the running of the government Ibn-al-Bitar hospital in the city and had, according to Albert Reynolds, 'developed a very good relationship with the health authorities in Iraq'.

> During my memorable visits to your country, [Haughey wrote to Saddam] I saw at first hand what was being achieved and decided that Ireland should seek a closer relationship with Iraq and develop mutually beneficial economic ties. The establishment of a resident embassy in Baghdad in 1986 was an expression of this desire. I am very pleased that the friendly and sympathetic relations between our two countries continue to develop and to take on more substance in areas such as co-operation in the field of health care and that some Irish economic interests have been able to contribute to what Iraq has achieved in the economic and social fields under your leadership and guidance.

Little is known about the political, as opposed to straightforwardly economic, relations between Ireland and Iraq in the 1980s, and much may never be known because almost all the files in the Irish Embassy in Baghdad were shredded or burned before its staff left in early 1991. What is clear is that from the very start, the Irish government can have been under no illusion as to the nature of the regime they were dealing with. The first Irish resident Ambassador in Baghdad spent Christmas Day 1986 with his wife at the airport in Baghdad, attempting to clear the importation of a typewriter for the Embassy. Such an object was, according to the Ambassador, 'treated almost like a secret weapon in Iraq'.

The Ambassador, Patrick McCabe, confirmed that his Embassy did 'quite extensive political work' as well as its economic work. None of this was within the remit of the tribunal, however. Few details of any of the 'at least twenty-two' meetings which the Ambassador had with Iraqi government ministers between November 1986 and December 1989 have become available. It is safe to assume, however, that these contacts were characterised on the Iraqi side by the same penchant for manipulative game-playing which they brought to all dealings with Western governments. They gave the Irish to understand that there was a special relationship of sorts, that 'because of our friendly relations with you, the fact that we like the sweet smiles of the Irish, the fact that you have a major hospital here and so on we are prepared to make an exception for you.'[6]

One small example that we do know something about is a meeting in Baghdad in October 1989, between Nizar Hamdoom, the Iraqi Under-Secretary for Foreign Affairs and a key figure in its international strategy, and P. Murphy, Political Director in the Irish Department of Foreign Affairs. We know of this meeting from the Haughey letter to Saddam, where it is described as 'political consultations', and in which the hope is expressed that 'these discussions will assist a deeper understanding of the positions of our respective countries on the main international issues, including those issues which affect our two countries most deeply.'

From the Irish point of view, this was certainly a normal diplomatic meeting. But we know from American documents that Nizar Hamdoom had a large hidden agenda. The Iraqgate scandal was beginning to unravel in the US, with the Iraq-related frauds at the BNL bank in Atlanta coming to light and Iraqi officials admitting that bribes and kickbacks had been included in the prices of contracts covered by the US government, and that they were regarded as a 'normal Iraqi business practice'. With the Bush administration wavering on its commitments to give the Iraqis a further $1 billion in agricultural credits, Hamdoom threatened the American Embassy in Baghdad that, if the Americans failed to cough up, Iraq would cultivate alternative suppliers for agricultural products. The cable to the State Department in Washington from the US Embassy in Baghdad gives some idea of what was on Hamdoom's mind at the time when he was arranging 'political consultations' with the Irish:

> With his mailed fist still in his velvet glove, Hamdoom then pointed out that Iraq does have alternative sources of supply to which it could turn if the US were unwilling to commit itself to a program. These sources which he said need not be named, often complain to the GOI [Government of Iraq] that the US receives preferential treatment in agricultural trade. These same sources also accuse Iraq of favouring the US when it comes to repaying its debts. Comment: implicit in Hamdoom's remarks was the suggestion that should we be unable to agree to a program, Iraq would have to rethink both its dependence on US suppliers and the priority treatment it accords to US creditors in the repayment of its debts.[7]

Unknown to the Irish government, which sent a diplomat to meet Hamdoom at the same time, the Iraqis were playing for vastly bigger stakes than the Irish, who were trying to prop up their beef industry. For the Iraqis, the relationship between agricultural supplies, export credit, relations with other governments and the repayment of debt was vastly more deadly and complex than could be dreamt of in the calm corridors of Kildare Street.

Irish naïvety about Iraqi intentions was complemented throughout by a degree of cynicism. In effect, there was a vested interest for the Irish authorities, not merely in friendship with Iraq, but in the survival in power of Saddam Hussein. As John Swift, the Assistant Secretary of the Department of Foreign Affairs, put it, 'although it had a non-democratic government, that government was relatively stable'. That the price of stability was a degree of terror unmatched since the heydays of Hitler and Stalin does not seem to have worried the Irish government. And, as the Fianna Fáil administration became more and more intricately involved in Iraq, it also began to take a more active, positive interest in the survival of Saddam. If he were to be overthrown, the chances of the repayment of debts incurred to feed his army would be slim. The Irish government was acquiring a stake in the survival of the world's most repressive regime.

8
PRIVATE NUMBERS

THE DOOR WAS open, but Larry Goodman had as yet only one foot over the threshold. Iraq was back on-cover, but the amounts actually granted were as yet small, much too small for the scale of Goodman's ambitions in Iraq. Within days of Albert Reynolds's decision of April 1987 to reopen cover, Brian Britton of Goodman International was in the Department of Industry and Commerce to negotiate terms with Assistant Secretary Ted O'Reilly.

This deal was essentially a secret one. At the end of the meeting, according to the official minute, 'Mr O'Reilly said that as the Department was not open to all comers for export credit insurance to Iraq, it would be as well if Anglo-Irish did not give such an impression to other exporters.'

The deal was therefore secret and exclusive, a large step towards the fulfilment of the desire which Larry Goodman had expressed to Albert Reynolds a few days before, that he alone should get whatever was going in Iraq. The chances of Goodman letting other exporters know of his coup were in reality rather slim. His unique position as an Irish beef exporter with export credit in Iraq was one which he could exploit profitably in that country.

This is precisely what he did. When Brian Britton was negotiating with Ted O'Reilly, he outlined Goodman International's anticipation of a $32 to $35 million contract for which the company was to tender the following week. In fact, within weeks Larry Goodman was in Baghdad negotiating for a contract four times more valuable. By 2 July, he had signed a contract with the Iraqis for beef worth $134.5 million, the largest ever entered into by his company. Albert Reynolds's decision had helped to increase the value of Goodman's Iraqi business by $100 million.

A mark of how critical Albert Reynolds's decisions now were for the company came on 6 May, in a frantic telex to Brian Britton's secretary from Larry Goodman in Baghdad:

> Please contact Brian with the following message. He is to phone Albert Reynolds at home, if necessary, and before the next Cabinet meeting, as we understand the Government decision will be given on his proposal to open up and increase facility for Iraq. Advise AR that we'll require a very substantial amount for here i.e. if they are to give £50 million, we'll require £50 million, or if it is £33 million, we'll require £33 million. Advise AR that I will contact him immediately on my return. It is of critical importance that Brian contact AR today, Wednesday, re above. AR telephone numbers are as follows . . . [Reynolds's private phone numbers are given, and a note is added:] Advise AR LG to contact immediately on return. Remind him of LG conversation when reinstating cover to us as only supplier. Do it diplomatically.

According to Larry Goodman, what he had in mind was his conversation with Reynolds in April, where 'I would have said if you are going to give export credit, we are entitled to it, and don't go off giving it to others. They are not entitled to it, and it will result in a lower price being obtained.'[1]

Two days later, Brian Britton replied in a memo to Larry Goodman, now back in Ireland, telling him that Reynolds had been in Germany but was returning on that day, a Friday, and heading for his home in Longford.

> Now that you are back in the country, and because of the delicacy of the matter discussed by you with him, regarding restricting Iraqi cover to us as the only supplier, I have left a message for Albert Reynolds to ring you at home over the weekend. When his private secretary asked for your number, I declined to give it because of confidentiality but intimated to

> him that I believed that AR already had it. If he cannot get you I have taken the precaution of also leaving my home number with his secretary. Contact me at home if you would like to discuss this.

A PS to this memo, already mentioned, adds 'position on C&D and FVF is on attached memo'.

Some aspects of these memos are remarkable. One is the confident tone of the company in dealing with the Minister for Industry and Commerce. It is expected that the Minister will comply with a request to phone Larry Goodman from his home on a Saturday. The Minister's private numbers are given to Brian Britton by Larry Goodman, but the Minister cannot be given Larry Goodman's private number. Another is the apparent knowledge of what is to be discussed by the Cabinet. Yet another is that, rather than getting a contract and then seeking cover for it, Larry Goodman expects to be able to book all available cover in advance, so that whatever is to be allocated will already be earmarked for one private company.

In the event, Albert Reynolds responded to Brian Britton's message by ringing him on his return from Germany that Friday evening. He rang Britton's home, and spoke to his son. Britton then rang the Minister back 'to tell him Mr Goodman was back in the country'.[2] Brian Britton presumed 'that Larry Goodman contacted Albert Reynolds directly. I had no further contact with the Minister and with Mr Goodman being back in the country and Mr Reynolds being back in the country, I presume both of them spoke to each other.' Larry Goodman was also of the view that 'it would have been my normal style to try to make contact with the Minister, and keep him or the Department, through Brian or whatever, aware of the state of negotiations or developments.' He felt it 'highly likely' that he spoke to Reynolds about the Iraqi contracts either on the phone that weekend or at meetings to discuss the development plan on 19 and 21 May.[3] Likewise, he 'would have discussed' the same issue with the

Taoiseach, Charles Haughey, on 16 and 19 May, when the two met, and had 'gone over all those things again'.

There is in fact a serious conflict of evidence about this issue between Britton and Goodman on the one side, and Reynolds and Haughey on the other. While Goodman said that he told both the latter about the nature of the contracts he was negotiating in Iraq, Reynolds denied this. Asked 'in the course of these meetings [in May] were you told by any of the Goodman side that they were seeking a contract for $130 million or a contract of those sort of terms in Iraq?' he replied, 'No. They were constantly in Iraq looking for business but the question of the contract of the size of $134 million, no.'

Q: That was not told to you in May?
A: No.

Yet state counsel, acting for Reynolds himself, put it to Larry Goodman that, 'Presumably, when you met Mr Reynolds in May 1987, you would have told him that you were negotiating in Iraq, and that you were negotiating what might turn out to be a fairly substantial contract or contracts?' Goodman replied, 'Correct.'

Q: Again, I assume that he took that information on board and heard what you had to say?
A: Correct.

Likewise, Charles Haughey denied knowing anything about the scale of the contracts which Goodman was negotiating in Iraq until the matter came before government in September 1987.[4]

The report of the tribunal notes that

> it is difficult to understand how nobody recollects the circumstances under which notice was given to the Minister for Industry and Commerce that the Goodman Group would be making an application for export credit insurance in respect of the largest contract for the export of beef ever negotiated by an exporter within the State.

9

A Second Ferret Down the Hole

WHILE GOODMAN WAS keeping the pressure on, other Irish beef companies were beginning to sniff around the prospect of increased business in Iraq. In June, Colm Halloran, the Sales Director of Agra Trading, made a routine request to the Irish Embassy in Baghdad for assistance in getting a visa to enter Iraq. It was, or should have been, a standard procedure, a Western embassy performing one of its basic functions in helping one of its country's businessmen to get access to a potential market.

Agra had some experience in the Iraqi market, having sold some beef from Northern Ireland there in 1982. In 1983 and 1984 the company had applied for export credit cover for small amounts of beef for Iraq, but had been turned down, and in any case did not conclude any contracts. In November 1984, the company's Finance Director, John Egan, had been told by the Insurance Corporation of Ireland that the matter of export credit was 'highly politicised'. In 1986, however, the company hired an Iraqi agent to act for it in Baghdad, and it had serious designs on the large tenders coming up in the autumn of 1987. In order to get a visa for Iraq, the 'normal procedure' was that an Iraqi company issued an invitation to the foreign company for personnel to come to Baghdad to discuss business. Such invitations were secured and processed by the Irish Embassy. Visa requests were referred from the Iraqi Embassy in London to Baghdad, which in turn sought information from the Irish Embassy in Baghdad.

The Embassy had been opened in 1986 when the Irish Embassy in Beirut was damaged in a bomb attack and closed. Ironically, the bomb had been aimed not at the Embassy, but at a branch of the Iraqi Rafidain Bank housed in the same building. Even before the Embassy in Baghdad opened, however, Larry Goodman had a special relationship with it. The announcement of that opening was delayed by the Fine Gael/Labour government in order to avoid any possible embarrassment for Goodman, who was at the time signing contracts with the Iranian government. In July 1986 the Cabinet decided 'to defer the announcement of the transfer of the Embassy to Baghdad until the current negotiations concerning meat exports to Iran have concluded.' This sensitivity in the conduct of diplomatic affairs to Larry Goodman's wishes was, however, a very mild foretaste of what was to follow in 1987 when one of his competitors, Agra, sought the routine assistance of its officials.

Larry Goodman was not in the habit of showing deference to Irish diplomats. In 1985, for instance, when he was concerned that some business he was doing in Egypt was being held up by the failure of the Irish and Egyptian governments to sign a co-operation protocol, the Department of Foreign Affairs files record that 'Goodman rang the Ambassador . . . and read him the riot act about lack of progress.'[1]

On 9 June 1987, an official in the Department of Foreign Affairs in Dublin telexed the Baghdad Embassy with the information that Agra was looking for help with its application for a visa. The Embassy, asked to 'make the appropriate inquiries in support of Mr Halloran's request', telexed back a week later with a request for more information about Agra and Colm Halloran. A reply the same day made it clear that Agra was a respectable company, that its owner, Friedhelm Danz, was 'well known to the Department', and so on.

In normal circumstances, that should have been the end of

the correspondence. But these were not normal circumstances. The Embassy got back in touch with Dublin, this time expressing serious concerns that raised the matter well out of the daily routine. The Ambassador, Patrick McCabe, was, according to the contemporary correspondence, 'clearly concerned about what was taking place and required an instruction in writing from Dublin'. What turned a routine matter into an issue on which an ambassador insisted on written instructions, an issue which was regarded as sufficiently serious to involve both the Taoiseach and the Tanaiste, was the intervention of Larry Goodman.

Larry Goodman was in Baghdad at the time, negotiating what turned out to be his biggest ever contract. These negotiations were, as the Ambassador called them, a 'most delicate matter'. He became aware of Agra's possible interest in the market, and felt that he should let the Ambassador know that 'any involvement by others at that point in time, that it would be difficult, in terms of the outcome of any possible involvement. That's the type of feeling I would have been trying to convey, in that it could be very serious.'[2] At dinner in the Embassy, Larry Goodman made it clear that he wanted the Irish diplomats in Baghdad to give no assistance of any kind to any of his competitors. He had, he said, an arrangement with CBF, the Irish state meat board, that it would not introduce any of his competitors into any market in which he was active. He threatened that if the Embassy did not do as it was told he would 'put it about in the Dublin media that the Department of Foreign Affairs had queered his pitch' in Baghdad.

Larry Goodman denied having used these words, because 'the word "queered" isn't a word I would have used, for a start.' He did not think he would have made threats about the media because 'I wasn't in direct contact with the media'.[3] What he probably said, he thought, was 'this thing is going to end up in the papers'. Had he spoken to the Ambassador in the terms used in the contemporary record, he said, that 'would have been intimidating'. His recollection was that 'maybe I was upset at the time' but that he had spoken 'perhaps not as strongly as may have been outlined'.

As it happens, Larry Goodman's concerns that the Iraqis might be trying to use Agra as a lever in price negotiations against himself were not merely unfounded, but would have appeared to the Embassy to be obviously groundless. What made this immediately obvious was the very fact that Agra was having some difficulty getting a visa. As Ambassador McCabe explained to the tribunal:

> If the Iraqi Embassy in London had good reason to believe that it would be helpful to some Iraqi economic entity to have a particular exporter come into the market, for example to bid down another exporter from the same country who had already tendered and was in negotiations in the market, in such circumstances, to my recollection, they would be very quick indeed in issuing visas . . . If an Iraqi company wanted to see an Irish or another foreign company double quick, the company got a visa double quick.[4]

In any case, the Irish Embassy in Moscow had shown no reluctance the previous year when the situations were reversed, with Agra already in the market and Goodman trying to break in. With the boot on the other foot, the Embassy had set up contacts with Soviet ministers and helped the Goodman company to get telephone and telex lines. Even so, Ambassador McCabe in Baghdad still 'felt myself obliged to take seriously what Mr Goodman had to say', because 'he had indicated that he was willing to put the institution which I worked for in a possibly difficult situation.'

Goodman's words were therefore regarded as threats, and were almost immediately communicated back to Dublin with a request from the Ambassador for written instructions, and a statement that he was concerned that the Department of Foreign Affairs could be placed in a difficult situation at home. The request for instructions in writing was, according to John Swift, 'unusual to the extent that a request for an invitation and a visa was not a matter where, normally speaking, instruction would be sought, or instruction in writing might be sought.' Again according to Swift, 'I have no doubt that Mr Goodman's concerns, related in a forceful way to the Ambassador, certainly influenced the Ambassador with regard to the reality of what Mr Goodman was telling him.'

Some notion of the effect which Larry Goodman's visit to the Embassy had on the normally phlegmatic world of Irish diplomacy can be had from the fact that in subsequent correspondence Mr Goodman was referred to as a 'visitor'. This locution seems innocent until John Swift's explanation is added: 'The visitors that were referred to orally from time to time in exchanges with the Embassy normally referred to the shelling of Baghdad by the Iranians. In other words, to missiles, shall we say, of hostile intent.'

The urgent communication to the Department of Foreign Affairs warned of 'the risk that would be involved to the Department if Mr Goodman learned of the assistance we offered to other companies and was angered at the risk of possible upset for his business.' It is by any standards pretty astonishing that this degree of fear of a private citizen should be expressed by an embassy of a sovereign state. It is unlikely that that fear was inspired merely by a threat to blacken the Department in the papers, since the Department's view of Ambassador McCabe was that it was 'a fair assumption' that he was a man unlikely to be intimidated by such a threat alone.[5] Goodman was clearly regarded as a man with extraordinary influence. Although the threats were regarded by the Department as 'most improper',[6] it proceeded to act on them.

This risk was taken so seriously that a memorandum for the Secretary of the Department of Foreign Affairs was drawn up, and John Swift, the Assistant Secretary in charge of the Foreign Earnings Division, discussed the matter with Brian Lenihan, the Minister for Foreign Affairs and Tanaiste, on 9 July. Not only, however, did the second most senior political leader in the country become involved, but it was also considered by officials to be of interest to the Taoiseach, Charles Haughey. A note marked 'highly confidential' and 'Baghdad – NB not recommended for use in Cabinet. For direct conversation with Taoiseach, if considered suitable', was also given by Swift to Lenihan. It contained the information that 'a major Irish exporter signed contracts in Baghdad for substantial tonnages of beef for delivery within the next 12 months.'

As to why this matter should be brought to the attention of Charles Haughey, Swift explained that:

> It was my understanding that the Taoiseach had a particular interest in the matters relating to economic relations with Iraq in the broader sense . . . I know that because the matter came up more than once that he had a particular interest in Iraq since the time, as Minister for Health, that he had visited Iraq.

This was an interest which Swift understood Brian Lenihan to be aware of. 'It was a question of his consulting, if he considered the matter suitable, that he could, that he might wish, to mention it to the Taoiseach.'[7]

It is also clear that there was considerable uncertainty in the Department about whether or not the Cabinet could be let in on this information. One of the notes prepared for Brian Lenihan is stated to be 'for possible use by the Tanaiste in Cabinet discussions on the 1988 Budget', on the face of it an unusual fate for information arising from a routine visa application. Another note, containing the same information, is specifically said not to be for use in Cabinet. Swift admitted to the tribunal that 'I find it difficult at this stage to explain why.'

Also uncertain is whether or not Brian Lenihan did in fact take the matter up with Charles Haughey. Lenihan did not give evidence to the tribunal. Haughey said he was unable to recollect anything about it: 'It all seems very mysterious to me, I must say.'[8] It is indeed mysterious that a matter which the Department of Foreign Affairs defined as 'a request for normal embassy assistance' was considered by them likely to be of particular interest to the man who was running the country, though as we shall see the same procedure was repeated again in 1989. No explanation for it has yet emerged. Whether or not Brian Lenihan discussed the Goodman contracts with Charles Haughey, the Taoiseach almost certainly knew about them already, since Larry Goodman, according to his own testimony, had discussed them with him in May.

The visa application from the innocent and unsuspecting Agra was deemed so important that it was also discussed with the Assistant Secretary of the Department of Agriculture, Derek Mockler, who summed the dilemma up by saying that he was 'not too happy about putting a second ferret in the hole. On the other hand, [we] cannot treat one trader different from others.' Mockler, in turn, raised the issue with his Departmental Secretary, ensuring that two of the country's most senior civil servants, as well as the Taoiseach and Tanaiste, were now involved in considering a routine piece of embassy office work. Such was the power of threats which Larry Goodman, by his own account, did not even issue.

In any case, no action was taken on Agra's request until 15 July, when the written instructions demanded by Ambassador McCabe were finally issued. It was now six days since Brian Lenihan had been consulted, and six weeks since Agra had asked for assistance. The instruction was simply to 'approach the local authorities and support the request of Mr C. Halloran for invitation to visit the country.' Added to this was the rider that 'it is not necessary to go beyond these minimal facilitations in present circumstances'. This was the line which Brian Lenihan had instructed his Department officials to take.[9] It was described internally as 'the minimum required to maintain our standing and credibility vis-à-vis exporters in general'.

These instructions were about as grudging as they possibly could be. But they were in fact a much more 'minimal facilitation' than they appeared. For by now, there was no point in Halloran travelling to Baghdad at all, since in the period of the delay, Larry Goodman had signed his $134.5 million contract (on 2 July), and this fact was known to the Embassy, the Department, and almost certainly to the politicians involved. John Swift in Foreign Affairs agreed that it was a 'fair conclusion' that 'there was unlikely to be any danger of Agra interfering in the process negotiated between Mr Goodman and the Iraqi state companies.' He also agreed that 'the Ambassador had the effect of preventing anything being done about the Agra request during the period while Mr Goodman apparently negotiated for and signed a contract.' Ambassador McCabe, however, stressed 'most emphatically' that this had not been his intention.

As if all of this was not sufficient protection from the risk of Mr Goodman being angered, Foreign Affairs in Dublin was still anxious to be armed with reassurance that the Irish Embassy in Baghdad was doing all it could to be of assistance to him. In the same telex as the one permitting minimal facilitation for Agra, John Swift included a request that the Embassy furnish a report on 'what ways you were able to be of help to' Larry Goodman.

Ambassador McCabe replied by counting the ways. The first of these was a mark both of how privileged a guest Larry Goodman now was in Iraqi eyes, and of the role of the Embassy in helping to establish that status for him. The Ambassador added that he had 'helped considerably by arranging for [Goodman's] private aircraft to land at Baghdad airport'. Amidst a desperate war, with all facilities devoted primarily to military needs, and with Baghdad itself under sporadic air attack, being allowed to land a private jet was, as McCabe subsequently described it, 'quite a coup'.[10] It reinforced the view of the Department that Larry Goodman was 'clearly considered an important contact by the Iraqi side'. (Around the same time, Goodman was also being allowed to use military facilities in Ireland. According to his counsel, the flight captain on Goodman's jet had 'made a private arrangement' with an Irish Air Corps officer by which space at Baldonnell military aerodrome outside Dublin was rented out to Goodman while facilities were being constructed for him at Dublin Airport.[11])

The second means of assistance boasted of by the Ambassador was that he had 'accompanied [Goodman] at the outset of negotiations with senior management of the Iraqi Company for Agricultural Products Marketing [ICAPM] and made a suitable speech to demonstrate support.' (At this stage, even tender documents from this company described Larry Goodman as the 'famous friend of ICAPM'.) Thirdly, the First Secretary at the Embassy, John Rowan, briefed Goodman on the significance of the allocation of some Iraqi state resources from ICAPM to the semistate Company for Grain and Foodstuff Trading, and had been 'in touch with such enterprises to make clear the Embassy's support'.

Ironically, in the course of these briefings, Rowan had warned Goodman of the 'problematic payment situation in Iraq and the importance of adequate export insurance cover'. Such a warning was hardly necessary in Goodman's case, though it might have been useful to the Minister for Industry and Commerce, who did not, however, seek the Embassy's advice before doling out such cover so lavishly. The Department of Foreign Affairs, according to John Swift, was unaware at the time of 'the effect the negotiated contract would have in relation to export credit'.

In addition, Ambassador McCabe had personally 'made clear' to the Iraqi Minister for Agriculture and the Minister for Trade 'our support for the company's activities in Iraq'. That there may have been further examples of assistance to Goodman is suggested by the addition to this list of a note saying 'I shall send you a personal note on other aspects'.[12] Whether or not such a note was ever sent is unclear. It was never found in the Department files.

There is no doubt that the cumulative effect of all these measures would have been to strengthen in the mind of the Iraqis a complete identification of the Irish state with Goodman International. The Iraqis would in any case have had difficulty in distinguishing private interests from state interests, given their own system in which no such distinction was permitted. But every move by the Irish Embassy reinforced the impression that there was in fact no such distinction – and, what is more, the Department of Foreign Affairs understood this quite well. John Swift's view was that the Iraqi officials

> had a very genuine difficulty occasionally in understanding what exactly was the relationship between say the effort made through the Irish Embassy, the effort made through what were effectively State-sponsored bodies in Iraq . . . and the private sector. It wasn't always easy for them to, shall we say, take up the various nuances of Government direction, Government interference, Government promotion.[13]

He acknowledged that there was 'a certain risk of misleading the Iraqi authorities or giving them, shall we say, a certain view of that relationship' between state and company.

Yet, in spite of knowing this risk, the Embassy did a great deal to increase it. It was a process that was to continue over the next two years, to such an extent that John Swift felt it necessary to remark in a telex to the Baghdad Embassy in 1989 that 'Goodman's interest does not necessarily coincide with those of the State.'[14] That such a reminder became necessary at all was a mark of how much the boundaries between the interests of a private company and those of the Irish state were, from the summer of 1987 onwards, being blurred.

10

PLAYING POKER

WHILE THE IRISH Embassy in Baghdad was being so helpful, back home in Dublin the government it represented was carrying on the process of aiding Larry Goodman in every way. After the meeting in April between Goodman, Brian Britton, and the government ministers to discuss the five-year development plan, Joe Walsh, then the junior Minister for Food, had been appointed to co-ordinate all aspects of the deal. Within little over a fortnight, the formal, if unlawful, government decision to 'make every effort to bring the project to a successful conclusion' had been taken, and the Board and Authority of the IDA had been informed of the government's intentions. Albert Reynolds and the Minister for Finance, Ray McSharry, were designated as the key ministers in seeing the deal through, and Joe Walsh understood that he was to turn to them for advice and assistance. For Walsh, it was to be the 'priority project for the next few months, because the riding instructions . . . I got from the Taoiseach at the meeting in April was to kick-start this particular project and to get on with it.'

He and the IDA were under severe pressure, with the government discussing the matter again on 8 May and stressing 'the necessity for an early IDA meeting'. But it quickly became apparent that there were serious problems over funding. Quite simply, Larry Goodman was demanding more money from the state than the state could be expected to give.

The plan itself was not a Fianna Fáil invention and had been on the table since at least September 1986, when Larry Goodman had held discussions with Sean Donnelly, then head of the Natural Resources Division of the IDA, arising out of preliminary contacts going back to the previous May. The plan had taken firm shape with the presentation of a Summary Strategic Document to the IDA by Goodman International in December 1986. The shape of that strategy was to remain constant over the next three years, so that what was at issue in the breakdown of negotiations in May 1987 was not strategy but money. In essence, Goodman wanted the plan to be 75 per cent funded from public sources, with £90 million directly from the state, while the IDA was prepared to offer £13 million.

The plan itself was not particularly controversial. It was based on a belief in the IDA that, as Sean Donnelly told the *Irish Times*, 'we have to stop trying to be "fair" to everyone. We have to direct assistance towards those companies which have the greatest potential and capability to grow and a clear strategic direction underlying their growth path.'[1] Given such a strategy of trying to create a number of key indigenous multinational companies, Goodman International was an obvious choice for state assistance. It was aggressive, export-oriented, and it had grown at a phenomenal rate to become Europe's largest beef processor, with a turnover of £500 million a year, accounting at this stage for about 4 per cent of Ireland's GNP. Its plan for creating a high-tech, high-added-value food industry, and for getting Irish beef out of the rut of dependence on EC intervention sales and unstable third-country markets, was, as Charles Haughey put it, 'heaven sent'. It was just what the IDA and the government wanted to hear.

The real questions were not, therefore, about the plan itself, but about Goodman's commitment to implementing it. Even at this early stage, there were good reasons for at least a degree of scepticism on the part of the state. For one thing, the events at Waterford and Ballymun, known about in government circles since March, might have been expected to create at least some concern about the company's vision of a clean, super-efficient, ruggedly free-market beef industry. Yet no attempt was made to raise these blemishes on his Group's record with Goodman at the April meeting.

For another, it was patently obvious, at least to Albert Reynolds, the minister in charge of the IDA, that Goodman was intensely interested in a market in Iraq which was of precisely the kind that the plan was supposed to be getting away from. And as matters unfolded, other aspects of events at Goodman's companies would also come directly into conflict with stated government economic policy. The least that might have been expected was a degree of caution in committing the future of such a major native industry to the company. In fact, however, the main effect of government actions was to override whatever caution anyone expressed about the project.

On the morning of 15 May, negotiations between the IDA and Goodman International had broken down almost completely, and Larry Goodman had walked out of a meeting called to discuss the plan, an event which put the whole project directly back into the laps of politicians, and made what happened next a matter of some political significance. One reason it is significant is that so many of the participants found it initially difficult to recall their own involvement with any accuracy. When they were first questioned by the tribunal, a number of the key figures recalled events in such a way as to play down very substantially the degree of political involvement in the negotiations.

On the evening of 15 May 1987, a Friday, Martin Lowery, Executive Director of the IDA, rang the office of the Taoiseach, Charles Haughey. Negotiations had broken down, and it is clear from the official memorandum of the phone call that Lowery was concerned that Larry Goodman would be in contact with Charles Haughey or Albert Reynolds over the weekend, and that it was therefore urgently necessary for the IDA to explain its own position. The urgency, in

Lowery's mind, came from the need to get to the Taoiseach before Goodman could.[2] 'We rang on suspicion that [Goodman] might approach a politician, given that negotiations had broken down.'

Even though the IDA is a state agency, and as such might normally expect to be automatically supported by government in negotiations with a private company, Martin Lowery still felt that when dealing with Goodman International, 'it clearly would be advantageous to the IDA to have our position, our innovative position, and the very good offer that we believed we were making, on the record with any politician that Mr Goodman might approach . . . I think it was sensible to move first.' The call was therefore essentially a defensive move against any pressure which Goodman might be able to bring to bear on the politicians.

In the call, Martin Lowery made it clear that the IDA had gone as far as it reasonably could go with its offer of £13 million. The memorandum of his call to Haughey notes him as saying that 'IDA find it difficult to see how they can make a better offer to Mr Goodman. They consider the package offered is a very good and innovative one.' He expressed the view that 'a game of poker is being played', implying that there was a necessity for the government side to call Goodman's bluff.

The note of this call was passed on from the official who took it to the Secretary of the Department of the Taoiseach, Padraig Ó hUiginn, who in turn passed it to Charles Haughey, with a note drawing particular attention to the Goodman demand for £90 million from the state and the EC and adding that 'you may wish to discuss with relevant Ministers'. At this critical juncture, therefore, Haughey was given detailed knowledge of the course of the negotiations, the nature of the IDA offer, and the demands being made by the Goodman side.

What is remarkable is that, until this document surfaced at the tribunal, both Lowery and Ó hUiginn strongly implied that the Taoiseach's office had not been involved at this stage.

Ó hUiginn had maintained that his first knowledge of the Goodman plan was in June 1987, when the deal was announced to the public, and that even then 'I wouldn't have been aware of it in any acute sense.'

Lowery, for his part, when asked about political involvement in the negotiations, had failed to make any reference to Haughey and had said that IDA 'didn't have to deal with the political bosses' over the package and that 'my only interaction with a politician was at a meeting of June 2nd at which Mr Walsh attended'. After the memorandum of the phone call surfaced, he said that he had 'no recollection whatever of making that phone call, but I obviously did.' Ó hUiginn also said he had forgotten the call, even though 'on the day I attached enormous importance' to it. He added, confusingly, 'I would remember this. I was closely involved and knew something about this. I was closely involved.'[3]

Adding to the understatement of the involvement of Charles Haughey in the matter was the evidence of Joe Walsh, again before the memo surfaced, that there had not been any discussions between himself and Haughey about the progress of the deal and that Haughey 'hadn't anything to do with it'.[4] Charles Haughey's evidence, directly contradictory, was that Joe Walsh and he discussed the plan even before the 9 April meeting, and that it was Joe Walsh who 'informed me about it, brought it to my attention'.[5]

In any event, over the weekend following Martin Lowery's call to Haughey's office, the Taoiseach and Albert Reynolds became directly involved in the negotiations for the deal between Goodman and the IDA. Such an involvement would not seem to be in keeping with Haughey's own understanding of the relationship between government and the IDA, which he described as one in which

> the IDA did their own business in their own way . . . I think you should make a distinction between government and the IDA. The IDA had a specific role to evaluate, negotiate, the details of a commercial project because they would be

> giving out grants in taxpayers' money. We Ministers [were] the people in charge of overall policy, particularly agricultural policy and policy for the beef industry. They were two separate functions.[6]

Over the course of these few days, however, the line between negotiation and policy was crossed.

It is clear that Haughey and Goodman were in touch over the weekend following the IDA's message, because they arranged to meet on Monday morning at Haughey's Georgian mansion, Abbeville, in Kinsealy, outside Dublin city. According to Larry Goodman, this 'may well have been' his first visit to Abbeville, but 'I wouldn't be overawed by things like that. I am a simple man. I don't get carried away by invitations to places.' Haughey did not recall any awe on Goodman's part either: 'Mr Goodman wanted to give me, complain to me about the impossibility of the negotiating stance of the IDA.' Larry Goodman denied this: 'I wouldn't have been complaining about the IDA . . . We weren't going along and saying the IDA are messing us about. We were saying we were not getting what we wanted.' Even though the IDA had made it clear to him that it could not see a possibility of increasing its offer to Goodman, the Taoiseach listened to Goodman's representations, and contacted Albert Reynolds and Joe Walsh to tell them to 'get going and see if, using their good offices as honest brokers, to get the negotiations back on the rails.' Implicit in that instruction was a judgement that the IDA would have to improve on its maximum offer to Goodman.

What is most extraordinary is that in issuing this instruction, Haughey, according to himself, did not mention to Joe Walsh that he had met Larry Goodman that morning.

Albert Reynolds and Joe Walsh had already met Brian Britton of Goodman the previous week to discuss the plan, though the IDA does not seem to have been told about these contacts. The meeting was apparently short, and no notes were taken. Another meeting, this time between Albert Reynolds and Larry Goodman, was arranged for 19 May, the day after Haughey's meeting with Goodman. Before this meeting, which took place at 7pm, Reynolds met, at his request, with the IDA negotiators, and asked them if they could offer Goodman more money. The plan was discussed at length and in detail, and 'the benefits that would accrue to the economy' were analysed.

Padraig White, Managing Director of the IDA, took the view that while the intervention of Reynolds and Walsh at this stage was helpful, the line being put forward by them at this meeting represented 'some of the Goodman view certainly'.[7] For instance, on the issue of Section 84 tax-based financing, which the IDA was putting forward as an alternative to direct state funding, 'the Government expressed the Goodman industry view that this could be arranged independent of IDA anyway'. White felt that the IDA 'were being pushed very much into going back to the negotiating table'. According to Sean Donnelly of the IDA, who was at the meeting, 'I recall, at the meeting, the Minister, Minister Reynolds, asking IDA had we any room to manoeuvre, and we indicated that, yes we did have room to manoeuvre.' The IDA representatives agreed, with the 'encouragement' of Albert Reynolds and Joe Walsh, that they could increase their offer to Goodman from £13 million to £20 million, with an additional £10 million preference shares.

It is striking, however, that the IDA representatives felt unable to be completely open with Albert Reynolds. They had agreed on a fall-back position of a maximum offer of £25 million, but they chose not to tell the Minister this, and to reveal to him only that they could go as far as £20 million. As Reynolds acknowledged 'they didn't reveal their full hands to me'.[8] It is clear that the IDA believed themselves to be playing poker against their own Minister as well as against Goodman.

The Goodman side certainly saw the meeting that day with Albert Reynolds as a lever against the IDA. Brian Britton was asked whether 'when things got to an impasse with the

IDA or when the going got tough with them, you would let them know that you were going to the Ministers to see if could they get things going again?' He replied 'Yes.'

> Q: To get things going again meant that the IDA had to shift position. Isn't that right?
> A: We wanted one thing and the IDA wanted another.
> Q: And if the impasse was to be got over, the IDA would have to shift. Isn't that right?
> A: Yes.

At the same time, Larry Goodman used the opportunity of the meeting with Albert Reynolds to raise, again, the subject of export credit, and to 'make the case' that all cover should be confined to Goodman International, though he could not recall 'him [Reynolds] giving me any commitment in relation to confining it or not.' His understanding of the state of play was that 'we had a commitment for cover from Brian Britton's April meetings and the question of amounts was still in discussion.'

In the event, Goodman got an agreement from the IDA for basic grants of £20 million, an increase of £7 million on what had been the IDA's final offer the previous Friday. In terms of keeping the negotiations going, there is little doubt that the role of Albert Reynolds and Joe Walsh was (as John Loughrey, who handled the matter from the Department of Agriculture side, put it) 'extraordinarily helpful', and that the state's side of the package offered to Goodman came – just about – within the limits of the IDA's ultimate fall-back position. But in the poker game, it was the IDA whose bluff had been called.

The day after this meeting, the Assistant Secretary of the Department of Finance, Phelim Molloy, in an internal document, expressed concern at the handling of the entire Goodman proposal, and noted that 'the involvement of third parties at this stage must militate against the IDA carrying out an objective assessment of the project.' He made clear to the tribunal that 'third parties' was a reference to 'members of the Government and their officials'. He took this view 'because normally the IDA have the field to themselves and they can deal with the promoter as they wish. Now there was a further dimension in this case.' The involvement of Reynolds and Walsh, Molloy felt, 'would make it more difficult' for the IDA to assess the project objectively. His view was

> that the business of administration should be performed at the proper level, and that issues as between departments should be settled at the appropriate level and that therefore where possible, that ministers shouldn't be brought into issues unless the administrative process has broken down. And this is a point which I very firmly adhere to.[9]

He recorded his belief that in the handling of the whole package 'the approach and time scale are quite inappropriate for such a radical proposal'. (The plan itself was the largest ever supported by the IDA for an indigenous company.)

Equally, the IDA Authority, when it came to discuss the project, expressed its concern about the involvement of ministers in the negotiations. The Authority formally noted 'its deep dissatisfaction and concern about the circumstances surrounding the evaluation and negotiation of the project'. Its Chairman, Joe McCabe, agreed that one of these concerns was the presence of ministers at meetings with IDA executives, and added that 'it was part of the pressure from politicians. I'm not happy when people are under pressure when they're negotiating. There is the, naturally, normal pressures but I don't want anything beyond that.'[10]

These concerns, however, had little impact and, three weeks later, Molloy was surprised to learn that a press conference to announce the deal was being planned for the following week, even though there had been, as yet, no IDA or government decisions to approve the package, and the Department of Finance's 'serious reservations' had not been considered. He wrote a memo to his Minister, Ray McSharry, to say, as he subsequently paraphrased it, 'Look it, Minister, there can't be, there shouldn't be, a press conference without approval having been given by the Government.' In the memo he warned that 'if the project is rushed to finality . . . there will be no opportunity to have these reservations considered by Government . . . If decisions are taken hastily, one can only hope that they will not be ill-judged.'

Agreement between Goodman and the IDA had now been reached, after further interventions from Albert Reynolds (on 21 May) and Joe Walsh (on 2 June). But, before it could go to government, the deal had to be sanctioned by the IDA's Board and by its Authority. These meetings took place on 10 June and 12 June respectively. Yet, by the time of the second, critical meeting, which took place in the evening, Phelim Molloy in Finance was already aware that a press conference was planned for the following week to announce the deal.

This was a matter of concern to IDA Chairman Joe McCabe as well. He had a written undertaking from Albert Reynolds that there would be no announcements of projects before the deals for them had been signed. 'Here was something I thought I had an agreement about, and it just didn't seem to be lived up to.' According to Charles Haughey, arrangements for the press conference had been made on Thursday 11 June.[11] But the IDA Authority did not meet to consider the deal until the evening of Friday the 12th. It therefore met under fierce pressure to approve the deal immediately, which it did.

Again, on the subject of this press conference, there was at first a considerable down-playing of the role of Charles Haughey. Joe Walsh, as part of his position that Haughey 'hadn't anything to do' with the deal, maintained that it was he who informed the Taoiseach of the press conference on the day before it was held. He said he talked to Haughey in the Dáil chamber on 17 June and 'out of my own generosity suggested that he might come along to this press conference the following day . . . I said to him "Look, this is a major project. I think you should be part of it." '[12]

Charles Haughey, however, had in fact met Larry Goodman again at Abbeville at noon on the previous Monday morning, and he said in evidence that it was 'likely' he had discussed the press conference at this meeting, since he had a memory of discussing the launch with Larry Goodman and that this discussion could not have occurred on any other occasion. It is remarkable that he does not seem to have mentioned to Joe Walsh two days later that he already knew in detail about the press conference because he had discussed it privately with Goodman. It is even more remarkable that he was discussing a press launch for the project the day before the government was presented with a final proposal on the plan and agreed to approve it. To all intents and purposes, the government decision, which Haughey regarded as 'very largely a formality', had been pre-empted. (Indeed, the initial indications were that the press conference would be held on the Monday, the day before the Cabinet meeting which discussed the plan.) Nor, according to Haughey, were the Department of Finance's reservations about the plan ever bought to his attention by Ray McSharry.[13]

The press conference was held on 18 June in the Department of Agriculture headquarters, unveiling what was trumpeted as a £260 million plan with a 'conservative' target of 1,150 jobs. Under a banner bearing the AIBP logo and the words 'Anglo-Irish Beef Processors Limited' sat Charles Haughey, with Larry Goodman on his right side and Joe Walsh on his left, a Holy Trinity in all its glory. A triumphant Joe Walsh went from the press conference to the Dáil to announce the end of the 'cosy arrangement' of dependence on intervention and 'opportunistic third-country markets'.

Had he known what had been going on in the preceding weeks, both in Dublin and in Baghdad, he might have thought twice about making such large claims. At every stage, throughout the intense series of contacts between the Goodman side and Reynolds and Haughey, Larry Goodman had been pushing forward his Iraqi plans. Quite reasonably, from his own point of view, he saw every meeting with either of them as an opportunity to extract advantage, to win the game against his competitors, to involve the state in his Middle Eastern adventures. He viewed access to ministers as a business asset, to be exploited like any other. He explained to the tribunal that he had 'fairly liberal access' to ministers at this time, and that this gave him a competitive edge in dealing with rival companies. Asked if he agreed that he was 'a tough man on the opposition and, in football parlance, the opposition never got a sniff of the ball', he replied 'Not if we could help it'. His view was, 'I did have access, and I did use it to the best of advantage for my company any time I could ... If I felt it gave our company an advantage, I wasn't worried about the competition in Ireland.'[14]

Every time he met Reynolds or Haughey over the IDA deal, he would press his case for export credit insurance. The month of May, which was critical in terms of the negotiation of the IDA deal, was also the time when he was finalising the biggest contract he had ever negotiated in his life, when the $134.5 million Iraqi deal was in his sights.

There was nothing odd in Larry Goodman using this extraordinary degree of access to Albert Reynolds, the meetings, the phone calls to each other's homes, to push for private advantage. But the Minister might have been expected to exercise some discretion about the access he allowed an individual businessman. The issue had arisen within his department in January 1986, when John Bruton had been Minister. Bruton sought advice from Michael Fahy in the Foreign Trade Division about how he should behave in relation to personal contacts with exporters seeking export credit for Iraq. The issue had arisen because Frank Robinson of Hibernia Meats, who were active in the Iraqi market, was a cousin of the Minister's. The advice he received was that it was

> undesirable for you ... to make yourself overly available to any individual exporter seeking export credit facilities from the Department ... Other Ministers may not have the same compunction about dealing with individual exporters, e.g. Goodman was the only private sector person at a dinner on Monday given by the Minister for Agriculture for his Chinese

counterpart. However, you are in a different situation because (a) you are dispensing a facility in short supply which is a powerful export aid and (b) you are related to the person in question.[15]

While, obviously, the second consideration did not apply to Albert Reynolds and Larry Goodman, the first did, and to a far greater extent than was the case with John Bruton, since the amounts of export credit which Reynolds was to dispense to Goodman greatly exceeded anything contemplated by Bruton. John Donlon, who was Secretary of the Department in Reynolds's time, stated that he 'would agree with the advice that was given' by Fahy. Nevertheless, throughout this period Larry Goodman continued to enjoy unrivalled access to the man who controlled that powerful and scarce facility which Goodman himself was determined not merely to take advantage of, but to monopolise if he could.

It is striking that the two issues – the IDA deal and export credit–interlock throughout April, May and June, even though, in principle, they were not merely separate but opposing policies for the beef industry. One was, on the face of it, an attempt to build on Irish soil a food-processing industry on the Danish model; the other was a miserable continuation of the old cattle trade.

Brian Britton of Goodman was told of the reintroduction of cover for Iraq on the same day that Albert Reynolds wrote to Ray McSharry proposing changes in the Finance Act to accommodate the Goodman development plan. The Insurance Corporation of Ireland was told that Iraq was back on-cover on the day before a draft memorandum for government about the development plan was circulated. The whole Agra visa saga began just after the announcement of the deal. The $134.5 million contract was signed in Baghdad on the same day that AIBP sent a suggested addition to the Finance Act to the Department of Finance, to enable it to take fuller advantage of Section 84 funding agreed under the deal. In effect, at one and the same time, the government was pursuing two contradictory policies in relation to Goodman International.

There is, in fact, reason to doubt whether the Goodman plan, announced amid such euphoria, was ever likely to be implemented. For one thing, Larry Goodman was patently unhappy with the commitment to funding which he had secured from the state, even though it was more generous than any Irish company had ever been offered. For another, it became clearer as time went on that his ambitions lay just as much in broadening his empire beyond beef into dairying and other food industries and beyond Ireland into the UK (where he was to invest heavily – to the tune of almost £300 million – in the food companies Unigate and Berisford), as they did in the beef development plan itself. In May, when the negotiations on the plan had broken down, Larry Goodman had made it clear to the IDA that 'if we are not going to progress the agreement, that they would invest in the UK and in South America and Australia rather than in Ireland.'[16] Clearly, even at that stage Goodman was in two minds about where his investment should go.

Thirdly, and most obviously, Goodman's real business, as opposed to the glossy projections of the plan, was moving towards a very large engagement in the Middle East, and in particular in Iraq – a direct contradiction of the plan's focus on EC markets. As Sean Donnelly of the IDA could see with hindsight, 'The investment we were talking about really meant a focus on European commercial markets, and it's possible that [Goodman's] focus shifted away from Europe towards the third-country markets at that time.'[17]

For the IDA to perceive this contradiction, largely ignorant as it was of the Iraqi connection, hindsight was necessary. The two people for whom hindsight should not have been needed, because they knew all about Goodman's Iraqi plans, were Charles Haughey and Albert Reynolds. Neither of them seems to have shared his knowledge with the IDA.

Had they done so, there is little doubt that Goodman's

intentions in Iraq would have caused alarm bells to ring in the IDA. The IDA was not in the business of supporting the export of primitive commodities like frozen intervention beef to unstable markets which depended for their viability on massive EC subsidies. As Sean Donnelly put it:

> I mean, we're talking about markets that, in order for us to sell commercially, they required 50 per cent subsidy on the price. That is hardly the proper long-term market for an Irish beef industry. I think I would see them as opportunistic rather than the strategically important markets . . . We would not have put together a development plan with that level of support in order to upgrade beef factories merely to supply third-country markets . . . The trading with those markets was purely commodity trading. I mean, there was no sense of consumer added-value products. They were boneless beef but frozen boneless beef – just boxed beef.[18]

In short, while Albert Reynolds was encouraging the IDA to put up more money for the development plan, he was also beginning to offer vast amounts of state aid to encourage Goodman to get deeply involved in a trade that the IDA would never have supported.

From Goodman's point of view, none of the state funding from the IDA could be drawn down without his company at least making strides towards fulfilling the plan. But another substantial state benefit – Section 84 funding – was available without Goodman having to do anything to make the plan a reality.

Section 84 is a complex tax-relief mechanism that originated, not in any government decision, but in a loophole in the 1976 Finance Act. It resulted from creative accounting practices, through which companies borrowing working capital from banks were enabled to distribute some of their own excess tax reliefs to the banks. The banks, for their part, could reciprocate by lending the company in question money at very low interest rates. Essentially, instead of paying interest to the bank, the company gave it some of its own, unused, tax relief. A further refinement to this tax-avoidance mechanism – High Coupon Section 84 currency swap loans – was available to companies with foreign currency earnings, who could borrow in foreign currencies with high interest rates, thus attracting higher tax savings, and share the consequent tax savings and currency gains with the bank, again in the form of very low interest loans.

In effect, the company got cheap loans, the bank saved on its tax bill, and only the Revenue Commissioners lost out. The state would not actually give out money, but it would receive less revenue in tax from the banks than it otherwise should. These loans therefore represented a real cost to the Exchequer. And the attitude of the Revenue Commissioners to each transaction under the scheme is, as Sean Donnelly of the IDA put it, 'a crucial element of it'. If the gains made on the currency exchange are judged by the Revenue to be a capital gain rather than a part of normal revenue, then the whole weave of interests unravels.

Ironically, the NESC (National Economic and Social Council), strategy document which formed the basis for the state's support of the Goodman plan, also highlighted the haphazard and expensive nature of Section 84 funding:

> Although it is argued that such reliefs comprise a vital element in the overall incentive package for industry, it must be acknowledged that the most important of them (Section 84) evolved because of the exploitation of a loophole in the relevant legislation. These reliefs have become extremely expensive to operate, together accounting for £170 million of tax revenue forgone in 1985.[19]

Section 84, also, is not an unlimited facility. The amount of it available is determined by the profits of the domestic Irish banks, since it is in essence a tax reduction for them. If one company takes a large slice of it, others are being deprived.

Early in May, with the negotiations between the IDA and Goodman coming to a head, Section 84 became a critical factor in the deal. Goodman wanted £90 million from the state. The IDA eventually offered £30 million. The IDA's solution was to encourage Goodman to accept the idea that High Coupon Section 84 would be a very attractive form of financing for the project. The company was initially reluctant, but the IDA convinced it that the scheme could work within its corporate structures.

It could only work, however, if the Finance Act was amended to allow the company to use more intervention beef. To qualify for Section 84, a company had to be able to show that at least 75 per cent of its sales came from its own product. Beef bought from intervention by Goodman to sell on to the Iraqis would, for the most part, not be its own product. So there was, from the company's point of view, a danger that the Iraqi sales could disqualify it from Section 84 benefits, unless the government changed the law.

This was a real irony, considering that the supposed point of the plan was to move away from dependence on intervention. Indeed, in the IDA's submission to the Revenue Commissioners on the proposals for Goodman to make extensive use of High Coupon Section 84 funding, one of the IDA's arguments as to why the Revenue should look sympathetically at the matter was that 'it is envisaged that there will be a total elimination of intervention sales'.

The Section 84 loans to Goodman were secured with the active assistance of the IDA in clearing the way with the Revenue Commissioners. The cost of them to the Exchequer was estimated at the time at £4 million a year, amounting to £20 million in all, and the benefit to Goodman estimated at £30 million. This had a huge impact on the cost to the state of every job to be created in the projected development plan, doubling it from £45,000 to £90,000.[20] By the end of 1987, Goodman International had drawn down £81 million worth, at rates of interest in some cases as low as 1 per cent. Almost all of this was drawn down between September 1987 and the end of the year, in other words, in the period when Goodman's shipping of beef to Iraq was getting under way.

Much of this money was almost certainly used for the purchase of beef from EC intervention storage in order to fulfil the massive new contract for Iraq: indeed, this contract was referred to obliquely in a letter from the IDA to the Revenue Commissioners in August, asking for clearance for the Section 84 loans for AIBP International (AIBPI):

> As a result of its expansion into new export markets, the turnover and earnings of AIBPI are expected to increase significantly. AIBPI will be required, initially at least, to sell goods to its customers in a range of currencies and on credit terms that are more favourable to those customers than the credit terms extended to AIBPI by its suppliers. As a result, the company will need a significant amount of additional finance to cope with the increased turnover. The precise level of additional finance required will be influenced by future seasonable fluctuations, but at peak periods is expected to be in the region of £140 million.

The money to buy beef for Iraq was, it appears, to be obtained under Section 84 at very advantageous rates for Goodman, but at a large cost to the Irish taxpayer. By the end of the year, Larry Goodman not only had the state subventing his purchase of the beef for Iraq, he also had it guaranteeing payment for it.

11

Even Money

On 2 July, Larry Goodman signed his $134.5 million contract in Baghdad. The lowest estimate of the profit margin on this business is $500 a tonne, making for a clear profit of at least $20 million. A higher estimate, offered by another meat trader, Naser Taher, puts the profit margin at $1,000–$1,500 a tonne. This would place Goodman's profits on the deal at $40–$60 million. In addition, however, the EC would pay $111 million in export refunds to the company to support the export of the beef from the Community. By any reckoning, this was big business.

On the same day, Larry Goodman wrote to the Minister for Finance, Ray McSharry, asking for a change in Section 84 of the Finance Act. He pointed out that Anglo-Irish Beef Processors had a problem in relation to making full use of the advantages conferred on it under Section 84. The problem was that 'sales by Anglo-Irish includes beef processed by Anglo-Irish Beef Processors Limited, which is a fellow subsidiary of Anglo-Irish, and beef purchased from intervention stock which was processed by other beef processors within the state.'

In other words, Goodman was declaring quite openly that the company intended to sell a lot of intervention beef in 1987 and 1988. According to Ray McSharry, this did not ring any alarm bells with him, and at this stage there was no reason for any particular alarm on his part, since he was not yet aware of the details of Goodman's business in Iraq. Even if he had been so aware, he would not have been worried about the use of intervention beef to fulfil these contracts, even though they were supported by export credit insurance, because 'I wouldn't have thought that it was excluded at any time'.[1] As far as he was concerned, the government's 'intention would be, because of the over-supply of beef, that we should be doing our utmost to get beef off the market, out of the European Community of 12 through the support of export refunds, or special intervention sales, or both.'

McSharry, like Reynolds, was a man whose own working life had placed him close to the beef industry and who was steeped in its culture. After leaving school in Sligo, he had trained as a cattle buyer and then worked in meat factories. He remarked to the tribunal that 'It has always been said in Ireland, particularly in rural Ireland, maybe not so much around Dublin . . . that the economy was going well if the price of cattle was good. The economy was going badly if the price of cattle was bad. It's still said to this day.' Nothing in his background discouraged that tendency to identify the health of the cattle trade with the health of the country.

Throughout this period, McSharry, as Minister for Finance, was setting about earning his nickname of 'Mac the Knife' by implementing the most severe austerity programme ever embarked on by an Irish government. His overwhelming priority was to cut public spending to reduce a current budget deficit of catastrophic proportions, and to halt the spiralling growth in the national debt. During 1987 and 1988 he oversaw severe cutbacks in public spending and services, largely targeted at the most vulnerable through hospital charges and closures, lengthening waiting lists for public medical services, larger classes in primary schools, and strict limits on social welfare. Yet throughout the same period he did little to curtail what his own Department saw as the dangerous gamble with public finances which, unknown to the public, the government's Iraqi adventures entailed.

In May, he had been approached by Oliver Murphy of Hibernia Meats, the other Irish beef company which had done substantial business in Iraq. Hibernia was a subsidiary of the French group CED Viandes, and its Iraqi contracts had been secured by its parent company. After being approached by Hibernia, McSharry 'made representations' to Reynolds on their behalf. Early in June, with this encouragement, Hibernia applied for cover on a $46 million contract. There was now a second player in the market for export credit.

The Minister for Finance understood the 'central thrust' of economic strategy to be 'one of consistency within and between the various elements' of policy. In the emerging policy of export credit insurance for Iraq, however, there was utter inconsistency. For one thing, McSharry saw no problem about intervention beef being used for Iraq, while both Reynolds and Haughey believed that there was a major problem. For another, McSharry, although he did not have 'any specific information' about the Iraqi market, understood the purpose of giving large amounts of export credit cover to be 'ensuring that we would continue to have this market as an outlet for Irish beef.'[2] Haughey, however, thought that the Iraqi market should and would be 'wiped out' and, as we have seen, the whole point of the IDA plan, which McSharry supported as Minister for Finance, was to help this process of erasure. There was, then, from the summer of 1987 onwards, a fundamental incoherence in government policy towards beef exports for Iraq.

There was, however, no incoherence in government policy on Larry Goodman. By now, five months into the life of the new administration, he had a remarkable record of success in lobbying its members. Government policy on economic relations with Iraq had been reversed at his prompting. The state had committed itself to giving his companies £30 million towards his development plan. The Department of Foreign Affairs was in mortal dread of making him angry. A change had been made in Section 52 of the 1987 Finance Act, specifically at his urging, and on the suggestion of Albert Reynolds. A source of extraordinarily cheap finance, underwritten by the Exchequer, had been opened up for his Iraqi business. He had been to the Taoiseach's home twice. And he had regular access, in person or on the phone, to the Minister who held the key to completing his Iraqi coup – export credit cover for his $134.5 million contract, in fulfilment of which shipping was due to start in September.

What he did not yet have was a commitment to cover that was 'anything as firm as we would like it'. He had ample opportunity over May and June to put his case to both Haughey and Reynolds but, according to himself, 'there was always a sort of indication like "we'll do the best we can", or "we'll see how things go", that sort of thing.'[3] Brian Britton understood the position to be that 'it was indicated that support would be available. There was nothing binding in terms of an exchange of letters.' While ostensibly most of these discussions were in relation to the development plan, Britton saw that what his boss was 'primarily interested in at the time' was the Iraqi contract.[4]

It is important to understand that the process of negotiating this contract was not a simple commercial one of matching supply to demand. Oliver Murphy of Hibernia Meats had heard from his contacts in Baghdad

> about the quantities and the position taken up by Anglo-Irish in negotiations. That, to us as commercial people, seemed strange in terms of the quantities they were talking about. It appeared to me there may have been the possibility of export credit cover being available . . . What I'm saying is that the quantities that they were discussing and negotiating would not make commercial sense without the possibility of export credit cover.[5]

To someone with long experience in the Iraqi market, the very fact that Goodman was known to be negotiating for a contract worth $134.5 million was an indication that he had been promised export credit insurance. Clearly, the value of that contract was determined, not by market forces, but by the support from the Irish Exchequer which Larry Goodman hoped would be forthcoming. The Irish government was not merely supporting a commercial venture by Larry Goodman but, in effect, determining the nature and scale of the business itself.

So far, however, the one concrete development apart from these broad commitments was that, on 10 June, the Insurance Corporation of Ireland, which administers the export credit scheme, had been notified that Iraq was back on-cover and that Anglo-Irish had been approved for up to £10 million worth, to be taken up in September. Hibernia, they were told, were not to be offered any cover for the present, but 'they are to be asked what steps they have taken to ensure payment for earlier contract (claims due for payment in August and September next totalling IR£3.404 million). Their answer is to be communicated in full to Dept.' In the meantime, officials in the Department of Industry and Commerce had been working to comply with a request by Albert Reynolds in April that 'a detailed approach be devised for allocating the cover now being made available'.[6] No such detailed approach was ever completed, even though Reynolds had felt it to be necessary in April.

ICI had not been asked for its views on whether cover for Iraq should be reopened, even though, in the view of the then Assistant Secretary of the Department of Industry and Commerce, Ted O'Reilly, who had charge of the Export Credit Section, 'since the Insurance Corporation of Ireland was an insurance company and was an agent of the Minister, it would be perverse not to look to them for their views.'[7]

The reason ICI was not consulted is fairly obvious. As Frank Mee, ICI's Company Secretary, put it, 'it is a reasonable assumption' that they were not asked for their advice because their advice would be strongly negative. Such an assumption was borne out at the end of the year when ICI, without being asked, decided to put its views on record. The company, which was in state hands and which was employed by the Minister for Industry and Commerce as his agent for export credit, was utterly opposed to the whole policy of taking risks in the Iraqi market. It saw those risks as massive, with a one in two chance that the Iraqis would not pay up. In other words, had it been asked for its advice, it would have made it clear that Albert Reynolds would be just as prudent to take £100 million of state finance and put it on a horse at even money.

'Our view', said Frank Mee,

> was that there was a fifty/fifty chance of claims. At that particular time, there was a very tight budgetary situation in Ireland. You had hospitals being closed for two or three million pounds . . . The way we looked at it was that if claims arose it would be serious for the Exchequer and, while the Iraqi decisions were nothing to do with Insurance Corporation . . . we felt that, as a good agency, who had to exercise prudence and keep his principal informed of certain things, that, in this case, while there was no compulsion on the Insurance Corporation to get involved, we felt that we had to put our feelings on the record.[8]

The reasons for ICI's assessment that the risk was so high were very clear. The war against the Kurds in Iraq had been going on for decades. The war with Iran was continuing at a cost to the Iraqi exchequer of $35 billion a year. Iraqi government economic policy was shaped by the need 'to convince the Iraqis that the war could be handled in parallel with the economic investment at home'. Oil prices had fallen dramatically, severely curtailing Iraq's foreign earnings. Iraqi crude oil exports, worth $21.3 billion in 1980, were worth only $7.5 billion in 1986. Iraq's external debt was expected to reach up to IR£100 billion by the end of 1988.

Critically, the ICI's assessment of the risks also identified the fact that the only real reason for extending credit to Iraq was political, not economic:

> With an economy drained by years of war, payments of project finance constantly 'deferred' and the subject of a series of bilateral rescheduling agreements, it is in many ways surprising

> that Iraq is still considered on-cover by any western export credit agency.
>
> Iraq's status as a major oil producer is one possible reason for the continuation of credit. However, it is fair to say that most of the recent export credit received by Iraq has been politically motivated . . . A good example of this is the recent decision by Eximbank (the US export credit agency) to provide $200 million additional credit facilities for Iraq only following pressure from the US State Department.

The assessment went on to point out that the French state export credit agency COFACE had an exposure of IR£1.6 billion to Iraq, with arrears of IR£56 million, and was 'virtually closed to Iraqi credit'. The Germans had an Iraqi exposure of IR£1.1 billion, as had the Italians, while the Japanese were owed IR£1.5 billion. Overall, by the end of 1987, the *Dun & Bradstreet International Risk and Payment Review* was estimating that IR£7.3 billion was due from Iraq to export credit agencies worldwide.

ICI concluded, damningly, that 'it is our opinion that the perceived success of Irish exporters in securing contracts to Iraq is largely due to the unwillingness of other countries to supply goods to Iraq. We strongly recommend that no further credit be offered to Iraq under the export credit scheme by the Minister for Industry and Commerce.'

Such were the ICI views which Albert Reynolds did not ask for in the summer of 1987, when there was still time to pull back from the Iraqi adventure. ICI's unease, however, was shared within his own Department. On 12 May, a note for his attention was prepared by Ted O'Reilly, pointing out that an Irish industrial exporter was out in Iraq trying to get overdue payments, and remarking that 'on the basis of fundamental principles, we are again in the situation where we ought not to be offering cover because Iraq, on the foregoing experience, is a bad risk.'[9]

Albert Reynolds would have had this warning before him throughout his discussions in May with Larry Goodman. It does not, however, seem to have had much effect. Nor, it seems, did the Assistant Secretary expect it to. He noted that IR£10 million had already been offered to Goodman and that 'there are very special reasons as to why we offer this cover'. Such enigmatic phrases as 'very special reasons' have a tendency to crop up in the civil service files of this period.

None of this was made public. Larry Goodman, in Baghdad, had told Ambassador McCabe at the beginning of July about his new contract, but had sworn him to the strictest confidence because, he said, he did not wish to create 'farmer euphoria'. Early in August, Goodman sources gave a deceptive briefing to the *Irish Times*, saying that they had signed a £38 million deal for Iraq, and that 'it is understood that Goodman International . . . is willing to take the financial risk that supplying Iraq entails'. This was utterly misleading, both because it left out a small matter of $100 million, and because the company was not willing to bear the risk and was using its access to Albert Reynolds to ensure that the Irish public would do so instead.

Soon, the crucial step towards making this goal a reality was taken. At the end of August, Albert Reynolds was in hospital for six days for minor heart treatment. His acting Private Secretary, Dominic McBride, brought papers to him on the afternoon of Friday, 28 August. Among them was a note prepared by his officials again urging that there be no further cover for Iraq. Reynolds was unable to recall this document at all.

On the Monday afternoon, however, Reynolds told McBride, according to McBride's note to O'Reilly, that

> Anglo-Irish Meats will today be making a submission for consideration by the Department. The Minister will make a decision on Iraq following an examination of the Anglo-Irish Meats proposal. The Minister has indicated that the Anglo-Irish proposal will require Government approval and he wants a memo for Wednesday's Government meeting. The Minister is unlikely to attend the Government meeting and the Taoiseach will be taking the item at Cabinet.[10]

The Goodman application arrived at the Department the following day.

Albert Reynolds was unable to remember how he knew that an application from Goodman would be arriving the following day, a fact that the tribunal report found unsatisfactory.

The application, when it arrived, should have been assessed according to a set of criteria drawn up when the Number 2 account for export credit was formalised in 1986. These were that 'applications for cover will be considered on the basis of strict criteria such as the size of the contract, the number of jobs involved, the contribution to the Exchequer, the importance of the contract to the applicant, and risk in regard to repayment.' There should, therefore, have been at least an attempt to quantify the amount of employment the contract would generate in Ireland, the potential earnings for the state, the way in which the contract would fit in with the Goodman development plan, and, crucially, the element of risk involved.

Even a cursory attempt to think about any of these issues would have thrown up a number of fundamental questions. Where was the beef to come from? Was it going to be freshly slaughtered beef – with positive implications for employment and prices paid to farmers – or intervention beef, with far less benefit to Irish workers and farmers? And was a fifty/fifty risk a prudent gamble for a government supposedly committed to fiscal rectitude to take? Any effort even to ask these questions might have prevented the disasters which were already taking shape. But, even in his hospital bed, and with every personal and political reason to slow things down and allow for some analysis of the proposal, Albert Reynolds had already made arrangements for the matter to go to Cabinet even before an application had been submitted by Goodman.

Nor was it simply a question of a failure to meet the required 'strict criteria'. In accepting Goodman's proposal and bringing it to government, Albert Reynolds specifically rejected the assessment which was available to him of the wisdom of making further commitments to Iraq. Just a week before he told his Department that an application from Goodman was coming, his Department had drawn up for him a 'summary of the current position regarding export credit cover for Iraq'. It stated that

> on August 17th 1987 the State had an exposure of IR£21.36 million on export credit for Iraq. This includes a IR£10 million commitment to PARC [for the Baghdad hospital] up to the end of 1989. On August 12th, 1987, a claim for IR£1.167 million was paid on a contract supplied by Dantean International Limited (Hibernia Meats). Two other claims have already been paid in Iraq and both of these have since been recovered. Four companies have indicated their intention to take up the offer of cover by the Minister in June 1987 . . . These commitments increase the State's exposure to a total of IR£34.74 million. The Export Credit Section recommends that apart from the above commitments, no further cover should be provided for Iraq business in view of further claims of IR£5 million due to be paid this year.[11]

This document was brought to Albert Reynolds in hospital on the Friday afternoon by Dominic McBride. McBride recalled that

> I discussed it with him because you will see on the top of the document I have . . . stamped 'seen by Minister' and then the date and my initial . . . The Minister would have seen this, and, as I recall, made no comment to me specifically about it and I recorded on the file, in fact, that he made no comment back to me. I recorded that he had agreed with the Department's recommendation.

This note of agreement, or at least lack of dissent, was, however, crossed out on 31 August, when Reynolds disclosed the imminence of the Goodman application. The envisaged time for 'assessment' of the application was, in effect, one day. The application came in on Tuesday, 1 September. Reynolds asked for a memo for the Cabinet meeting on Wednesday the 2nd. In the event, however, the matter was not taken at Cabinet for another week, and the application was discussed and approved on 8 September.

What is still unclear about these events is the precise role of the Taoiseach, Charles Haughey. The only recorded meeting around this time between Larry Goodman and a member of government is that listed in Haughey's diary for the morning of Friday, 28 August, the same day that Industry and Commerce presented to Reynolds its recommendation that there be no further cover for Iraq. If the meeting happened, it could be regarded as a crucial intervention that might explain the sudden change in Reynolds's attitude between Friday and Monday.

According to Haughey, however, his knowledge of what was going on in relation to export credit during this period was 'limited'.[12] He had 'no recollection' of Goodman telling him about the Iraqi contract signed in July, or of Brian Lenihan discussing the matter with him in relation to the Agra visa. Or, more precisely, if any such information was given to him 'at the government, I can't tell you about it, and if it was outside the government, I have no recollection of it.'[13]

At one stage in his evidence, Haughey even suggested that he was not aware that the reason the matter was coming to government in September 1987 was to allow the Goodman contract to be covered.

> Q: Am I right in understanding that your understanding of it at this time is that you were not aware that Goodman International had signed this huge contract for $134 million?
> A: That is my recollection.
> Q: That the reason for the increase of the ceiling from £70 to £150 million [the subject of the government decision] was to enable that contract to be given export credit insurance?
> A: In retrospect now it is publicly clear that that is what

the increase was for, but my recollection is I would not have been aware of that at the time.

Q: And certainly looking back on it now you believe you were not aware?

A: Correct.

This was completely inaccurate in itself, because the Memorandum for Government which formed the basis for the Cabinet discussion on 8 September made it absolutely clear that the reason for increasing the ceiling for export credit for Iraq was the Goodman $134.5 million contract. And indeed, Haughey himself later changed his evidence to say that he did know about the Goodman contract prior to the Cabinet discussion:

Q: You were aware in advance that that application was going to be made?

A: Yes, the papers would come through normal Government procedures.

Q: You were aware that there was going to be an application to ICI for cover for $134 million?

A: When the papers would come through the Government secretariat I would be aware of it, yes.

Charles Haughey was also unable to recollect his meeting with Larry Goodman on 28 August, and felt that, because there was a stroke through the appointment in his diary, it may not have taken place. Larry Goodman was also unable to recall the meeting, but he did say that he would have been anxious to speak to Reynolds and Haughey after the contract was signed in July.

Haughey's recollection of having a very limited knowledge of what was happening in relation to Goodman's contract with Iraq and with export credit insurance generally, appears inconsistent with a number of other aspects of the evidence. For one thing, Larry Goodman believes that he would have discussed export credit with the Taoiseach at their meetings in May. For another, it is clear that Haughey and Reynolds must have discussed the Goodman application in some way around the end of August. Otherwise, how could Reynolds have told his Department that Haughey would be taking the item at Cabinet on 2 September?

Furthermore, the initial *aide-mémoire* on the proposal was drawn up for Haughey, not Reynolds, since Haughey was assumed to be taking the matter at Cabinet. It was given to him on the morning of 2 September, and one of the officials who drafted it, Ted O'Reilly, understood that 'the Taoiseach was being told of the background and the pros and cons of the situation'.[14] And, on the day before the Cabinet approved the increase for Goodman, Haughey had some discussion with the Minister for State in Industry and Commerce, Seamus Brennan, about export credit. A note of the conversation reports that 'in relation to the Memorandum for Government on export credit insurance for Iraq, the Minister [Brennan] . . . discussed the question of the export credit scheme with the Taoiseach recently and informed him that he was concerned at the losses incurred and was reviewing the operation of the scheme.' This conversation didn't ring a bell with Haughey either.

Such was the haste to get the export credit cover approved for Goodman that the *aide-mémoire* drawn up for the 2 September Cabinet meeting didn't even mention the size of the contract involved, even though this was meant to be one of the criteria for assessment. Ted O'Reilly noticed this omission and questioned it, but was told by the official who had spoken to Reynolds on the phone that 'this was Mr Reynolds's wish'.

When it transpired that the item was not taken at the Cabinet meeting on 2 September, there was some time for further assessment. No detailed advice on the proposal was sought, however, and the obvious steps of consulting ICI or seeking a specific analysis from the Irish Embassy in Baghdad were not taken. The *aide-mémoire* was turned into a more formal Memorandum for Government. But the changes made in this process were, if anything, a weakening of whatever critical process was under way. For instance, a statement in the *aide-mémoire* that requests for cover for Iraq from other companies who had been told that none was available would now 'in fairness have to be met' was dropped. A statement that most of the Western export credit agencies were off-cover for Iraq was changed to a much milder statement that it was 'difficult to ascertain' what these agencies were doing.

These changes, though they were physically made by the Secretary of the Department of Industry and Commerce, John Donlon, were along lines suggested by Albert Reynolds. A note on the matter in departmental files states that 'following discussions with the Minister, the Secretary asked to have the aide memoire redrafted along the lines indicated by the Minister and put in the form of a memo for Government.'[15] Reynolds, having returned to his office after his hospital treatment, had seen the *aide-mémoire* drafted in his absence and had taken steps to water down the arguments against the proposal which it contained.

The Memorandum for Government sought approval for two things: the raising of the ceiling for cover for Iraq from £70 million to £150 million; and the drafting of legislation to increase the overall legal limit of government export credit from £300 million to £500 million. In theory, government approval for the first of these changes was not necessary, since Reynolds was entitled to change ceilings for any one country with the consent of the Minister of Finance.

The Department of Finance was, however, vehemently opposed to the proposal to increase the ceiling for Iraq. Its reaction to the proposal was:

> In the Department's opinion, the arguments against any increase in the present effective ceiling for Iraq was overwhelming. In essence they boil down to the fact that the result would be over-dependence on the part of the export credit insurance scheme on the Iraqi market, which is very volatile. It is noteworthy that a majority of export credit agencies in the EEC and elsewhere appear to be taking a very cautious attitude to Iraq. It would be appropriate for Ireland to adopt

> a similar approach. Defaults by the Iraqis (and their record has been erratic) would inevitably lead to major expenditure by the Exchequer.[16]

In briefing their Minister, Ray McSharry, the Finance Department officials warned him that the Iraqis could default on foreign debts if their military and economic situation deteriorated further, and that, if Reynolds's proposals were accepted, 'the Exchequer would be at a loss of a considerable sum, possibly of the order of £120 million'. This, McSharry was told, represented 'too much of a gamble with the Exchequer's resources'.

This was about as clear an assessment as could be imagined. It is worth noting that it was based on broadly the same sort of information that Albert Reynolds said he used in making his judgement on Iraq: monitored reports from newspapers and magazines such as *The Economist*. From that information, however, they drew a conclusion precisely opposite to that drawn by the Minister.

McSharry did not agree with his Department's assessment, but he did, according to himself, put it to the Cabinet, since he felt that he should 'express diligently what the Department of Finance's view was'. It is almost certain, however, that he would have made it clear that he did not share the views of his Department, and that he himself believed that the proposal was 'a good idea'.[17] He had already, after all, made representations on behalf of Hibernia Meats for substantial export credit cover for Iraq.

The government decided to give Larry Goodman what he wanted, and increased the ceiling for Iraq from £70 million to £150 million. It did not decide on legislation to increase the overall amounts available under the scheme to £500 million, but stated that this question 'might be considered further at a later date, as and when the need arises'.

Iraq would now have, as the Department of Finance pointed out, 40 per cent of all Irish export credit worldwide. And Goodman would have the lion's share of that 40 per cent – one company, one product, one country was being allowed to dominate a major state aid to all exporting industry. A situation in which Goodman would have a quarter of all export credit for his Iraqi deals was being created, one which was, in the experience of ICI, unique. ICI was to be asked to write cover for £76 million for Goodman alone in Iraq. To put this in context, the largest contract ever covered under the scheme before was in the region of £10 million.[18] To achieve this unprecedented breakthrough in getting the state to support his business, it had taken Larry Goodman, from the time he made the request, precisely a week.

Even this, however, was not the limit of Goodman's achievements in his lobbying for export credit. Reynolds's Memorandum for Government seriously understated the extent of the benefit he actually gave to Goodman. When his officials got down to negotiate the actual terms of the cover with Goodman International, they gave the company a much softer deal than Reynolds had led the Cabinet to believe would be offered. The Cabinet had agreed that cover would be offered for a maximum of 70 per cent of any contract for a maximum period of a year, at a premium of 4 per cent, and that no company which had made claims on Iraqi business before would be given cover this time.

As the tribunal report pointed out, 'it was on the basis that cover would be granted on those terms that the Minister sought the approval of the Government.' Reynolds stressed to his Cabinet colleagues that these terms were 'very restrictive and expensive'. In fact, when the actual terms were negotiated with Goodman a few days later, the company was given 80 per cent cover and charged a premium of just 1 per cent. This last concession represented a gain of $4 million to Goodman International, and the loss of a similar amount to the Exchequer, yet another hard financial benefit to Goodman International from its relationship with the state. The official who did the negotiating on a Friday evening was stricken over the weekend with a feeling of remorse that he had been 'beaten' in the negotiations by the company. Early on Monday morning, he phoned Reynolds to tell him this and offered to reopen the negotiations. Reynolds told him not to.

12
THE NATIONAL INTEREST

ONE PART OF the agenda which Larry Goodman had laid down for Albert Reynolds when he took him aside at the meeting of ministers in April had now been fulfilled. Export credit for Iraq was back and, for Goodman at least, back in a big way. The day after the Cabinet decision, Goodman International made its first shipment of beef to Iraq under the contract. The other part of the Goodman agenda – ensuring that the same facility was not available to his competitors – had not yet been secured. Over the next two months, this, too began to fall into place.

It was never likely that Hibernia Meats could be kept out of the export credit deal. They had, after all, been involved in Iraq since the early 1980s, supplying through their parent company in France, CED Viandes. They had been making political representations since June, through Ray McSharry. And they were not, in any case, real competitors for Goodman. In 1986, a Department of Industry and Commerce memo had noted that 'the two Irish firms are not competing with each other' in Iraq. Goodman and Hibernia tended to deal with different Iraqi buyers.

After some anger on Larry Goodman's part in May, when he perceived Hibernia to be settling for lower prices and thus pushing his own downwards, the two companies worked out a *modus vivendi*. Goodman said that he discussed Iraqi business with Oliver Murphy of Hibernia 'several times' and that, although the relationship 'blew hot and cold', they continued to co-operate over the next two years.[1] According to Paschal Phelan of Master Meats, who worked closely with Hibernia, the two companies 'were co-operating in terms of volumes of supply into the market'.[2] Hibernia's presence in the market did not threaten Goodman's interests.

He was, however, determined that other Irish companies would not get a foothold in Baghdad. He threatened Oliver Murphy that if Hibernia facilitated Master Meats in doing business in Baghdad, co-operation between Goodman and Hibernia would cease. As we have seen, he warned the Irish Embassy in Baghdad not to facilitate his competitors. And, from the start, he urged Albert Reynolds to confine the benefits of export credit to his own company. According to himself,

> I never specifically said to him 'Don't give export credit to X, Y, and Z'. It would be like I was saying to Brian Britton in my telex . . . 'do it diplomatically'. And I would be trying to nudge things forward, or edge them forward, rather than be dictatorial about it. I might have said that company X are cutting prices out there, but I wouldn't have said 'Don't do this'.

Both Hibernia and Master Meats, however, were run by men who had close personal connections to Fianna Fáil ministers. Hibernia was jointly owned by Oliver Murphy and CED Viandes, and it was through the latter that it conducted its Iraqi business. Oliver Murphy was a long-standing Fianna Fáil supporter and indeed, at one stage, a party activist. His association with the party was 'lifelong' and his father was close to the former Fianna Fáil Minister for Agriculture, Jim Gibbons, who subsequently became an adviser to Hibernia.

Oliver Murphy had been a member of the party and secretary of a party branch since 1969. Even when he ceased to be a member, he made no secret of the fact that 'his political allegiances were and remain with Fianna Fáil'.[3] In his office in a restored Georgian house in fashionable Fitzwilliam

Square hang photographs of himself with Éamon de Valera, Albert Reynolds and Ray McSharry.

In the run-up to the 1987 general election, he, like Larry Goodman, had made a £25,000 contribution to party funds. In November 1987, he gave Fianna Fáil another £25,000. This latter contribution was given to Ray McSharry, the party's then Joint Honorary Treasurer, whom Murphy had lobbied for export credit insurance for Iraq in May. He had lobbied McSharry, rather than Albert Reynolds, because he knew the Minister for Finance personally. Ray McSharry's son had been working for Oliver Murphy for the previous two years.[4]

Paschal Phelan of Master Meats, on the other hand, was a friend of Albert Reynolds. And it was he who arranged a meeting for himself and Murphy with Albert Reynolds on 8 September 1987, the very day on which the government decided to increase the export credit ceiling for Iraq to £150 million. Oliver Murphy suggested the meeting to Phelan because 'I didn't know Minister Reynolds'. Clearly, to Murphy at least, personal acquaintance with the Minister appeared to be an advantage when lobbying for government aid.

At the meeting, Albert Reynolds told Oliver Murphy that he was giving him £10 million worth of export credit cover. Critically, at no stage was Murphy asked by Reynolds whether or not he had a contract with the Iraqis.[5] The Minister seems to have made no effort to establish the precise nature of the business which Hibernia intended to do in Iraq. Asked whether he had indicated to Reynolds how long it would be before he signed a contract, Murphy replied, 'No, I didn't get into that detail with the Minister . . . The Minister has a commercial background and would appreciate the length of time that these negotiations could take.' Nor did the Minister seek to discover that the contract was being negotiated by the French company, CED Viandes. Even the figure of £10 million seems to have been plucked out of the air, since Murphy described it as Reynolds's figure rather than his own. The figure which Hibernia had in mind was

$46 million, but, according to Paschal Phelan, 'I don't recollect any discussion about figures in terms of the size of the proposed contract'.

Given that the public interest in all of these dealings was protected only by the judgement and experience of Albert Reynolds, it is notable that, in his dealings with Hibernia, he went against his own instincts. In July, Albert Reynolds had suggested to Ray McSharry that this figure of $46 million was too high. In a letter, he said to McSharry that it was 'most probable that I could not consider cover for an order in that sum'.[6] His initial offer of just £10 million to Hibernia in September would seem to suggest that this was still his judgement at that point. Yet this most improbable request was in fact acceded to by Albert Reynolds. On 23 October, Hibernia received from the Minister an offer of cover for a $46 million contract.

Reynolds also told McSharry in July that if Hibernia had not secured full payment of outstanding debts from Iraq, he would not even consider offering it cover. This was in keeping with his decision in April, when cover was reintroduced, that 'companies which had payments already overdue from Iraq should be given no further cover until amounts overdue had been cleared'. In October, however, he offered cover to Hibernia at a time when it still had outstanding Iraqi debts, and merely requested that 'you will continue to make every effort to recover the remaining monies due from Iraq'.[7] In fact, it was well into 1988 before the Iraqi debts were cleared.

If Hibernia's acquisition of substantial export credit cover for Iraq was remarkably easy, Paschal Phelan of Master Meats had an even smoother ride. Unlike Hibernia, he had never done any business in Iraq. The Irish Embassy in Baghdad was not aware of his company as a potential dealer in the market.[8] His only arrangement was one with Oliver Murphy that he would supply some of the beef which Hibernia would export to Iraq.

Albert Reynolds understood Paschal Phelan to have told him that 'his company had exported beef to Iraq through

Hibernia' on previous occasions, 'and this time he wanted his own allocation.' According to Paschal Phelan, however, he could not have told Reynolds any such thing because not only had he never done any business in Iraq, he had not even taken any steps to arrange such business because 'I was very busy in the markets I was in'.[9] Indeed, he had never applied for export credit for any business at any stage before.[10]

He was, however, a friend of Albert Reynolds. He knew the Minister 'reasonably well' through 'my family and my Fianna Fáil involvement for many years' before he opened a factory in Reynolds's Longford constituency in 1985. In both 1987 and 1989 he made contributions of £30,000 to the party. He had been in touch with Albert Reynolds about export credit as early as May, and the Minister regarded the September meeting as 'a follow-up to that meeting, more than likely'. So, like Goodman, Phelan had been able to use access to the Minister to get his name in the export credit pot long before the government decision to extend it.

Neither Phelan nor Murphy had a contract; indeed, on the contrary, Phelan told Reynolds at the September meeting that 'to successfully conclude [a contract], that export credit insurance would be vital'.[11] It was not a question of an exporter who had gone to Iraq and secured business then seeking government aid in order to fulfil it. It was a question of government credits determining the amount of business a company could do with the Iraqis. The Iraqi demand was for credit as much as for beef. To Paschal Phelan, 'it appeared that you could get a contract for whatever size you were prepared to take the risk [on]. . . I mean, the Iraqis were major buyers of beef, and the biggest single difficulty in meeting the market was the credit risk.'

In May 1991, before this meeting of September 1987 between Reynolds, Murphy and Phelan became public knowledge through the tribunal, Democratic Left TD Pat Rabbitte alleged in the Dáil that Paschal Phelan had accosted him outside Doheny and Nesbitt's pub in Dublin after Rabbitte had made a statement on export credit. According to

Rabbitte, Phelan had told him that getting cover 'depended on whether you were in the club' and, to illustrate the point, had added that 'he himself was offered £10 million in cover, although, at the time, he had no contracts in Iraq, and did not contemplate immediately doing business in Iraq.' Phelan denied having said this. The details of his cover contained in the alleged statement were correct, however, and it is not clear how, at the time, Rabbitte could have known them from any other source.

Albert Reynolds's explanation for his decision, in the course of this meeting, to give a commitment for £10 million worth of cover to Phelan, even though he had no track record in Iraq at all, was that he saw Phelan's application as essentially an adjunct to Hibernia's, and that his inexperience in Iraq would not be a problem because 'he would be able to avail of Mr Murphy's experience in the market'.[12] This is contradicted by the two other people present – Oliver Murphy and Paschal Phelan. Murphy maintained that it was never put to Reynolds that Master Meats would be essentially subcontractors to Hibernia. Phelan said that in the discussions he did not specify whether he would be supplying Iraq 'direct or through Mr Murphy'.[13]

Not only did Paschal Phelan not have a contract in September when he met Albert Reynolds, he did not have a contract in November, when he received a formal offer of cover. He did not have a contract on the two occasions in 1988 when he was allowed to renew the offer of cover, even though the deadline for taking it up had passed. In July 1988 he was seeking to have it extended until July of the following year. Eventually, in September 1988, he gave up and had the cover transferred to Hibernia. On none of those occasions did he have a contract for Iraq, though he was, he said, 'hoping for one'.[14]

Ray McSharry, had he known about Paschal Phelan's good fortune, would probably have been surprised. His view was that 'Obviously, you wouldn't be giving cover to some company who wasn't even out there [in Iraq] trying to sell product, would you? You would only give cover to those who are operating in the market.'[15]

A week after his meeting with Murphy and Phelan, on 16 September, Albert Reynolds gave an interview to the *Irish Press*. 'The Government', he told its readers, 'are not in the insurance business.' ICI was in state hands only because the 'previous Government had to step in and rescue that situation. It is my job to see that we get out of it fast.' He also remarked that 'I am not an interventionist. I loathe it where the competitive forces are working, but I have a duty where people are abusing their positions of purchasing power in the marketplace.' He did not mention that he personally, a week before, had allocated over $150 million worth of insurance, at a fifty/fifty risk, and in a context that had nothing to do with competitive forces.

Within weeks, however, the news that Iraq was back on-cover was beginning to filter through to the competition that Larry Goodman so despised. From 21 to 23 September an Iraqi delegation was in Dublin for the annual Ireland/Iraq Joint Trade Commission meeting, and one of the Iraqis announced at a public reception that the Irish government had raised the ceiling for export credit to Iraq to £150 million, and was willing to offer eighteen months' credit rather than the previous norm of a year. Two companies in particular – Halal and Agra – were seriously pursuing Iraqi business, and in October both applied to ICI for cover – Halal for $25 million and Agra for $17 million.

Both of these applications could be covered by the £150 million ceiling, even taking into account the large allocations already made to Goodman and Hibernia: including the Halal and Agra applications, the total figure would have been £143 million. The initial indications were that, in keeping with the view stated in the September *aide-mémoire* to Charles Haughey on the raising of the ceiling, fairness required that such requests for cover would have to be met now that Iraqi business was open. On 4 November, Albert Reynolds wrote to Ray McSharry, who had made representations on behalf of Halal, that while he was 'anxious to ensure that the State is not over-exposed in the operation of the scheme', he was willing to offer Halal cover on eighteen-month credit terms.

The following day, his Department contacted ICI to tell them that they could offer Halal cover for $25 million on the same terms as the other companies. Halal confirmed their acceptance of an eighteen-month credit period the same day. They continued to haggle over the nature of the cover, however, seeking 90 per cent cover instead of the standard 70 per cent, asking for part of the contract on twelve-month terms and part on eighteen-month, and requesting an extra $12 million on top of the $25 million. At various points over the next month, they claimed to have signed a contract in Baghdad, but never actually produced it. Still, according to the rules of the scheme, they had at least sixty days from 5 November in which to take up the offer made to them.

Had they known more about Larry Goodman's intentions and his determination to keep competitors out of 'his' market, however, they would hardly have been so awkward about nailing down their promise of cover. In the first two weeks of November, first Aidan Connor of AIBP, and then Larry Goodman as well, were in Baghdad for the annual Trade Fair, already beginning to negotiate new business for 1988. Connor discovered Halal and Agra there, apparently seeking to negotiate contracts on the basis that export credit would be available to them.

While Halal and Agra were hoping for some business, however, Goodman International was looking at much more dramatic prospects for the development of its special relationship with the Iraqi regime. And those prospects were being opened up with the active blessing of the Fianna Fáil government. Aidan Connor arrived in Baghdad with a copy of a telex from Seamus Brennan, the junior minister in Reynolds's Department and the Irish co-Chair of the Joint Trade Commission to the Iraqi Minister for Transport and Communications, Mohammad Hamza al-Zubaidi. The telex said that:

> Mr Laurence Goodman and two senior executives from his company will be visiting Iraq this weekend for a number of days to meet with the Iraqi Company for Agricultural Products Marketing and the State Company for Foodstuff Trading, to deal with the following matters:
>
> 1. discussion on present contracts
> 2. position on current payments
> 3. discuss further the possibilities of the joint venture with Goodman International and the Iraqi government and other parties.

The 'joint venture' to which this note was giving official Irish government blessing was a $1 billion plan for a meat-processing plant to produce sausages and burgers in Baghdad. This would deepen the Irish involvement with the Saddam Hussein regime to unimaginable levels of risk and of collusion. It had been a 'topic of conversation' between Iraqi ministers and Larry Goodman throughout the year, but had become serious in September, when Hamza had put a direct proposal to Goodman. That the proposal should be made at all was a mark of how trusted an ally of the regime Larry Goodman had become. And, for his part, according to Aidan Connor, 'it was something that Mr Goodman had an interest in, and would like to do as a logical extension of what we were doing in terms of supplying boneless meat to the market.'[16] On this trip in November, the Goodman side put 'a hard proposal' to the Iraqis, envisaging a joint investment of $1 billion.

The very notion of this joint venture ought to have been enough to shock the Irish government into immediately taking stock of the increasingly dangerous *ménage à trois* between itself, the Iraqi regime and Goodman International. The idea that Goodman would start exporting live cattle from Ireland to be processed in Baghdad was utterly at odds with the IDA-backed development plan which it had announced just months before. The Baghdad proposal would require such a huge investment that the Group would not be able to fund the Irish plan as well. And the commercial judgements involved were at best questionable.

Sean Donnelly of the IDA was unsure whether the joint venture proposal

> made any sense, because, in addition to the supply of beef requiring a 50 per cent subsidy, so also did the supply of live cattle out of Ireland require such a high degree of subsidisation. So, to build a factory in the Middle East to handle cattle imported from Ireland, carrying a 50 per cent subsidy, to my mind would have been a very high-risk venture.[17]

Yet here was the official Irish government link-man with the Iraqis on trade matters providing a letter of comfort to Goodman International supporting precisely such a venture.

To the Iraqis, such demonstrations of government support would have served to reinforce an already strong notion that, in Ireland, there was no essential difference between a private company with state backing and the state itself. As John Swift of the Department of Foreign Affairs put it, the Iraqis' 'views of the Irish, even Irish private companies, tended to be that they were in one sense or another subject to direction by Ministers or indeed by officials.' In this context, it was, he said, 'a possibility, perhaps even a probability' that the Iraqis would interpret gestures of support for a company by the Irish state as a signal that 'this is the person we want you to do business with on beef'.[18]

In fact, so strong was the impression on the Iraqi side that the $1 billion plan was backed by the Irish state that by January, Hamza was 'seeking the nomination of at least one authorised representative of the Irish side of the Joint Commission to participate in the negotiations between the Iraqi authorities and Anglo-Irish Meats for the establishment of a meat-processing plant in Iraq.' Larry Goodman encouraged this impression on the Iraqi side, telling Hamza in February that he would be in Baghdad soon as part of a delegation to discuss the joint venture, and adding that 'I will be co-ordinating with Minister Brennan all matters relating to the delegation which will be headed by myself'. The implication, clearly, is that a Goodman delegation is an official delegation from the Irish state.[19]

Adding to the impression that the idea of the joint venture had Irish government backing, Ambassador McCabe in Baghdad accompanied Aidan Connor and Larry Goodman to a meeting with Hamza on 10 November. The strongest note sounded by Hamza at this meeting was that 'he wanted more and more credit'.

The following evening, Larry Goodman dined with Ambassador McCabe and again, as the Ambassador reported to Dublin, launched into complaints about the presence at the trade fair of rival Irish companies: 'Mr Colm Halloran of Agra Trading Limited, Dublin, and Mr Mohammad Khalil of Halal Meat Packers, Ballyhaunis, are also in Baghdad for the last week, seeking business with the two clients of AIBP. Mr Goodman is very unhappy about this.'[20] Goodman's complaints were about alleged price-cutting and about the fact that his rivals might be able to get export credit for eighteen months, whereas his earlier contracts stipulated a year.

In fact, though, Goodman seems to have been confident that his rivals would not be able to get export credit at all. While in Baghdad, he met Naser Taher of the Irish-based Taher Meats at the Sheraton Hotel. According to Taher, Goodman was on the phone to Brian Britton, and 'they were talking millions and millions'. When Goodman put the phone down, he said that Taher would not be able to get export credit insurance cover, and offered to buy from him 5,000 tonnes of beef which Taher had prepared for the Iraqi market. Taher was pleased with this offer, and said 'I'll make a bit of money, that's grand. I'm not greedy, I just want a little bit of the action.' Goodman also told Taher that he should convince Halal not to underprice his offers at tender.[21] Larry Goodman accepted that this meeting took place and that he did buy Taher's meat, but he denied saying that Taher wouldn't get export credit, describing it as a 'total fabrication'.

Flying home from Baghdad, Aidan Connor and Larry Goodman discussed the things they had to do when they arrived back in Ireland. Aidan Connor noted 'LG to speak to A. Reynolds, Brennan, and C. J. Haughey.'[22] Asked if this was not 'a bit of an overkill', Connor replied that, 'In Mr Goodman's case, you will find that he generally went to the top wherever he was going.' Goodman lost no time. He rang Albert Reynolds and the next day, at lunchtime, he was in the Department of Industry and Commerce talking to the Minister.

During the morning, before that meeting with Larry Goodman, Albert Reynolds spoke to a senior official in the Export Credit Section of his Department, Joe Timbs. He asked Timbs about 'the present position in relation to taking up cover for Iraq and how this affected the overall ceiling in legislation'. Timbs told him that, at current exchange rates, the exposure to Iraq was £132 million of the available total of £150 million and that the Agra application would increase it to £140 million. In terms of the overall legislative limits for the scheme, the £300 million available was coming very close to being reached, and 'all the Iraqi business would obviously push us over the £300 million' during 1988, necessitating a legislative amendment.

No officials were present during the meeting between Albert Reynolds and Larry Goodman, and there are serious contradictions between their respective versions of what happened. Two aspects of the meeting are not in dispute, however: that Larry Goodman complained about the possibility of Halal and Agra getting export credit insurance for Iraq, and that Albert Reynolds agreed on the spot to offer Goodman more cover for potential future business, effectively wiping out Agra's chances of cover under the £150 million ceiling.

According to Larry Goodman, his purpose at the meeting was essentially to book, in advance, cover for further business in Iraq in 1988; he asked Reynolds for 'cover for the requirements we had for 1988'. He did not yet have new contracts, but 'there would have been a realisation that the clients wanted repeat business in or about the same amounts' as he had contracted for in July. He asked Reynolds for between $150 million and $200 million of cover.

> His response was that he only had $30 million available . . . he was quite clear that he only had $30 million available because of the ceiling on credit and that the balance would be available, subject to our getting the contracts and the Government and the Dáil increasing the ceiling . . . I am very clear on the meeting, that I got a commitment, and I would certainly remember if I got a 'no' on these sorts of occasions . . . I definitely got a 'yes' on the $30 million because it was available, and on the balance of the repeat business.[23]

He also raised with Reynolds the fact that Agra and Halal were in Baghdad and behaving as if they expected to get export credit. He believed he had probably put it to the Minister that 'the inclusion of new people in the market would only result in reduced prices . . . if you people are going to give credit to every Tom, Dick and Harry.'

Albert Reynolds's version of the meeting denies that he gave any commitment to Larry Goodman for business in 1988 beyond the $30 million which both agree was offered. He recalled that Goodman was looking for 'a sizeable extension' to his existing contract, but that no figures had been mentioned. He said that he 'told Mr Goodman that the $30 million was available and no more was available.'[24] On his own evidence, if what Larry Goodman maintains is true, and Albert Reynolds gave him commitments for massive amounts of further cover at this meeting, then the Minister's actions would have been highly improper. The legal limit for cover under the scheme was £300 million, and such commitments would have presupposed a decision, not merely of the government, but of the Dáil and Seanad, to amend that legislation and make extra sums available. 'You cannot commit a

Government to a decision that hasn't already been made . . . You can't do it . . . I have said straight out that you cannot give commitments beyond the ceiling until it is raised.'[25]

There is also a conflict between Albert Reynolds's version of these events and the official record made at the time by Joe Timbs. According to Timbs's note:

> Later that evening, the Minister informed me that Mr Goodman had obtained a further contract for, he thought, $30 million, which at 80 per cent cover, would result in further State exposure of IR£15 million. On the basis that no formal offer had been made to Agra Trading, the Minister instructed that the additional Goodman contract be covered under the scheme at the usual terms on Monday 16th November.

Asked if he knew of any other case where an applicant came into the Department and was granted cover there and then, on the spot, Timbs replied 'Not to my knowledge'.

The difficulty with this is that there was no $30 million contract, and if Albert Reynolds told his official this, as is recorded, he was giving misleading information. As Larry Goodman made clear, 'I didn't have a $30 million contract'. What he had asked for was cover of $150–$200 million on future contracts yet to be negotiated. Nor did Albert Reynolds subsequently maintain that there was such a contract or that Goodman told him anything to this effect. What he did maintain was that, contrary to the contemporary record, he did not mention a $30 million contract to Joe Timbs at all.

What is not in dispute is that Agra, who had been 'pencilled in' for $17 million worth of cover, were excluded as a result of this meeting, and that their intended cover was given instead to Goodman for some as-yet vague future contract the following year. Joe Timbs highlighted this to Reynolds when they spoke that evening. According to his note, 'I pointed out that this would leave no room for the Agra contract. The Minister said we could look at the question of the Iraqi ceiling again.' In other words, Goodman would get Agra's cover and Agra might, at some time in the future, get cover if the government and the Dáil changed the legislation.

'My view', according to Reynolds, 'was that it made more sense to allocate the cover to the man who had the business and, indeed, if Agra, whose involvement with Iraq seemed to me to be at a very early stage, if they did obtain a contract, then I was willing to go back to Government to facilitate them.'[26] Goodman, however, did not 'have the business' any more than Agra did. Larry Goodman had made it clear at the meeting that he was talking about business he hoped to do in 1988, not contracts he had already signed.

Agra was now, in effect, disposed of for the time being. But Halal was also in Larry Goodman's sights, and there is little doubt that, from this meeting onwards they were in imminent danger of losing their cover. In conversation after the meeting, Albert Reynolds repeated to his officials as fact what Larry Goodman had alleged to him at the meeting – that Halal were 'causing difficulties in Iraq by cutting prices'. At this stage, Halal could still have got its $25 million within the limit. But the fact that the Minister was repeating Goodman's allegations about them was clearly signalling the ebbing away of their prospects of actually getting it.

Albert Reynolds's evidence about the effect on him of Goodman's complaints seems hopelessly vague. On the one hand he claimed, through his counsel, that 'when he heard this complaint from Mr Goodman and told Mr Timbs about it, he paid no more attention to it. He heard complaints from producers every day of the week, and he gave it as much attention as he would to any other.'[27]

Albert Reynolds himself, in parts of his evidence, suggested that he was, indeed, sanguine about Larry Goodman's complaints of price-cutting. 'This is one commercial operator complaining about another. I would be sceptical about that, and no evidence was produced to show it.' He then added immediately, however, that 'nevertheless I would always take it on board and keep it there, but I would have to see more evidence of it before I would pay any great attention.'

His evidence; therefore, is that he had no proof to back up Goodman's claims, that he was unconvinced by them, but that he proceeded to take them on board. And this, in fact, seems to have been what happened. No effort seems to have been made at any stage to determine whether or not the claims that Larry Goodman made about his competitors undercutting his prices, and thus supposedly reducing the benefits to the Irish economy from beef sales to Iraq, were true or not. Ted O'Reilly in the Department of Industry and Commerce said that 'on this business of price-cutting and so on . . . I have never seen any data, statistics, anything you can call it, in relation to this problem of price-cutting in Iraq.'[28] The tribunal report remarked that, 'It would appear that the Minister for Industry and Commerce accepted the arguments put before him by Mr Goodman . . . without any independent appraisal.'

Certainly, Goodman's persistent allegations of price-cutting were not taken seriously by the Irish Ambassador in Baghdad, Patrick McCabe:

> I do remember Irish exporters saying to us from time to time 'so-and-so is quoting or is ready to quote X number of dollars per tonne, and this will seriously undermine me'. And just as I don't believe everything I read in the newspapers, I don't believe everything exporters tell me, because the general experience with exporters is that they are inclined to tell you what they want you to know.[29]

According to John Swift, head of the Trade Section of the Department of Foreign Affairs, 'It is part of normal commercial rivalry that people will accuse their rival of price-cutting, but will always say that they have, of course, never indulged in such horrendous practices . . . Price-cutting is a charge rather than a verifiable fact in most cases.'[30] In any event, if price-cutting was a real concern, then export credit should have been confined to just one company, rather than two, since, as Oliver Murphy pointed out, 'export credit insurance was a valuable commodity . . . and if you give it to two people . . . you might as well give it to twenty, because two can do the damage of twenty.'[31]

In fact, the evidence indicates that Irish companies were selling beef cheaper than exporters from other countries. Oliver Murphy of Hibernia indicated that his French parent company, CED Viandes, supplied Iraq from Ireland because 'prices are more favourable in Ireland'.[32] The evidence also suggests that companies like Agra and Halal may have been seeking higher, not lower, prices from the Iraqis than Goodman had settled for. An official investigation in 1989 indicated that Goodman prices may have been $3,100 a tonne rather than the $3,500 which the company claimed. Agra failed to get business in December 1987 because it wanted $3,400 a tonne, while Halal also felt unable to supply at the prices offered by the Iraqis. In any case, real prices may well be extremely difficult to determine because of the existence of 'understandings' about hidden aspects of the contracts.

It was Albert Reynolds's own judgement that he had insufficient evidence to take Goodman's allegations against Halal and Agra seriously. Yet he not only retailed those views to Joe Timbs on 13 November, but he never allocated any effective cover to any company other than Goodman and Hibernia (which eventually got Paschal Phelan's allocation as well). He explained his mention of the 'difficulties' that Halal and Agra were causing by saying that, 'I take the view that such competition between Irish exporters can only be of benefit to foreign consumers. It is against, in my view, the national interest, and the national economic interest to allow foreign consumers the benefits of lower prices.'[33] So, in spite of his scepticism and the lack of evidence, he accepted that Halal and Agra might cause lower prices and had now become enemies of the national interest, merely because Larry Goodman told him so. Yet again, the national interest happened to coincide with Larry Goodman's.

Over the coming days, while Halal continued to haggle over the terms of the cover they had been offered, Goodman's aim of excluding them from 'his' market came closer and closer to fulfilment. Albert Reynolds sought advice from the Attorney-General as to whether there was a legally binding contract with Halal to give them the $25 million cover they had been offered. The advice – that the offer did not amount to a binding commitment – cleared the way for Halal to be sent the way of Agra and be excluded from the export credit pot.

On 23 November, Aidan Connor of Goodman International met Joe Timbs in the Department of Industry and Commerce to discuss further cover for his firm. On 26 November, Larry Goodman was in the Department and met Seamus Brennan, with whom he discussed the need to make it clear to the Iraqis that Goodman's existing business was not affected by the extension of credit terms from twelve to eighteen months agreed in September. Brennan gave Goodman a copy of an official letter he was sending to Mohammad Hamza al-Zubaidie in Baghdad, a fact which caused considerable diplomatic embarrassment when Goodman, a private citizen, turned up there with a copy of an inter-state communication which had not yet been received by the Iraqis. And on the following day, 27 November, a flurry of activity led to the effective confinement of cover to Goodman and Hibernia alone, a policy that would not change over the next two years until the whole Iraqi adventure turned sour.

At the meeting on 23 November, Connor indicated that his company was looking for about $52 million of new cover, to cover a 15,000-tonne contract which, from indications at the Baghdad fair, might be available. Departmental records indicate that they were aware that Goodman International were seeking more cover, but that 'no formal proposal has been received'.

On the 27th, however, such a proposal was delivered to the Department. A letter from Aidan Connor announced that 'AIBP has now secured an extension of our existing contract valued at $52 million, and seeks insurance cover for this amount.' This was not, in fact, true, since no $52 million contract had been secured, and Connor and Larry Goodman were preparing to return to Baghdad the following day to continue negotiations for their 1988 contracts.

The letter, however, went far beyond a request for further cover for Goodman, to urge the exclusion of competitors:

> From a marketing perspective, it is imperative that the Iraqis see a united front from the sellers of Irish beef in order to preserve the price premium now clearly established. The Brazilian exporters openly compete with one another in Iraq and this fact has been exploited in full by the Iraqis as is evidenced by the successive reductions in selling price accepted by the Brazilians in recent tenders. For Ireland, a single voice is an essential marketing tool to prevent such an occurrence. Because of our history in the market, AIBP should be that voice, and I would therefore request that your Department reject sundry applications for credit from various Irish suppliers in order to prevent a repetition of the Brazilian experience.

This letter was delivered to the Department by a Goodman driver on the morning of the 27th. Since no copy of it exists in Department of Industry and Commerce files, it is not clear who in the Department received it. The Department Secretary, John Donlon, and Albert Reynolds are listed on Goodman files as recipients. Aidan Connor's secretary wrote Reynolds's name on top of the copy kept by the company, and 'her best recollection is that if that was what she was instructed to do, that she would have delivered it.'[34] Connor himself ticked off Reynolds's name as a recipient of the letter, and said that 'it certainly was intended to go to him, let's put it that way . . . it was intended that he should receive a copy, that's clear.'[35]

However, Albert Reynolds stated in sworn evidence, which was accepted by the tribunal, that he had 'no recollection good, bad or indifferent', of having received this letter. He strengthened this lack of recollection shortly afterwards, making the statement that 'I can assure you I never got the letter'.

The question of what happened to this letter is of great

importance, for two reasons. First, if Reynolds did get this letter on that morning, it adds point to his meeting with John Donlon and Joe Timbs at 2.30 pm, and to his instruction at 4 pm to his Private Secretary to phone Halal and tell them that they had no export credit insurance for Iraq.

And secondly, the letter was removed from the Department's files. According to Joe Timbs, when the Minister gave him the letter some time in December, he sent it back to Aidan Connor, asking him to remove the 'single voice' paragraph. It came back in early January, with the offending paragraph removed. Instead of being an application for $52 million cover, however, it was now an application for $155 million. Yet the new version was still dated 27 November 1987. The files therefore suggested, misleadingly, that Goodman had not asked for 'sundry applications' to be rejected on the same day that Halal's cover was withdrawn. They also suggested that the Department had on that date applications for cover in Iraq for $105 million more than was actually the case.

In public discussion of his decision on 27 November to withdraw Halal's offer of cover, Albert Reynolds made some highly questionable statements. During an RTE *Today Tonight* television programme on 16 May 1991, in the course of which Pat Rabbitte alleged that Halal had been deprived of cover to which they were entitled, Reynolds called in with a statement which was read out by the presenter, Brian Farrell: 'The Minister points out that a fundamental condition for such credit is a contract of sale and this, he says, Halal failed to produce while he was in office.' It is true that Halal failed to produce a contract, but clearly untrue that this was a fundamental condition for obtaining cover. Hibernia did not have a contract when they were allocated $46 million of cover by Albert Reynolds. Master Meats did not have a contract when they were allocated £10 million of cover by Albert Reynolds. AIBP did not have a contract when they were allocated a further $30 million just a fortnight before Halal's offer was withdrawn.

The following Sunday, 19 May 1991, on the RTE Radio

programme *This Week*, Albert Reynolds said that Halal had failed to produce a contract, and also implied that they had never had an offer of cover. It was put to him that 'the undertaking that they would get this export credit insurance was withdrawn', and he replied that 'you can't withdraw something that doesn't exist for a start'. This seems to imply that Halal never had an undertaking that they would get cover, whereas in fact they had been given a formal offer of $25 million worth of cover, and he himself subsequently told the tribunal that 'Halal Meats were offered cover'.[36] (In the same interview, he also said that 'the Government took a decision' to restore export credit insurance for Iraq 'because of bad cattle prices', whereas in fact he had taken that decision himself, as he was entitled to, without government approval.)

At the tribunal itself, he also suggested another reason for the withdrawal of Halal's offer of cover – that Halal had been making too many changes in its application:

> It is a matter for the companies concerned to do their business in a businesslike way, and when I find a company that's chopping and changing, then I go and ask questions, and if, as a result of those questions, I say to myself that it's time for me to take a decision, I take that decision and I took that decision.[37]

On this explanation, it was not the absence of a contract that led to the withdrawal of Halal's cover, but its shifting position. Goodman, however, in two letters dated for the same day, shifted their position by $105 million, whereas Halal's shift in demands had been just $12 million. Goodman did not have their cover withdrawn. Larry Goodman himself explained that in negotiations for business in Iraq,

> the goalposts would be changing all the time until the contract was signed. There are a whole series of steps in relation to business in Iraq, and at any one time the figures would be X and then they could be Y and until they were clarified and until the contract was signed, it was not definite what the

> figure was . . . it would move until a particular point in time, when it would be agreed.[38]

Goodman's 'chopping and changing' did not provoke Albert Reynolds into asking questions and making decisions. Halal's did.

A third explanation was offered to Halal for the withdrawal of their cover, this one given by Ray McSharry, when he phoned the company on that afternoon. He said, according to Sean Clarke of Halal, 'that cover limits had been reached or that cover had been doubly allocated, something to that effect'. McSharry himself said that he was told at the time that Halal had failed to take up the cover.[39] Neither of these variants could have applied, however, since Halal's $25 million was within the permissible ceiling, and the company still had, under the rules, another thirty-odd days in which to take up their cover.

On 3 December, Reynolds met Halal representatives to tell them the bad news. Six days later, however, he was clearly still worried, because he had his Private Secretary telex directly to the Irish Embassy in Baghdad to ask them to 'approach the Iraqis to ask what Irish firms have signed contracts for supply of beef to Iraq as of last Thursday evening. Information is required by this evening, our time'. This direct contact between a Minister and a foreign embassy was described by John Swift of the Department of Foreign Affairs as 'rather unusual procedure'. The Embassy replied that AIBP and Hibernia were supplying the Iraqis, and that Halal and Agra were still negotiating. Two days later, Reynolds again instructed his officials to make enquiries from the Embassy, specifically about Halal and Agra, and whether they had signed contracts. He received a reply marked 'Urgent. Grateful if you could urgently pass this very confidential message to Minister Reynolds via his private secretary.'

A number of aspects of the information he received from the Embassy in this way should have been of particular interest to Albert Reynolds. He was told, for instance that

Halal and Agra had been refusing contracts because they were offered prices 'which both companies regard as too low for them to meet'. This information was very relevant to Larry Goodman's complaints about price-cutting. He was told that Halal, like Hibernia, was supplying some of the meat for a contract secured by a French company. And, critically, he was told that 'On September 22nd, 1987, Halal bought 6,340 tonnes of beef from the Irish Intervention Agency. This purchase was specifically for the Iraqi market', and it had been supplied to Hibernia, who were exporting it under export credit allocated by Albert Reynolds.[40]

There, in black and white, and supplied at the specific, urgent and repeated request of Albert Reynolds, was information that cast a sickly light on the whole policy of risking massive amounts of public money in Iraq: at least some of the beef in question was bought, not, as he supposed, from Irish farmers, but from the EC beef mountain. Everything he had done was based on false premisses. Did he immediately call in the companies concerned and ask them whether this was the use they intended to make of the precious economic resource he had put at their disposal? Did he call the Department of Agriculture or CBF? Did he tell ICI to hold off on issuing policies until he had established the nature of the product he was underwriting? According to Reynolds, when faced with this telex, 'I see the reference to intervention meat. I do not recall attaching any significance to it at the time. That was not the focus of my attention.'

He said that even after he saw the telex he still had 'no knowledge whatsoever' that intervention beef was being used to fulfil the Iraqi contracts. When given the telex he 'might have glanced over it, but I wouldn't have got down to studying it'.[41] It was, after all, more than one page long.

13
Where's The Beef?

You got the knife you were working with and held it straight over the meat, the blade pointing down, the handle pinched between two fingers. You stretched your fingers away from the handle and the knife fell down into the meat. Because the meat was frozen, the blade should have bounced off it, but it didn't. It sank down all the way to the handle. Among the men on the line, this was a kind of standing joke, a sardonic gesture to break the monotony of their dull job of taking meat out of one set of boxes and putting it into another.

Throughout the summer and early autumn of 1988, Brendan Solan worked on the re-boxing line in the Goodman plant in Cahir, County Tipperary. Refrigerated containers full of brown boxes marked 'Irish Intervention Beef' would reverse into the loading bays, beside the helicopter pad where, from time to time, Larry Goodman or his brother Peter would land and take off. He and his colleagues would break the aluminium seals on the doors of the containers, unload the boxes, cut the straps, take out the meat, and put it into a new box.

Some of the meat, he said, was black and had congealed blood on it 'as if it had been thawed and refrozen several times'. In general, the beef was 'in various stages between being perfectly good-looking meat and being bad meat'. When the meat was bad, you would know before the box was opened, for the box itself was soaked in congealed blood.

Some of the bad stuff had 'larvae and bluebottles actually stuck to it'.

On quiet days, the two lines of men working on the re-boxing operation might only do a container-load each. But when there was a rush on, they would work from six in the morning until nine at night, and could do thirteen container-loads between them. They sometimes re-boxed forty container-loads a week. Some of the new boxes were marked with a green label, which meant they were going to Iran. Others, marked with a yellow label, were destined for Iraq.[1]

When, in the course of the beef tribunal, it became clear that 84 per cent of the beef exported to Iraq by Larry Goodman in these years was in fact intervention beef, Albert Reynolds described the news as 'a revelation to me'. He subsequently told the tribunal that supporting the export of EC intervention beef

> wasn't my intention at that time, because there was never a question in my mind about intervention beef . . . What was in my mind and the basis of my decision was in relation to fresh commercial beef. Fresh commercial beef has a greater impact on the Irish economy than has intervention beef.[2]

Charles Haughey, the Taoiseach at the time, described the same revelation, at the tribunal, as a surprise and a disappointment to him, and as a contradiction of his government's policy for the beef industry:

> Our concern was that the industry should deal with new beef, new cattle, new beef . . . As far as the thrust of our policy was concerned, we were concerned with getting Irish beef, fresh beef, as it were, that was killed here, having that in factories here, which would process it into consumer-ready products.[3]

In fact, only 15 per cent of all the beef exported to Iraq by Goodman and Hibernia in this period was commercial beef, bought directly from farmers; 75 per cent of it was intervention beef, and 10 per cent was from the EC's Aids to Private Storage (APS) scheme. What is remarkable, though, was not the revelation itself, but the fact that it should have been a revelation to the two men who presided over a policy of giving massive government support to Goodman International. Albert Reynolds's stated rationale for his Iraqi export credit policy was that he acted 'in the interest of the farmers of Ireland, of the economy, of the work-force'. His starting point was that 'high prices in Iraq means high prices for Irish farmers. Low prices in Iraq mean low prices for Irish farmers'.[4] This assumes, though, that the prices were being paid to Irish farmers because the meat was being bought from them. The source of the meat was at the very core of everything Reynolds was doing and, even apart from the Baghdad telex of December 1987, there were strong signals throughout most of 1987 and 1988 that the question of where the companies supplying Iraq were getting their meat from was one which, at the very least, needed to be asked.

In May 1987, when Reynolds got involved in the negotiations with the IDA on the Goodman development plan, the IDA representatives specifically discussed the issue of beef supplies and cattle numbers with him. If he had read, say, the *Irish Times* as well as the *New York Times* and *The Economist* during the critical period in which he was paving the way for Goodman's huge Iraqi contracts, he would have been aware that there was a crisis in the supply of cattle to the beef industry in Ireland. On 17 June, for instance, the very day on which he received Hibernia's application for $46 million of export credit insurance, the *Irish Times* carried a report of a warning from Con Scully, President of the Irish Creamery Milk Suppliers' Association, that 'the beef processing industry will face a crisis if the projected 8 per cent decline in cow numbers materialises'. He predicted a decline of £90 million in export earnings because Irish farmers would not have the cattle to supply the industry.

In September, just days after the government agreed to his proposal to approve £150 million of credits for Iraq, a similar warning came from his colleague, the Minister for Food, Joe

Walsh. He pointed out that cattle numbers in the Republic had dropped from 4.3 million in 1973 to a current level of 3.7 million: 'At the present rate of development, we will have only half the requirements. If we don't get the national herd up fairly quickly, it's inevitable you will have [a] demand for imports.' It was, he said, a 'rational expectation' that 'aggressive' meat-factory owners would soon be buying in cattle from outside the country to keep their operations going.

On the same day, Tom Nolan, Chief Executive of Meadow Meats, warned that there were 200,000 fewer head of cattle available for slaughter in 1987 than had actually been slaughtered in 1986, while 'additional markets' were now open.

To anyone with any interest in the subject it was obvious that there was not the supply to meet the demand. To anyone whose knowledge of business, of the meat trade, and of international markets was supposedly so profound as to override all available official advice, it was also obvious that the priority for the meat companies would be continuity of supply for the lucrative markets within the EC. To anyone who knew as much as Albert Reynolds did about the scale of the Iraqi contracts being underwritten by the state, it should have been more than a 'rational expectation' that the cattle to supply those contracts were not available in Ireland, and that they would have to be filled from intervention stocks, from outside the country, or both. Larry Goodman's June contract alone would require the slaughter of 320,000 cattle. Anyone reading the papers would have known that rounding up these hordes of beasts would be a tall order.

And, on 13 November, in the course of the discussions which led to the expulsion of Agra from the export credit paradise, Joe Timbs specifically raised with Reynolds the whole question of how all these contracts were going to be supplied, and suggested that the Department of Agriculture should be consulted. So the whole issue arose precisely in relation to the decisions on export credit which the Minister was then taking.

Equally, anyone bothering to glance at the annual statistical summary of world trade in cattle and beef, issued in December 1987 by the state meat board, CBF – again, unfortunately, running to more than one sheet – would have noted a substantial decline in the price of steers at auctions in Irish cattle marts in the autumn and winter of 1987. During the months of August, September, October and November, when the Iraqi contracts were under way in earnest and, on Albert Reynolds's reckoning, high prices in Iraq should have been leading to high prices for Irish farmers, prices were actually falling. From £127 per 100 kilos in May, they dropped to £120 in August, £119 in September and October, and £118 in November.

Anyone looking at these figures and believing that there had been a huge demand for freshly slaughtered Irish beef for Iraq could only have been forced to question that belief. Yet, not only did no such questioning take place, but, as we shall see, all attempts to raise the matter were rebuffed.

Even aside from all of this public information, Albert Reynolds and Charles Haughey had, of course, access to the most privileged sources of information on what was being shipped to Iraq – the exporters themselves. It would be extraordinary if, in all of the meetings between Larry Goodman or Oliver Murphy and Albert Reynolds or Charles Haughey, no inquiry was ever made about the kind of beef which they intended to export to Iraq. Goodman, after all, was extolling at these meetings, according to his own account, the benefits to the Irish economy which would flow from his Iraqi contracts, and those benefits hinged on the assumption that the beef was bought from Irish farmers and processed by Irish workers. Yet neither Reynolds nor Haughey could remember having asked this most basic of questions.

The Goodman attitude to where the beef came from was, to use Albert Reynolds's favourite word, pragmatic. They had signed contracts which committed them to supply to the Iraqis beef that was not more than 100 days from its date of slaughter. But, as Aidan Connor of AIBP put it, 'as both sides, if you like, became more familiar with one another's style, quite a lot of conditions on either side were simply, I won't say ignored, but they weren't enforced, let's say, on either side.' He regarded the fact that they were using, for the most part, intervention beef, as 'an open secret'.

Goodman International was doing nothing illegal in shipping intervention beef to Iraq, and, as was not the case with the use of beef which was not Irish at all, it had no obvious reason to hide the fact. According to Larry Goodman, his use of intervention was 'very well known by the authorities, and all concerned . . . There wasn't any secret about what happened to intervention.'[5] If the Iraqis were happy with the beef, Goodman didn't have a problem. The problem was one of public policy and prudence.

From the state's point of view, it wasn't just a matter of taking a fifty/fifty risk with the public finances for what the tribunal report found to be 'very little' economic benefit, though that was bad enough. It was that the use of intervention beef greatly increased that risk. If the Iraqis were not particularly trustworthy business partners in the first place, selling them beef which was not what they had contracted for gave them the perfect excuse to refuse payment at any stage. Just because the Iraqis chose, for whatever reasons of their own, not to enforce the terms of the contracts which called for the beef to be freshly slaughtered by the halal method, there was no reason to suppose that they could not, when the issue of payment arose, simply repudiate the debts on the grounds that they had been sold beef which was old and which could not be shown to be halal.

From the state's point of view, this was not a major issue so long as the contracts were covered by export credit insurance alone. Indeed, in one respect, it might be an advantage for the state that the Irish companies were not supplying what they contracted for, since, under the terms of the policies, the state was not liable to back the exporters if non-payment arose from breach of contract.

However, over the next two years, Goodman International

and Hibernia were allowed by Albert Reynolds to convert their export credit guarantees into 'short-term finance guarantees'. This was a mechanism which allowed a company to use their export credit insurance essentially as collateral in order to get cheap loans from the banks. Since the state was guaranteeing payment for the contracts, the banks would lend money at low interest for the financing of these contracts. In Goodman's case, this gave the company access to £35 million in cheap loans as well as the Section 84 loans which it was already getting with state support. In Hibernia's case, they got about £20 million of cheap loans under the scheme.

This was not, however, just another facility on top of the ones already given. The critical thing about the finance guarantees is that they effectively did away with the state's escape clause under export credit insurance. Whereas, with the latter, the state was protected if non-payment came about through breach of contract, its underwriting of the finance guarantees was, in the words of Frank Mee of ICI, 'totally unconditional'. So, even if the Iraqis refused to pay on the basis that the beef supplied was not what they had contracted for, the state would still have to come up with the money. Since most of the beef was patently not what the Iraqis had contracted for, this meant that the state was now adding to an already massive risk a blind faith that the Iraqis would fully honour whatever unspecified nod-and-wink arrangement they had reached with Goodman.

In theory, under the finance guarantees, the state, having paid up to the banks, could get the money back from the company. In practice, as Frank Mee pointed out, 'ninety-nine per cent of the users of the short-term finance scheme were not' able to give the state its money back, for the obvious reason that, by the time disaster struck, they had gone bust. According to Mee, 'best practice' would be to insist on seeing a full up-to-date set of accounts from the company before entering into the guarantees, to ascertain whether they would be likely to be able to repay such huge sums if they had to. ICI asked for Goodman's accounts before issuing the guarantees, but 'the Goodman Group were unwilling to give or to reveal their accounts, and that was pointed out but the instructions still came [from the Minister] to issue the guarantees notwithstanding.'

Mee's view was that

> a loss of that magnitude would shake any public company in Ireland, or any company in Ireland at that time, but I have absolutely no idea of what the Goodman Group's financial position was, and neither did anybody in Insurance Corporation or, as far as I know, in the Department of Industry and Commerce.

Not only were these basic checks not done, but the state continued to put these finance guarantees in place for Goodman and Hibernia well into 1989, when official information was indicating very strongly that there were huge doubts about the sourcing of the beef for Iraq.

One possible explanation for Albert Reynolds's failure to ask basic questions about the beef for Iraq would be that he knew very well that much of it would come from frozen piles of intervention meat. In June 1989, when the matter was becoming controversial, Rory Godson, then Business Editor of the *Sunday Tribune*, interviewed Reynolds by phone. According to Godson's notes of the interview, written up the same day:

> AR accepted that a large portion of the meat came from exports of intervention beef which does nothing to help Irish industry. He said we were doing it for the EC: 'Do you not think that every member state should not do what it can to help EC expenditure? Also, if you have contracts you honour them . . . If the meat was any different to what was on the contract, or originated outside Ireland, there would be no liability, because the cover would fall.'

Albert Reynolds's counsel strongly challenged Godson's notes of this conversation. He said that Reynolds's recollection was that when Godson asked him whether he knew of the use of intervention beef for the Iraqi contracts, he replied, 'I don't know and I didn't know'. A government spokesman later described Rory Godson's evidence and his contemporary notes as 'not in accordance with the facts'.

The other direct contention that Albert Reynolds knew that the beef for the Iraqi contracts would be coming either from the Irish foothills of the EC mountain or from outside the state came from a Fine Gael politician, Sean Barrett. He claimed in Dáil Éireann on 18 December 1990 that: 'My clear understanding is that the Government of the day were left in no doubt that some of this meat would have been sourced from outside the country, because of the non-availability of meat in Ireland.'

Questioned at the tribunal about his evidence for this claim, Sean Barrett referred to a meeting at the Shelbourne Hotel in Dublin, in either December 1989 or January 1990, between senior members of the opposition Fine Gael front bench, including himself, and Larry Goodman and Brian Britton. Goodman International was then under increasing attack in the Dáil from Labour and Democratic Left (then known as the Workers' Party). Fine Gael was broadly sympathetic to the company, by and large refraining from strong criticism of it, and with some members, notably the former Minister for Agriculture Austin Deasy and the Louth deputy Brendan McGahon, rallying to Goodman's defence.

In this context, Goodman had invited the party leadership to be briefed on export credit insurance, thus 'clearing up some points' that had arisen in allegations. The then party leader, Alan Dukes, attended the meeting, along with Barrett, Paul Connaughton and John Bruton. Barrett expressed the view that it was 'rather unusual' that export credit had been reintroduced for Iraq. Britton and Goodman told him that, in meetings with Haughey and Reynolds,

> they had explained that they would do the best they could to fill this contract with Irish meat, but if it wasn't possible they would have to source meat from outside the country and that

> they made this quite clear. And it was clear to them that export credit insurance cover would only apply to meat that was sourced in Ireland. And that they were aware of the fact that they couldn't make any claims in respect of meat that wasn't sourced in this country.

Both Charles Haughey and Albert Reynolds denied this.

Sean Barrett said that he had a subsequent meeting with Brian Britton, who again told him that this was the company's position. And in fact this was consistently put forward by the company as its understanding of what would happen. In the event of the Iraqis refusing to pay, the company would make claims only on beef sourced in Ireland. This would include the intervention beef bought from cold stores in Ireland, but not the 18,938 tonnes declared for insurance purposes but sourced in Northern Ireland and Britain – 38 per cent of all the beef which Goodman declared under its Iraqi export credit policies.

Such a claim is, of course, radically inconsistent with the fact that the company declared in writing, as it was required to do by the terms of the policies, that all of this beef, including that sourced outside the country, was the product of the Republic of Ireland. If there was any understanding about not making a claim on the non-Irish beef, it was yet another nod-and-wink arrangement, unlikely to have any legal standing.

Goodman also consistently made it clear that their priority for fresh beef supplies was to service their European supermarket customers. As the company's submission to the tribunal put it, 'the order of priority for the fresh kill has to be retail customers in Europe, because they only get fresh meat, vac-packed meat.'[6] They also maintained that 'the use of intervention beef to service [Iraq] was done with the knowledge and encouragement of . . . the European Commission generally and the Irish Department of Agriculture.' Both, they said, were 'well aware' that the beef going to Iraq included intervention stock.

Goodman International maintained that 'it was quite clear that the State knew about the source of the beef. There was nothing secretive about this at all, plenty of means of knowledge available.'[7]

A great deal of evidence bears out this claim. As early as the first meeting between Ted O'Reilly and Brian Britton in April 1987, after Reynolds decided to bring Iraq back on-cover, the question of sourcing was raised and Britton said that 'they used little or no beef from outside the thirty-two counties, but occasionally some to top it up'. This was a clear indication that product from Northern Ireland and elsewhere was used by the company for such contracts.

Likewise, the Department of Agriculture knew that, as it was put at a meeting on 20 January 1989, AIBP 'would be importing processed product for export through the Republic's ports'. In January 1988, a meeting between AIBP and the Department, including the Deputy Secretary, Derek Mockler, was told by AIBP that 'the [Iraqi] contracts run until June 1988 and it is hoped to source all supplies from Ireland'.

Even if the very vagueness of these statements was not enough to cause discomfort about the nature of the beef involved, the Department of Agriculture would very soon have had ample direct evidence that a great deal of intervention beef was going to Iraq. In the first place, all the reboxing which Brendan Solan and his colleagues in Cahir and other plants were doing could only be carried on with the Department's permission, and under its supervision. In the second place, in order to claim EC export refunds, an extremely valuable part of the deal from the exporter's point of view ($111 million on the $134.5 million contract alone), the companies had to submit to the Department precise details of the beef on which they were claiming and where it had gone. The people paying the refunds were the same people who had sold Goodman the beef from intervention stocks in the first place. As the Secretary, Michael Dowling, put it, his Department 'did become aware over time of the quantities sold out of intervention going to Iraq when the export refunds were applied to it.'[8]

What is extraordinary is that this knowledge seems to have remained almost entirely dormant. The then Minister for Agriculture and Food, Michael O'Kennedy, for instance, could drag up only the vaguest awareness that he had given permission for a massive re-boxing operation by Goodman: 'It could well be at some point, some day, someone came to my office and said "Minister, would you sign that?" And it could well be that I did, but, subject to that, I don't have the facility for total recall of all events.'[9]

A mere passive failure to make use of its knowledge that an operation that was in direct defiance of government policy was under way, underwritten by the state itself, would be unfortunate. But, in fact, the Department of Agriculture went out of its way not to disclose its knowledge, tending more towards an active cover-up than a passive failure to respond. On two occasions in particular, the Department of Agriculture's attitude to the question went a long way over the border between non-disclosure and cover-up.

The first occasion was in October 1988. In preparation for that year's session of the Ireland/Iraq Joint Trade Commission in Baghdad, CBF prepared a briefing document on beef exports. The document, presented to the Department on 30 September, stated that

> In recent years, the product supplied to Iraq has been largely from intervention stocks with some APS. The market is mainly for frozen hindquarter boneless cuts. As the stocks of intervention product decline, the market is likely to move towards APS and possibly forequarter cuts as prices rise. The type of beef should not be mentioned to the Iraqis. At present Islamic slaughter is a requirement of the market.

This document was intended primarily for Minister for State Seamus Brennan, who was leading the Irish delegation. Yet, even in this context, a document from an official state body was altered in the Department to read:

> The market is mainly for frozen hindquarter boneless cuts. In some cases, the exporters have availed of the EEC Aids to Storage Scheme prior to export. In view of rising price trends, there may be some move towards some forequarter cuts.

Joe Shortall, the civil servant who doctored the document to remove all reference to intervention beef, said that he was aware that the author of the document in CBF knew what was going on in Iraq, and that he himself 'didn't have at my disposal at the time any statistics or anything that would have enabled me to dispute the fact' that most of the beef going to Iraq was intervention.

The false impression given by the altered document was compounded when the alterations were first discovered at the tribunal. At the time, the state issued a press statement, maintaining that 'Joseph Shortall disagreed with the contents' of the paragraph in question, and that 'Joe Shortall will say that he amended the document so that the correct situation would be recorded in the documentation.' Neither of these statements was true. Joe Shortall did not disagree with the contents of the paragraph, and when he came to give evidence, he did not maintain that he made the changes in order to show 'the correct situation'. The impression created by the state's press statement – that the original CBF document was wrong in its contention that the market was mostly for intervention beef – was patently false.

The second occasion on which the Department actively obscured its knowledge of the kind of beef that was going to Iraq had even more serious implications. In October 1989, when the Iraqis had defaulted on their payments and the then Minister for Industry and Commerce in the new Fianna Fáil/Progressive Democrats coalition government, Des O'Malley, was seeking to void the insurance policies because of the use of non-Irish beef, he asked the Department of Agriculture for 'the level of intervention purchases which had been used to fulfil the Iraqi contract'. The reply he received was that 'it would be impossible to establish from their records the quantity of beef sold from intervention stocks to Iraq during that period, since purchases from intervention stocks cannot be related to specific shipments by meat exporting companies.'

The Departmental Secretary, Michael Dowling, subsequently admitted at the tribunal that 'it would have been possible to supply the information for the product which was required . . .'. The tribunal report determined that 'the Department of Agriculture, as the intervention authority, was at all times aware of the fact that the intervention beef purchased from it was destined for export to Iraq, authorised the repackaging or re-boxing of the meat and authorised the payment of the appropriate rate of export refunds.' Yet even with large sums of public money at stake, one government department actively misled another. As late as November 1992, the Fianna Fáil Minister for Agriculture, Joe Walsh, continued to insist that this information on intervention beef and Iraq was 'not readily available' to his Department.

At the same time, O'Malley asked the Department of Agriculture for its comments on a veterinary certificate supplied to him by Oliver Murphy of Hibernia Meats, purporting to show that the Department had certified that a particular batch of meat for Iraq had been slaughtered within ninety days of arrival, and was therefore not intervention meat. In fact, this had been added by the company to the official certificate. The Department, however, apparently failed to notice this and did not respond to O'Malley's request.

The extraordinary reluctance of the Department of Agriculture to disclose its knowledge of the use of intervention beef for the Iraqi contracts does not, however, adequately explain the apparent ignorance of Albert Reynolds or his Department about the matter. When it was revealed, Albert Reynolds implied that it was primarily the fault of the Department of Agriculture. His job concerned the operation of the export credit scheme alone, 'and consequently one would expect that every department would do their own job properly.'[10] In spite of the failure of the Department of

Agriculture to put its knowledge to use, however, there had been ample opportunity for Reynolds and his Department to become aware of the situation. Not only were the concerns about the drop in cattle numbers in the public domain, but those concerns were shared within the Department of Industry and Commerce and were raised directly with Reynolds in the course of his 13 November decision on export credit.

These concerns were voiced more insistently in early 1988. On 23 March, the Export Credit Section of Industry and Commerce wrote to the Department of Agriculture seeking advice about the 'availability of supplies and the effect that [Iraqi] exports are having on cattle numbers in this country'. In response to this request a meeting of officials from both departments was held on 15 April. One of the Agriculture officials, a Mr King, who had come from the beef division and was 'well placed to express this particular concern', showed considerable scepticism about the Iraqi business. He 'expressed surprise at the figures' given by the Industry and Commerce side for beef exports to Iraq, and 'said that this enormous growth in exports of beef to Iraq in such a short space of time was difficult to comprehend and he personally doubted if it could be possible.'

He also wondered whether 'it was possible that the companies concerned could be signing large contracts for beef in Iraq simply as a means of obtaining soft loans under the Export Credit Finance Scheme, but having no intention of honouring the commitments under the contract.' He asked 'if it was possible that the companies involved were aware of the administrative limit which existed in respect of exports to Iraq and were "tying-up" large chunks of this insurance cover in order to keep competition out of the market.' These concerns were dismissed by the Industry and Commerce side, even though they had asked for the meeting in the first place.

That the signals which did emerge from Agriculture were not heeded is not necessarily the fault of Albert Reynolds, since his own officials do not seem to have taken them seriously. However, aside from all the circumstantial evidence, and all his contacts with the Goodman side, who were making no particular effort to hide the source of the beef, there were two other sources of information which were well within his ken.

In the first place, Goodman was continuing to lobby for changes in the Finance Act to allow him to use more intervention beef for his contracts without losing the benefits of his Section 84 loans.

Secondly, and even more directly, the fact that Goodman was using intervention beef was made public just at the time when Reynolds was proposing new allocations of export credit for the company. On 29 October 1988, a week after Reynolds had decided to make huge new allocations, the *Farmers' Journal* weekly newspaper carried a front-page headline declaring 'Big Middle East Contracts'. The story underneath declared that

> The Anglo-Irish Beef Packers [*sic*] Group is now on course to sell 100,000 tonnes of beef to the Middle East this year . . . Over recent weeks, the AIBP Group has concluded deals for around 70,000 tonnes with Middle East countries on top of on-going business. The new contracts are for a mix of commercial, APS and *intervention beef* . . . The AIBP Group will also be doing business with Iraq again this year and it is understood that a new order for 20,000 tonnes of *intervention beef* has recently been secured.

Here, at last was the evidence on one sheet. Unfortunately, even in this form, it does not seem to have impinged on the Minister's consciousness. Later in the year, when Owen Brooks of CBF raised concerns that Goodman International had signed a contract for 'the supply ex intervention of 15,000 tonnes of boneless forequarter beef', whereas there were only 10,000 tonnes left in Irish intervention storage, the Department of Industry and Commerce refused to tell him whether or not this contract would be covered by export credit.[11] Friendly warnings, it seems, were not welcome.

The tribunal report, though it accepted Reynolds's evidence

that he did not know that most of the beef going to Iraq was taken from intervention stocks, was particularly scathing about his failure to ask questions about the source of the beef. The report found that the actual economic benefit of the exports underwritten by Reynolds at such high risks was 'minimal', and certainly 'would not justify the risk involved'. With his characteristic sonorous understatement, Mr Justice Hamilton stated that the nature of the beef destroyed the 'national interest' justification for the export credit cover, because

> the national interest would also appear to require that before exposing the State to a potential liability of well in excess of £100 million, a more detailed investigation or analysis of the benefits to the economy of such decisions . . . should have been carried out. Such an investigation, if made, might, and in all probability would have disclosed that a large portion of the beef to be exported was intended to be sourced outside the jurisdiction and an even larger portion had been or was intended to be purchased from intervention stock and that the benefits to the Irish economy arising from such exports were illusory rather than real.

14

An Inspector Calls

At the beginning of 1988, the state, although now fully committed to Goodman's venture in Iraq, also decided to call in the police to look at events in Goodman factories. On 4 January, the Department of Agriculture decided to refer the Customs report on the Waterford and Ballymun scams to the Fraud Squad. The attempts in these plants to rip-off EC money by claiming subsidies for non-existent beef were finally being treated as possible crimes.

At around the same time, there began to appear the first signs that the state's reward for its support of Goodman – his five-year development plan – was in serious doubt. And Goodman's expression of his confident expectation of further state support, set out in the re-written letter of '27 November', now seeking $155 million cover, arrived in the Department of Industry and Commerce. Over the next few months, these wildly incompatible stories – a criminal investigation, a plan to 'wipe out' markets like the Iraqi one, and a plan to greatly increase state support for Goodman in that market – became intertwined.

On 22 January, Larry Goodman and James O'Mahony, the Secretary of the Department of Agriculture, spoke on the phone. O'Mahony told Goodman that a penalty on his company in the 'possible range of £1 million to £10 million' would be discussed with the EC Commission, and that 'the matter would be likely to be referred to the Gardai'. By coincidence, Larry Goodman went to Charles Haughey's home the following day at noon for a private meeting. According to Haughey, this news which Larry Goodman had just received of a possible £10 million penalty on his company was not mentioned 'at all' at this meeting.[1]

Haughey, in fact, told Dáil Éireann in 1989 that he did not know of the penalty at all. On 12 April 1989, he told the Dáil that

> There is certainly no intervention by Ministers in any of these details nor is there any intervention or even knowledge of these details by the Taoiseach or his Department . . . Some of the deputies are endeavouring for their own political purposes to involve me in a matter about which I have no official knowledge and for which I have no official responsibility.[2]

In fact, Donal Creedon, who was to succeed James O'Mahony as Secretary of Agriculture, told Charles Haughey of the proposed £1 million penalty on 25 January 1988, the Monday after Haughey's meeting with Larry Goodman at Abbeville. Creedon came to see Haughey as Chairman of the Association of Higher Civil Servants, and remarked to him that he had files on his desk relating to Goodman and that 'it looks like it's going to cost the company £1 million at least'. Even if Larry Goodman did not tell Charles Haughey about the Waterford/Ballymun investigation, therefore, the Taoiseach learned of it within two days of seeing Goodman. His explanation for his 1989 Dáil statement that he had 'no knowledge' of it was that although 'it's clear that [Creedon] did mention this matter . . . I think it's equally clear that he was only mentioning it peripherally . . . Certainly, at that time, it didn't impact on my mind at all.'[3]

The following day, Creedon also told his Minister, Michael O'Kennedy, about the penalty.

As James O'Mahony had told Larry Goodman, the Department, quite apart from referring the matter to the Fraud Squad for a criminal investigation, was now in a position to impose on AIBP penalties and forfeitures of up to almost £10 million. Donal Russell, a Principal Officer in the Department of Agriculture, prepared a list of four options, which would respectively cost the company £388,000, £681,000, £1.084 million, or £9.414 million. The first two of these options were not real penalties at all, since they would merely have disallowed payment that had been fraudulently claimed and disallowed boxes in which there were ineligible trimmings.[4] Either of these options would have been utterly unacceptable to the European Commission, which would then have reclaimed the money from the Irish Exchequer. The only real choice, therefore, lay between a £1 million and a £9 million penalty.

James McCabe, Assistant Secretary of the department in charge of the Finance Division, said that in looking at the range of options for penalties, 'my first reaction . . . would be to go and hit them for the £9 million and let them squeal'. He confessed that 'if it was a question technically of just dealing with it on a purely commercial basis, I would want to get the best deal, and I would have went for the hard option, the £9 million.'[5]

Nevertheless, the option chosen was the lower one, saving Goodman over £8 million. This, however, represented only the technical penalty for breaches of EC regulations. The real penalties were expected to come from the much more serious process of criminal investigation.

There was, by this time, no doubt in the Department of Agriculture that a serious fraud had been under way in two separate Goodman plants. An internal minute of 21 January 1988 notes that 'it is clear that a substantial fraud was committed in this case'.[6] The departmental memorandum referring the matter to the Fraud Squad in February stated that the over-declaration of weights had been 'quite deliberate and systematic and thus constituted a fraud'. Donal Russell, the official who wrote it, said that at that stage the material available to the Department 'seems to involve criminality'.[7] At least two senior members of government, the Taoiseach and the Minister for Agriculture, had some knowledge by then that the fraud had occurred.

The case was referred to the Fraud Squad on 4 February, more than thirteen months after the irregularities in Waterford had been discovered. The delay had been very considerable, and in the subsequent view of the Director of Public Prosecutions, improper. His office concluded in 1991 that there had been an 'inordinate delay' in referring the matter to the Garda Síochána: 'From the outset it must have been clear that conduct involving serious offences under the general criminal law were probably involved. That is the business of the Garda Síochána.'

Even after the matter had at last been referred to the police, however, there was an extraordinary lack of urgency in the investigation. It took a month for an individual officer, Detective Sergeant William Meagher, to be assigned to the case. He had other work to clear up, and it was 29 March before he took his first real step in the case, a meeting with Donal Russell.

The meeting lasted 'at least half an hour'. Russell had the central document in the case, the extensive and detailed Customs report, in his possession. Detective Sergeant Meagher did not, however, ask him for a copy. Russell referred Meagher to David Murphy in Customs and Excise. It took all of five weeks for Meagher to meet Murphy. When he did so, again for about half an hour, he asked for a copy of the report, but was told that, although there was no difficulty in giving it to him, he would first have to supply a formal letter from his superior requesting it. This letter was not sent for another two weeks. When it was sent, it seems to have gone missing. The Customs files contained no record of receiving any letter from the Garda Síochána in May 1988. Somehow, somewhere, it got lost.

At this stage, five months after the case had been referred to the Garda as a serious one – Meagher described it as the largest fraud complaint he had ever come across – and a year and a half after the fraud had been discovered, the detective's file on it consisted of the original memo from the Department of Agriculture, and a copy of a letter sent to the Customs but never received by them. Detective Sergeant Meagher began to make phone calls to David Murphy, but was told that Murphy was out or was engaged. He rang on 'at least four or five occasions' and left messages twice, but his calls were not returned. Eventually, on 18 October, he made contact.

It was then that the detective discovered that the letter from his superior had not been received by Customs, and he delivered a copy by hand that afternoon. Astonishingly, however, it was not until 2 December that he got a call to say that he could collect the Customs report. It thus took two years from the discovery of the fraud for the basic document in the case to be given to the policeman investigating it.

Even then, just two detectives, Sergeant Meagher and Detective Garda John Hayes, were assigned to the investigation, and for both it was merely one case among many that they were assigned to. Before the investigation was completed, Sergeant Meagher had retired.

The investigation itself was limited. In the first place, just two contracts out of a total of 150, one from Ballymun and one from Waterford, were chosen for examination. In effect, however, even this limited exercise was not undertaken. The Ballymun contract was investigated first, merely 'because of its proximity to Dublin', where the Fraud Squad was based. The idea was that when this investigation was complete and a file had been sent to the DPP, the Waterford contract would be looked into. In fact, the Waterford allegations were never investigated, even though the fraud there was substantially different in that it involved the inclusion of trimmings in the boxes, as well as the falsification of declared weights. And the Department of Agriculture, which had referred the Waterford incidents to the Fraud Squad in the first place, never asked why this case was not investigated.

In the second place, the operative assumption in the investigation was that it was Daltina, not Goodman International, that was being looked into. Detective Sergeant Meagher agreed that 'the finger was pointed fairly strongly at Daltina'.

No questions were asked about the AIBP management in Waterford or Ballymun. It was not until July 1990 that a senior Goodman executive, Peter Goodman, was interviewed, and his replies were extremely limited and laconic.

In the end, the investigation failed to produce results. In May 1991, the office of the DPP concluded that

> whatever hope there might have been of bringing home criminal responsibility for such activities was effectively eliminated by the inordinate delay . . . One may surmise without difficulty that a conspiracy to defraud existed between companies and between officers or employees of companies, but the available evidence falls short of establishing either the precise nature and objectives of such conspiracy, or the knowing involvement of identified persons in it. While the operation generally shows a pattern of deception and, almost certainly, of fraud, no person can be shown to be participant in it with a specific provable criminal intent. Accordingly, no prosecution is warranted by the available evidence.

While all of this was going on, the fact that two Goodman plants were now under criminal investigation, and that one of the Group's most senior executives, Nobby Quinn, had been convicted in September 1987, seems to have made no difference whatsoever to the unqualified support which the state continued to give to the company. In February, the $30 million export credit promised by Albert Reynolds was confirmed, and the company understood that it had a commitment from the Minister for more cover when the legislative ceiling for the scheme was raised, even though the export credit section of Industry and Commerce prepared another memorandum recommending that the limit for Iraq stay at $150 million.

By now, the entire export credit insurance scheme was becoming grotesque and absurd. In late March 1988, the Assistant Secretary of Industry and Commerce wrote a strongly worded memorandum for Reynolds, pointing out that 'common sense would suggest that with Iraq at £114 million . . . the portfolio is now dangerously unbalanced.' If

Goodman got any more credit, the scheme as a whole would be facing the 'situation that the Government is closed for Export Credit Insurance business in every country except Iraq!' The policy was now reaching a point where an exporter to, say, Germany, could not get export credit, while huge amounts of credit were being given to one of the riskiest markets in the world.

In any case, the government should by this time have been worried about the fact that the deal on the five-year development plan, announced in June 1987 and rushed through with such urgency, had still not been signed by Goodman International. The prize for all this public support had not yet been delivered. And, worse still, Goodman had begun, from early in New Year, to raise a whole new set of problems. Two crucial clauses in the IDA's grant agreement, guaranteeing that money would only be paid out to the company after it had created jobs, were now objected to by the company.

These clauses were not just part of the IDA's draft agreement, but of government policy. The major weakness with IDA investment in private firms had always been a failure to ensure that it actually achieved its purposes of generating employment, and that job targets announced amid the fanfare of press conferences were actually honoured. Joe McCabe, the Chairman of the Authority, was determined to overcome this weakness by the use of performance clauses under which the release of grant money would be tied directly to the prior achievement of agreed targets.

In November, Albert Reynolds had been present at a Small Firms' Association conference in Galway at which Padraig White of the IDA said that 'industrialists who accept the IDA grants would, in future, be paid only as new employees are recruited or additional wealth is created, ensuring the maximum return for the state's investment.' There is no doubt that, as Minister for Industry and Commerce, Reynolds was committed to this goal, since it was included in the Programme for National Recovery agreed by the government, the trade unions, employers and farmers in October. Here, in print, was a commitment to a policy of 'linking State aid more directly to employment so that disbursements will depend on the achievement of specific employment targets.' This was, therefore, a solemn undertaking given to all the social partners.

Here, at last, was an issue on which Larry Goodman could not get his way. No government could abandon a public policy agreement simply to suit the demands of a private company, demands which were first raised six months after the deal between state and company was announced. This government, however, did precisely that.

The IDA Authority, in approving the Goodman deal, had specifically insisted on the presence in it of both a performance clause, linking grants to jobs created, and a clawback clause, giving it the power, if job targets had not been met over the life of the plan, to recover an appropriate proportion of the money it had paid out. The inclusion of both clauses was made necessary by the scale of the investment, but has since become standard in all IDA contracts, even for much smaller projects. The aim was 'copperfastening control over IDA grants relative to jobs'.[8]

Both clauses were included in the detailed agreement drawn up in June 1987 and approved by the government on the 16th of that month. By the end of the year, after continual negotiations, a final grant agreement was ready. In January 1988, however, the IDA was suddenly informed that 'Mr Larry Goodman would not sign the grant agreement in its present form, and specifically sought the removal of the performance clause and indicated that he would not sign the agreement so long as it contained a performance clause.'

At a meeting in the Department of Agriculture in late February, Larry Goodman admitted that he had not done much about the plan and that he 'had a credibility problem' in relation to it.[9] He did not mention the performance clause as a stumbling block. Nevertheless, the company continued to insist on its removal. The IDA pointed out to the company that these clauses were 'necessary safeguards' for the state's money, and that, besides, they were part and parcel of the government approval of the deal in June. On 1 March 1988, the IDA Authority met and took a 'very strong' and unanimous decision that the performance clause would not be deleted from the agreement. This stance was supported by John Loughrey in the Department of Agriculture and Food, the official who had worked most closely on the original agreement. Two days later the IDA wrote to Larry Goodman informing him that it had no intention of dropping the performance clause.[10]

That afternoon, at 4pm, Larry Goodman met Charles Haughey. He made it clear to the Taoiseach that he had no intention of signing the agreement with the performance clause in it and that he was prepared to 'walk away' from the whole deal.[11] He said, 'We never agreed to it, we never will agree to it, I'm sorry if it's holding things up, but as long as it's there we are not going ahead.' He was not, he added, 'going along asking for Mr Haughey to remove it', but 'if Mr Haughey chose to do something about it, that was great.'[12] (Goodman's deputy, Brian Britton, who discussed the matter extensively with him at the time, understood that his boss was in fact intending to ask Haughey to remove the clause. His view was that Goodman was 'lobbying Mr Haughey's support in relation to the matter', and that the purpose of the lobbying was to get Haughey 'to get the IDA to see the wisdom' of the company's stance.[13] However, Goodman left the meeting, he said, unsure what Mr Haughey was going to do.[14])

Charles Haughey, for his part, had no clear recollection of the meeting, but had 'a memory that the performance clause was almost certain to have been discussed.'[15] He also had a memory that Goodman had made numerous complaints to him at the meeting about the IDA. And he was sure that he himself did nothing to act on these complaints.

By sheer coincidence, however, the following Tuesday morning, Haughey's Departmental Secretary and close adviser, Padraig Ó hUiginn, made a phone call to the IDA offices. Even though, on his own evidence, Mr Haughey 'didn't deal with it at all', Mr Ó hUiginn decided independently and out of the blue to take a hand. According to Ó hUiginn, he was not told of the problem by the IDA, by the Department of Agriculture, by Larry Goodman, or by any other obvious source of information. He was not aware of the correspondence between the IDA and Goodman on the issue. Nor, however, was he told by Haughey. The timing of his intervention was, as he explained, 'pure coincidence'.

Yet, when he rang Martin Lowery at the IDA that morning, he addressed himself directly to the precise problem that was at issue – the performance and clawback clauses. Lowery was not expecting the call, and had never had any contact with Ó hUiginn before on the issue of the performance clause. Yet his impression of the call was that Ó hUiginn was 'very well briefed'.[16] According to Ó hUiginn, however, 'I don't know how I knew precisely what the differences were' between the IDA and Goodman.

He nevertheless told Lowery that the IDA was taking a hard line on the issue. Lowery faxed him copies of the correspondence between the IDA and Goodman about the clause. Ó hUiginn decided, on the basis of these letters and with no prior knowledge of the matter, that Goodman had a 'reasonable case'. Acting 'in the interests of the economy', Ó hUiginn then phoned back and said that he 'proposed to seek a decision from a Government meeting currently in progress'.

A civil servant, apparently on his own initiative, was proposing to ask a government to breach an important national commitment. According to the Cabinet Secretary, Dermot Nally, Ó hUiginn's initiative was not the kind that a Departmental Secretary would take. Nally also regarded it as 'exceptional' that a department other than the sponsoring one (in this case, Agriculture and Food or Industry and Commerce) would put forward proposals on such matters.[17]

Ironically, one of Ó hUiginn's functions was to chair the Review Committee of the Programme for National Recovery and ensure the Programme's implementation. Even more ironically, he had himself written the chapter on employment in the Programme, which contained the commitment that disbursements of state aid 'will depend on the achievement of specific employment targets'.[18]

On his own evidence, the propriety of interfering with the IDA at this stage was something that Ó hUiginn 'didn't think very deeply about'. He was, moreover, very hazy on the statutory relationship between the government and the IDA, believing, as he put it, that 'the IDA cannot do anything without the approval of the Government'. He did not know that in 1987 the IDA had specifically insisted on the two clauses in the agreement with Goodman. He did not know that just a week earlier the IDA Authority had reaffirmed its determination not to ease these conditions. He did not know who the members of the Authority, apart from the Chairman, were.

He sent a note for Charles Haughey into the Cabinet meeting then in session. Its first line – 'The IDA position is that they considered the annual job performance targets to be essential protection' – strongly suggests an assumption that the recipient already knows precisely what is at issue.

The Cabinet was not entitled in law to force the IDA to drop the performance clause from the agreement, or indeed to amend the agreement in any way. Moreover, the Cabinet itself was clearly worried about whether it had any such powers. The decision it made – to amend the agreement and drop the performance clause – was not recorded on the usual pink slip used for Cabinet decisions. The note sent in by Padraig Ó hUiginn was endorsed by the Cabinet, and therefore it was his formulation, arrived at apparently out of the blue and on the basis of two phone calls and the perusal of two letters, that was accepted as representing the policy of the government.

When the Cabinet Secretary, Dermot Nally, came to put on paper what the government decision was, there was clearly considerable uncertainty about whether or not the government could legally say that it had amended the IDA grant agreement. The first draft of the letter said that the agreement was to be 'interpreted' to mean that, instead of being bound by the job-creation targets, the company would merely undertake to use its 'best endeavours' to fulfil them. This was then changed to read that the agreement was being 'amended' to say this. Two days after the Cabinet meeting, the Secretary of Industry and Commerce, John Donlon, phoned Padraig Ó hUiginn and told him that 'we cannot say in the new Government decision that the grant agreement would be changed. That is a matter for the IDA'. Ó hUiginn informed Dermot Nally of this and the decision was redrafted for a second time, returning to the formula that the agreement was being 'interpreted'.

Whatever the state of its knowledge on 8 March, the government certainly knew at this stage that it was stretching the law. As Mr Justice Hamilton put it, 'the Government have no power . . . to alter the terms of the scheme' once it has been approved. 'That is what Mr Donlon was pointing out and that was why the decision was made to change the decision to regard it as not an alteration but a re-interpretation of the scheme. It is perfectly obvious.'[19]

As the final report of the tribunal put it:

> There is no doubt whatsoever but that the Government on the 8th day of March 1988 wrongfully and in excess of their powers under the provisions of Section 35 of the Industrial Development Act 1986, directed the Authority to remove the performance clause from the grant agreement being negotiated between the IDA and the Goodman group and that this direction was made either at the instigation of the then Taoiseach or the Secretary to his Department.

Its relationship with Goodman International had now definitively pushed the government beyond the bounds of democratic authority and into the realms of the arbitrary abuse of power. The most basic norm of democratic government – that the state is not above the law – had been breached. And it had been done at the request of Larry Goodman.

On the afternoon of the Cabinet meeting, at 4.30, Albert Reynolds met Larry Goodman. As Minister for Industry and Commerce, his Department had representatives on the IDA Authority which had decided a week before not to budge on the performance clause, and which saw it as essential protection for public money. A major Cabinet decision had just been made in relation to the development plan. Yet, according to Albert Reynolds, he and Goodman did not discuss it at all.[20] He did not even mention to Goodman that the remaining obstacle to the project had now been removed.

A few days later, the IDA caved in and agreed to implement the changes which it understood the government to be imposing on it. At no stage did the Authority approve these changes. It merely agreed to 'implement the Government decision' in the mistaken belief that it had no power to refuse to do so.

It should have been clear to the government at this stage that there was, to say the least, a large question mark over the whole project. The issue of the performance clause had been raised at a late stage by Goodman, and it seems to have been more an excuse for his increasing reluctance to go ahead with the development than a major issue in itself. Larry Goodman explained that, at the time of his meeting with Haughey at the beginning of March, he was 'disillusioned with the package' because it was 'substantially worse than we had requested'.[21] He 'wasn't in a mood to go along and say "This is a great package, please remove this clause and I'll start tomorrow." I was in no mood to say that.' Even though the government had abandoned a key element of its employment strategy, gone outside the law, and forced on the IDA a change which it considered very wrong, there was still no guarantee at all that Goodman was going to deliver on the plan. In fact, he never did so.

At the very least, therefore, there should have been a reappraisal by Albert Reynolds of the whole relationship between the state and Goodman. The state's extraordinary generosity in the face of Goodman's demands had still not produced any tangible economic benefit. Instead of pulling back, however, Albert Reynolds was preparing to press ahead with yet more commitments of public money to support the company's adventures in Baghdad.

15
AFTER HALABJA

THE BODIES, STREWN around but apparently undamaged, looked like dummies, lifeless and waxen. There was an eerie quality to the video footage that began to appear on the television screens of the West – so much death, so little destruction. Men, women, children and animals – all dead. At least 4,000 people lay frozen and unbloodied in the roads and houses of Halabja, a town of 70,000 people in Kurdish Iraq. On 15 March 1988, the Iranians and their Kurdish allies captured the town. The following day, the Iraqi government forces attacked the town with bombs containing cyanide or nerve gas, certainly some fast-acting chemical agent, and killed its own civilians in an act of collective punishment for Kurdish collaboration with the enemy.

The mass murder at Halabja was shocking, but not so shocking as to alter the tacit Western policy of shoring up Saddam Hussein's regime. The use of chemical weapons was a breach of international law. The massacre qualified under any definition as a crime against humanity. It was part of an organised campaign of mass extermination of Iraqi Kurds which claimed at least 100,000 lives, a campaign that was parallel to, but essentially separate from, the conduct of the war. Yet the evidence of the Halabja massacre made no difference whatsoever to the Irish government's determination to do everything possible to help Saddam Hussein's regime.

At this stage, Goodman International's request for a further $155 million of export credit insurance cover for Iraq was on the table. According to Larry Goodman, he had commitments from Albert Reynolds since November 1987 that he could go ahead and do more business in Iraq, in the knowledge that it would be covered after the Dáil agreed to legislation, then in preparation, which would raise the overall statutory limit for the scheme from £300 million to £500 million. (Albert Reynolds strongly denied this.) Even though the decision was one for the Dáil, Larry Goodman claimed that no doubt was ever expressed at his meetings with Reynolds as to whether the legislation would be passed.[1]

While the apparatus of the state was preparing to change the law to accommodate Larry Goodman's demands for more export credit insurance, another company, Taher Meats, began in earnest to seek the same valuable facility. Taher Meats was established in Roscrea, County Tipperary, in July 1987 by Naser Taher, a Jordanian trader, with Gus Fitzpatrick, a veteran of the Irish meat trade, as Managing Director. In November, Naser Taher had attempted to negotiate contracts in Iraq and was offered business for about 6,000 tonnes of beef. He was, however, unwilling to supply it without export credit insurance, and he was told that there was none available.

The company then contacted Dr Sean McCarthy, the Minister of State for Science and Technology in the Department of Industry and Commerce. He in turn spoke to Reynolds, who told him 'we have reached the ceiling in relation to provision of export credit facilities and all the money has been used up'.[2] According to McCarthy, 'he sounded quite pessimistic'. Nevertheless, Reynolds agreed to meet with the company.

On 5 May 1988, Taher, Fitzpatrick and McCarthy met Reynolds in his office. He told them that exposure to Iraq was now at the 'maximum acceptable level'. He was 'quite emphatic and clear' that 'all the monies . . . had been used up and that the ceiling had been reached'. There seems, however, to be a flat contradiction between Reynolds and McCarthy as to whether there was any indication that the matter was going to government. According to McCarthy, Reynolds did not mention that his Department had prepared legislation to raise the ceiling by £200 million, a matter which had been considered by Cabinet nearly eight months previously and on which a draft Memorandum for Government had been prepared since February. According to Reynolds, 'I did point out that the position as regards the overall ceiling would shortly be going to Government, but that I expected opposition from the Department of Finance which, in the event, did not materialise.'

When Sean McCarthy met Reynolds in the corridor and asked him again about the position, he 'stuck to the line, all the time, that the ceiling had been reached'.

A fortnight after Reynolds had given Taher the brush-off, he met Larry Goodman. Goodman was already making shipments on his new contracts with the Iraqis, and he was getting impatient. He expressed this impatience to Albert Reynolds. It was, he recalled 'more than likely I would have said "You know the export credit was due. We are making the shipments next week. Is it going to happen?" ' According to Reynolds, his line with Larry Goodman was the same as it had been with Taher: that no applications for cover could be considered until the legislative limits had been increased.[3] Larry Goodman, however, does not appear to have heard any such reply to his demands.

The following morning, Goodman met Charles Haughey. He felt sure that he almost certainly discussed export credit with the Taoiseach as well, but Haughey felt sure that he didn't, that the meeting was one at which he was urging Goodman to 'get on with' the development plan.

In the event, however, these meetings were quickly followed by the action that Larry Goodman wanted. On 8 June, the Cabinet approved the draft legislation which had been presented to it by Reynolds.

What happened at this Cabinet meeting will never be known because, arising out of attempts to find out about it at the beef tribunal, the Attorney-General sought and received a ruling from the Supreme Court that disclosure of Cabinet discussions was contrary to the Irish Constitution. This arose because, in October of 1988, Albert Reynolds told his officials that certain decisions had been taken at this meeting, even though these decisions were not recorded.

The official record of the Cabinet meeting shows that the only recorded decision in relation to export credit was to approve the text of the Bill and to agree to have it presented to the Dáil. Charles Haughey, in evidence, said that this was indeed the only decision taken.[4] There were, however, discussions on the whole policy of giving export credit insurance for Iraq, and these discussions led to conclusions which Reynolds, at least, understood to be government decisions.

We know this because on 21 October, over four months later, he told his officials, according to the official 'note of discussions', that

> he had discussed the question of export credit insurance for Iraq with the Government at their meeting on June 8th . . . He said that at that meeting the Government had agreed as follows:
>
> (a) further increases for export credit insurance in Iraq should be at the discretion of the Minister for Industry and Commerce and,
>
> (b) that the provision of export credit insurance for Iraq should be managed in the national interest so as to avoid damaging competition between exporters. [The effect of this was that export credit insurance would only be granted to existing exporters in the market, i.e. AIBP and Hibernia.] This decision was to be communicated to Irish exporters by the Minister for Agriculture.

There is not, in fact, any contradiction between the official record of 'decisions' and Reynolds's recollection of what was 'agreed'. As the Cabinet Secretary, Dermot Nally, explained, there was no need to record the agreement to confine export credit to just two companies as a Cabinet decision, since it was technically within the competence of the Minister for

Industry and Commerce.[5] It did not need a government decision to bring it into effect. What had happened was that Reynolds had told the Cabinet of his decision to confine the cover to Goodman and Hibernia alone, and that this had met with no objections. While we are not allowed to know what the nature of the discussion was, there seems to be little doubt about what was in Reynolds's mind at this time: the exclusion from one of the main state aids to exporters of all other companies seeking Iraqi business.

The scale of this exclusion would have been clear to Cabinet members from the Memorandum for Government which contained the proposal to increase the legislative ceiling to £500 million. It stated that, of the total exposure under the scheme of £298 million, a staggering £145 million was for one country alone – Iraq. Thus, almost half of all exposure for all countries was to one of the world's most repressive and unpredictable regimes, at an even-money risk of catastrophic default. The Memorandum sanguinely noted 'a likelihood of an increase in the amount of claims in the future'.

A puzzling aspect of the Memorandum is that it records Albert Reynolds, in reply to points raised by the Department of Agriculture, as stressing the need for 'adherence to sound commercial underwriting procedures' and 'the development of a balanced portfolio of risk'. Both of these criteria for allocating export credit would in fact have ruled out any more business with Iraq. Iraq, by definition, could not be covered under 'sound commercial underwriting criteria'. It was covered under the Number 2 account, whose specific purpose was, as ICI put it, 'to cover political risks that would not be acceptable in the Number 1 account which we underwrite on a commercial basis'. And by no stretch of the imagination could half the exposure for one product for one country be described as 'a balanced portfolio of risk'. Even at Cabinet level, it seems, the reality of what was going on in relation to Iraq could not be spelt out.

In his Department's response to the draft memorandum, the Finance Minister, Ray McSharry, was concerned to 'stress the need for tight procedures and rigorous assessment of all proposals under these Schemes, in order to ensure that further demands on the Exchequer's resources are kept to the absolute minimum.' Reynolds recorded his 'full agreement' with these views, and the formal decision duly incorporated these warnings, giving approval for the raising of the ceiling only on the understanding that demands on the Exchequer would be 'kept to an absolute minimum by the use of strict procedures and the rigorous assessment of proposals for guarantees'.

All through this period, however, the civil servants in Reynolds's Department kept up their opposition to any further increase in exposure to Iraq. In March, he received a memorandum from the Department recommending that 'the additional cover sought by AIBP should be refused', and early in June he actually indicated his agreement with this recommendation and decided, according to the Secretary, John Donlon, that 'there should be no increase in the cover for Iraq'. This decision would be in line with the need to keep the demands on the Exchequer to an absolute minimum, but it was contradicted within days by the indications to the Cabinet that further increases in cover were in store.

The proposal to change the legislation went before the Dáil on 22 June. This should have been an important occasion, since it was in effect the only chance which parliament had to review the whole export credit saga while it was in progress and before it became a crisis. The Bill was taken shortly after six o'clock before an almost empty House. There were just three speakers – Reynolds, John Bruton of Fine Gael, and Martin Cullen of the Progressive Democrats – no controversy, and no vote.

The entire purpose of the Bill was to facilitate the provision of more export credit cover for beef going to Iraq, and in particular for Goodman International. Yet no one would have guessed this from Reynolds's speech. The Bill itself, reasonably enough, was short and blunt, saying merely that the new ceiling was £500 million. But nothing in Reynolds's speech indicated to the Dáil that it had a very particular, and potentially very controversial, purpose. He spoke vaguely of demand for 'our overall exports'. He said that 'the need for this legislation arises from an increase in the demand for export credit insurance for markets worldwide'.

Just six lines of a total of around six hundred in his speech contained any reference to Iraq, and that was vague and parenthetical:

> For example, as a result of successful growth in business contacts in Iraq, and in the context of the Irish-Iraqi Joint Commission, it was decided to provide export credit facilities in respect of Iraq. This is a positive development in terms of sustaining export growth in the long term.

The words 'Goodman' and 'beef' were not mentioned. He made a passing reference at the end of his speech, in reply to comments, largely positive, from Bruton and Cullen, to the fact that 'the meat market use it fairly extensively in certain countries. They do not use it as much in other countries where they have long-term associations.' Not even the most perspicacious analyst could have understood from these bland comments that what was at issue was a proposal to allow for a wild gamble on one country which already had nearly half of all exposure worldwide.

Asked about his stark failure to tell the Dáil what it was actually passing, Albert Reynolds agreed that Iraq was indeed the reason for the increase, but maintained that 'any publicity as to how much we were giving to Iraq or how much we were giving to Iran was sensitive, especially sensitive to Iran.'[6] Even if this were an acceptable reason for not allowing the Dáil to make an informed decision on legislative change, it is not a convincing one. It was no secret that Ireland was selling large quantities of beef to Iraq with export credit support, and even if the Iranians had been concerned with this information, they could have garnered it easily from newspapers and trade journals. Besides, the explanation begs the question as to why Reynolds was not more enthusiastic about the Iranian market for beef. The Iranians, all through this period, were buying large quantities of Irish beef, mostly from Goodman, without requiring the massive risking of state funds involved in export credit insurance. Interestingly, Reynolds told the beef tribunal that he himself met an Iranian delegation which 'came to me looking for more beef', but that 'in fact, we didn't have more beef'.[7]

At this time, therefore, he was aware of two important facts: that there was an alternative market for the beef going to Iraq, one which, critically, did not involve the Irish state in undertaking huge risks; and that Irish beef was in short supply. This knowledge on his part undermines the whole economic rationale for the commitment of export credit to Iraq on such a scale. Supposedly, the export credit was to help the export of product which would not otherwise be exported. In fact, however, Albert Reynolds knew not only that it could be exported without export credit, but that there were at least questions about whether this product existed in Ireland in the first place. The only remaining rationale, therefore, is not economic at all, but political: Charles Haughey's determination to ensure that Iraq was not defeated in the Iran–Iraq War.

The other defence offered by Albert Reynolds for his failure to inform the Dáil of the precise intentions behind the change in legislation, was that, in any case, he was merely reading a speech prepared by his civil servants. It seems remarkable that he followed civil service advice word for word on this occasion, while at every other point in the export credit saga he relied on his own judgement to override the clear advice of those same officials.

If there was an air of secrecy about the public statements in the Dáil, there seems to have been no more frankness in private exchanges with Dáil members at this time. On or around the day of the Dáil speech, Reynolds was approached by Progressive Democrats TD Bobby Molloy, who asked him whether there would be any export credit insurance available for Halal. Reynolds 'gave him to understand that further export credit insurance would be available'.[8] From Reynolds's own understanding of the Cabinet meeting on 8 June, however, there was no question of ECI cover being available for Halal, since the clear intention was to confine it to Goodman and Hibernia only.

Moreover, this statement to Bobby Molloy is inconsistent with two others in July, when Michael O'Kennedy wrote to Gus Fitzpatrick of Taher to say that 'I understand from Mr Albert Reynolds that there is still no export credit available',[9] and when Reynolds's Private Secretary wrote to Gus Fitzpatrick stating that neither Taher 'nor indeed any other major contract' could expect cover 'for the foreseeable future' because the ceiling had been reached. While the ceiling for Iraq had indeed been reached, it is also clear that other major contracts could expect cover in the foreseeable future – provided they were signed by Goodman or Hibernia.

Within the Goodman organisation, by contrast, there was every expectation that the way was now clear for cover for the $155 million application which had been lodged in January, though backdated to November 1987. Aidan Connor of AIBP sent a memo to his boss Larry Goodman after the new legislation had been passed to remind him that 'it was my understanding that following your discussions with the Minister, it was agreed that the balance would follow as soon as the legislative limits were raised in the Dáil. The legislative change was recently passed in the Dáil.' The balance referred to was all but the $30 million which Reynolds had already committed for the new contracts – in effect, $125 million.

Aidan Connor's understanding at this time was that 'Mr Goodman had a number of meetings with the Minister at which this issue would have been raised'.[10] Equally, he understood from his contacts with Department of Industry and Commerce officials that once the legislative limit was raised, the extra $125 million would be coming through.

Reynolds, for his part, denied that any such assurances had been given to Goodman before the passing of the legislative change, and maintained that he had, at this time, an open mind on the question of who would get export credit insurance for Iraq and at what level they would get it. He could not, however, recall the nature or extent of the discussions he had at this time with Larry Goodman concerning the $155 million application. 'I don't', he said 'recall it specifically . . . I wouldn't remember the exact details of meetings.'[11]

After a lull during the holiday month of August, matters began to come to a head in late September and October. Albert Reynolds was now under strict and specific instructions, since the Cabinet decision in June, to apply 'strict procedures and the rigorous assessment of proposals for guarantees' to his consideration of new allocations for Goodman and Hibernia, the only two companies who were going to get new cover. Even with these instructions, though, he ought to have been concerned with developments in September.

Payments from Iraq for the 1987 Goodman contracts were beginning to fall due from 5 September. By 2 September, though, they had not been made, and Joe Timbs in the Department of Industry and Commerce wrote to Aidan Connor asking what efforts were being made to get the money. There was not as yet any serious cause for alarm, since the sums involved were still relatively minor, but certainly the signals were not encouraging.

Neither were the other signals that should have been picked up, if strictness and rigour were to be the order of the day. The Insurance Corporation of Ireland wrote to the Department of Industry and Commerce urging that no further increase in exposure to Iraq should be undertaken. At the same time, AIBP was in contact with the Department of the Taoiseach, pressing for changes in the Finance Act so that the company could continue to avail itself of Section 84 loans while exporting intervention beef. The Department of Agriculture received, and altered, the CBF document explaining that most of the beef going to Iraq was from intervention. The latter was such an 'open secret' by now that, as has been said, it appeared in the *Farmers' Journal* before the end of October.

Even the slightest nod in the direction of the Cabinet's requirements for strict procedures and rigorous assessment would have involved two things at this stage: an attempt to get some fix on the nature of the beef to be exported, and a careful monitoring of Iraqi payments for the 1987 contracts. A quick phone call to the Department of Agriculture or CBF could have established the former. In relation to the latter, there was now an advantage which had not been available in 1987. Large sums were falling due for payment between September and the end of the year, and critical information could be obtained merely by waiting to see whether the Iraqis paid up. By Christmas, £51 million of the Iraqi exposure of £122 million was, according to ICI, 'seriously overdue'. Merely by doing nothing, Albert Reynolds could have given himself a chance to gauge the direction of the slide into disaster which was under way.

On the morning of 21 October, Aidan Connor met Joe Timbs in the Department of Industry and Commerce and asked for $325 million worth of cover. This was made up of the $155 million application in January for 1988 business, and a putative $170 million for 1989. Most of this application was not supported by any signed contracts. Not until December did Goodman sign a substantial new contract in Baghdad, and that was for $105 million. The 1989 figures were purely notional. And, in fact, Connor did not seem to be pressing his case with any real urgency. His purpose in meeting Timbs was to 'put down some markers'[12] ahead of the next meeting of the Irish-Iraqi Joint Commission at the Baghdad Trade Fair the following month.

Joe Timbs gave no indication that he would be discussing this new $325 million application with Albert Reynolds that day. That afternoon he, along with two other officials, including the Secretary, John Donlon, met Reynolds to discuss a memorandum prepared by the Export Credit Section in the context of the forthcoming Joint Commission meeting in

Baghdad, recommending that there be no further increase for Iraq. Appended to the memorandum were five applications for cover from different companies, including the one that morning from Goodman. Reynolds, however, did not bother to read the memorandum. He understood that the purpose of the meeting was to adjudicate on two applications not five (Halal, Agra and Taher as well as AIBP and Hibernia), a clear indication that only Goodman and Hibernia were on his mind.

Even though Reynolds didn't read the memorandum, he felt that he 'would hear of the important parts of it from the civil servants anyway'. Reynolds was told that existing exposure to Iraq stood at IR£136 million and that there were now applications for $325 million from Goodman and for $72 million and IR£10 million from Hibernia, made verbally in September.

Reynolds then informed his officials for the first time of the discussions at Cabinet in June, and outlined what he thought had been agreed at that meeting. When the officials expressed surprise at this decision and pointed out that it was not recorded, Reynolds in turn expressed his surprise at this. He asked to see the file and the text of the government decision, expecting it to confirm his recollection. It was not, however, recorded in the government decision, and he 'said that he would discuss the matter with the Cabinet at their next meeting on Tuesday October 25th and have the matter clarified.'

What happened next is a matter of strong conflict between the recollection of Albert Reynolds, on the one hand, and that of the officials, the contemporary minutes of the meeting, and the findings of the tribunal report, on the other. According to Albert Reynolds, what happened is that before saying that he would have the confusion about the Cabinet decision clarified, he expressed certain 'views' on what he would do in relation to export credit allocation. The 'one decision' he made, however, was to go back to Cabinet.

His 'view' was that the ceiling for Iraq should be increased from £150 million to £270 million. Within this new scheme he would 'roll over' the 1987 commitments to Goodman and Hibernia, meaning that their old cover would become available to them a second time as and when debts under it were cleared by the Iraqis. In addition, he 'was willing to allocate' £80 million of extra cover to Goodman and £20 million of new cover to Hibernia, as well as £20 million for non-beef exports to Iraq. In effect, Goodman would now have £175.6 million worth of cover, and Hibernia would have £43 million. Reynolds was, however, prepared to keep an open mind and see how Iraqi payments developed and who actually got contracts in Iraq. He could not recall instructing any of his officials to take action on these 'views', since he intended to clarify matters with the Cabinet first.

The recollection of the officials, in particular Joe Timbs, and the contemporary official minutes tell a story which is broadly similar but quite different in two critical respects. In the first place, the minutes record Reynolds as making firm decisions to allocate this new cover, and doing so *after* saying that he would clarify the situation the following Tuesday with the Cabinet. In the minutes, the matters are recorded in this order, and the new allocations are clearly recorded as *decisions* not 'views': 'The Minister decided that the following additional cover would be provided in the Iraqi market. . . .' Joe Timbs gave evidence that 'when we left the meeting we were under absolutely no doubt whatsoever that this was a clear Government decision'. The tribunal report found that Reynolds, in spite of his denials under oath, had indeed made these decisions at that meeting.

Secondly, according to Joe Timbs, Reynolds then told him that he could communicate these decisions to the companies involved, which Timbs proceeded to do that night. Timbs told the tribunal that at the meeting, Reynolds 'instructed me that these were the decisions'. He believed that the question of clarifying matters with the government was, for Reynolds, a mere formality. Reynolds then 'indicated that the companies could be advised of this decision'. He was unsure whether the Minister meant that they 'could' or 'should' be told of their new cover, but

> it was my clear understanding, leaving the meeting, that I was going to ring the companies . . . I mentioned to the Minister that the question of terms would have to be looked at . . . and that I would, in telling the companies of the decision, advise them that they could not assume that the terms which applied in the previous round would apply in this case.[13]

Gerry Donnelly, another of the officials present, also told the tribunal that Reynolds had 'actually directed' that the companies be informed of his decisions.

In December, when the Assistant Secretary of the Department, Ted O'Reilly, questioned Timbs about the propriety of informing the companies of Reynolds's 'decisions', Timbs replied that he had acted 'in keeping with the Minister's decision'. O'Reilly understood this to mean that the Minister had told Timbs to make the phone calls.

Timbs rang Aidan Connor that night and told him the news. Even to Connor, the call was 'a pleasant surprise', since the company had no expectation that the 'markers' it had put down would produce such immediate and, from its point of view, positive results. Timbs failed that night to get through to Oliver Murphy of Hibernia, but told him on the phone the following day.

The contradictions between Reynolds and all other sources of information on these events are extremely important for two reasons. One is that the state subsequently refused to put this promised cover in place, and both Goodman and Hibernia are claiming huge sums of damages from the Exchequer on the basis that these were valid commitments. The second is that, if Albert Reynolds acted as the civil servants and the official record say he did, his behaviour, as he put it himself, 'wouldn't make sense'.

It certainly did not make sense that, in spite of Cabinet instructions to implement strict procedures and a rigorous assessment of applications, huge amounts of further cover had been promised to Goodman International within hours of an application being made. At that stage, not only had the Cabinet decisions not been clarified, but the statutory requirement to obtain the consent of the Minister for Finance for an increase in the ceiling for Iraq had not been obtained.

The following Tuesday, Reynolds went to the Cabinet meeting, where it was agreed that he and Ray McSharry could agree between them a new limit for Iraq. Weeks before such an agreement was in fact made, however, the new allocations were being seen as a *fait accompli* not merely in Dublin, but in Baghdad as well. Three days after the Cabinet meeting, Aidan Connor 'called in' to the ICI offices to tell them, much to their horror, that the new cover had been allocated. Around the same time, Naser Taher heard from 'sources in Iraq' that Goodman International had been allocated an extra £80 million of cover. When he put this to Minister for State Seamus Brennan on 2 November, Brennan told Taher that 'no such offer could have been made within the existing limit of £150 million.'

Remarkably, decisions which Albert Reynolds claims not to have made yet were also being treated as such in official contacts with the Iraqi government. At the Baghdad Joint Commission meeting, Seamus Brennan told the Iraqis that there would be a 'substantial increase' in export credit facilities. This was over a fortnight before the statutory requirement for the consent of the Minister for Finance was fulfilled.

By this stage, Albert Reynolds was preparing to leave the Department of Industry and Commerce to take over the Department of Finance from McSharry, who was to become Ireland's member of the EC Commission. He could, therefore, have left the matter of export credit to his successor, Ray Burke. On the day before he left Industry and Commerce, though, he met McSharry in order to tie down the new allocations for Goodman and Hibernia. The Department of Finance officials, though they would have preferred no increase for Iraq at all, decided on a tactic of recommending an increase of £50 million instead of the £120 million that Reynolds had in mind, in a vain hope of limiting the damage.

McSharry indicated to Reynolds that his Department regarded a £120 million increase as excessive. Reynolds, however, presented a handwritten note to McSharry setting out that a £100 million increase would do, and that Goodman could manage with £70 million rather than £80 million, with Hibernia getting its £20 million and non-beef exporters reduced to £10 million. According to McSharry, Reynolds did not tell him that it was his intention that cover should be confined to Goodman and Hibernia, even though Reynolds's proposed figures would leave no room for any other exporter to the market. McSharry agreed to an increase in the limit for Iraq to £250 million, nearly 60 per cent of all the cover for all countries.

Just as he was leaving office, therefore, Reynolds had secured still further potential benefits for Goodman. And all the while, a sickly feeling that had been at the back of the minds of the few people in the civil service who knew the truth of this whole saga, was pushing its way to the front. As the weeks went by, it was becoming hard to avoid the unthinkable thought: the Iraqis were not going to pay for the beef.

16

The Shitty End of the Stick

ALBERT REYNOLDS'S SUCCESSOR as Minister for Industry and Commerce was Ray Burke, a veteran Fianna Fáil operator with considerable ministerial experience, who was moved from the Department of Energy and Communications. Goodman International was not concerned about his appointment, and clearly expected no change of policy on Iraq. On 8 December, Brian Britton and Aidan Connor in AIBP discussed a note for Larry Goodman, informing him that the 'new award of £80 million has not yet been cleared through the internal Government system. Early next week is the predicted release date'. The new Minister was expected to rubber-stamp the decisions made by Reynolds, and the new cover would be in place by Christmas. A few days later, AIBP signed a new contract in Baghdad for a further 12,000 tonnes of beef.

There did not, at this stage, seem to be anything to undermine this confidence. Ray Burke was given the usual briefings by officials on taking up office. He was told about Reynolds's decisions, and that AIBP and Hibernia had been informed of them. Although, according to Burke, he was already doubtful about the decisions Reynolds had made and was 'not prepared to allocate it in the manner which had been indicated by my predecessor', he seemed in practical terms to be inclined to follow the same line. When Halal approached him asking for export credit insurance, he listened sympathetically, but then had his Private Secretary ring them to say that 'the decisions have already been taken and that he was committed by the decisions of his predecessor'.

On 19 December, AIBP signed another contract, this time for 15,000 tonnes, worth about $35 million. The following day, Owen Brooks of CBF, who had written the earlier CBF memorandum on the Iraqi market, pointing out that most of the beef was intervention stock, had a discussion with Brendan Nevin of the Department of Agriculture. He told him that Goodman had signed this new contract the previous day. He added that the contract was for 'supply ex-intervention', and that the size of the contract 'would preclude sourcing in Ireland'. He said that he had 'tried to ascertain whether this contract will be covered under the national export credit insurance scheme, but found that the Department of Industry and Commerce was less than forthcoming on this aspect.' Here the state was being informed by one of its own most knowledgeable agents that much of the beef for which Albert Reynolds and Ray McSharry had just sanctioned huge new commitments of public finance, was not merely intervention beef, but that it would not even be Irish product at all.[1]

In fact, by now the Department of Industry and Commerce had been informed in the clearest terms that there was a very severe problem with non-Irish beef being used for the Iraqi contracts. On 12 December 1988, Sher Rafique, the owner of Halal, met Ray Burke to ask for ECI cover, and afterwards wrote to Burke pointing out a curious aspect of the trade statistics just released by the Central Statistics Office. The figures showed that total Irish exports to Iraq in 1987 were £30 million, and in the current year £67 million. These figures were unremarkable in themselves, except that they were very much less than the amounts of export credit insurance which had been allocated for Iraq by Albert Reynolds. Burke didn't have to be a mathematical genius to conclude that very substantial amounts of non-Irish beef had been used for the contracts.

Four days later, Burke spoke, on the margins of a Cabinet

meeting, to Charles Haughey and Michael O'Kennedy. He wanted to know 'whether export credit insurance should again be made available only to the two companies who currently have cover in the market and, if so, whether available cover should be allocated in roughly the same proportion as before.' He got an agreement that the Department of Agriculture should in future have a role in allocating export credit insurance.

This agreement was a very significant step by Burke in distancing himself from what was now beginning to look like the making of a disaster. Obviously, he had surmised that he had inherited a very messy situation. He believed that there had been a policy under Reynolds of confining cover to just two companies. He had been informed that there was a very strong likelihood that much of the beef covered by Reynolds at such risk to the Exchequer wasn't even Irish. The prospects of getting the Iraqis to pay up were increasingly bleak. And it is clear that he also had serious doubts about the way the cover had been allocated by Reynolds.

Later that day, one of Burke's officials, Joe Timbs, spoke on the phone to Brendan Nevin in the Department of Agriculture. Timbs told Nevin that his

> Department had managed to allocate the available credit to the two exporters referred to [AIBP and Hibernia] largely by calling the bluff of their competitors who, when they did finally produce contracts, found that the Iraqi ceiling had been exhausted and such poker games would not be acceptable in the future.

The new Minister, he said, 'is not prepared to take the shitty end of the stick'. According to Burke, Joe Timbs, in saying this, was 'putting across my strongly held view that there should be a role for the Department of Agriculture in the decision-making process.'[2]

The admission that export credit for Iraq had been allocated by Albert Reynolds by playing poker with Goodman's competitors is significant. Perhaps even more significant is the very strong desire of a hardened Fianna Fáil Minister like Ray Burke to distance himself from the policies of a party colleague within weeks of succeeding him. He wanted, as he later put it, to 'start with a clean sheet'.

He was, however, in a delicate situation, given that Goodman and Hibernia had already been informed of Reynolds's allocations and that these were known about as far away as Baghdad. He had his Department write a rather strained letter, dated 19 December (one of the recipients, Gus Fitzpatrick of Taher, remarked that it 'could have been written by the guy that writes the *Yes, Minister* programmes'), to the seven companies which had applications for export credit in hand, informing them that on production of a signed and confirmed contract with the Iraqis he was 'prepared to consider your application as sympathetically as possible'. When Goodman and Hibernia, somewhat alarmed by this non-committal language considering that they already had commitments for new cover, asked what this new formulation meant, they were told that it 'did not necessarily override decisions previously given'. On the one hand, companies like Agra, Halal and Taher were being told that they were now in with a chance of getting cover if they could get a contract in Baghdad. On the other hand, all the available cover had in effect been allocated to Goodman and Hibernia, and there was no room for any contract to be covered if the October commitments stood.

This lack of frankness was particularly damaging to Taher, who still wanted to do business in Iraq, and who had sold $5 million worth of beef there in the autumn under commercial insurance costing 'an arm and a leg'. The company then concluded that export credit insurance could only be had by mobilising political influence. Naser Taher, in his own words, did not object to there being 'an inside track' so long as he himself was on it. The company therefore decided in October to hire a lobbyist with strong Fianna Fáil connections, Owen Patton.

Owen Patton was a public-relations consultant, but he had

been a part of Charles Haughey's inner circle in the 1980s, as the latter's PR adviser. Haughey had, for instance, appointed him to the Broadcasting Complaints Commission, a statutory body. He described himself as a friend of Haughey's and a man who had 'endeavoured at all times to serve the Fianna Fáil party to the best of my ability'. He had also acted as a 'special adviser' to other Fianna Fáil ministers. Taher believed that Patton could help to get his company on 'the inside track'. He arranged a meeting with Dr Sean McCarthy, the Minister for State in Industry and Commerce, who in turn promised to talk to Albert Reynolds.

There seems to be a conflict of evidence about whether or not Charles Haughey was lobbied by Owen Patton. Haughey for his part said that he was 'quite unaware' of any activities that Patton may have engaged in for Taher and that 'nobody approached me about it'.[3] Owen Patton confirmed that he himself did not speak to Haughey, nor ask anyone else to do so on his behalf. According to Sean McCarthy, however, Patton asked him to speak to Haughey and he did so. Haughey, however, told him that 'I am not going to speak to every dog in the street. Albert Reynolds can meet them'.[4] By the time of the letter promising that companies with contracts for Iraq would have their applications for export credit looked at sympathetically, Reynolds had moved on and the company had made no progress.

Taher nevertheless took this letter as 'a sign that we were going to get cover'. Naser Taher went back to Baghdad over the Christmas period and signed a contract for 5,000 tonnes of beef. This contract was produced to the Department of Industry and Commerce, putting the company in a position where, according to the letter of 19 December, their application would now be considered sympathetically.

On 19 January 1989, Gus Fitzpatrick and Naser Taher, on their way back to Dublin from Damascus, stopped off at Frankfurt Airport and were struck by an appropriate bolt from the blue. Fitzpatrick called his secretary in Dublin, who told him she had good news on Iraq. Owen Patton had called to say that he was over at Industry and Commerce and that the company's file was marked 'pay to the maximum'. Taher bought champagne.

Owen Patton, however, categorically denied ever having told Fitzpatrick's secretary this. According to him, all that had happened was that Sean McCarthy had told him that a letter had gone out to the company which 'might be seen to be helpful'. He understood that the letter was acknowledging receipt of the contract and saying that the company's application was under active consideration. He did not, he said, even understand what the words 'pay to the maximum' might mean. Yet, according to Fitzpatrick and Taher, Patton came to their office the following day and confirmed what he had said to Fitzpatrick's secretary.

All all events, Taher clearly believed that they now had export credit in the bag, because they put down a performance bond of £1.3 million in Baghdad, guaranteeing that they would fulfil the contract they had entered into with the Iraqis to supply 5,000 tonnes of beef. Throughout the first half of 1989, they continued to lobby for the export credit. Their efforts included a £22,000 donation to Fianna Fáil in June 1989. But they never got the cover. Neither, however, were they ever told that they were not going to get it, and they lost a great deal of time and money, including the performance bond, which was eventually forfeited to the Iraqis.

What Taher should have been told in the clearest terms was that there was no possibility of giving them export credit insurance for Iraq at all. By Christmas of 1988 not only was the cat poking its nose out of the bag on the question of the beef's origins, but it was becoming abundantly clear that the Iraqis had no intention of paying for the previous contracts covered by Albert Reynolds. As autumn had turned to winter, the risk of default by the Iraqis had become a probability and the probability had become a fact. In September, £14.16 million was due from Iraq and nothing was received. In October, £6.8 million was due and £2.4 million received. In November, £14.9 million was due and nothing was received. In December, not a penny of the £15.6 million due was received. In January, just £1.3 million of the £13.3 million due was paid. By the end of January, the cumulative debt was £61.2 million, a terrifying sum for a small state in the middle of a savage programme of cutbacks in public expenditure. A note prepared in mid-January by officials for the Secretary of the Department of Industry remarked drily that 'Iraq could turn out to be a catastrophic debtor'.

Larry Goodman, meanwhile, was in a rage. On Christmas Day, he had been told that Taher and Halal were back in Iraq looking for business and that they were tendering at prices lower than those quoted by his own company. On hearing these 'horrifying facts', as he wrote to Ray Burke on 3 January 1989, 'I felt obliged to cancel all my Christmas plans for myself and my family and to leave for Baghdad first thing on St Stephen's morning.' He spent five days there 'trying to put things back on the rails'. He felt sure that Burke and his officials would 'all share with me the view that the above happenings are unacceptable and even more so when caused by Irish companies which are non-Irish owned', a clear reference to Naser Taher and to Sher Rafique of Halal. He proposed 'dropping in to see you and also the Secretary of the Department' within the next week or so.

The tone of this letter seems remarkable, given that there was now public evidence that Goodman had been sending huge amounts of non-Irish beef to Iraq at great risk to the Irish Exchequer, and in spite of the fact that the company was wrongly declaring that all of the beef was the product of the Republic of Ireland. Yet Larry Goodman still assumed that he was the injured party and that the Minister and the Department would be full of sympathy for his plight.

Much more remarkable is the fact that he was, it seems, right to make this assumption. Incredibly, at this very time, the Department of Industry and Commerce chose to make the risks of catastrophe which faced them significantly greater. While, with one hand, Ray Burke was ordering his Department's Consultancy Unit under Peter Fisher, a chartered accountant, to begin an investigation into the stark discrepancy between the amounts actually exported to Iraq by the Republic of Ireland and the amounts of export credit insurance granted by Albert Reynolds, he was also putting in place £35 million of finance guarantees for Goodman International. These were a development of export credit insurance under which a company with cover from the state could convert that cover into soft loans from commercial banks.

The banks gave low interest rates because the repayment was guaranteed by the state itself. What was significant about the guarantees in January 1989 was that they increased the risk to the state in exactly the area that was now most dangerous. Whereas, under the insurance cover, the state was not liable if the goods provided were not of saleable quality, under the finance guarantees, the state's liability to the banks became unconditional. And since the nature of the goods supplied – whether they were in fact what had been contracted for by the Iraqis – was now seriously in question, this represented a substantial extension of the risk at the worst possible time.

Ray Burke refused to accept responsibility for this extraordinary decision, describing it as 'an administrative tidying up of a situation that prevailed at the time'. It was, he said, a mere carrying-through of decisions that had already been made by Albert Reynolds in giving the cover in the first place.[5] It was in fact an indication of the state's reluctance to take any action against Larry Goodman's interests, even when there was evidence that his company had seriously abused a government scheme, and that a catastrophic debt was about to be called in.

Just how serious the debt situation had now become was acknowledged by Burke on 6 February, when he met with some of his officials. Having heard the mounting toll of failure by the Iraqis to pay up, he stated that he was not prepared to approve cover for any of the 1988–89 contracts for Iraq. Effectively, Iraq was now out of bounds as far as any company looking for new export credit insurance was concerned. No attempt was made, however, to tell this to the wretched Taher, who had lodged a contract with the Department and who still believed that they were going to get their long-awaited insurance.

While all of this was going on, the Consultancy Unit investigation was getting under way. An initial meeting between Fisher's team, Department of Agriculture officials and officials from the Central Statistics Office, was held on 20 January. Fisher was told that Agriculture kept details of the source of beef exports, and within six days, the Agriculture officials were able to give Fisher summary details of thirty shipments to Iraq made by AIBP, and to show that about half of the beef was bought from Northern Ireland. In other words, Albert Reynolds could, at any time, have had concrete proof within a week that much of the beef was from outside the state, merely by bothering to ask.

Before the end of January, therefore, it was clear that large amounts of non-Irish beef had been used by Goodman International, even while it was certifying in writing that all of the beef was the product of the Republic of Ireland. This had not yet been established to forensic standards of proof, but it was for all practical purposes a good working assumption. By the end of March, Hibernia Meats, at another meeting with Fisher, had admitted that some of their beef was also sourced outside the state.

At precisely this moment, however, just after Hibernia had owned up to this serious abuse of the export insurance scheme, Ray Burke went ahead and put Finance Guarantees in place for the company. Oliver Murphy of Hibernia confirmed to Fisher on 23 March that 'unspecified' amounts of the beef it had sent to Iraq were processed outside the state. Within a week, according to Fisher, Burke was briefed on the progress of the investigation, including Hibernia's admission.[6] Yet a few days later, on 4 April, Burke put in place $46 million worth of Finance Guarantees for the company, again accepting unconditional liability for beef which was now known to have been exported in breach of the terms of the scheme. He did this in a phone call from Tokyo, where he was on IDA-related business.

Hibernia, at least, had been reasonably frank. The reaction of Goodman to questions about the sourcing issue, however, was first to stall and then to deny the truth. Fisher sought a meeting with Aidan Connor, Deputy Chief Executive in charge of the International Division of Goodman, on 2 February. He was told that no meeting was possible until 28 February. He called again the day before this scheduled meeting to confirm it, only to be told that Connor was away and would not be in a position to meet him for another week or ten days. After further phone calls and faxes, Connor finally indicated on 15 March that he was in the country. He subsequently agreed to a meeting on 29 March, almost two months after it had been requested.

When the meeting did take place, the Goodman side still refused to own up. Aidan Connor 'gave a categoric assurance that all beef exported by the company to Iraq under ICI insurance cover was processed in the Republic of Ireland.' The company 'gave a verification that no beef is sourced from Northern Ireland and all beef is processed in the Republic.'[7] This was, as Fisher's final report in June would put it drily, 'in direct conflict with information received earlier from the Department of Agriculture'.

17

THE WAY THE FOX JUMPS

ERIC KINLAN WAS patrolling Dublin docks in his van, as he did most days. He had been a member of the Harbour Police for more than ten years, and was now Deputy Superintendent. It was about 4.30 on Saturday afternoon, 4 March 1989. The man on duty at the checkpoint on the road into the docks called him and said that a Datsun Bluebird car had entered the port. It had a Northern Ireland registration and four men were sitting in it. The man on the checkpoint had become suspicious and stopped the car. The men told him that they were carrying out work at the premises of Molloy & Sherry, opposite the Eirfreeze plant, a cold store owned by the Goodman Group.

Kinlan drove down to Molloy & Sherry and saw the Datsun there with the men inside. He spoke to them, and they told him that they were waiting for their boss, Peter O'Reilly. He also spoke to the security man, who told him that the men had asked him not to tell anyone where they were going. When O'Reilly arrived, he told Kinlan that he worked for Anglo-Irish Meats, and that they were working in the Molloy & Sherry compound. Kinlan left, but came back a short while later with another Harbour Policeman, Sergeant Curtin.

He spoke again to O'Reilly, who again told him that they were working in the Molloy & Sherry compound. When Kinlan asked him to show him where they were working, however, O'Reilly told him that 'he also had work to carry out in Eirfreeze'. Kinlan asked him why he hadn't said this in the first place, and O'Reilly told him that 'the meat trade was very competitive'. He said that this was meat which had been brought over the border, and that they were repackaging it to meet customer requirements in Morocco, and added that 'he was doing this work all over the country, and he hadn't worked before where there were Harbour Police'.[1]

Kinlan then contacted the Department of Agriculture, and by 6.30 a Department inspector had arrived. Kinlan also asked for assistance from the Garda Síochána. When they looked around the Eirfreeze plant, everything seemed to be in order, except that Kinlan noticed a metal box which had cloth covered in violet ink coming from it. There was also an extension cable covered with fingermarks in the same colour.

An hour or so later, a Senior Veterinary Inspector from the Department of Agriculture, Patrick Gregan, and a Senior Butcher Inspector, Gabriel Mellet, arrived. Gregan knew that there was no legitimate reason for stamping to be going on in a cold store, which is essentially a storage depot for finished beef. If there were any stamping to be done, it certainly could not legitimately be done without the supervision of Department officials like himself.

By the time Gregan and Mellet arrived, there were about twenty people working at Eirfreeze, removing the outer plastic sacks from carcasses of forequarter beef, and putting new stockinet covers on them. On checking, Gregan discovered that twelve containers of this beef had arrived at the store over the previous few days. Six of these had been processed and were now on the South Dock awaiting export. Six were still in Eirfreeze being worked on. All were to be loaded for Morocco on Monday. The containers had come, not from the North, but from plants in the Republic, in particular from the Goodman plant at Nenagh, where, a few weeks earlier, an RTE journalist, Jerry O'Callaghan, had observed a similar re-stamping operation in progress. On examining the carcasses, Gregan found that some of them seemed to be newly stamped with the violet ink that Kinlan had noticed. When he rubbed his hands, the ink came off on them. Concerned that this stamping was going on without the necessary supervision, he ordered all work to stop immediately.[2]

Gregan questioned the ganger, Peter O'Reilly, who told him that he would have to talk to someone else, and then came back and told him to speak to Pat Birdy. Birdy was a veteran Goodman operator, fifteen years with the Group and responsible for transport within the International Division. He 'wasn't based anywhere in particular', but had an office in Goodman headquarters in Ravensdale. He moved around the country, supervising what Patrick McGuinness called the A-team, though he himself denied that there was ever a team with this title. O'Reilly, the ganger on the Eirfreeze job was one of them, and the others were 'good lads . . . 100 per cent reliable lads'. Eirfreeze was just 'one of the tasks they were requested to do'.

As well as re-bagging the meat to meet Moroccan requirements, Birdy also understood their task to be re-stamping some of the carcasses (the ones nearest the door of the containers) with a CU2 grading stamp. This would indicate that the meat was of a very high grade, higher than any that the Department of Agriculture could lawfully apply, and certainly better than the meat in the store.

According to Birdy, he gave this stamp himself to O'Reilly's men. He himself had received it from a 'fall-back client' who was lined up to take the meat in case it failed to win acceptance from the Moroccans, as had happened with a similar load the previous November. The company, he said, had been approached by an 'ambulance chaser' who 'looked out for distressed cargoes'. He had proposed that 'he could access that beef to another market in the same [EC export] refund zone, which was very important money-wise, but it would facilitate its entrance if we used his back-door CU2.'

In fact, what the ambulance chaser, if he existed, was proposing to do was to dump the beef in West Africa.[3] The deception was aimed at getting the beef into one of the West

African countries where it would attract the high rates of EC export refunds (paid by the EC to encourage the export of its beef to markets which would otherwise be unattractive to Western exporters), a factor at least as important as the actual price paid for the beef. The ambulance chaser would be able to buy the beef 'at a knockdown price on foot of guaranteeing the preservation of the refund'.

The deception may have been run-of-the-mill, but the intention behind it – the dumping of fatty beef disguised as high-grade meat on the poor countries of West Africa – was no small matter. One of the main economic activities in West Africa was the export of cattle from Burkina Faso and Mali to the neighbouring coastal states of Ivory Coast, Togo and Benin. Up to the early 1980s, the economies of Burkina Faso and Mali, supporting 15 million of the world's poorest people, were sustained by this export of about 700,000 cattle a year.

Around 1984, the EC started dumping its own low-quality surplus beef on the markets in the coastal states. Over the next decade, 50,000 tonnes a year were being dumped. The European taxpayer paid out 450 million ECUs to Irish, Dutch, Danish and Spanish beef companies in order to subsidise this squalid trade.

The effect of the dumping on Burkina Faso and Mali was predictable. Beef prices halved, and even with these drastic reductions in price, their exports fell from 700,000 cattle a year to 500,000. The direct economic effects of these losses were made worse by the over-grazing and desertification caused by keeping unsold cattle on the land. In the coastal states, meanwhile, the availability of cheap EC beef had a devastating effect on the fishing communities, which were not able to compete.

According to a report drawn up by the Dutch development agency Novib,[4] much of the beef ending up in markets like the Ivory Coast actually far exceeds the fat levels permitted under export refund rules. Butchers in Abidjan and Accra report that 'EU beef always has a high fat content. They usually trim off the fat and sell it separately to customers who use it for cooking or to make soap.' In other words, fatty beef disguised as good-quality beef – precisely what the ambulance chaser wanted – is dumped on the most vulnerable of markets. The report specifically cites Irish beef, and says that the fraud was 'confirmed to us both by officials of the Ivorian Ministry of Agriculture and by officials of the European Community'. Its extent is estimated at 'many millions of ECUs' annually.

It is significant that Pat Birdy claimed that the ambulance chaser asked for the CU2 stamp to be applied to carcasses at the front of the container. According to the Novib report, 'the front rows of the containers often contain normal capas [pieces of flank meat], with the fatty stuff deeper inside. Not many customers check the rear of the containers, in which the capas are stored at a temperature of minus 30 degrees centigrade.'

In the tribunal report, however, the judge did not believe at all Pat Birdy's evidence that there was an ambulance chaser involved in this incident. The bogus stamps, he found, were not given to the company by anyone else, but were used by the company itself to pass the meat off on its Moroccan customers as being of much higher quality than it actually was.

When Patrick Gregan spoke to Pat Birdy on the phone, Gregan expressed his concern that a stamp was being used in an 'unlawful' manner. Birdy, according to Gregan, 'denied that there was any stamp being used'. According to Birdy, however, his recollection of the conversation was that 'the stamp was not mentioned on the Saturday night at all'. He agreed, however, that some of his workers might have denied that they were using stamps, because they 'probably thought there would be a fuss about it'. In the tribunal report, Mr Justice Hamilton noted that a great deal of trouble would have been saved if Birdy had told Gregan the truth – that the company was using bogus stamps – on the phone that night.

Work was then stopped at the cold store for the weekend, though normal operations were allowed to restart on the following Monday morning. That morning, 6 March, Pat Birdy met with Gregan and Customs officers, but he declined to answer questions about the CU2 stamp. According to himself, he 'didn't venture or volunteer any information as to where they might have come from', because 'I knew there would probably be a fuss over it, and I was waiting to see which way the fox was going to jump. I was keeping my powder dry by saying nothing.'[5]

The Eirfreeze incident became public very quickly, with the *Sunday Press* reporting the closure of the store over the weekend, and Tomas MacGiolla of the Workers' Party raising it in the Dáil on 9 March, and giving a largely accurate account on the basis of information he had received from a truck driver. The reaction of both Goodman International and, eventually, the government, was far from frank.

Aidan Connor, who was in charge of the International Division, under whose auspices the incident happened, subsequently accepted at the tribunal that the company had no business having a classification stamp, which was exclusively the concern of the Department of Agriculture 'and not ours'.[6] He also said, however, that he carried out no investigation of the incident when he learned of it.

Brian Britton, the other Deputy Chief Executive of the Group, was contacted on the night of the incident by the Group's PR firm. In his subsequent inquiries to the operational people on the ground, Britton says he was told that 'the thing had been blown up out of all proportion'. After MacGiolla raised the matter in the Dáil, Britton again discussed it with his PR consultant and issued a statement the following day. It described the statement made by MacGiolla as 'false and malicious', and stated baldly that 'Eirfreeze Cold Store in Dublin was not shut down'. MacGiolla and Barry Desmond, who had raised the Waterford and Ballymun investigations, were described as 'fringe TDs looking for cheap publicity' who had been guilty of an 'abuse of public office'.

Subsequently, Brian Britton told the tribunal that 'I don't know the details really. It is not my area of responsibility'.[7]

Remarkably, on Monday 6 March, just two days after the incident, and at the start of a criminal investigation, three senior company representatives were invited into the Department of Agriculture headquarters to discuss the incident with officials. Peter Goodman, Gerry Thornton and Pat Birdy did their best to minimise the seriousness of what had happened. Peter Goodman claimed that the 'Eirfreeze coldstore was outside their control and fell into a grey area', even though Eirfreeze was a company in the Goodman Group. He and Thornton asked that the work be allowed to continue and claimed that 'only a small amount of meat was rewrapped'.

Initially, however, the reaction to the incident within the Department of Agriculture was quite firm. The Secretary, Donal Creedon, gave instructions on that Monday that under no circumstances was the beef to be allowed to leave Eirfreeze and that 'every possible legal action open to the Department should be put through'. By the end of the week, however, Creedon's line was much softer.

On Friday, his officials, including the Assistant Secretary, Paddy Power, came to him to ask what was to be done about the six containers from the same consignment which were already on the South Docks awaiting shipment. These, too, had been examined in the meantime and some carcasses found to have the same CU2 stamps on them, while others had CU3 stamps, indicating that the company had more than one of these unauthorised grading stamps. The question now was whether the containers should be released for shipment. But the only examination so far had been a cursory one in which the precise number of falsely stamped carcasses could not be established.

There was a 'long and vigorous' discussion. While the beef was fit for consumption, it was clearly not what it purported to be, and its export had been stopped because, in the words noted on the appropriate form 'Department official not satisfied as to the bona fides of the goods'. 'The question of the representation of the beef abroad', in other words the false claim that this was especially high-quality beef, was raised. But this, to Creedon, was a 'small issue'. In relation to the CU2 stamps, 'it was of some concern as to how those got onto the carcasses, but I didn't establish it clearly in my own mind'.[8] He considered that since the beef in Eirfreeze, 'the red-hot evidence from the Saturday afternoon', was being held, the release of this other beef would make little difference to any legal case. He was also uneasy about intervening in 'a commercial contract for perfectly good beef'. So, he gave the order to release these six containers.

Creedon told his officials that 'you've got to check and see that none of these stamps are being abused', but by the time he left the Department in October, he had received no concrete response to these instructions. He did not, indeed, issue any instruction for anyone to contact AIBP and find out about the stamps.

Not until three days later, 13 March, was the first contact made with the Attorney-General's office. By this stage, a large chunk of the evidence, the six containers on the South Docks, had already been released.

The official from the Attorney-General's office who discussed the case considered the possibility of a fraud prosecution. He

> was not confident that the question of fraud could be successfully pursued. Ideally, he believed, it would be necessary to have the Moroccan customer interviewed to ascertain what was contracted for and whether the marks on the carcasses had any significance for them etc. He recommended that the matter be discussed with the Fraud Squad who would advise us as to what action, if any, we should take.

The Garda Fraud Squad was not, however, brought into the case, in spite of this clear advice. A relatively junior official was assigned to look into the possibility of prosecutions. No statements were taken from the Harbour Police, from the Gardai who had assisted them, or from the first vet who had looked at the carcasses in the cold store. No attempt was made to find and secure the CU2 stamps. No attempt was made to proceed with fraud charges.

The Department of Agriculture eventually decided to prosecute Eirfreeze and AIBP on three separate counts: removing markings from the carcasses, operating without a Classifications Officer present, and putting on markings without the authority of a Classifications Officer. All of these were essentially technical charges of breach of regulations, brought by the Department of Agriculture, rather than criminal charges brought by the DPP and the Garda Síochána. And the charges against AIBP were in fact dropped, when the case came up in July 1990, leaving only Eirfreeze who, in negotiations, agreed to plead guilty to two of the three charges.

The prosecuting counsel, Joseph Matthews, was hired two weeks before the trial. On the morning of the trial itself, defence counsel pointed out that there were 'fundamental flaws in relation to the summonses relating to both his clients, namely, AIBP and Eirfreeze Ltd'. With the state of the evidence he had, and the highly technical nature of the charges, Matthews felt 'a bit like the skipper of the *Titanic*', because of the 'inadequacy on proofs'.[9] On the basis that 'half a loaf was better than no bread', he advised acceptance of the Eirfreeze plea bargain, which was as much as could be salvaged at that stage. Eirfreeze received a £200 fine on each of the two charges to which it pleaded guilty, and the third charge was dropped.

If the state's legal response to Goodman's alchemical transformation of low-grade beef into prime product was less than awesome, the public political response was not exactly impressive either. The Minister for Agriculture, Michael O'Kennedy, was informed of the incident from early on. According to the Secretary, Donal Creedon, 'I advised him as to what happened at Eirfreeze on the Saturday, and I also advised him that I had taken a decision on these six containers. In the course of that I would have mentioned the use of these stamps.' He also drew up a note on the incident for Charles Haughey.[10] Indeed, detailed police accounts of the incident were found on file in Haughey's Department at the time of the tribunal.

This seems to be in stark contrast to what O'Kennedy himself told the Dáil on 15 May 1991, when the Labour Party leader, Dick Spring, raised the issue of bogus stamps:

> Deputy Spring has alleged that I was aware that Mr Goodman had in his possession false stamps. I want to rebut that allegation, and to state that I was not so aware . . . I want to say to Deputy Spring that I was not aware that the company had in their possession false stamps. I also want to say, and I have had this confirmed by the officials who are present with me in the House tonight, that not only was I not aware of it, neither were the officials of my Department.

Asked about this, Donal Creedon said, 'I think that would be inaccurate'.

18

DEMOCRACY

I think that if the questions that were asked in the Dáil were answered in the way they are answered here, there would be no necessity for this inquiry and an awful lot of money and time would have been saved.

Mr Justice Liam Hamilton at the beef tribunal

GOODMAN INTERNATIONAL HAD now let down Charles Haughey's government twice. Each of the two prongs of the relationship between party and company was now becoming a thorn in the flesh. The IDA-backed beef development plan was a sad shambles. While Goodman was investing millions in the British food companies Berisford and Unigate and running a high-profile campaign to take over Irish dairy co-operatives, the plan launched with such shining optimism by Haughey in 1987 was now a humiliation to him. Goodman had continued his normal policy of acquiring unprofitable plants, trimming them into shape and making them work, but little or nothing of the glorious strategy that was going to revolutionise the industry had been implemented.

By the beginning of 1989, it was clear to Charles Haughey that there were inescapable doubts about whether the plan was ever going to be implemented.[1] The government had abased itself, bent the law and backed away from serious public commitments in March 1988 in order to appease Goodman, but it had made no difference. Haughey met Goodman early on the morning of 25 January 1989, and, as far as he could recall, said something to him like 'For God's sake, why was there no action, what was happening, why was nothing happening?'[2] A fortnight later, on 11 February, he again had Goodman to his house in Kinsaley on a Saturday morning, to say 'the same thing' to him.

Haughey felt himself under particular pressure because he had personally promised the people of Tuam in County Galway a replacement industry for the state sugar beet factory there which he had allowed to close at the end of 1986. The replacement was to be a new Goodman factory, part of the five-year plan. Yet on 7 February, in between these two meetings at which the Taoiseach of the country pleaded with Larry Goodman, Brian Britton of Goodman International issued a statement blaming Galway County Council for the company's failure to build the plant, because the Council was insisting that it should not cause pollution.

To this terrible public humiliation was added the export credit fiasco. If the huge risks undertaken by the state on Goodman's behalf in Iraq were a quid pro quo for the development plan, the state was now getting the worst of both worlds. The Iraqi market, if what Haughey says Goodman had told him was true, should by now be 'wiped out', its place taken by top-quality, vacuum-packed joints of beef flooding the supermarket shelves of Europe. Instead, it was becoming a catastrophic debtor. And, cruelly, much of the beef underwritten by the state in this way was now shown not to be Irish at all, and Department of Agriculture officials were pointing out that, in any case, much of it was probably just more slabs of the EC beef mountain. Given that both Haughey and Reynolds, according to themselves, understood that the beef was to be commercial Irish beef, they had been cruelly deceived, and the government of Ireland had been insulted.

Yet, instead of feeling anger at these betrayals, Haughey and his ministers, as the whole weave began to unravel, rushed to defend Goodman and to attack his detractors. As opposition politicians, from both left and right, began to ask questions about the relationship between Goodman International and the government, the basic institutions of Irish democracy faced a searching test. A secret policy, carried out with virtually no public scrutiny and even in violation of public policy statements, was now faced with parliamentary attempts to drag it into the light. In the course of these attempts, Irish democracy was put to the test, and failed miserably.

Ironically, the initial focus of opposition questioning from the Progressive Democrats, Labour, and the Workers' Party was not on the beef industry, but on Goodman's wider intentions in the Irish food-processing sector. The Oireachtas Joint Committee on State-Sponsored Bodies had been looking into the affairs of the semi-state Irish Sugar Company as part of its routine investigation of state enterprises. Early in 1989, however, it became clear from reports by Dick Walsh in the *Irish Times* that Larry Goodman's Food Industries, the public company he had established to further his ambitions in the non-beef food sector, had an interest in buying Irish Sugar (an interest conveyed to Michael O'Kennedy, the Minister for Agriculture, in October 1988), which was likely to be privatised. This in itself was rather poignant, since, while Haughey was pleading with Goodman to replace jobs lost at Irish Sugar in Tuam, Goodman was hoping to reap the benefits of the company's pre-privatisation restructuring which had seen it lose over 2,000 jobs (56 per cent of its 1980 work-force), including those at Tuam.

The Chairman of the Oireachtas Joint Committee was the Fianna Fáil TD for Dublin West, Liam Lawlor. Lawlor was, however, also a non-executive director of Food Industries. He was thus in a situation where there was a perceived potential conflict of interest, on the one hand investigating the affairs of a company on behalf of parliament, on the other being a director of another company which had an interest in buying the business under investigation. Lawlor's situation attracted political interest in the areas of overlap between Fianna Fáil and Goodman International, even after the immediate controversy ended with his resignation as Chairman of the Committee.

In fact, towards the end of January, Lawlor was in Baghdad, meeting Iraqi officials on behalf of Goodman International, trying to persuade the Iraqis to pay their debts. In the course of this visit, the distinction between the interests of the state and those of the Goodman company, already blurred, became almost completely non-existent. The Department of Foreign Affairs in Dublin became seriously worried that Lawlor was 'allowing the Iraqi side to understand that he was there as a public representative rather than as somebody connected with the Goodman organisation.'[3]

Of particular concern was a minute prepared by Lawlor of meetings between himself and Gerry Maynes of Goodman International on the one side, and the Iraqi Ministry for Health and the Iraqi State Company for Foodstuffs Trading on the other. This meeting was also attended by John Rowan from the Irish Embassy. In the minute, Lawlor described himself, Maynes and Rowan as 'the Irish delegation' which, according to John Swift, Assistant Secretary of the Department of Foreign Affairs, was 'seriously misleading and . . . raised certain questions of importance'. The Department in Dublin saw the report as:

> A misleading, and indeed I don't think it is too strong to say, a dangerous report in the sense that it conveyed the impression that it was an inter-governmental meeting. It conveyed the impression that Mr Lawlor was leading a mixed delegation as a member of the Irish Parliament. It implied that the Embassy was taking a lead role in the proceedings through Mr Rowan.

A memo on the affair in the Department of Foreign Affairs noted that

> it may well be that in dealing with trading countries such as Iraq, it may be necessary from time to time to blur the distinction between public and private sectors. This need not matter while there is an identity of interests between the two. However there is a certain risk in permitting the private sector, in

> this case Goodman's, to represent its own interests in Baghdad as being those of the State.

John Swift agreed that 'it may well have been the intent from the point of view of Mr Goodman' to convince the Iraqis 'that the interests of Goodman and the State were one and the same, indistinguishable'.

While in Baghdad, Liam Lawlor and Gerry Maynes met with the Minister of Trade, the Minister of Health, the Director-General of the Ministry of Transport and Communications, and the Director-General of the Industrial Bank, all on Goodman business. Liam Lawlor told the *Sunday Independent* in February 1989 that he had attended an official meeting because 'the trade counsellor at the Irish Embassy in Baghdad asked me to attend a meeting to get outstanding monies to small Irish manufacturers who were in difficulties at home.' He also said that Gerry Maynes was in Baghdad 'travelling under his own steam', and 'had nothing to do with us'. He said that he himself had visited Iraq five or six times since 1983.

Lawlor's claim that the Embassy had asked him to attend an official meeting was investigated by the Department of Foreign Affairs after this newspaper report appeared. They found, according to John Swift, that there was 'no truth in the matter'.[4] He described the claim as 'so extremely unlikely as to verge on the ludicrous'.

Unlikely as it was, though, Lawlor's claim was, in essence, truthful. As he told the Dáil in September 1994, 'I was approached by the First Secretary of the Irish Embassy in Baghdad, Mr John Rowan, who requested that I break from the parliamentary party group's programme to attend meetings with officials from the Iraqi government and the State Bank.'[5] He backed up this assertion with letters from senior officials in the Department of Foreign Affairs confirming that the Embassy had involved him in official state business.

The Assistant Secretary of the Department confirmed to Lawlor that

> in the course of visits which you paid to Baghdad, you carried out economic-related activities including raising with the Iraqi authorities the question of payments due to Irish companies. You were briefed on these issues by the Embassy and accompanied to some of the meetings by representatives of the Embassy.

John Swift later put it in writing to Lawlor that:

> We have now been informed by Mr John Rowan, formerly First Secretary at the Irish Embassy in Baghdad that he asked you to make representations to the Iraqi authorities on behalf of Irish clothing manufacturing companies and on behalf of PARC [the Irish state company running the Ibn-al-Bitar hospital in Baghdad] during your visits to Baghdad.

The Irish Embassy had in fact confused the interests of Goodman with the role of the state in a manner that its headquarters in Dublin found incredible. However, the blurring of distinctions between the interests of the state and those of Goodman International which was going on in Baghdad was continued at the heart of the state itself, in Dáil Éireann.

In the middle of January, the Department of Agriculture had written to Goodman International, informing it of the penalties of £1.084 million which were to be imposed for the irregularities at Waterford and Ballymun. Barry Desmond, the Labour Party deputy leader and a member of the Public Accounts Committee, received a copy of the letter from a source which he subsequently refused to identify. On 2 March, 9 March, and again on the 15th, he raised the company's involvement in these frauds in Dáil speeches. In his 9 March speech on the Irish Sugar controversy, he named Goodman International, specified the Waterford and Ballymun plants, and gave quite a detailed description of the irregularities involved. The matter went no further because the focus of that debate was very much the Lawlor issue.

When he returned to the attack on 15 March, however, Desmond gave the specific amount of the penalties and the date of the letter to Goodman International informing them of the figure. In reply, Charles Haughey said that Michael O'Kennedy would be issuing a statement on the matter, and went on to say that 'I, in turn, accuse Deputy Desmond, with a full sense of responsibility, of trying to sabotage the entire beef industry in this country.'

Desmond's allegation was true and accurate. Haughey, however, not only accused him of attempting to sabotage the industry, but repeated the allegation in his evidence to the beef tribunal:

> A: Of course he was. He made reckless allegations and accusations continuously in the Dáil around that time.
> Q: Are you saying that allegation was untrue?
> A: No, I'm not.
> Q: Therefore it was not reckless, it was accurate?
> A: That particular matter, that, fine, but the other constant harassing attacks on the beef industry and on the Goodman organisation in particular were in my view irresponsible.[6]

In fact, there were not 'constant harassing attacks' on Goodman at this stage, merely questions being raised and not answered. O'Kennedy did issue a statement on 15 March. It was very much in line with the concern expressed by Larry Goodman to James O'Mahony in the Department of Agriculture two years earlier: that adverse publicity for the company should be avoided. In his statement, O'Kennedy said that 'this kind of publicity can do untold damage to the international reputation of the beef industry. This is a vitally important industry and the kind of publicity it received in the last few days can only have serious adverse effects on trade prospects and employment.'

O'Kennedy went on to say that:

> A full examination of transactions between September 1986 and February 1987 at the AIBP premises at Waterford and Ballymun, completed some time ago, was carried out as stan-

> dard practice by the Department and by Customs authorities, and that all requirements of EC and domestic law are being adhered to.

His statement added that 'the Department has not initiated any court proceedings in relation to the Goodman company, nor are any funds being withheld from them outside of normal routine.' A note attached to the statement added that funds held in the course of 'normal routine' included payments being processed, securities held in relation to private storage contracts, and advance-paid refunds. Asked about this, a spokesman for O'Kennedy refused to confirm or deny that such funds were being or had been withheld from AIBP.[7] This statement, understandably, was regarded by Goodman International, in the words of Brian Britton, as one which 'we felt vindicated our Group'.[8]

However, a number of serious inaccuracies seemed to be contained in the statement. The investigation was not 'standard practice' but one of the most detailed and onerous investigations of the meat trade ever undertaken by the Customs authorities. Not all requirements of EC and Irish law were being adhered to. The fraud involved flagrant breaches of EC regulations, and the Director of Public Prosecutions subsequently concluded that 'fraudulent activity on an extensive scale was carried on . . . generally in the Waterford and Cloghran [Ballymun] plants.' Indeed, in response to press queries, a spokesman for the Department of Agriculture said that the statement should have read 'all requirements of EC and domestic law are being adhered to *by the State authorities*' – an extraordinary and meaningless statement in itself. And funds were withheld from the company from early 1987 onwards. At the time of the statement these withheld funds totalled about £12 million.[9]

On the same day, Michael O'Kennedy told the Dáil, in reply to a statement by Barry Desmond that documents on the case had been referred to the Garda authorities, that 'that's not so'. In fact, the matter had been referred to the

Garda Fraud Squad in February 1988 by the Department. And it was in the same Dáil exchanges that the then Taoiseach Charles Haughey accused Desmond 'with a full sense of responsibility of trying to sabotage the entire beef industry in this country', even though Desmond's allegations were factually correct.

At the same time, Goodman International also made seriously misleading statements about the Waterford and Ballymun affair. Larry Goodman described Desmond's true statement in the Dáil that the company had a penalty of £1.084 million imposed on it by the Department of Agriculture as a result of the fraud as a cause for 'abhorrence and disgust'. He 'categorically denied' its truth. He was 'disgusted that people of this left-wing calibre and element can do such things to our company, to our country. They are anti-private industry, anti-success, anti-effort, anti-bloody-well-everything.' He threatened to leave no stone unturned to penalise Desmond and the Workers' Party Deputy Tomas MacGiolla, who had also made allegations against his company. 'We're not', he warned darkly 'going to stand for it.' He would, he said, 'expose the perpetrators of what has been an ongoing smear campaign against our Group.'

The company issued statements calling on the politicians involved to 'retract the false statements they have made'. Remarkably, when Brian Britton went on television to deny Desmond's allegation, he was not, according to himself, aware of the £1.084 million penalty, even though he was briefed by Larry Goodman, Peter Goodman and Gerry Thornton. He admitted, however, that, even if he had been aware of the penalty, 'I would not have changed the statement that I made'.[10]

Around this time, the Progressive Democrats TD Pat O'Malley began to ask questions about the discrepancy between Central Statistics Office figures for trade with Iraq and the amounts of export credit insurance allocated for beef going there. Pat O'Malley was a member of the Oireachtas Joint Committee on State-Sponsored Bodies and had been active in the Liam Lawlor affair. He then put down questions for reply on 12 April, asking for details of the total value of exports to Iraq in 1987 and 1988 and the amount of liabilities under export credit insurance for beef exports to Iraq in the same years. He got straightforward statistical replies disclosing the discrepancies that had been known to the state since the end of 1988, and putting the cumulative liability as of 31 March 1989 at £102.5 million.

The following day, anxious, as he put it, for 'some kind of an explanation', O'Malley phoned the Export Credit Section of the Department of Industry and Commerce and spoke to John Fanning, a Higher Executive Officer. Fanning gave him a convoluted 'explanation', stating that 'statistics provided by the exporters at the time of renewal would not relate to the calendar year, and therefore it was difficult to make a comparison between the trade statistics and the statistics that we would have had, or the estimates that we would have had, on insured turnover.'

This was irrelevant, and known to be irrelevant within Industry and Commerce because information from the Department of Agriculture and from Hibernia had already shown that the explanation lay in the use of non-Irish beef. The call itself, however, set off consternation in the Department and Fanning was instructed to write a record of it for discussion with the Minister, Ray Burke. Fanning's methods, however, met with approval. A memorandum on the matter written by Joe Timbs for the Assistant Secretary, notes that:

> I believe Mr Fanning handled this particular telephone call with considerable skill given the invidious position in which he found himself. While it is disconcerting to think that Deputies can telephone officials on such delicate issues, it is important that we maintain the Minister's line of not concealing anything which would, in normal circumstances, be made available to the public. I have asked the section to be particularly vigilant in relation to these types of calls. However, I do not think that we can adopt a 'not prepared to discuss'

attitude. The information given by Mr Fanning is factual, and will, I think probably confuse the Deputy . . . [11]

It is worth noting that information which would normally be made available to the public on matters such as this is virtually no information at all. John Fanning's understanding of what was meant by the policy was that 'general matters' about how the export credit scheme operated would be disclosed, but that 'if, for example, a Deputy was to ask a member of staff could we account for the discrepancies in the statistics between beef exports and the figures that we have in relation to the insured statistics, that we would not be drawn into answering those questions . . .' The 'Minister's line', in effect, was not to disclose the salient facts.

This line was made clear a week later, when Burke gave written answers to a new series of parliamentary questions tabled by Pat O'Malley. The questions were on a subject which, according to Ray Burke himself, was 'very much' a matter of public interest.[12] O'Malley asked for information on the meat companies which had applied for ECI cover for Iraq and the ones which had been successful; and for an explanation of the statistical discrepancies.

On the first of these issues, Burke's reply contained two serious inaccuracies. He stated that two of the six companies which had applied had been facilitated, when in fact three companies (Goodman, Hibernia, and Master Meats, which failed to take up the cover) had been allocated cover by Albert Reynolds. He also stated that 'the first two companies to apply had at the time of their applications firm contracts for the supply of beef to Iraq.' This was untrue since, while Goodman did have a contract when they applied for the $134.5 million cover in September 1987, they did not have contracts for other successful applications, such as those of April 1987, November 1987 (the $30 million allocation), and January 1988 (the $155 million application). Hibernia did not have a contract when Reynolds awarded it cover in 1987, and nor did Master Meats.

The second part of the reply can only be regarded as an obfuscation that failed to disclose what the Department knew about where the beef came from. Burke told O'Malley that 'there are a variety of reasons why figures for insured exports may differ from official CSO trade statistics', and listed a number of possible reasons, all of which were entirely inapplicable. He suggested that the figures for what had been insured under the ECI scheme might be based on estimated company turnover, or might be in respect of onward sales by Irish companies to foreign subsidiaries. His Department, he said, was 'continuing to examine' the matter. What he did not say was that that examination had already produced strong evidence that much of the beef was not processed in the state, and that one of the two companies involved had already admitted as much.

The obfuscatory nature of this part of the reply was more or less admitted in another reply, on 27 April, to O'Malley's next set of questions. In this, the previous statement about estimated turnovers was said to have been made 'in the context of offering one possible general explanation', but no actual specific explanation was offered. Burke declined to specify the percentage of export credit insurance available for beef exports to Iraq held by Goodman and Hibernia, because this would be 'inappropriate'.

On 1 May, the Fisher inquiry team made the most important breakthrough in their investigation to date when they met with Brian Britton of Goodman International. At a meeting a few days previously, Goodman executives had decided to change tack. Fisher had by now produced to Aidan Connor his figures showing substantial quantities of non-Irish beef on insured shipments; Connor suggested that 'things were going on of which he was not aware'. At that earlier meeting, Fisher's team had stressed that a deadline was 'of vital importance from the Minister's point of view, and the overall situation was not being helped by media speculation and parliamentary questions.'[13]

Faced with Fisher's evidence, however, Goodman International decided to co-operate with him, and Brian Britton was delegated to handle things for the company. At the 1 May meeting, Britton did not contest the Fisher figures, and himself produced a schedule giving the source of all AIBP shipments to Iraq from January 1987 to March 1989. This showed that over 30 per cent of all the company's beef for Iraq came from Northern Ireland. (When beef from Britain was included [11 per cent of the total], the figure for non-Irish beef was 38 per cent, or 44 per cent of the beef covered by the insurance policy actually issued. In effect, close to half of the beef covered by Albert Reynolds was the product of another state. To put it another way, Reynolds had put $60 million of Irish taxpayer's money at risk in order to support the export of United Kingdom beef.)

Even at this stage, however, the company was not entirely frank. Brian Britton said that 'shipments of Northern Ireland beef had been inadvertently included'. He claimed that instructions had been given to the Group's International Division that only Republic of Ireland beef was to be used, but that these instructions had been 'wrongly interpreted'.[14] He maintained that 'his company hadn't made claims, that they don't intend to make claims, and they didn't intend to let the banks make claims'.

In fact, there was nothing inadvertent about the use of Northern Irish beef for the contracts. The Irish meat inspection agents appointed by the Iraqis understood from very early on in the 1987 contract that it would be fulfilled by using beef from both the Republic and Northern Ireland: 'We asked the supplier "Where do you intend to get your meat from?" And he said to me "Well, in Ireland, North and South." '[15] Aidan Connor of AIBP testified that the contracts were for beef 'from any number of origins'. In fact, the company could not have intended to supply all the beef from the Republic because, according to Connor, it would have been impossible to do so: 'If you look at the obligation to ship from, say May 1988, there is no way you could source that product, the quantity required, in Ireland, because that is the low point here. You were obliged at various times to go outside and source beef outside. That is just the reality of life.'[16]

Nor does it seem credible that AIBP did not intend to make any claims on the insurance for beef sources outside the state. For one thing, the company had given written guarantees that *all* the beef was from the Republic of Ireland. It had asked for 100 per cent cover on the contract, even though it knew that 100 per cent of it could not be bought within the state. It had paid insurance premiums of £440,000 and given a bank guarantee of £880,000 in respect of the non-Irish beef, an odd thing to do if it did not consider it to be covered.

And, critically, claims for non-Irish beef were in fact made under Finance Guarantees for both Goodman and Hibernia. A Goodman claim of £3.975 million was paid on behalf of the Minister for Industry and Commerce to Banque Nationale de Paris. A further £3 million was paid out under the Hibernia policy. In both cases, the beef insured included non-Irish beef.

Nevertheless, Brian Britton went on to suggest to the Fisher team that the company and the Department should collude to swap Irish beef on shipments to Iraq which were not covered by export credit insurance for non-Irish beef that had been declared for insurance.[17] This suggestion was rejected in the Department, not least because there would still not be enough Republic of Ireland beef to make up the difference, and even including beef exported by Goodman in 1987 before their export credit cover came into force, there would still be a shortfall of £18 million.

The suggestion itself, made by a company which had just admitted to gross breaches of the scheme, illustrates the belief within Goodman that the company and the state still had an identity of interest. Brian Britton added to this impression by asking 'that the matter be kept between the Department and AIBP'. The response of the Departmental Secretary, John Donlon, who was present at the 1 May meeting, was to 'reject any suggestion that information concerning this matter might leak from the Department'. Instead of being indignant at Britton's suggestion that the Department should keep the whole thing quiet, the Department was indignant at the implication that it might do anything else but keep the matter quiet.

Britton's request was effectively complied with. Three weeks later, on 23 May, Ray Burke had to answer another written question from Pat O'Malley. The question O'Malley asked was whether the Minister for Industry and Commerce had 'received any information which would explain the major discrepancy' in the statistics, and if he would 'outline the investigations he is presently pursuing'. Since there was now not a shadow of doubt about the explanation – both of the companies involved had now admitted that the discrepancy arose because of the use of product sourced outside the state – a genuine reply to the question would have to reveal the truth. The Ceann Comhairle (Chairman of the Dáil), Sean Tracy, however, intervened to rule out these crucial parts of the question on the grounds that Burke had already answered it. The question was changed, without O'Malley's consent, to ask Burke when the investigation would be completed. Burke merely replied that he couldn't tell.

Ray Burke subsequently stood firm over his failure to tell the Dáil anything of substance about the information which he had received from the Fisher inquiry:

> Q: Do you not feel that it might have been of some assistance to the Dáil if they had been given some indication of the nature of the problems which Fisher had found and was investigating further at that time?
> A: No, I don't, and I think it would be wrong to have speculated on exactly what was turning out in that examination.

In fact, no speculation was necessary. By 11 May, Fisher had completed an interim report giving a detailed breakdown of the source of the beef and telling Burke that the unit had now 'largely completed its task'. Between then and 26 June, when the final report was produced, all that had been added were overall conclusions from the facts and details of a further verification process. The facts themselves were precisely the same as they had been in May. Had Burke given some idea of these facts in the Dáil on 23 May, he would have been on very firm ground.

He explained his attitude to answering parliamentary questions as being that: 'If the other side don't ask the right questions, they don't get the right answers. And it's not for me to lead them as to where they figure they want to go. And if they ask a question, then the question is answered precisely, and that's what would have happened.' He said that he 'had never in my life knowingly misled the Dáil or given them improper information'. He did, however, take the somewhat unusual view that information given in good faith in the Dáil by a minister cannot be questioned, even if it turns out to be inaccurate:

> A: I would take it that the information that is prepared in good faith and given in good faith, that there can be no questions asked about that.
> Q: Surely a question can be asked as to its accuracy?
> A: Well, if the accuracy is as given to the Minister, and the Minister giving it to the Dáil and I have absolute trust in the civil service, as I outlined earlier. That's the situation.[18]

This idiosyncratic attitude to the nature of truth was echoed by another Fianna Fáil minister, Seamus Brennan. When asked about inconsistencies in two statements he had made (about his decision to give a letter he had written to an Iraqi minister to Larry Goodman in November 1987, before it had been sent), he replied that 'At the time both were written, they were both accurate'.[19] The first, untrue, statement was accurate because he believed at the time that it was so. Thus accuracy becomes a matter not of correspondence with the facts but of conformity with a minister's beliefs. And once a minister says what he honestly believes, that statement becomes unquestionable.

Ray Burke was indeed reflecting the civil service culture of secrecy that included, as we have seen, congratulating an officer for confusing a parliamentarian. Donal Russell, a senior officer in the Department of Agriculture, told the tribunal that the policy was to 'answer the question that was asked' but go 'no further', to 'look at the question that is asked and give the information in direct answer to that question, but not to offer information'.[20] Effectively, in order to elicit information, a deputy would have to know the answer already, and therefore be in a position to phrase a question precisely enough to get the information.

But the political response of Fianna Fáil ministers at this time went much further than these bureaucratic word-games. There was more than a passive reluctance to give information. Positively untrue answers were given, while those asking the questions were themselves attacked. Charles Haughey accused Barry Desmond of sabotage. When the Progressive Democrats leader, Des O'Malley, suggested later in May that the explanation for the discrepancies was the inclusion in the contracts of beef sourced outside the state, Burke described the suggestion as 'these reckless charges', even though he knew at the time that what O'Malley was saying was true. He later defended this description as 'a political thrust'.

Before the Fisher Report could be acted on, Charles Haughey called an election, in search of the overall majority that had always eluded him. He did not get it, and Fianna Fáil was faced, for the first time in its history, with the prospect of having to form a coalition government in order to stay in power. The Progressive Democrats, though reduced to just six seats, offered the easiest option, their numbers giving a bare majority without being large enough to dilute seriously the larger party's power. In the course of negotiations on the formation of a government, Haughey told Des O'Malley that if he were to become Minister for Industry and Commerce, a position he had held before as a Fianna Fáil minister, he would have access to all the information about export credit insurance he was seeking. O'Malley took the job and became Minister on 12 July. By an ironic twist of political fate, the accuser had now become the man in charge.

By late August, with Iraqi debt to Goodman standing at £201 million, O'Malley called Larry Goodman and Brian Britton in to his office to discuss the crisis. For the company, the change of Minister was ominous, and Britton noticed an immediate and dramatic change in the atmosphere. Up till now, he had 'felt that the relationship with the Department was cordial and matters were going to be resolved satisfactorily'; the whole thing was 'not going to be of major consequence'.[21] Only when Larry Goodman met O'Malley on 28 August did the company begin to feel 'that the attitude seemed to have changed since the new incoming Minister had taken office'.

The meeting was tense. O'Malley, as Goodman later remembered it, 'would light a cigarette, within two seconds he would put it out again, then he lit another one and he put it out'. To Goodman 'he seemed to be fuming, he wasn't in control of himself', whereas he himself 'certainly was, because I knew what was at stake'. To O'Malley, he himself was 'calm, businesslike', while Goodman's behaviour was 'exaggerated and verging on the hysterical'.[22] O'Malley told Goodman that he considered the insurance policies to be void because there had been a serious breach of the terms of the cover. Goodman replied that this attitude was 'unreasonable', and claimed that 'we had made no secret of the source of the beef'.[23] O'Malley told him to ensure that bank guarantees which were due to be paid within days were honoured, and 'implied that he would look again at the whole question' if this was done.

The two met again two days later, with Goodman taking

a hard line and informing O'Malley that his threat to void the policies was 'illegal and contrary to European law'. Goodman also repeated Brian Britton's earlier statement that there had been no intention to claim for non-Irish beef in the event of a default by the Iraqis. Nevertheless, Goodman did meet bank guarantees for over £10 million that were falling due.

A third meeting took place on 12 September. This time, Goodman again brought Brian Britton with him, and O'Malley had officials present. Goodman outlined meetings in Iraq in which the company had attempted to persuade the Iraqis to pay up. According to the Goodman side's minutes of the meeting, O'Malley replied, 'So what? Did you get any money?' Britton went through legal arguments, to which O'Malley replied, 'Are you finished? Anybody can read out legal points from London lawyers.' Britton said that the jobs of 2,500 employees were being put at risk. O'Malley replied, 'As far as I am concerned, you are the people who put the company at risk. Are you going to pay tomorrow, because as far as I am concerned, the policies are void?'

Larry Goodman offered to meet bank guarantees that were due, but only if O'Malley confirmed a total of IR£153 million worth of cover, an extraordinary request in view of the fact that it was now clear that the Iraqis were very unlikely to pay the debts. In the Goodman side's version of events, O'Malley's response was 'very aggressive', at which point, according to Britton, Larry Goodman looked as if he was about to hit O'Malley. Goodman denied this. He did, however, close his file, stand up, and launch what Britton's minutes called 'a tirade' at O'Malley. He then started to walk out, saying to Britton, 'Come on, Brian, you don't have to take that'. Britton tried to 'soft pedal', remarking that the courts were not the proper place to resolve 'our differences', but the meeting broke up in disorder with O'Malley leaving for another appointment, and Goodman telling the officials who remained that 'they had contributed to the débâcle' by extending the credit period for the Iraqis from twelve to eighteen months.

Whatever the details of this meeting, it is clear that it was fraught, and that Goodman was angry and upset. A relationship with the state that had been, from his point of view, amazingly productive was now effectively over. After consultations with Haughey, who agreed to the move, and the Attorney-General, O'Malley declared the cover void. On 11 October, ICI wrote to Goodman and Hibernia making a formal declaration to this effect, and Goodman instituted High Court proceedings the next day, claiming around £150 million of cover and unspecified general damages, making for one of the largest legal claims ever made against the Irish state. Larry Goodman told the *Irish Times* that the issue was a 'load of political rubbish', and that he

> wouldn't accept anything Mr O'Malley says. He has a lot to say about nothing. Mr O'Malley opened his mouth too loud before and during the election . . . He has now to justify his comments. I'm amazed that, instead of getting on with the important factors of running the country, politicians are looking for scapegoats when they cannot perform themselves.

Even at this late stage, however, the state, though now accusing Goodman, in effect, of massive deception, continued to show an extraordinary deference towards him. In September, O'Malley and Haughey wrote begging letters to Hamza al-Zubaidie and Saddam Hussein respectively, asking for the Iraqi regime to pay its overdue debts of £58.5 million. Larry Goodman himself was 'in continuous to-ing and fro-ing from Ireland to Baghdad' over this period, with the Iraqis playing their usual game of leavening bad news with encouraging noises.[24]

The delivery of O'Malley's letter to Hamza, however, illustrated the Iraqi view of Goodman perfectly. Hamza made an appointment to see Larry Goodman at the same time as he was to see the Irish Ambassador, Patrick McCabe, to receive the letter from O'Malley. John Swift of the Department of

Foreign Affairs agreed that the Iraqis did this because they perceived the Ambassador and Goodman to be 'one and the same'. Ambassador McCabe, instead of insisting that an official meeting between state representatives should take precedence, 'thought that the direct interest of Mr Goodman in meeting the Minister should be facilitated'. Instead, O'Malley's letter was handed over to an official, and the appointment with the minister was ceded to Goodman.

In November, the Irish Ambassador was granted, by virtue of Haughey's ingratiating letter to Saddam Hussein, an audience with Deputy Prime Minister Hammadi. At the end of October, Goodman, who was then in Baghdad, had suggested this meeting to McCabe and asked if he could attend. Here was a private citizen seeking to participate in a high-level inter-governmental discussion about correspondence between two heads of government. But, as Swift put it, 'we are not talking about *any* individual'. Instead of rejecting the request out of hand, however, McCabe, in line with the previous level of caution he had exercised in dealings with Goodman, sought instructions from Dublin. The Department of Foreign Affairs felt sure that the request should be rejected, but also felt it necessary to clear what should have been a routine refusal with the Department of the Taoiseach.

The Assistant Secretary there regarded the matter as being 'of sufficient importance that they would wish to consult the Taoiseach directly on it', and John Swift was told that this 'might be a good and prudent thing to do'.[25] For the second time in a little over two years a routine piece of foreign embassy business was considered so sensitive, because it related to Larry Goodman, that it had to be referred personally to Charles Haughey. The Taoiseach was consulted and gave permission for Goodman's request to be refused.

Also in November, Hibernia Meats sent a letter to O'Malley contesting his right to declare the policies void and enclosing what was described as a 'sample copy of a composite veterinary certificate issued by the Department of Agriculture and Food'. The point of producing this certificate was to show that the Department had in fact certified the beef in question as being Irish, even though it wasn't. Oliver Murphy of Hibernia hoped that this would persuade O'Malley to 'take a pragmatic view of the situation'.[26] The certificate, dated 25 February 1988, purported to guarantee that the beef was produced at premises inspected and approved by the Irish Department of Agriculture and Food. It went on to state that 'the animals were slaughtered within 90 days before arriving at the buyer's stores'.

This latter statement was, in fact, a forgery, added to the original certificate by the company. (According to Oliver Murphy, he himself was in hospital when he signed this letter and never saw the enclosed certificate.) The vet who signed it gave evidence that this statement was not included on the certificate at the time she did so, and Oliver Murphy agreed that 'it would appear' to have been added in afterwards. Its effect, of course, was to make it appear that the Department had not merely certified non-Irish beef as Irish, which it had, but that it had also guaranteed that the beef was fresh, rather than taken from intervention storage. Four similarly forged certificates were subsequently discovered in Garda inquiries.

This was a very serious matter for O'Malley, who took the certificate at face value, and for the state, which stood to lose vast sums. O'Malley's Department wrote to the Assistant Secretary of Agriculture, Dr Paddy Power, on 29 November, asking for observations on the certificate 'as a matter of urgency'. It would have been immediately obvious to anyone in Agriculture with a knowledge of the beef business that the certificate was forged. Yet O'Malley received no reply to his request. Even at this stage, it seems, there was a reluctance to admit the truth behind the deceptions and evasions at the heart of the whole Iraqi enterprise.

19

SHREDS OF EVIDENCE

And all the time away across the saucer of the lake there was the distant church spire of Rathkeale, like a finger of silence rising from an absolutely level horizon.
Seán O'Faoláin, *Vive Moi!*

SEÁN O'FAOLÁIN, WHO spent his summers in his mother's town of Rathkeale in West Limerick, imagined in his autobiography what a sound-track of this 'dead, lousy, snoring, fleabitten pig of a town' would consist of. He reckoned on the humming of the breeze in the wire, and maybe, if he waited long enough, the clucking of a hen and the rattle of a donkey and cart on Main Street.

Had he been there decades later he would have heard new sounds: the clatters, scrapes and trundlings of the Shannon Meats factory, which became, in 1988, a part of the Goodman empire as AIBP Rathkeale. And had he been there on a night in early October 1991, his sound-track would have caught other stirrings: the sounds of shouts, of shredding machines, of toilets frantically flushing, the noise of cars pulling up and car doors slamming. Had he been at the beef tribunal in Dublin Castle in February 1992, he would have heard a more familiar silence, as seven senior managers of the plant declined to answer questions for fear of self-incrimination.

In October 1991, David Kennedy, a young production clerk at the plant, was told to go through the files to find the sheets he had used to record the 'transfer' of stock coming off the boning lines from intervention to commercial contracts. He was to find, in other words, the evidence that the company had been systematically taking meat which it was deboning under contract for the EC intervention system, meat which belonged to the EC, and packing it for its own commercial contracts with, for instance, the Tesco supermarket chain in Britain.

He knew the documentation he was looking for, because he had completed much of it himself. He also understood that it was 'incriminating evidence', because it was 'documentation of commercial cuts that had been taken from intervention'. At the same time he knew that other workers in the accounts department were taking similar sheets and destroying them. Over a few frantic days, he joined in the shredding of documents and in flushing them down the toilets.[1]

What David Kennedy and his colleagues were hiding was something which hadn't really been a secret in the first place. In March 1989, at a time when Charles Haughey and Michael O'Kennedy were strongly defending Goodman International against allegations in the Dáil, O'Kennedy's Department of Agriculture was sending out inspectors to meat plants to check on suspicions that intervention beef was being siphoned off into commercial contracts. Having concluded that the practice was 'widespread', a stern circular to all meat companies warning that 'certain meat plants are attempting to misappropriate significant quantities of beef for their own use' was issued on 11 May 1989. Yet no real investigation was carried out until October 1991, after the tribunal of inquiry had been established.

In fact, concern that companies might, in effect, be systematically stealing intervention beef had arisen as early as 1980, and the Department had accumulated considerable evidence of the practice from then on. For over a decade, therefore, the Department had known that the theft of intervention beef by factories was 'widespread'. Yet in all that time there had been no attempts to bring prosecutions, no long-term withdrawal of licences and no really thorough investigations. The Department's reluctance to look too closely at the practice was confirmed most strongly just a few months before David Kennedy and his colleagues started to shred and flush at Rathkeale.

In July 1991, Philip Smith, a businessman who was in dispute with Hugh Tunney, owner of Tunney Meats in Clones, and was conducting an extraordinary private investigation into Tunney's affairs, wrote to the Department with specific and detailed allegations. He produced photocopies of intervention documents from the factory which, he said, showed that £400,000 worth of intervention beef had been misappropriated and sold to commercial customers in the UK.

The Department asked the local Veterinary Inspector to look into the case, and, in August, informed Philip Smith that all the meat exported to the UK during the period in question came from commercial stock. In fact, however, the Department did not investigate the intervention documents that Smith had given it. The figures that were checked were largely irrelevant to the allegations made. The Veterinary Inspector involved in the investigation testified that he believed from the start that the company was on the straight and narrow: 'I expected the whole thing to be done honestly'.[2] He later accepted that his trust may well have been misplaced.

In fact, Margaret Potter, a clerical worker in the plant, subsequently gave evidence, which was accepted by the tribunal, that the practices alleged by Philip Smith had been carried out 'on and off over the years', about '25 per cent of the time' that intervention beef was deboned, and that she herself was the person who had handled the documentation and done the necessary calculations under instructions from management.

To understand the Department of Agriculture's failure to do anything about Smith's allegations, and indeed its broader failure to crack down on what it believed was a systematic rip-off of the EC intervention schemes, you have to grasp just how ambivalent was the Department's relationship with the industry. On the one hand, it was supposed to be the EC's agent, policing the industry's use of EC schemes. On the other, it was the political wing of the industry itself, deeply reluctant to take any action that could be harmful to its interests.

The evasions implicit in this ambivalence became most starkly clear in the extraordinary case of Emerald Meats in 1990, in which the Department's desire to support the industry came into direct conflict with its duties to the EC. In this conflict, its duties to the EC took second place, and the Department ended up telling lies to the European Commission.

The case arose from what was, at first, a small issue. Under the General Agreement on Tariffs and Trade, the EC was obliged to import a small amount of beef, even though it had a surplus of its own. The right to import this beef was a lucrative one, because anyone who had a licence to do so could buy the beef at low world prices and sell it in the EC at high EC prices. It was, almost literally, a gift. From 1986 onwards, Ireland had to take its share of these imports – around 400 tonnes a year – and the Department decided to give the licences to the beef processors. It did not have to do this – other EC countries, for instance, gave this cheap beef to hospitals or charities – and the very fact that it gave this gift to the processors, including Goodman companies, says a great deal about its attitude to the industry.

The processors, in turn, didn't bother to import the GATT meat, but simply sold their quotas, mostly to Emerald Meats, a small trading outfit which, in 1988, bought up over 90 per cent of the Irish quotas. In effect, the Department was giving the processors free money, amounting to about half a million pounds. It knew that the meat companies were not actually processing the beef, or even importing it, and when, in 1988, the Secretary was informed of this he commented on an official document, 'Did we ever think they would?'

This cosy arrangement for the processors was overturned in 1989, however, when, as a result of an unrelated law case, the EC had to change the regulations for allocating quotas. Now, instead of the Irish Department of Agriculture allocating the quotas, the EC Commission had to do so. It decided, reasonably enough, that they should go to the 'traditional importers' of the beef, and it passed a binding regulation to this effect. This, though, was terrible news for the Irish processors. Since they had never actually imported the GATT beef, they were not now legally entitled to the quotas, which would pass to Emerald Meats, depriving the processors of what had been a source of very easy money.

The processors, however, moved into action. On 24 January 1990, the Irish Meat Processors' Association, having told its members to apply for the GATT quotas, met with officials in the Department of Agriculture. No minutes of this meeting were kept, but at it the processors put forward the claim that they were the real importers of the beef in previous years. This claim was, as the High Court subsequently made clear, complete nonsense.

The Department knew that this claim was unfounded. Yet, on 31 January, after another meeting with the processors, it told Emerald Meats that it would not be getting its licences as a 'traditional importer', and that for all the previous years except 1989 the processors would be treated as the importers of the beef, even though they had not, in fact, imported it. Joe Shortall, the same Agriculture official who had altered the CBF document which revealed that the beef for Iraq was mostly from intervention, phoned Emerald and told them this. When Emerald asked him to check on the records that it had already sent in, he replied 'too late'. Another official had already gone to Brussels with the list of 'traditional importers', and Emerald wasn't on it. A week later, the Commission acted on the basis of this list and turned down Emerald's application.

As Mr Justice Declan Costello subsequently noted in a High Court judgment on the case, Joe Shortall 'was well aware (as were the meat processors) that the regulations required applicants to furnish specified proof in support of claims to have imported meat in the reference years, and that the meat processors had furnished none.' The only relevant documents were the ones which the Department had showing Emerald Meats as the importer of the meat.

The list of 'importers' sent by the Department to Brussels was seriously misleading. One company was listed as an importer for 1988 even though it had not itself ever claimed to have imported GATT beef in that year. Another was listed as an importer for 1987 in the same circumstances. In yet another case, where the company in question made it clear that Emerald Meats had bought its quota and imported the beef, the list was left blank.

In fact, the list was so flagrantly misleading that the EC Commission smelt a rat. Its officials checked back on the files and found that, the previous year, Emerald Meats had been described by the Department as a substantial importer of GATT meat in 1987 and 1988, but that, on this new list, it had 'disappeared as an importer for 1987 and 1988'. The Department was asked for an explanation.

The Department replied to this demand for an explanation by further misleading the EC Commission. It claimed that it had received new information in 1990 which indicated that Emerald Meats was not an importer at all, but merely an agent for the meat processors, a wildly untrue statement. The official who sent the reply, Danny Carroll, later admitted in the High Court that it was 'untrue' in a number of respects. As Mr Justice Costello put in in his High Court judgment on the case, 'to conclude, as was done, that the meat processors had "imported" the meat was a travesty of the true position.'

The judge made it clear that the very highest levels of the Department had been at least passively involved in the clear breach of EC law in the Emerald case. He noted that Danny Carroll

> was unaware of the fact that the meat processors had sold their quotas every year since 1987. This means that his examination of the files was incomplete, as they contained written evidence that the meat processors had been selling their quotas and not using the meat imported under them. It also means that none of his colleagues in the Department informed him of this fact, even though those that were then serving in the Beef Division, the Deputy Secretary and the Secretary of the Department were well aware of it.

The Department misled the EC Commission a second time in September, when, having refused to grant Emerald a licence, 'it failed to inform the Commission of this fact, and on the contrary informed it that there were no unused allocations on August 31st.'

What makes the Emerald case so startling is that not merely did the Department twice deliberately mislead the EC Commission, but it also broke both Irish and EC law. The High Court ruled in 1991 that the Department broke EC law in not sending Emerald's name to Brussels as the importer of the GATT meat in 1987 and 1988. It also found that its 'manifestly unfair' conduct in not even giving Emerald a chance to state its case was against the principles of Irish administrative law and that it 'failed to carry out the duty the law imposed on it'.

Just as the relationship between Goodman and the government had led the Fianna Fáil administration to act unlawfully in its dealings with the IDA in 1987 and 1988, so the Department's desire to help out the meat processors had led it to break Irish and EC law in 1990. The pattern of its behaviour throughout the 1980s, with diligent officials reporting suspected abuses in the factories but the Department failing to take vigorous action to prosecute the abusers, was a mark of its own schizophrenia.

Just a few months after the Department had itself been

found in breach of the law by the High Court in July 1991, it received from the beef tribunal a new set of documents, this time relating to AIBP Rathkeale. Ironically, the Rathkeale operation was one of the companies in whose favour the Department had itself acted unlawfully in the Emerald case.

Now, however, there was a public tribunal of inquiry looking into the meat business, and it presented the Department with a startling set of documents. The tribunal in turn had been given these documents by John Lynch, the former boning hall manager at the plant. Lynch's documents, detailed production records from the factory, showed evidence of organised and systematic misappropriation of intervention beef. This time, the Department took serious action.

On 2 October, the Department's Control Inquiry Team visited the Rathkeale plant, and on the following day examined production from Rathkeale stored at Limerick Cold Store. They found pieces of intervention meat in commercial boxes, and excessive fat levels in intervention meat to make up the missing weight.

The next evening at 7.40pm, two Department of Agriculture officials, Maurice Mullen and Brid Cannon, went to Goodman headquarters in Ravensdale and put these preliminary findings to Gerry Thornton, head of the Meat Division of Goodman International. Cannon put it to Thornton that 'the Department was not receiving all the meat it was entitled to'. Thornton replied that 'he did not have information to explain those findings'. Mullen showed him detailed records supplied by John Lynch, and Thornton said that he 'couldn't explain it'. He could not recall whether he had seen any of these documents before.

On his own evidence, Thornton was somewhat dismissive of concerns about the company's responsibility for intervention irregularities. He said that the company's quality control was concerned with supermarket specifications, and that supervision of intervention was the responsibility of the Department – 'Our input into intervention was quite minimal'.[3]

At about 11.30pm, Mullen made a formal request to Thornton for documents 'in his control or possession'. Thornton gave a formal reply that on legal advice, which he had sought in the meantime, he could not comply with the request: 'Notwithstanding the fact that we did not have job costing sheets or production sheets of the kind referred to, I would not give them permission or access to any records referred to by them or on the premises.'

At about 2am, three cars pulled up outside, containing Bart Brady, the Assistant Secretary of the Department, and six detectives, one of whom produced a search warrant. By now Larry Goodman was present and asked for a copy of the search warrant, which he was given. The officials searched the office, and the safe, which had been opened by the company's Financial Controller, David Murphy. They found a number of documents which they considered relevant, mainly weekly cost breakdowns for the Rathkeale plant in 1991, and at about 5.15am they took away twenty files. Later that day, another search was conducted at AIBP Ardee and more documents were taken away by the police. Four days later, the Department filed a formal complaint with the Garda Síochána, and on 14 October the de-boning operation at Rathkeale was shut down by the Department.

On 12 October, seven officers from the Department accompanied by gardai, two of them armed, went to the two parts of the Rathkeale plant, the boning hall and the cannery, with another search warrant and seized more documents. Among them were all the production records, including a day-to-day production diary kept by the cannery manager. For it was now becoming clear that, as well as selling intervention beef which did not belong to it, there was another, related, scam in the cannery.

In July and August 1991, the cannery at Rathkeale was contracted by the Department of Agriculture on behalf of the EC to process and can 1,600 tonnes of frozen intervention beef as EC food aid to the then Soviet Union. This meat should have been stewed, canned, and handed over to the

Department for export, with the plant being paid a straightforward fee of £1.25 million. Instead, the mix prepared for canning used 180 kilograms of beef for every 200 kilograms the plant was given, with 20 kilograms made up mostly of frozen hearts, with some additions from old cows, low-grade forequarter beef, and what the company called 'buffer stock', a floating reservoir of meat used to make up weights when intervention product was deficient due to theft or loss. According to the workers who mixed the meat, some of the hearts going into this enormous stew were green.

This relatively straightforward scam was, however, part of a bigger picture. By using hearts and old beef in the Russian canning operation, large amounts of intervention beef were freed to be sold. In all, 10,725 cartons of intervention beef which should have been used for food aid to Russia were instead taken by the company for its own stock. These could then be put back into intervention, making up for the beef ripped off by the company and sold to its commercial customers. Meanwhile, the company was free to 'harvest' valuable commercial cuts for its supermarket customers.

The seized papers, as well as those supplied by John Lynch and the direct evidence of seventeen workers in the factory, leave no doubt at all that there was large-scale and systematic abuse of the intervention system at the Rathkeale plant, and the tribunal report confirmed this. Meat that was meant to be a gift from the richer European countries to the poor of Russia had been transformed instead into yet another subsidy to Goodman International.

The documents produced by John Lynch and seized by the Department detailed the 'harvesting' of cuts worth nearly £1 million. According to Lynch, the company earned on average between £5,000 and £6,000 a day from the practice. The Department's analysis of the documents shows that the figure varied between £100 and £26,000 a day. This extra profit was achieved by having the carcass cut in such a way as to produce specific supermarket cuts instead of the proper intervention cuts. This had to be done in a conscious, deliberate and organised manner.

However, the Department of Agriculture officials in the plant failed to notice any of this. The supervising Agricultural Officer said that he 'never came across it'. Another AO 'didn't see it or I wasn't aware of it'. A Veterinary Inspector declared that he 'never saw it'. The vet who had overall charge of the supervisory staff 'never saw it happen'; he also admitted that certificates issued by him on behalf of the Department had in fact been printed by the company, which supplied 'all secretarial services'. The tribunal report found that the Department had 'failed to exercise adequate control' over the beef in the plant, and that it had been in clear breach of EC law, but that this failure resulted from inadequate staffing levels.

The company did not directly deny that beef was misappropriated on a large scale at Rathkeale. Gerry Thornton, when one document showing that thirty-eight boxes of a particular cut of beef had been placed into company stock, was put to him along with a suggestion that they 'came out of intervention beef', replied that 'I have to agree with you on that'. He then added that 'there may be other explanations for it in the light of the Rathkeale situation'.

According to Thornton, neither he nor any of his staff at Ravensdale knew anything about what has happening at Rathkeale. Such matters, he said, were 'the responsibility of local management'.[4] Since the local managers refused, as is their right, to answer questions which might tend to incriminate them, it is difficult to test such assertions. According to Thornton, he attempted to conduct his own investigation into events at Rathkeale, but 'could not conclude' it because it might cut across investigations by the Garda Síochána and the Department of Agriculture. Nevertheless, he suspended two senior managers at the plant. Company policy, he said, was that 'we do not and would not condone any such activities if indeed the allegations proved to be correct.'

Larry Goodman himself was equally emphatic that he had

absolutely no knowledge of what was happening at Rathkeale, and that had he known 'I certainly wouldn't have tolerated it'.[5] He said that he was 'not familiar with the daily system or the weekly system in the different factories'. The tribunal report remarked that there was 'no evidence in the proceedings before the tribunal to contradict the evidence in this regard' of Larry Goodman and Gerry Thornton.

If Goodman's top management could claim ignorance, no such excuse was available for the Department of Agriculture. It took more than a decade for the allegations of 'harvesting' of beef from intervention, first made to the Department in 1980, to be brought home. How much beef was stolen from under its nose in the meantime is anybody's guess.

Small-time criminals enjoyed no such luck. In April 1993, Judge Michael Moriarty, who had dealt with the Nobby Quinn case in 1987, presided over another beef-related case in the Dublin Circuit Criminal Court. Before him was a forty-one-year-old man from Finglas. The man, who described himself as a compulsive gambler, had connected a container of intervention beef to a stolen trailer at Dublin docks and driven it away. He was arrested shortly afterwards, having been questioned by the Harbour Police. For his involvement in the theft of £45,000 worth of intervention beef, a small fraction of what was stolen at Rathkeale alone, the judge sentenced him to five years in prison. If the judge hoped that this stiff sentence might serve as an example to like-minded miscreants, his warning came too late.

20

The Public Interest

When the President does it, that means it's not illegal.
Richard Nixon during the Watergate affair

The unsettling of a nation is an easy work, the settling is not.
Vincent Gookin, *The Great Case of Transplantation in Ireland* (1655)

DEMOCRACY, ONCE UNHINGED, is not easily set back in place. Over a period of five years, certain fundamentals of democratic government – accountability to parliament, the assumption that governments obey the law, the conduct of an independent foreign policy, the right of citizens to consent to the actions of their government – had been set aside. The government had conducted a secret policy at odds with the stated principle of Irish neutrality, with public agreements between the government and the social partners, with the constitutional requirement that the government be answerable to parliament, and, in some instances, with the law of the land. In effect, it had detached itself from the things which make democratic government democratic.

This implicit detachment became, in the course of the tribunal, quite explicit. Early on in the proceedings, the Attorney-General's office made and sustained an extraordinary distinction between the public interest and the state's interest. This distinction was itself compounded in practice by identifying even the state's interest with the interest of one of the political parties that then made up the government. This has, in a democracy, very profound implications. If it is permissible to divorce the public interest from the interest of the state, then the state becomes a kind of free-floating entity, an apparatus whose interests no longer derive directly from the people but exist independently of it. Such a separation begins to threaten the very nature of representative democracy.

The question arose in different ways, one public and the other private. The first was a straightforward clash between Mr Justice Hamilton and the state legal team, which was under the direction of the then Attorney-General, John Murray. It happened in the early days of the tribunal, in November 1991, when questions were asked about the role of the Department of Agriculture and the Attorney-General.

Counsel for the United Farmers' Association objected at one point that, in his view, the Attorney-General's legal team was dealing with evidence so as 'to represent the Department's interest, which is not necessarily the role of the public interest'. Mr Justice Hamilton replied that this was not the case since 'Mrs Justice Denham in the High Court has held that the Attorney-General is representing the public interest'. Counsel for the Attorney-General then objected that it was the tribunal legal team and not his own which was representing the public interest.

Mr Justice Hamilton then intervened again: 'No, they are not. We have to have regard to the public interest but you are not going to put the job of representing the public interest on counsel for the tribunal, or on the tribunal itself. You represent the public interest.' The Attorney-General's counsel, however, adamantly refused to accept this, saying 'No, the tribunal is acting on behalf of the public interest'. In the face of this refusal of the Attorney-General to accept the role of representing the public interest, Mr Justice Hamilton subsequently ruled that, while the Attorney-General had a role as 'protector of the public interest', he had asked counsel for the tribunal to 'have particular regard to the public interest'.

In effect, the Attorney-General insisted that his role in the tribunal was to represent the state apparatus, not the public. For the most part, however, the Attorney-General did not even represent the government of the day, made up of Fianna Fáil and the Progressive Democrats, but only the Fianna Fáil part of it.

The stresses involved in the maintenance of this position manifested themselves in the bizarre behaviour of a member of the state legal team, Gerard Danaher, a man closely associated with Fianna Fáil and with Albert Reynolds, who had, in early 1992, replaced Charles Haughey as Taoiseach. On three separate occasions in 1992, while the tribunal was in progress and Reynolds's evidence was eagerly anticipated, Danaher intimated to Adrian Hardiman, the senior counsel acting for Des O'Malley, then Minister for Industry and Commerce, that he should not cross-examine Reynolds but leave the job to one of the junior counsel on O'Malley's team.

In the first conversation, in March 1992, Danaher, in the words of a later judgment by the Barristers' Professional Conduct Tribunal,[1] told Hardiman that 'it would not be good for Mr Hardiman's career to cross-examine An Taoiseach'. Three or four months later, in the Shelbourne Hotel, Danaher put it to Hardiman's wife that it would not be 'in the best interest of' Hardiman to cross-examine Reynolds, and that his 'future work and long-term interests could be affected if he carried out this cross-examination himself because the Fianna Fáil party was likely to be in power for a long time and had a long memory.'

In September, a few weeks before Reynolds took the stand, Danaher told Paul O'Higgins, another barrister and a close friend of Hardiman's, in Doheny and Nesbitt's pub in Dublin that

> if Mr Hardiman cross-examined An Taoiseach, persons other

> than himself [Gerard Danaher] of whose actions he disapproved would expose Mr Hardiman's tax affairs, in respect of which they had extensive and damaging information sworn on affidavit, and that such exposure would occur on the same morning as An Taoiseach might receive bad publicity arising out of cross-examination by Mr Hardiman.

Hardiman was 'both bewildered and distressed' by this third threat, and the Professional Conduct Tribunal found that all three were intended to be communicated to him, and that 'at the least these utterances were designed to cause some element of unease and disquiet in Mr Hardiman's mind'. It found that there was 'just sufficient doubt' to prevent proof that Danaher's intention was actually to intimidate Hardiman, and that Hardiman did not in fact allow himself to be intimidated. But it found 'the repetition of the matter, the identity of the persons to whom it was repeated, the increasing detail from conversation to conversation as well as the contents of the utterances themselves to be gravely disquieting.' These 'grossly improper' actions, occurred, it said, when Danaher 'was involved on one side of the beef industry tribunal, which was a tribunal of major legal, political and public controversy.'

In March, 1993, immediately after the Professional Conduct Tribunal issued its report, Gerard Danaher resigned from his position on the State legal team. He appealed against the Tribunal's findings that he had been guilty of conduct unbecoming a barrister and likely to bring the profession into disrepute. In July 1993, the Barristers' Professional Conduct Appeals Board, upheld his appeal and found him guilty merely of breaching proper professional standards. It was clear from this finding that the Appeals Board took a much less serious view of the incidents than the Professional Conduct Tribunal had done, and that it felt that Danaher's transgressions were minor ones of no great import. It re-affirmed, however, the finding that he had made the statements complained of.[2]

A much less bizarre manifestation of the idea that the

public and the state had different, and even opposing, interests was the payment of £385,000 to two firms of consultants for services to the state legal team at the tribunal.[2] This money was paid from the Exchequer – and therefore by the public – for services to a legal team which explicitly denied that it was representing the public interest. One firm of consultants, John Hogan & Associates, undertook economic analysis, employing experts from as far away as Australia and the United States. The other, Carr Communications, was employed, according to the Secretary of the Department of Agriculture, Michael Dowling, to ensure that 'the State's position is not misrepresented in newspaper and television accounts of the tribunal proceedings' – in other words, to influence media coverage so that it would be as favourable as possible.

This payment of public money to people who were explicitly not representing the public interest is of concern in itself. What is more remarkable, however, is that this money was not even spent on behalf of the state, but on behalf of one part of the state apparatus which was in dispute with another.

In the first place, the Secretary of the Department of Agriculture was only consulted on the appointment of John Hogan & Associates the day after they began work, and was told that Albert Reynolds had already agreed that they be appointed. Mr Dowling told the parliamentary Public Accounts Committee that as far as the allegations against the state were concerned, the civil servants and the politicians themselves were in the best position to offer a defence, and therefore 'it is difficult to see how anyone could be of assistance other than people who were directly involved.' The central part of the state apparatus involved, therefore, had doubts about the usefulness of this expenditure.

In addition, it is clear that the consultants were effectively employed before the state apparatus itself could sanction their employment. In the case of John Hogan & Associates, the expenditure was sanctioned by the Department of

Finance three weeks after they began work. Furthermore, the initial 'request' made by the Department of Agriculture for 25 days of assistance from the firm became 284.5 days, over ten times more work than the Department asked for originally.

In the case of Carr Communications, sanction for the expenditure did not issue from the Department of Finance until seven months after the company was engaged and working.

This public expenditure on services to the state apparatus, it bears repeating, appears to have worked for one branch of a coalition government only. While the Secretary of the Department of Agriculture understood that the role of the consultants was to work 'on behalf of all the people the tribunal team was representing' (which is to say, all relevant ministers and former ministers as well the civil service and state agencies), one of the ministers most directly involved in the events under investigation, Des O'Malley, made it clear that none of these services was ever offered to him.

The gulf between the state and the public interest became really apparent when, just as the tribunal was beginning to question members of the Fianna Fáil government of 1987–1989, the Attorney-General, acting, as the Supreme Court made clear, with at least the tacit approval of Albert Reynolds's government, sought and obtained from the Supreme Court a ruling that it was unconstitutional for the tribunal to inquire into Cabinet discussions, even though Mr Justice Hamilton had stated such inquiries to be in 'the public interest' and 'fundamental' to his inquiry.

When this case came to the High Court in July 1992, the judge, Mr Justice Rory O'Hanlon, made it clear in his ruling just what the Attorney-General was proposing to do. It had not, he said, been unknown in the history of government in other countries for totally corrupt administrations to come to power and for their members to enrich themselves at the expense of the public purse. Were such a situation ever to arise in Ireland, the effect of the Attorney-General's submissions would be to prevent any tribunal or inquiry from obtaining the information it needed to establish guilt where guilt existed.

'I do not,' he added, 'consider that our Constitution has failed to protect the public interest in the manner suggested. It would hardly be a model of its kind if it were so deficient in such an important respect.'[3] What the judge was saying was clear – if the Attorney-General's action succeeded then not merely could no tribunal ever uncover corruption if it existed at government level, but the whole basis for Irish democracy would be fundamentally deficient.

This ruling, however, was overturned by the Supreme Court. While two of its judges supported the High Court ruling, the other three found that the Constitution was indeed deficient in precisely the respect that Judge O'Hanlon had pointed to: it did not protect the public interest when that interest conflicted with the interest of the government. And, indeed, in the final report of the tribunal, Mr Justice Hamilton made it very clear that the success of the Attorney-General's action meant that he (the judge) was 'precluded from inquiring into and reporting on the factors which influenced the Government in reaching' its decisions on Iraq. No one – not the two houses of parliament which commissioned the report, not the President of the High Court who conducted the inquiry, not, above all, the public in whose 'national interest' the decisions were made – can ever know why the whole thing happened.

What the public could know, as the tribunal report found, was that there had been, for three years, a sustained and intense relationship between a government and a company. It could know that in the course of that relationship the government broke the law and asked few questions of the company. It could know that the company was, at the same time, abusing public funds on a large scale and contriving to cheat the public of taxes. It could know that, at the end of it all, it, the public, still faced potential liabilities of up to £200 million, liabilities which it had unknowingly incurred without any benefit in order to help a private company in Ireland and a violent dictator in Iraq. The rest was nobody's business.

Notes

Introduction

1. Translated by Thomas Kinsella in *The Tain*, Dolmen Press, 1970.
2. Quoted in A. T. Lucas, 'Cattle in Ancient and Medieval Irish Society', *O'Connell School Union Record 1937–1958*, Dublin, 1958.
3. Lars Mjoset, *The Irish Economy in a Comparative Institutional Perspective*, National Economic and Social Council, Dublin, 1992, p. 209.
4. David S. Jones, 'The Cleavage Between Graziers and Peasants in the Land struggle, 1890–1910' in *Irish Peasants*, edited by Samuel Clark and James S. Donnelly Jnr, Dublin, 1983.
5. Paul Bew, 'Sinn Féin, Agrarian Radicalism and the War of Independence, 1919–1921' in *The Revolution in Ireland, 1879–1923*, edited by D. G. Boyce, London, 1988.

Chapter 1

1. 5,30.
2. Charles Haughey, *The Spirit of the Nation*, edited by Martin Mansergh, Mercier Press, Cork, 1986, pp. 49–51.
3. 5,33.
4. Seamus Heaney, 'Ancestral Photograph' in *Death of a Naturalist*, Faber & Faber, London, 1966, p. 26.
5. John McGahern, *Amongst Women*, Faber & Faber, London, 1990, pp. 11–12.

6. 192A, 14.
7. 181A, 41.
8. *ibid.*
9. 181A, 30.

Chapter 3

1. Kanan Makiya, *Republic of Fear*, pp. 70–72.
2. 12A, 54.
3. 99A, 54.
4. 79A, 74.
5. Dilip Hiro, *The Longest War: The Iran-Iraq Military Conflict*, Paladin, London, 1990, pp. 250–1.
6. *US News and World Report*, 18 May 1992, p. 48.
7. Alan Friedman, *Spider's Web*, Faber & Faber, London, 1993, p. 141.
8. 82B, 114.
9. 175B, 110 ff.; 176A, 1.
10. 183, 47, 50.
11. 161A, 37–41.
12. 161B, 83–4.
13. Friedman, *op. cit.*, p. 136.

Chapter 4

1. 37A, 50.
2. 38A, 24.
3. 17A, 3.
4. 17A, 4.
5. 17A, 10.
6. 37B, 80.
7. 27A, 26.
8. 184A, 20.
9. 27A, 26.
10. 27A, 30.
11. 17A, 28.
12. 184A, 23.
13. 148A, 26.

14. 186A, 17–20.
15. 184A, 27.
16. 27A, 36.
17. 27A, 44.
18. 179B, 138.

Chapter 5

1. 79A, 73.
2. 180A, 56.
3. 177B, 106–7.
4. *Irish Times*, 8 December 1981.
5. 135C, 152–3.
6. 135C, 184–7; 177B, 111; 178A, 66.
7. 33A, 1.
8. 33A, 8–9.
9. 80A, 6.
10. 134A, 14–15; 133A, 30.
11. 69A, 24.
12. *Dáil Debates*, 18 June 1987, col. 2789–90.
13. 126A, 14–15; 126B, 61, 74, 88.
14. 128A, 6.
15. 180A, 60.

Chapter 6

1. 116A, 10.
2. 116A, 26.
3. 178A, 51.
4. 116A, 27.
5. 115A, 31.
6. 226A, 12.
7. 17A, 39.
8. 112A, 29.
9. 112B, 91.
10. 17A, 68.
11. 112B, 60.
12. 112B, 86.

13. 226A, 12.
14. 24A, 96.
15. 112B, 60.

Chapter 7

1. Friedman, *op. cit.*, p. 106.
2. 177B, 105.
3. 128A, 10.
4. 133A, 20.
5. Hiro, *op. cit.*, p. 184–5.
6. 86A, 18.
7. A facsimile of this cable is included in Friedman, *op. cit.*, pp. 324–5.

Chapter 8

1. 180A, 63.
2. 178A, 59.
3. 180A, 66.
4. 180A, 66.

Chapter 9

1. 85B, 110.
2. 180A, 74.
3. 181B, 115.
4. 86A, 23–4.
5. 85A, 8.
6. 84A, 52.
7. 82B, 115.
8. 126B, 69.
9. 83A, 7.
10. 86A, 42.
11. 107A, 12.
12. 83A, 13–14.
13. 85A, 52.

14. 84B, 116.

Chapter 10

1. *Irish Times*, 2 December 1989.
2. 123B, 88.
3. 123B, 112.
4. 56, 18, 51.
5. 127A, 31.
6. 127A, 36.
7. 52A, 63.
8. 134A, 75.
9. 55B, 84–5; 55A, 72.
10. 52B, 161.
11. 126A, 43.
12. 56, 51–2.
13. 127A, 58.
14. 181A, 64.
15. 67A, 8.
16. 49B, 70.
17. 49B, 71.
18. 49B, 72.
19. NESC, *A Strategy for Development 1986–1990*, p. 268.
20. 155B, 67.

Chapter 11

1. 130B, 76.
2. 130A, 38.
3. 181A, 4.
4. 178B, 92.
5. 98A, 64–65.
6. 79B, 99.
7. 68B, 46.
8. 58B, 60.
9. 69A, 47.
10. 62B, 99.
11. 92, 34.

12. 126B, 62.
13. 128B, 110.
14. 69A, 54.
15. 62B, 109.
16. 82A, 19–20.
17. 130A, 37.
18. 59A, 51–2.

Chapter 12

1. 182A, 25.
2. 103A, 60.
3. 98A, 21–2.
4. 98A, 53.
5. 98A, 66.
6. 98B, 71.
7. 98B, 73.
8. 85A, 17–18.
9. 103A, 58.
10. 103A, 50–1.
11. 103A, 10.
12. 133A, 56.
13. 103A, 14.
14. 103A, 48.
15. 130B, 100.
16. 175A, 61.
17. 49B, 73.
18. 83B, 89–91.
19. 83A, 63.
20. 83A, 25.
21. 97B, 104.
22. 175A, 68.
23. 181A, 7–8.
24. 133A, 65.
25. 135B, 140; 135C, 179.
26. 133A, 65.
27. 109A, 20.
28. 69B, 88.
29. 86A, 47.

30. 84A, 26.
31. 99A, 31–2.
32. 98A, 44.
33. 133A, 65.
34. 175A, 26.
35. 176A, 11.
36. 133A, 68.
37. 134B, 138.
38. 181A, 13.
39. 130B, 78.
40. 83A, 47.
41. 133B, 90.

Chapter 13

1. 24A, 78ff.
2. 133B, 91.
3. 126A, 17–18.
4. 133B, 139.
5. 182B, 134.
6. 193A, 46.
7. 193A, 12.
8. 120B, 59.
9. 119B, 111.
10. RTE Radio, *News at One*, 7 September 1992.
11. 88A, 14.

Chapter 14

1. 126B, 81.
2. *Dáil Debates* 12 April 1989, col. 995–998.
3. 126B, 90.
4. 30A, 34–5.
5. 31A, 5.
6. 30B, 104.
7. 30A, 43–4.
8. 49A, 47.
9. 181A, 50.

10. 181A, 52.
11. 177A, 45.
12. 181A, 52.
13. 178B, 75.
14. 180A, 37.
15. 127B, 79.
16. 51A, 6.
17. 114, 53–4.
18. 55A, 22.
19. 114, 47–52.
20. 134A, 85–6.
21. 180B, 129.

Chapter 15

1. 181A, 87.
2. 102A, 41.
3. 135B, 142.
4. 129, 4.
5. 114, 56.
6. 133B, 98.
7. 133B, 98.
8. 109A, 51.
9. 119B, 93.
10. 176A, 29.
11. 135C, 168.
12. 175A, 34.
13. 74, 14.

Chapter 16

1. 87B, 78.
2. 110A, 60.
3. 129, 11.
4. 102A, 60.
5. 110B, 112.
6. 80B, 67.
7. 81, 32.

Chapter 17

1. 12A, 10.
2. 12A, 38.
3. 184A, 81.
4. *The Subsidised Exports of European Union Beef to West Africa*, EUROSTEP, Brussels, December 1993.
5. 184B, 84.
6. 176A, 36.
7. 178B, 120.
8. 23A, 57.
9. 13B, 86, 89.
10. 23A, 66; 23B, 90.

Chapter 18

1. 126B, 54.
2. 125B, 55.
3. 84B, 100.
4. 84B, 111.
5. *Dáil Debates*, 2 September 1994, col. 711–714.
6. 127A, 9.
7. *Irish Times*, 16 March 1989.
8. 177B, 89.
9. 30A, 7.
10. 178B, 88.
11. 94, 52.
12. 110B, 90.
13. 80B, 73.
14. 76A, 29.
15. 161B, 87–8.
16. 176A, 55.
17. 81, 34.
18. 110B, 81.
19. 111B, 79.
20. 30B, 68–9.
21. 178A, 15.

22. 182A, 47–52.
23. 180A, 90.
24. 83B, 105.
25. 83B, 109.
26. 173A, 60.

Chapter 19

1. 162A, 52.
2. 218A, 47.
3. 186A, 37.
4. 186A, 40.
5. 182B, 102.

Chapter 20

1. Decision of Barristers' Professional Conduct Tribunal, 3 March 1993. The complaint against Gerard Danaher was brought by the Bar Council's Professional Practices Committee. The hearings took place between 6 and 28 February, and the decision was issued on 4 March.
2. See transcripts of Oireachtas Public Accounts Committee for 10 March 1994, Vote 32, pp. 43 ff.
3. *Irish Times*, 11 July 1992.